U0785092

史記精言妙語

張大可文集

第五卷

创于1897
The Commercial Press
商務印書館

图书在版编目(CIP)数据

史记精言妙语/张大可著．—北京：商务印书馆，2013
(张大可文集)
ISBN 978-7-100-09390-3

Ⅰ．①史… Ⅱ．①张… Ⅲ．①中国历史-古代史-纪传体 ②通俗读物 Ⅳ．①K204.2-49

中国版本图书馆CIP数据核字(2012)第202589号

所有权利保留。
未经许可，不得以任何方式使用。

史记精言妙语
张大可 著

商务印书馆出版
(北京王府井大街36号 邮政编码100710)
商务印书馆发行
北京德富泰印务有限公司
ISBN 978-7-100-09390-3

2013年5月第1版 开本 640×980 1/16
2013年5月北京第1次印刷 印张 38 1/4

定价：155.00元

内容提要

司马迁写《史记》，强调“成一家之言”。“言”就是议论、理想和主张。司马迁的“一家之言”熔铸在《史记》中，表现为他对哲学、人生、社会、政治、经济、军事、文化、伦理、道德各个领域的观点，内容极其丰富。司马迁又是一位语言巨匠，《史记》字里行间蕴藏许多精言妙语，内涵深厚的人生哲理，它将给予我们以多方面的启迪和教益，可以作为我们人生修养的座右铭。因此，“史记精言妙语”是《史记》思想内容的一个组成部分，它涉及广阔的历史内容，其中包含许多典故，引出许多历史人物，读者在欣赏中仿佛置身于历史人物的环境中，面对面亲切交谈，不知不觉在潜移默化中受到教育，知古鉴今，无疑是很有意义的。本书选题“史记精言妙语”，实质就是从《史记》一书中采摭的司马迁语录，既是一部备查司马迁“一家之言”的工具书，同时又是一部普及《史记》的中级读物，适于广大文史爱好者翻检和阅读。本书体例，一段语录，一节译文，一段评点，层层深入，雅俗共赏，这一文献整理形式可以说是尝试普及国学精品的一种创新。作为语录，一条条的精言，又具有独立性，它的字面意义与思想内涵，每个读者都可以作断想和发挥，以迸放语言蕴藏的思想火花。也就是说，每个读者完全可以作出创造性的阐释，翻出新意，既陶冶性情，又使《史记》精言保持万古长青。从这个意义上说，编者的评点，也就是一家之言的翻新。本书收入中州古籍出版社的“中国古典名著精言妙语辞书系列”，于 1999 年出版。本书 2005 年收入华文出版社出版的《史记研究集成》。书后又二次精选“史记妙语”100 条，以另一种方式品读阐释，旨在提供翻新的又一体式，供读者采择、借鉴。本次收入文集编列为第五卷。

凡　例

编写本书的目的，就是为了开发《史记》一书的精言妙语，供人欣赏，陶冶情操，升华思想。在中国五千年悠久文化的长河中，那些为天地立德，为人生立言，为万世太平立功的思想家、政治家、军事家和学者，以他们自己的生活经验、理想追求和人格修养，吐发出金光闪闪的精言妙语，凝聚了哲人智慧的光芒，启迪和激发了一代又一代人的奋发精神。在中国古代，被誉为万世师表的孔子和亚圣孟子，一生留给中华民族最宝贵的遗产，就是两部语录典籍，即《论语》和《孟子》。司马迁是秦汉大一统时代产生的熔思想学术与语言文学于一炉的伟大作家。本书的编写就是辑释的司马迁语录。词条的排列及体例，说明如次：

一、本书共收《史记》精言妙语、妙事、典故 1010 条，按内容分为 37 个类目。

二、类目按主题拟出二字标题，加第一、第二为序列。司马迁集思想家、历史学家、文学家于一身，故全书 37 个类目按思想、史事、文学的序列构建，用以反映《史记》一书内容特色，突出司马迁一家之言。

三、类目中的词条排列，精言妙语类目占全书十之六七，依《史记》卷目及底本页码顺序排列；《明君》、《雄主》、《战阵》、

《昏暴》、《奸佞》等篇，按人物时代顺序排列；《成语》篇以及附录的成语按词条首字笔画数及起笔笔形排列。笔形顺序为横（一）、竖（丨）、撇（丿）、点（丶）、折（乛）五笔排列。第一字相同的，按第二字的笔画数和笔形排列，其余依此类推。即以卷目页码为基本顺序，以时间、笔画笔形为辅助顺序，个别条目以类相从，既便检索，又便阅读。

四、本书所收1010条词目，其中有315条在正文前用鱼尾括号（【】）标出提示语，在典籍或今人论著中已成为定型词语，故特加标识。这315条提示语，其中65条为史事、歌谣，250条为成语典故。在250条成语典故中，有140条评点着重思想内容，分散在各类目中，有110条评点着重成语字面内容，集中为一个类目，定题为“成语”。即本书“成语”篇只列有110条，而全书所采实为250条。《史记》全书的成语，据初步统计，有1000余条，已收入成语词典的有600余条，这就是书后所附录的条目。

五、词条内容，由正文、译文、评点三部分组成。正文摘句，以中华书局点校本（1959年9月出版）为底本，另行括注卷目及页码。译文，以直译为主，兼采意译，使行文流畅。评点，首句多指出词目原始出处。精言妙语，用“语出某篇”；精言妙事，用“事出某篇”；成语典故，用“典出某篇”。加以区分，便于读者掌握。

类目之外，特标“妙语精选一百条”，在“内容提要”中已做交代，是二次精选的史记精言，换一种阐释方式，以示采撷精华的创新。每条原文的串译置于文末，用楷体字标识。括注中华书局点校本《史记》的卷数/页码，以备检索。“附录”摘取俞樟华在《史记艺术论》一书中关于《史记》中成语的条目，以备爱好者查询。

目　录

箴言第一

【引言】 箴言篇，凡 75 条。司马迁在《与挚伯陵书》中有言：“太上立德，其次立言，其次立功。”这三句话概括了古人对于人生价值的认识，他们认为人生天地间，无非就是如何做人，如何为学，如何从政。司马迁把立言放在立功的前面很有深意。他推崇孔子为万世师表，效法孔子修《春秋》而创作《史记》。司马迁发愤著书，目的就是要留言于世间。在《史记》中，司马迁用心血凝练出无数金光闪闪的格言和警句，还大量采集民谚歌谣和前人著述的人生箴言，留下宝贵的语言财富。箴言集中选录为人、为学、为政的人生格言条目，列于篇首为全书提挈。司马迁所采古谚特别分出，以见中华民族人生箴言的源远流长，列于第二篇。

信饬百官，众功皆兴。（卷一《五帝本纪》/17 页）

【译文】 认真地告诫百官各守其职，各种事情都能兴办起来。

【评点】 尧告诫历法官羲氏、和氏之言，原载《尚书·尧典》，作“允厘百工，庶绩咸熙”，司马迁引用作了逐字转译。信，《说文》：“诚也，从人言。”指说话真实。这里作副词用，真诚、认真之意，也可引申为及时。饬，《史记集解》引徐广曰："古勅字。"勅，告诫。功，业绩。"信饬百官，众功皆兴"，原义为尧命令羲氏、和氏把历法节令及时告诉百官，以使各种事业都能及时兴办。可断章取义，引申为：认真地整顿好政府各级机构和领导，就能调动起群众的积极性，各种事业都能兴办起来。

不以天下之病而利一人。（卷一《五帝本纪》/30页）

【译文】 不能让全天下的人受害而使一人得利。

【评点】 尧择任继承人时所说的话。传说上古帝王尧年老，儿子朱丹不成才，要找一位继承人，众臣推荐了贤明的舜。舜继承帝位，天下之人都得利而朱丹一人受损害。如果朱丹继承帝位，则天下之人都受害而朱丹一人得利。两相权衡，尧说了这句话，选定舜作继承人。司马迁引此语，表明他对战国时的杨朱"拔一毛以利天下而不为"的极端利己主义的批判态度。病，《说文》："疾加也。"指重病。在这里与"利"对举，指十分有害。

"在知人，在安民"；"知人则智，能官人；能安民则惠，黎民怀之。能知能惠，何忧乎驩兜，何迁乎有苗，何畏乎巧言善色佞人？"（卷二《夏本纪》/77页）

【译文】 治理天下，关键在于了解人才，安抚民众。了解人才就是明智，这样才能恰当地任用人做官；能安抚民众就是仁爱，这样黎民百姓才能拥护你。既明智又仁爱，何必忧虑驩兜呢，何必流放有苗呢，何必害怕花言巧语的谄媚小人呢？

【评点】 皋陶与大禹两人问对之言。知人，是任贤；安民，是仁爱大众，使其安居。做到这两点，就不怕奸人为非了。

"人视水见形，视民知治不"；"鉴于水者见面之容，鉴于人者知吉与凶"。（卷三《殷本纪》/93页；卷七九《范雎蔡泽列传》/2423页）

【译文】 人们察看水可以了解自己的形象，察看民情可以知道国家是否治理；用水来映照可以看出面貌的美丑，拿前人来对照可以推断事情的吉与凶。

【评点】 前二句商汤王之言，指为政者要善察民情调理政治；后二句蔡泽劝说范雎隐退之语，泛指所有的人，若要趋善避祸，不可不吸取前人的经验。形，形体，形状。容，容颜，容貌。不，读“否”。鉴，《说文》：“大盆也。”古代以盆取水照形，所以鉴通镜，引申为借鉴、对照。

前事之不忘，后事之师也。（卷六《秦始皇本纪》/278 页）

【译文】 记住过去做事的经验教训，可以作为今后做事的借鉴。

【评点】 语出贾谊《过秦论》，又见《战国策·赵策一》，可见这是古代流行的成语。类似的成语有“前车覆，后车鉴”。汉代韩婴《韩诗外传》卷五云：“或曰：前车覆而后车不诫，是以后车覆也。故夏之所以亡者，而殷为之；殷之所以亡者，而周为之。故殷可以鉴于夏，而周可以鉴于殷。”

大行不顾细谨，大礼不辞小让。（卷七《项羽本纪》/314 页）

【译文】 干大事不拘小节，行大礼不避小的责难。

【评点】 汉将樊哙劝汉王刘邦逃离虎口之言。大行，指做大事。细谨，细小的过分的谨慎。不辞，不拒绝，不回避。小让，小的指责。刘邦与项羽相会鸿门宴，当时形势危急，刘邦为鱼肉，项羽为刀俎。樊哙劝刘邦赶快逃离，不辞而别，虽然礼节上对主人项羽有些怠慢，但若要辞行，很可能被扣留。在这种形势下，樊哙的话是正确的。刘邦于是抄小道带领随从跑回自己军营，留下张良向项羽道歉。这两句话具有普遍意义，遇到大事、难事，要权其轻重，牺牲小利小节，保住大利大节，是成功的行为准则。

所言公，公言之；所言私，王者不受私。（卷十《孝文本纪》/415 页）

【译文】 所要说的是公事，就请当众讲；所要说的是私事，做王的人不接受私情。

【评点】 代王中尉宋昌对京师太尉周勃之言。西汉高后八年（前 180）秋，吕太后死，汉大臣诛死诸吕，迎立代王刘恒即帝位。代王一行到达长安渭桥，丞相以下大臣由太尉周勃率领出迎。群臣拜谒称臣，代王刘恒也下车答拜。这时太尉周勃要求众人回避奏事，于是宋昌说了“王者无私”的一席话，既表明了代王来京的大公无私，也义正辞严地要求周勃公开表明态度，实际上就是要代王堂堂正正地在众人面前接受皇帝印。其实周勃也没有别的话，只好当众献上皇帝玺符。由此可见代王有威众的能力，于是即皇帝位，果然成为西汉的明君。他就是汉文帝。

祸自怨起而福由德兴。（卷一〇《孝文本纪》/427 页）

【译文】 祸患都是由怨恨引起，而幸福则是由积德带来的。

【评点】 汉文帝诏书之言。宫中有一种担任祭祀的秘祝之官，国家每有灾难，都通过他们向神灵祈福，把过失推给臣下。汉文帝认为这是一种文过饰非的弊政，于前元十三年（前 167）夏四月，下诏废除。第二年，即前元十四年（前 166）正月，再次下诏祠官祭祀，禁止只为皇帝祈福，而要求秘祝为百姓祈福。汉文帝连年下诏书责己爱民，表现了他的开明。文帝认为由怨而起祸，由德而兴福，作为君主要积德累善，那么上下相安，自然太平。对于人生，也是一个修养过程，多行善，少作恶。《荀子·劝学》篇说：“积善成德，而神明自得，圣心备焉。”这些格言至今仍有教育意义。

【志古自镜】居今之世，志古之道，所以自镜也，未必尽同。帝王者各殊礼而异务，要以成功为统纪，岂可绲乎？（卷一八《高祖功臣侯者年表序》/878 页）

【译文】 生活在今天的人们，也应该记住古代的行事，是为了给当代作镜子来对照，不一定要跟古代的做法一样。各代帝王尽管各有各的不同礼法及不同的要务，但总以获得成功为其根本，所以借鉴并不是强调要混同古今。

【评点】 司马迁对以史为鉴的阐释。居，生活。志，通诔，《说文》："记志也。"镜，镜子，用如动词，照镜子。这段话是"志古自镜"成语的出处。司马迁把以史为鉴的道理说得很深透，记住往古的历史教训作为镜子，为的是巩固统治，并不是要混同古今，这与复古主义有本质的区别。司马贞《史记索隐》解释说："言居今之代，志识古之道，得以自镜当代之存亡也。"此论深得司马迁述史之旨。这说明司马迁述史，并非仅发思古之幽情，而为了今世之治，故现实的行事更应总结。所以《史记》详今略古，载汉代历史特详。以全书篇目计，130 篇中，专载汉史 62 篇，兼载汉史 13 篇，合计 75 篇。全书 52.65 万字，75 篇汉史约二十六七万字。无论篇目和字数，百年汉史均过半数。可以说《高祖功臣侯者年表序》指出的"志古自镜"，不仅具有哲理意义，而且具有史学意义，它提示了《史记》创作意图的精微意义，值得认真玩味。

妖不胜德。（卷二八《封禅书》/1356 页）

【译文】 妖祸战胜不了仁德。

【评点】 商王帝太戊大臣伊陟之言，当时有桑榖生于廷，一夜之间长成合抱粗的大树，人们认为是妖孽作怪，十分恐惧。伊陟劝帝太戊修德，他说"妖不胜德"，指邪不能胜正。太戊修德，桑榖果然枯死。

众怒不可犯。众怒如水火，不可救也。（卷四〇《楚世家》/1707～1708 页）

【译文】 众人的愤怒是不可以触犯的。因为众人都愤怒起来，就像洪水烈火一样，是无法解救的。

【评点】　前一句为楚灵王之言，后二句为楚平王之言。楚灵王穷兵黩武，百姓嗟怨。公元前529年，其弟弃疾利用国人怨愤的情绪，杀了楚灵王的太子熊禄，另立公子比为王。楚灵王深感众叛亲离，"众怒不可犯"，逃匿山中，自缢而死。而公子比长期出使晋国，国人不亲附，弃疾又利用国人情绪，以"众怒如水火，不可救也"的说词逼公子比自杀。弃疾即位，是为楚平王。后世"众怒难犯"成语出此。犯，触犯，对抗。人民群众一旦愤怒起来，是不可对抗的。为人处世也同政治生活一样，切不可脱离群众，一旦成为孤家寡人，必将一事无成。

从善如流，施惠不倦。（卷四〇《楚世家》/1710页）

【译文】　听从正确意见像流水一样，布施恩惠于人永不倦怠。

【评点】　晋正卿叔向赞扬齐桓公之言，原载《左传·昭公十三年》，又见《左传·成公八年》"君子曰"。说明这两句是古代流行的成语，包含对己严、对人宽之意。经常用于赞扬那些乐于接受别人的批评意见，并从中获得好处的人。齐桓公，春秋齐国国君，五霸之一。他不记仇怨，任用原先的政敌管仲，使齐国富强，霸业成功，所以获得了这样的赞誉。

鸷鸟之击也，必匿其形。（卷四一《越王勾践世家》/1743页）

【译文】　凶猛的鹰鸟在袭击目标时，一定先把自己隐避起来。

【评点】　赵大夫逢同之言。越王勾践被吴王夫差打败，被困于会稽，臣事吴国，和谈成功，而发誓报仇。逢同劝谏说，猛禽捕取猎物总要先把自身藏起来。越国要发愤图强，报仇雪恨，也要先把意图掩盖起来。勾践采纳了这一建议，表面上更加亲善吴国，暗地里与齐、楚、晋等大国交结，挑动吴国与齐、楚、晋为敌，使之鹬蚌相争，越王勾践终收渔人之利，灭掉了吴国。成大事者，必先韬晦。历史上有许多这样的经验教训。

以权利合者，权利尽而交疏。(卷四二《郑世家》/1777 页)

【译文】 用权势财利相交的人，没有了权势财利，交情就疏远了。

【评点】 司马迁对郑厉公与郑大夫甫瑕互相利用的关系所作的评论，表现了对以势利交的批判。合、交，二字同义，指交友，结合。公元前 680 年，出居于栎的郑厉公突诱郑大夫甫瑕定盟，以求复位。甫瑕杀了郑子婴及其二子，迎立厉公突。突复位后以甫瑕事君有二心，杀了他。

无其实，敢处其名乎！(卷四三《赵世家》/1804 页)

【译文】 没有那样的实质，怎能有那样的名分。

【评点】 赵武灵王缓称王之言。公元前 318 年，东方六国之韩、魏、楚、齐、燕五国都先后称王，独赵武灵王称“君”，他认为以赵国当时实力不具备称王条件，所以不接受王的名号。实，与“名”相对，指实质，实际内容。名，为名声，名义，名分。《庄子·逍遥游》：“名者，实之宾也。”做事做人，都要名副其实，不能有名无实。

“夫有高世之功者，负遗俗之累；有独智之虑者，任骜民之怨。”“故论至德者，不和于俗；成大功者不谋于众。”(卷四三《赵世家》/1806～1807 页)

【译文】 凡有盖世功业的人，就要留下背弃习俗的骂名；有独特智谋的人，就要听任傲慢民众的埋怨。所以，谋求最高道德的人，不会与世俗同调；凡是干大事业的人，不会跟大众去商量。

【评点】 赵武灵王与大臣肥义讨论朝服骑射之言。高世，高出于世俗。遗，《说文》“亡也”，引申为留下。负，《释名》：“背也。”累，牵累，受损害。骜民，《正义》注：“敖慢之民。”赵武灵王推行胡服骑射的改革，恐遭人议论，与大夫肥义讨论对策。前一段话是赵武灵王说出的内忧，后一段话是肥义的回答，强调办大事的人，要有刚毅果断的精神，从而坚定了武灵王改革的信心和决心。

聪明深察而近于死者，好议人者也。博辩广大危其身者，发人之恶者也。为人子者毋以有己，为人臣者毋以有己。（卷四七《孔子世家》/1909 页）

【译文】　聪明深察的人常常受到死亡的威胁，因为他好评论人；博学善辩识见广大的人经常遭受困危，因为他好揭发人的短处。为人子、为人臣的人不要这样而留下身子以尽孝尽忠。

【评点】　老子送孔子之言。老子，即道家学派创始人李耳，他做周王室的守藏史，管理国家图书。孔子青年时曾去周京师洛邑向老子问礼，临别时老子以言相赠，告诫孔子要大智若愚，不要卖弄自己的聪明以遭杀身之祸。孔子后来周游列国，也曾在鲁国做司寇，言议不和则离身而去，老子的赠言，对孔子是产生了影响的。

“有文事者，必有武备；有武事者，必有文备。”“文武并用，长久之术也。”（卷四七《孔子世家》/1915 页；卷九七《郦生陆贾列传》/2699 页）

【译文】　有文治的，一定要有武备做后盾；有了武备，一定要有文治作配合。文治武备两手运用，这才是长治久安的好办法。

【评点】　前四句孔子之言，后二句陆贾之语。鲁定公十年（前 500）齐鲁两国在夹谷会盟，鲁定公不作戒备去赴约，孔子当时为鲁国大司寇，提出办理外交也要有武力准备，才能保持谈判的主动权。原来齐国打算用武力胁迫鲁国，见鲁国有了准备，才老老实实地进行和谈。汉高祖统一天下后，仍然不重视文教事业，陆贾指出马上得的天下却不能在马上来守住它，要文武并用，才能长治久安。汉高祖听取了陆贾建言，重视了文教政治的建设。文事，总指政治，具体事务有外交、文教、礼乐、制度等。武事，总指军事，具体事务有战备建设、发动战争、抗击侵略等。孔子与陆贾在不同场合阐述文武二者的关系，虽有不同的具体内容，而总的精神是一致的，即为政之道，必须文武并用，二者相辅相成，缺一不可。

浴不必江海，要之去垢；马不必骐骥，要之善走；士不必贤世，要之知道。（卷四十九《外戚世家》/1984 页）

【译文】 洗澡不一定要到大江大海里去，重要的是洗掉身上的污垢；骑马不一定要有名的千里马，重要的是善于奔跑；士人不一定要有超凡的天才，重要的是明白道义。

【评点】 褚少孙续补之语。原文还有两句：“女不必贵种，要之贞好。”女子不必是出身高贵，重要的是贞洁美好。这两句原是褚少孙说话的中心，用排比句列举了一连串的比喻，强调选帝王后妃不要看重门第，而要看重本人的品德修养。这在当时是很进步的思想。断章取义，褚少孙的这番话很富有哲理意义。一个人的事业成就，出身和条件不是重要的，后天的努力和发奋，才是至关重要的。

国之将兴，必有祯祥，君子用而小人退；国之将亡，贤人隐，乱臣贵。（卷五〇《楚元王世家》/1990 页）

【译文】 国家将要兴盛，一定有好的吉兆，贤才得到重用，不肖者被黜退；国家将要灭亡，贤才被埋没，乱臣得到重用。

【评点】 司马迁论赞之言。祯祥，吉祥的征兆。《说文》：“祯，祥也。”“祥，福也。”《礼记·中庸》：“国家将兴，必有祯祥；国家将亡，必有妖孽。”疏云，国家出现朱雀叫祯，出现凤凰叫祥，出现衣服草木之怪叫妖，出现禽兽虫蝗之怪叫孽。祯祥是福善的征兆，妖孽是凶险的征兆。司马迁引用作了改造，把国家兴亡的征兆与贤才是否得到任用联系起来，将唯心主义的天人感应论改造成为具有唯物主义精神的人才决定论，表现了他的进步历史观。

失火之家，岂暇先言丈人而后救火乎！（卷五二《齐悼惠王世家》/2004 页）

【译文】 失火的人家，哪能先去禀告家长再去救火的呢？

【评点】 魏勃自辩之言。丈人，一本作大人，即家长。西汉高后八年（前 180），吕太后死，以丞相陈平为首的朝臣设谋诛除诸吕。这时，山东齐王刘襄首先发难，声言进兵长安诛除诸吕。大将军灌婴奉命征讨。灌婴至荥阳，屯兵不进，与齐王通谋，以观事变。不久，陈平、周勃等朝臣诛杀诸吕，国家得到了安定。灌婴在置兵之前召见了齐王的将军魏勃，齐王起兵是魏勃首谋。灌婴责备魏勃为何擅自兴兵，魏勃说完上面两句话，而后退立一旁，两腿直打哆嗦。灌婴听说魏勃十分勇敢，所以亲自考问审察，见魏勃如此模样，哈哈大笑起来。灌婴说："人们都说魏勃勇敢，不过是个平庸之徒罢了，有什么作为呢！"在封建社会，没有朝廷命令，擅自行动，称为矫命，是大逆不道的，即便矫命做对了，也要责备一番。灌婴审魏勃也正是这个意思。魏勃表示畏惧，有两种可能，一是对开国元老一代名将灌婴真的惧怕；再是表示胆怯，却是一种韬晦的自安之术，或者兼而有之。因为当时齐王刘襄是高帝庶出长子刘肥之子，也就是高帝的长孙，朝中许多大臣都要拥戴他为皇帝，因此灌婴的审视，是朝廷政治斗争的表现，他可能是受朝命了解齐军虚实的。由于魏勃说出了绝对正确的话，本身又无多大能耐，灌婴释放了他。魏勃的回答是当时流行的民谚，它告诫人们，在急难之时，要当机立断。

以貌取人，失之子羽。（卷五五《留侯世家》/2049 页）

【译文】 用相貌来评论人物，对子羽的判断就会失误。

【评点】 司马迁论赞所引孔子之言。引语出自《韩非子·显学》篇。子羽，孔子弟子澹台灭明的字，貌丑而有贤德，所以孔子有“以貌取人，失之子羽”的感叹。留侯张良，敢于组织刺杀秦始皇，足见其人有大勇；他为高祖帝王之师，多出奇计，有大智。张良智勇双全，在人们想象中必是一个身材魁伟、相貌堂堂的男子汉，但实际上张良长得像一个窈窕的美女。司马迁看到了张良的画像，引用孔子的话来评张良，说明一个在实践中表现内秀的人，是不能凭表象来下断语的。

非法不言，非道不行。（卷五八《梁孝王世家》/2090页）

【译文】 不符合法约的话不说，不符合道义的事不做。

【评点】 褚少孙引《孝经》之言，指出无论为君还是为臣，都要言必守法，行必遵道。这是针对汉景帝的一句戏言发表的评论。景帝之弟刘武被封为梁王。景帝母亲窦太后十分宠爱梁王。景帝为了讨好母亲，就在一次宫中家宴上说，他千秋万岁后传位梁王。丞相窦婴在座，他虽然是窦太后的侄儿，但认为景帝传位给弟弟乱了封建宗法制度，当即指出景帝说了错话，乱了高帝的规矩。其实景帝是嘴上戏言。所以褚少孙引《孝经》加以评说，指责景帝戏言为非。

骄子不孝。（卷五八《梁孝王世家》/2091页）

【译文】 娇生惯养的孩子，往往不孝顺父母。

【评点】 褚少孙补所引俗谚。这是针对窦太后宠爱少子梁王刘武，造成梁王骄横不法，并一度觊觎帝位说的。褚少孙评说，应为诸侯王设置良师，严加教导。小孩娇生惯养，缺少磨炼，不懂艰苦，不明是非，不但不孝父母，还要危害社会。至于诸侯王则犯上作乱，为害更大。所以“骄子不孝”是古今至理名言，为父母者应置之座右。

慈母有败子，而严家无格虏。（卷八七《李斯列传》/2555页）

【译文】 母亲怜爱过分，反而会出现败家之子；严格管束的家庭，就没有不听话的奴仆。

【评点】 李斯上书秦二世《行督责书》中之言，引自《韩非子·显学》篇。家有家规，国有国法，无规无法，家国不立，这是正面道理。李斯作了过分引申，形成诡辩，用来迎合秦二世实行严刑峻法则是错误的，包藏了保位固宠的明显祸心。家规与虐待不能等同，国法与压迫也不能同日而语。丢开李斯的诡辩，这两句话是不错的道理。慈母，旧时谓家教父严母慈，故称母为慈母。严家，有严格教化的家庭。格虏，桀骜不驯的奴仆。

小不忍，害大义。（卷五八《梁孝王世家·褚补》/2091页）

【译文】 不能割舍私下感情，将会危害社稷大义。

【评点】 大臣以经术劝窦太后之言。忍，残酷，忍心；反训为忍耐，克制，引申为割舍。西汉窦太后少子梁孝王刘武，景帝之弟。景帝废了太子刘荣后，窦太后要景帝传位于弟梁孝王刘武。袁盎等大臣用春秋时宋宣公传弟不传子，乱了宗法制度，造成了国家动乱的历史劝说窦太后不要以个人的感情，危害国家的安定。窦太后明白了全局的大义，打消了要景帝传位于弟的念头。事详《梁孝王世家》褚少孙补。"小不忍，害大义"语原出《论语·卫灵公》篇孔子之言。原文："子曰：小不忍，则乱大谋。"可以译作"小事情不能忍耐，便会败坏大的事情。"这句话千百年来成为人们修养自己弃小利，识大体的格言，具有积极意义。杨伯峻在《论语译注》中写下了这样的余论，他说："小不忍，不仅是不忍小的忿怒，也包括不忍小仁小恩，没有'蝮蛇螫手，壮士断腕'的勇气［就保不了性命］，也包括吝财不忍舍，以及见小利而贪。"这话说得何等的好！我们在生活中常见因小利而害大事，因小事而争斗酿成大祸，这些人如能领略这句话的要义而躬行，不知要避免多少人生悲剧！由此可见，人生性情不可不修，礼仪不可不养，前人的人生精言不可不知，不可不学。

青采出于蓝，而质青于蓝。（卷六〇《三王世家》/2116页）

【译文】 青色染料是从蓝草中提取的，但它的色泽质地却超过了蓝草。

【评点】 褚少孙所引《荀子·劝学篇》之言，原文作“青取之于蓝，而青于蓝”。蓝草经过提炼，产生了更蓝的染料，褚少孙用以说明后天教育的重要，《荀子》原义也是强调人要学习，才能长进。后世一般应用这一成语，则是比喻学生超过老师，后人胜过前人。青采，青色染料。质，本质，质地。蓝，蓝草，俗名蓼蓝，叶子可提取青色染料。

贪夫徇财，烈士徇名，夸者死权，众庶冯生。（卷六一《伯夷列传》/2127 页）

【译文】 贪鄙的人为财而死，好义的人为名节牺牲，夸耀权势的人因争权丧身，一般的人只顾惜自己的生命。

【评点】 所引贾谊《鹏鸟赋》。该赋又载《屈原贾生列传》。贾谊被贬长沙，写《鹏鸟赋》表达厌世的消极情绪。贾谊认为，在生死祸福面前，不同的人有不同的态度，有的追求财物，有的追求名节，有的追求权势，有的贪生怕死，这几句赋对社会各种竞荣逐利的人作了淋漓尽致的刻画。而贾谊对这一切都无可无不可，表达他的牢骚情绪。徇，通殉。《史记集解》引臣瓒曰：“以身从物曰徇。”夸者，追求权势的人。《史记集解》引应劭曰：“夸，毗也，好营死于权利。”众庶，一般民众。冯，仗恃，引申为贪求。《史记集解》引孟康曰：“冯，贪也。”

仓廪实而知礼节，衣食足而知荣辱，上服度则六亲固。四维不张，国乃灭亡。下令如流水之原，令顺民心。（卷六二《管晏列传》/2132 页）

【译文】 仓库里储藏充实了，百姓才能讲究礼节；衣食丰足了，百姓才能分辨荣辱；在上位的人遵守法度，全社会的家庭才会稳固。不提倡礼义廉耻，国家就会灭亡。国家下达的政令就像水的源头，顺着百姓的心意往下流。

【评点】 所引《管子·牧民》篇之语，说明管仲的治政主张。仓廪，《礼记·月令》孔颖达疏“谷藏曰仓，米藏曰廪”，这里泛指国家府库。六亲，有多种解释，王弼云父、母、兄、弟、妻、子，指整个家庭人伦关系。四维，指礼、义、廉、耻。原，通源。

事以密成，语以泄败。（卷六三《老子韩非列传》/2149 页）

【译文】　行事总是保密才能成功，说话泄漏真情就会失败。

【评点】　所载韩非《说难》之言。密，秘密，保密。《易·系辞上》：“凡事不密则害成。”原意指说客游说君主，如果涉及国君隐私，将遭到危险。别人隐秘的事你不要去捅穿它。反之，自己要做的事，行动前泄露天机，也往往遭到失败。所以行事保密是成功的关键。

道不同不相为谋。（卷六三《老子韩非列传》/2143 页）

【译文】　主张不同，就不能互相切磋。

【评点】　引《论语·卫灵公》篇孔子之言，说明儒道两家互相排斥。今俗语有“话不投机半句多”，与此义同。

非知之难也，处知则难矣。（卷六三《老子韩非列传》/2154 页）

【译文】　认识事物并不难，而如何运用掌握的知识则很难。

【评点】　引韩非《说难》之言。原意是说认识了正确的东西，在实际中行不通。韩非用了几个故事加以说明。宋国有个富人，因为天下雨毁坏了墙，他的邻居有位老人说：不修好墙将会被盗。晚上果然丢了许多财物，全家都怀疑是这位邻居老人偷了他家的东西。郑武公想攻打胡国，反而把自己女儿嫁给胡国君主。郑武公召集大臣商议，如果用兵，该攻打哪一个国家。大臣关其思说：“应该攻打胡国。”郑武公把关其思杀了，并且说：“胡国，是我们的兄弟之国，你说攻打它，什么居心？”胡国君主听了这件事，就认为郑国是自己的亲人而不加防备，郑武公趁机偷袭胡国，占领了它。宋国富人的邻居老人与郑国大臣关其思，两个人都因为说了老实话，一个遭怀疑，一个丢了命。这两个故事都是指在封建专制社会说实话之难。孔子说过“知之为知之，不知为不知”（《论语·为政》），在这种场合就不适用了。韩非能著书《说难》，而他恰恰因游说而客死于秦，“非知之难也，处知则难矣”，在与国君打交道时尤其如此。

有爱于主，则知当而加亲；见憎于主，则罪当而加疏。（卷六三《老子韩非列传》/2154页）

【译文】 得到国君宠爱时，你所做的一切都是对的，而更加受宠；当国君憎恶时，你所做的一切都是错的，而更加疏远。

【评点】 韩非《说难》之言。俗话说：“伴君如伴虎。”国君的一时喜怒，可以颠倒黑白，同一个人，同一件事，高兴时说好，厌恶时说坏。韩非讲了一个故事：从前弥子瑕很受卫君的宠爱。按照卫国法律，偷驾君车的人要判处断足的罪。有一天，弥子瑕的母亲病了，他半夜得到消息，来不及报告卫君，就自作主张假称国君命令驾着君车出去了。卫君知道后赞扬说：“弥子瑕多么孝顺啊，为了母亲的病，竟愿犯下断足的罪。”又有一天，弥子瑕与卫君同到果园去玩，弥子瑕吃到一个甜桃子，吃了一半献给卫君。卫君感动地说：“弥子瑕真爱我啊，自己不吃却想到我。”等到弥子瑕色衰爱弛，得罪了卫君，卫君改口说：“弥子瑕这东西，曾经假传我的命令驾我的车，又把吃剩下的桃子给我吃。”弥子瑕还是从前的弥子瑕，他先前做过的事没有什么改变，原来被认为孝顺和爱君的事，现在变成了治罪的原因，就是君主的爱憎起了变化造成的。所以事奉君主，对君主说话，一定要事先了解他的情绪，是高兴还是不愉快。

人众者胜天，天定亦能破人。（卷六六《伍子胥列传》/2176页）

【译文】 人多可以战胜天公，天公降怒也能毁灭人。

【评点】　申包胥之言，说的是人不可以众暴寡，做事要留有余地。天，在这里是一个模糊概念，既说的是上天降怒，也包含形势转化。伍子胥为了报仇雪恨，引导吴兵伐楚，攻破楚国都城，因楚平王已死，就挖墓鞭尸。申包胥认为伍子胥做事太过分，违反天道，终归要失败。作为成语流传“人众胜天”与“人定胜天”同义，形容人心齐，泰山移，集体力量可以胜天。

貌言华也，至言实也；苦言药也，甘言疾也。（卷六八《商君列传》/2234页）

【译文】　表面好听的话像是花朵，正直忠善的话才是果实；逆耳之言是治病的良药，甜美之言如同生出的疾病。

【评点】　商鞅之言，指诚实逆耳之言，如果实良药，对人有利无害。貌，《说文》：“颂，仪也。”即容貌，引申为外表。貌言，经过修饰的好听的话。至，善也。至言，善言，指正直忠实之言。这几句话是古代谚语，即“忠言逆耳利于行，良药苦口利于病”的又一种比喻说法。商鞅引用来表示自己虚心听从赵良的批评意见，但最终商鞅未能听进逆耳之言。可见言行一致是很不容易的。

千羊之皮，不如一狐之掖；千人之诺诺，不如一士之谔谔。武王谔谔以昌，殷纣墨墨以亡。（卷六八《商君列传》/2234页）

【译文】　一千张羊皮，抵不上一领狐腋；一千个随声附和的人，抵不上一个正色直言的人。周武王听得进左右的正色直言而昌盛，殷纣王因为臣下不敢讲话而灭亡。

【评点】　秦隐者赵良劝商鞅纳谏之言。这是引用古代一组流行的成语，反复譬喻和举证，强调为政者要发扬群言，多听正道直言。掖，通腋，这里指狐腋下之皮，最轻暖而价值最高。诺，《说文》：“应声也。”诺诺，顺从而随声附和的样子。谔，《玉篇》：“正直之言。”谔谔，正色而直言争辩的样子。墨，通默，《广韵》：

"默，静也，不语也。"墨墨，沉默不敢吭声的样子。

毛羽未成，不可以高蜚。（卷六九《苏秦列传》/2242 页）

【译文】 鸟儿的羽毛还没有长得很丰满，不可以凌空飞翔。

【评点】 苏秦劝说秦惠王吞并六国，统一天下，秦惠王以此语作答，认为秦国的文化政教还没有走上正轨，兼并六国的条件尚未成熟，拒绝了苏秦。于是苏秦改说六国合纵抗秦。苏秦在秦游说失败，客观原因是秦惠王刚诛杀了商鞅，保守势力抬头，忌恨东方游说之士；主观条件是苏秦未能把握好时机，因而遭到拒绝。做任何事情都要考虑条件是否成熟，"毛羽未成，不可以高飞"，具有警世意义。蜚，飞的假借字。

臣闻治之其未乱也，为之其未有也。患至而后忧之，则无及已。（卷六九《苏秦列传》/2260 页）

【译文】 我听说治理国家，在未发生动乱前就要治理它，在祸患没有降临之前，就要采取行动。等到灾难发生以后才来忧虑它，就来不及了。

【评点】 苏秦说楚威王之言，楚国事奉秦国的决定，不及早作出联合六国抗拒秦国的决定，等到秦国发动进攻时再来考虑就晚了。成语有"防患于未然"出此。王充《论衡·对作》云："防决不备，有水溢之害；网解不结，有兽失之患。"说的也是这个道理。今俗语有"人无远虑，必有近忧"，也讲的是防祸于未然的道理。

饥人所以饥而不食乌喙者，为其愈充腹而与饿死同患也。（卷六九《苏秦列传》/2263 页）

【译文】 饥饿的人，宁愿饿死而不吃乌喙的原因，是因为越是填饱肚子毒气发作死得越快，这和饿死同样是灾难。

【评点】 苏秦说齐宣王退还燕地所作的比喻。乌喙，有毒植物，一岁叫乌喙，三岁为附子，四岁为乌头，五岁为天雄。齐国侵夺了燕国十座城邑，苏秦替燕王游说齐王，燕与秦通婚，燕为秦国之婿，如果燕国忿怒，与秦联兵攻齐，将是齐国之患。齐王听从苏秦劝说退还了燕国的土地。这个比喻说明，不当取得的东西不要贪取，取所不当得，可能失去更多。两害相较，权其轻重，与其饿死也不能去吃毒物被毒死。

争名者于朝，争利者于市。（卷七〇《张仪列传》/2282页）

【译文】 争名要在朝廷上，争利要在市场上。

【评点】 这是古代流行的民谚，意思是办事要看准方向，抓住要害，掌握时机，就可以事半功倍。语原见《战国策·秦策一》第七章，司马错就伐蜀与张仪争论于秦惠王前。司马错主张伐蜀，张仪主张伐韩。张仪认为韩地在中原，伐韩而震恐东周，可得三川之地。他引用这两句谚语来说明周室和三川是天下的朝廷和市场。而司马错认为，当时秦国还没有足够力量去争衡中原，不如先灭巴蜀，扩大地域，增强实力，可居高临下以伐楚。司马错说："得蜀则得楚，楚亡而天下并矣。"则以巴蜀为天下的"朝廷"和"市场"。秦惠王采纳了司马错的意见伐蜀，国土增大了一倍，日益富强。

木实繁者披其枝，披其枝者伤其心；大其都者危其国，尊其臣者卑其主。（卷七九《范雎蔡泽列传》/2411页）

【译文】 果实繁盛了就要压断树枝，树枝压断了就会伤害树心。地方都邑太大就要危及京都，大臣的权势太重就会使国君的地位降低。

【评点】 此为战国时游士范雎入秦说秦昭王之语，原见《战国策·秦策三》第十章。当时秦国太后干政，独断专行；穰侯派遣使臣，不请示秦昭王；泾阳君、华阳君擅自做决定，肆无忌惮；高陵君提升罢免官吏，自作主张。太后，秦昭王母宣太后。穰侯魏冉，秦昭王之舅，宣太后异父弟，封于穰。昭王即位年少，宣太后听政，实权操魏冉之手。华阳君，魏冉之弟。高陵君、泾阳君，昭王同母弟，均为宣太后所生。因此秦国政治以宣太后为中心，造成穰侯、泾阳、华阳、高陵等四贵擅权的局面。范雎以枝大伤本为喻，说明“大权旁落，乱之本也”。最后危言耸听而恳切地说：昭王万岁之后，“有秦国者非王子孙也”。于是秦昭王下决心废太后，逐穰侯、高陵、华阳、泾阳君于关外，以范雎为丞相，封为应侯，而自己亲政，从而结束了秦国当时政出多门的祸乱根源。

主圣臣贤，天下之盛福也；君明臣直，国之福也；父慈子孝，夫信妻贞，家之福也。（卷七九《范雎蔡泽列传》/2421页）

【译文】 君主圣明，臣子贤能，这是天下的大福；国君明智，臣子正直，这是国家的福气；父亲慈爱，儿子孝顺，丈夫诚实，妻子忠贞，这是一家的福气。

【评点】 蔡泽论忠节之言。蔡泽认为君臣、父子、夫妻，这些人际关系，双方各守其职，尽其节，才能社会和谐，国家幸福，家庭幸福，如果只有一方尽职尽责，则要演成悲剧。例如比干忠而不能保全殷朝，伍子胥有大智而不能保全吴国，申生孝而晋国乱，这说明即使有忠臣孝子，如果国君昏暴，也是要破家亡国的。既然忠节不能保家卫国，对于昏暴之君，还不如离开避祸。这是一种明哲保身的哲学。

欲而不知足，失其所以欲；有而不知止，失其所以有。（卷七九《范雎蔡泽列传》/2424页）

【译文】 有欲望而不知道满足，会失去所有的欲望；占有而不知道节制，就会失去已经占有的东西。

【评点】 范雎表示引退之言。原见《战国策·秦策三》第十八章。蔡泽用月满则亏的道理劝说范雎功成身退，经过一番激烈辩论，范雎表示接受蔡泽意见，认识到为人不可贪得无厌，而要适可而止，否则会适得其反，一无所有。今传俗语“见好就收”，也是这个道理。欲，指欲望，欲念。止与足，两字互文，指欲望的最高限度，应有所满足，有所节制。

成功之下，不可久处。（卷七九《范雎蔡泽列传》/2423页）

【译文】 功成名就以后，不可以长久地呆在那里。

【评点】 蔡泽劝说范雎功成身退所引《逸周书》之言。商鞅变法，使秦国富强，功成而遭车裂；白起百战百胜，为秦拓地千里，功成而被赐死杜邮；吴起为楚悼王立法，定楚国之政，威服诸侯，功成而遭肢解；大夫种佐越王勾践，报夫差之仇，使越国成就了霸业，勾践负而杀之。这些人都是功成而不去，终遭祸难。范蠡超然避世，功成身退，长作富家翁。西汉留侯张良，功成身退，导引辟谷，得以寿终。在封建社会，一个人地位太高，功劳太大，往往引起君主或同僚忌疑而受祸。今俗语“人怕出名猪怕壮”，“树大招风”，就是说一个人有了成就，更要小心谨慎。

善作者不必善成，善始者不必善终。（卷八〇《乐毅列传》/2432页）

【译文】 善于开创事业的人，不一定善于做成功；有好的开头的人，不一定有好的结局。

【评点】 乐毅与燕惠王书中之言。原见《战国策·赵策二》第九章。原意是说封建帝王多忌疑，立功立名的功臣，大多没有好结果。后泛指，做任何事情，如不能坚定如一，大都只有好的开端而没有好的结果。在人际关系中，大多可共患难而不可共安乐，也是这样。

知死必勇，非死者难，处死者难。（卷八一《廉颇蔺相如列传》/2451页）

【译文】 知道怎样为正义而死的人，一定是勇敢的。勇敢的人不畏惧死亡，但在什么样情况下去死却是很难的。

【评点】 司马迁称赞蔺相如大智大勇之言。智，《说文》：“识词也。”指理性认识。《释名》：“智，无所不知。”勇，《说文》：“果决也。”《广韵》：“猛也。”蔺相如果决勇猛而有理性，知道怎样处世，所以他入强秦而能完璧归赵，渑池会敢劫秦王，是一个名重泰山、智勇双全的人。

偏听生奸，独任成乱。（卷八三《鲁仲连邹阳列传》/2473页）

【译文】 只听一面之词，容易产生邪恶；只任用个别人，就要酿成祸乱。

【评点】 邹阳《狱中上梁王书》中之言。偏，《说文》：“颇也。”不公正，有偏向。奸，邪恶，诈伪。偏听偏信，处事不公，必生奸伪诈乱，这是古人早就总结出的经验。

圣王制世御俗，独化于陶钧之上，而不牵于卑乱之语，不夺于众多之口。（卷八三《鲁仲连邹阳列传》/2477页）

【译文】 圣明的君主治理国家，如同陶人运钧一样自有法度，而不为粗陋邪乱的议论所牵制，不被纷杂众多的人言所转移。

【评点】 邹阳《狱中上梁王书》中之言，指出人主要善于分辨忠奸，自有主张，不要做人云亦云的鄙俗议论的尾巴。钧，陶工制陶所用的转轮，喻圣王用人治世，应如陶工之转钧，自主权衡，自如运用。

行危欲求安，造祸而求福，计浅而怨深，连结一人之后交，不顾国家之大害，此所谓“资怨而助祸”矣。（卷八六《刺客列传》/2529页）

【译文】 采取危险的行动却想得到安全，制造祸患却祈求幸福，计谋短浅而结怨又深，为了结交一个新朋友却不顾国家的大害，这就是所谓“增加怨恨而助长灾祸的到来”啊。

【评点】　此为战国时燕太子丹师傅鞠武劝谏太子丹与秦王作对要从长计议的话，原见《战国策·燕策三》第五章。燕太子丹曾在赵国做质子，秦王嬴政出生于赵，少时两个相处很好。等到嬴政当了秦王后，太子丹又转到秦国做质子，秦王嬴政板起面孔对待太子丹。太子丹极为愤恨，逃回燕国，一心要报仇雪恨，因燕国力小与秦不敌。这时秦国的势力进一步扩张，蚕食齐、楚、三晋，日益临近燕国。燕国君臣都十分恐慌。太子丹向师傅鞠武问计，鞠武说：“秦国土地遍天下，已经危及韩、赵、魏三晋的安全，北面有甘泉、谷口险要的地形，南面有泾河、渭河肥沃的土地，拥有巴蜀、汉中的富饶，右边有陇山、蜀山的险峻，左边有函谷关、崤山的屏障，人民众多，士气振奋，武器精良，意图正在向外发展，燕国长城以南、易水以北的土地无法保全，在这样的形势下怎能因为个人受辱的怨恨而去触龙的逆鳞呢?”不久，得罪秦王受到通缉的秦将樊於期逃到燕国来请求保护。燕太子丹收容了他，于是鞠武再次劝谏太子丹，不要因结交樊於期而触犯秦国之怒，招来祸患。太子丹不听，还要求鞠武替他报复秦王出谋献策。鞠武不得已推荐田光，田光引荐荆轲，于是在战国末期发生了荆轲刺秦王的事件。太子丹不堪凌辱，奋起一搏，虽然事业不成，而抗暴精神，足以感奋千古。但就形势来说，鞠武的劝谏也是对的，以小敌大，以弱敌强，要深谋远虑而不可主动挑起事端，加速祸患的到来。不计后果的蛮干，正如鞠武所说，“以鸿毛燎于炉炭之上，必无事矣”，俗话说“以卵击石”，怎么能取得成功呢?

诟莫大于卑贱，而悲莫甚于穷困。（卷八七《李斯列传》/2539页）

【译文】　最大的耻辱莫过于卑贱，最大的悲哀莫过于贫穷困厄。

【评点】　李斯之言。李斯认为，长期处于卑贱的地位和贫困的环境，却还要非难社会，厌恶功名利禄，标榜自己与世无争，这不是读书人的本来志愿。所以他要趁秦王想统一天下、正当用人之际到秦国去施展才能。李斯的思想言行是对儒家安贫乐道哲学的挑战，他是信守法家追求现实功名的人。不安贫，不满足，这是人类共同的欲望，是一种进取的欲望，也是创造的动力。但是若过分追求功名利禄，不顾道义，到头来也是一场空。李斯的成功与悲剧，正说明了这两句话的两重性。诟，耻辱。

太山不让土壤，故能成其大；河海不择细流，故能就其深。（卷八七《李斯列传》/2545 页）

【译文】 泰山不嫌弃微小的土块，所以才那么巍峨高大；黄河、大海不挑剔细小的溪流，所以才那么宽广渊深。

【评点】 李斯上书秦王《谏逐客书》中之言。公元前 237 年，秦王受守旧大臣蛊惑，下令驱逐客卿。一个人在异国做官，称为“客卿”。秦王要驱逐一切东方在秦国做官的人，掀起一场“逐客”的政治运动。李斯，楚国上蔡人，亦为秦客卿。李斯上书秦王谏阻逐客，史称《谏逐客书》。“太山不让土壤”这四句意谓任何宏大的事物都是由细小的东西聚汇而成，积小成多，越是宏大，越要能容小。李斯用以作比喻和铺垫，说明做帝王的人不摒弃广大的人民，才能使德业广大，这就是五帝三王无敌于天下的原因。秦王见书，顿然醒悟，立即废除了逐客令，追回李斯，日益信用，委以国政，李斯官至丞相。不拒细小而成其大，富有哲理意义。让，推辞，排斥。择，选择，挑剔。

藉寇兵而赍盗粮。（卷八七《李斯列传》/2545 页）

【译文】 借武器给敌人，送粮食给盗贼。

【评点】 李斯上书秦王《谏逐客书》中之言，喻帮助敌人损害自己。秦王欲统一天下，正在用人之际，一切逐客，把人才都赶到敌国那一边，就好比是把武器借给敌人，把粮食送给盗贼，行事与意图南辕北辙。后世用这一警语告诫人们，在头脑发热时不要匆忙做出更有损于己、有利于对方的错误事情。藉，借。寇，敌人。兵，兵器。赍，送东西给人。

顾小而忘大，后必有害。（卷八七《李斯列传》/2549 页）

【译文】 只看到小利而忘了大利，日后一定有灾祸。

【评点】 赵高怂恿秦二世发动宫廷政变时说的话。赵高用大道理掩盖野心谋私利，发动政变，为图个人长久富贵，不惜危害国家大利。姑不论政治是非，这两句话却是至理名言。今俗语“捡了芝麻丢了西瓜”，就是这个意思。

谋远不失。（卷八七《李斯列传》/2549 页）

【译文】 深谋远虑就不会有失算。

【评点】 赵高劝说李斯发动宫廷政变之言。原话：“谋远不失，孰与蒙恬。”字面意义是：“深谋远虑没有失算，你与蒙恬相比，哪一个强?”意谓不发动政变，除掉蒙恬，你李斯的丞相地位就保不住了。赵高的话语义双关，只要你李斯深谋远虑就不会有失算，就能长保富贵。《论语·卫灵公》篇孔子说：“人无远虑，必有近忧。”是反说，“谋远不失”为正说，都是一个意思。

轻虑者不可以治国，独智者不可以存君。（卷八八《蒙恬列传》/2568 页）

【译文】 轻率地考虑问题的人不可以治理国家，自以为是听不进意见的人不可以担负保卫国君的责任。

【评点】 子婴规谏秦二世之言。这是针对秦二世信用赵高而进谏的忠言，子婴委婉进说，秦二世这个笨蛋根本理解不了，大权终于旁落赵高。轻虑者，轻率考虑的人。独智者，自以为是、刚愎自用的人。

过可振而谏可觉。（卷八八《蒙恬列传》/2569 页）

【译文】 犯了过失可以改正补救，听人规谏可以觉察警醒。

【评点】 蒙恬对秦二世使者之言。蒙恬，蒙骜之孙，蒙武之子。蒙氏三世为秦将，立有大功。蒙恬率 30 万大军北防匈奴。秦二世篡位，派使者诛杀蒙恬，蒙恬认为他手握重兵，足可以叛秦，但他要效法古代忠臣，以死劝谏秦二世，让使者传话，希望秦二世能吸取桀杀关龙逄，纣杀王子比干而亡国的教训，改过补救，听谏觉悟。蒙恬的死谏，对于昏暴的秦二世来说，只不过是对牛弹琴，他根本就不听。使者对蒙恬说："我只是奉命行法的，将军的话我不敢转达皇上。"振，《说文》："举救也。"即改正补救。

智者千虑，必有一失；愚者千虑，必有一得。(卷九二《淮阴侯列传》/2618 页)

【译文】 即使非常聪明的人，在一千次考虑中，也一定会有一次差错；哪怕很愚笨的人，只要多次考虑，也会有一件是对的。

【评点】 李左车对韩信之言。表示自己的意见是经过深思熟虑的，对与不对，仅供选择。《晏子春秋·杂篇》作"圣人千虑，必有一失；愚人千虑，必有一得。"语稍异而意同。这是古代的一组熟语。前后两句，意思相反，因此可以分开来用，也可合起来用，表达的意义随着语言环境而有区别。千虑，多次考虑。失，差错。得，正确。"智者千虑，必有一失"，是说聪明人如果考虑不够，也会有失，或用于谅解偶然的失误。"愚者千虑，必有一得"，是说只要深思熟虑，即使愚笨的人也会考虑出正确的意见。成语"千虑一得"，"一得之愚"，"愚者一得"，"千虑一失"，均由此简化而出。

患生于多欲。(卷九二《淮阴侯列传》/2624 页)

【译文】 灾难常常产生于太多的欲望。

【评点】 蒯通劝韩信背汉自立为王之言，原文作"患生于多欲而人心难测也"，意谓由于人心多欲难测，所以朋友相交不可靠，如张耳与陈馀，患难时两人为生死之交，后来争权，张耳投汉带兵诛杀了陈馀，传为笑柄。这里断章取义，"患生于多欲”，可为做人处事的警语，为人不可贪得无厌。

听不失一二者，不可乱以言，计不失本末者，不可纷以辞。（卷九二《淮阴侯列传》/2625页）

【译文】 听取意见不会有判断失误的人，就无法用不正确的意见扰乱他；计划周密不会本末倒置的人，就不可以用花言巧语迷惑他。

【评点】 蒯通劝韩信背汉自立为王之言，意谓一个既能判断是非又有主见的人，别人不敢对他说假话。蒯通强调自己意见正确，不是迷惑韩信的花言巧语，希望韩信凭自己的判断予以采纳。此二语极为精妙，既强调了自己意见的正确，又赞扬了听意见的人，而且道理也是如此，论情论理都十分动人。乱、纷，二字互文，使动用法。

随厮养之役者，失万乘之权；守担石之禄者，缺卿相之位。（卷九二《淮阴侯列传》/2625页）

【译文】 一个甘心做奴仆的人，绝不会得到国君的权柄；一个安于微薄俸禄的人，不可能得到公卿宰相的高位。

【评点】 蒯通劝韩信背汉自立之言，强调一个人要有所作为，必须要勇于进取，安心现状的人是没有出息的。随，顺，引申为甘心情愿。厮养之役，劈柴养马、烧火做饭等仆役差事。万乘之权，君权。担石之禄，微薄的俸禄，指低级官位。担石，形容禄米之少。缺，失掉，指得不到。

不伐己功，不矜其能。（卷九二《淮阴侯列传》/2630页）

【译文】 不夸耀自己的功劳，不吹嘘自己的本领。

【评点】 司马迁论赞之言。司马迁认为，韩信若能谦虚谨慎，戒骄戒躁，不夸功逞能，他的功劳可以与西周开国功臣周公、召公、太公相比美。可惜他迷恋利禄，被诬谋反，贬王为侯以后，仍不思退让，日夜怨望，在汉高祖面前夸功逞能，自许带兵“多多益善”，最后走上叛逆之途，夷灭宗族，实在可悲。司马光亦曰：“世或以韩信首建大策，与高祖起汉中，定三秦，遂分兵以北，禽魏，取代，仆赵，胁燕，东击齐而有之，南灭楚垓下，汉之所以得天下者，大抵皆信之功也。观其距蒯通之说，迎高祖于陈，岂有反心哉！良由失职怏怏，遂陷悖逆。”（《资治通鉴》卷十二》）伐，夸耀。矜，自以为能。

蝮螫手斩手，螫足斩足，何者？为害于身也。（卷九四《田儋列传》/2644页）

【译文】 蝮蛇咬了手就砍断手，咬了脚就斩断脚，什么原因呢？因为对整个身体有害啊！

【评点】 齐相田荣之言。蝮，毒蛇。螫（zhē），蜂、蝎类用毒针刺人，这里指蝮蛇用毒牙咬人。秦末，故齐王田氏宗人田儋起兵自立为齐王。秦将章邯围魏王咎于临济，齐王田儋领兵救魏，被章邯击杀。齐人另立田假为齐王，田角为相，田间为将。田儋之弟田荣愤怒，击逐齐王田假。田假逃到楚国，田角、田间逃到赵国。项梁领兵与秦将章邯在定陶决战，要求田荣出兵救援，田荣要求楚杀田假，赵杀田间、田角才肯出兵。楚怀王和项梁都认为，田假走投无路逃到楚国寻求保护，无辜杀害不合道义，拒绝了田荣的要求。田荣则以“蝮螫手斩手，螫足斩足”为喻，要求楚赵当机立断，顾全大局。如果楚赵不杀田假与田角、田间，舍不得手足，将危害全身，喻秦兵取胜，大家都要做刀下鬼。田荣所言理虽正，而行事悖戾。他为一己私利，不能顾全大局，援救楚国，项梁果为章邯所败。而项梁不以出卖大义而讨好于齐，是一个真正光明磊落的大丈夫。这几句话成为典故，后世只用其字面意义，喻人临危境，或经营某种事业而碰上艰难决策时，要敢于当机立断，牺牲局部，保存整个。俗语“舍车保帅”与此义近。

美好者不祥之器。（卷一〇五《扁鹊仓公列传》/2817页）

【译文】 美好的事物是不祥的器具。

【评点】 司马迁论赞之言。《老子》第三十一章“夫佳兵者不祥之器”为此语所本。扁鹊，春秋时名医，姓秦名越人，他因医术高明，行医至秦，被秦太医李醯嫉杀。仓公，西汉名医淳于意，仕齐为太仓长，人称太仓公，省称仓公。文帝时，仓公匿迹不愿为达官贵人治病，被告发当受肉刑。司马迁认为，女无美恶，居宫见妒；士无贤不肖，入朝见疑。这些人生格言，说明了一个道理：“美好者不祥之器。”在今俗语中有“红眼病”一词，正相对应。司马迁用此格言评扁鹊仓公，伤叹贤才为世所嫉，不免于祸，世道之不公，于此可以概见。

为善者，天报之以福；为非者，天报之以殃。（卷一〇六《吴王濞列传》/2833页）

【译文】 做好事的人，上天赐给他幸福；做坏事的人，上天回报他祸殃。

【评点】 景帝平定吴楚七国之乱后布告天下的诏书之言。古语有“多行不义必自毙”，俗语有“善有善报，恶有恶报；不是不报，时辰未到；时辰一到，一切都报”，说的都是这个意思。

祸固多藏于隐微，而发于人之所忽。（卷一一七《司马相如列传》/3054页）

【译文】 灾祸本来多半都隐藏在细微的地方，在人们粗心大意时发生。

【评点】 司马相如《上书谏猎》中之言。帝王打猎是一件小事，倘若碰上猛兽，就要发生意料不到的灾祸。聪明人要预见未发生的事，在灾祸未形成时就避开它，那就要善于体察细微。俗语，“千里之堤，毁于蚁穴”，“小洞不补，大洞吃苦”，都是这个意思。

兴必虑衰，安必思危。（卷一一七《司马相如列传》/3072页）

【译文】 在兴旺时要考虑到衰微，在太平安乐时要想到危难。

【评点】 司马相如《封禅文》中之言。事物在不断变化发展，强弱盛衰在不断转化，得意时要瞻前顾后，不要忘形，放松警惕，那是很危险的。

聪者听于无声，明者见于未形，故圣人万举万全。（卷一一八《淮南衡山列传》/3085 页）

【译文】 听力强的人能在无声处听出动静，视力好的人能在未成形前看出征兆，所以圣人办事，办一万件，一万件成功。

【评点】 伍被劝谏淮南王不要谋反之言。办任何事都要深思熟虑，尤其是重大的事，更要周密考虑，清除隐患，以求万全。

冠虽敝，必加于首；履虽新，必关于足。（卷一二一《儒林列传》/3123 页）

【译文】 帽子虽然破旧，也一定戴在头上；鞋子虽然很新，却必须穿在脚上。

【评点】 黄生与辕固生辩论汤武革命黄生之言。黄生，景帝时道学博士，研究《老子》的大师。姓黄，史失其名，尊称为黄生。辕固生，儒家《诗经》学大师，曾为《诗》学博士，后为清河王太傅。景帝时未罢黜百家，诸子百家学都可为博士，而道家占主导地位，景帝即位开始倾向儒家，所以才有这场辩论。黄生认为商汤王、周武王不是受天命之君，乃是弑君篡位。辕固生说，夏桀王、殷纣王暴虐，天下之心皆归商王、武王，汤武是顺应民心不得已为王，所以是受命之君。黄生又以帽子、鞋子作比喻，认为君臣上下有等，臣不可犯君，就像鞋子不能侵犯帽子的地位一样。当时汉朝建立已是第三代，首要的是巩固汉政权，臣民不得造反，所以黄生反对说汤武革命。辕固生也不示弱，搬出汉高祖灭秦来攻黄生，“必若所云，是高帝代秦即天子之位，非邪?”辕固生称说汤武革命为汉家夺取政权辩护。两人各执一端。景帝出来制止，不准谈汤武革命，划为禁区。其实这场辩论是政治演进的需要，汉初崇尚黄老，政治上无为而治。汉武帝崇尚儒学，政治上多欲，外征四夷，内多功作。景帝时的这场汤武革命的辩论是第一次儒道斗争，拉开了西汉政治转折的帷幕。

窃钩者诛，窃国者侯，侯之门仁义存。(卷一二四《游侠列传》/3182 页)

【译文】 偷衣带钩的小偷要杀头，而窃国大盗却成为王侯；只要是王侯的门庭，那里就有仁义。

【评点】 司马迁序论所引《庄子·胠箧》篇之言，这是对传统道德的批判，王侯权贵满口仁义道德，实际上他们是窃国大盗，手握权力，颠倒黑白，将法律用于惩治细民百姓。今俗语，“只打苍蝇，不打大象”，讽刺个别司法人员不敢碰硬，惩奸不纠大恶，可为此语注脚。

渊深而鱼生之，山深而兽往之，人富而仁义附焉。(卷一二九《货殖列传》/3255～3256 页)

【译文】 渊深了，鱼类就会生长；山深了，野兽就往那里去；人富有了，仁义也会归附。

【评点】 司马迁序论之言，揭示了封建社会礼义道德的本质，人富有了就有权有势。

鸟之将死，其鸣也哀；人之将死，其言也善。(卷一二六《滑稽列传》/3208 页)

【译文】 鸟快到死时，它的叫声特别悲哀；人快死时，他的话是善良的。

【评点】 褚少孙补传所引《论语·泰伯》篇曾子之言，用以评论东方朔。待诏东方朔诙谐多智，他为了避祸，平时说话总是在嬉笑戏趣中表达正确意见，从不正言劝谏汉武帝。他临死，谏说武帝远巧佞，退谗言。汉武帝感到很奇怪，怎么东方朔也说起了正经八百的话，没几天东方朔就死了。人到临死时，表现对生活的留恋，往往说出很有教益的话。

骐骥不能与疲驴为驷，凤凰不与燕雀为群。（卷一二七《日者列传》/3219 页）

【译文】 千里马不能与瘦弱小驴同拉一辆车，凤凰不与燕雀结伴同群。

【评点】 日者司马季主之言，喻贤才不与不肖者为伍。骐骥，千里骏马之名。驷，四马为一乘，或指四马所拉之车，或指驾一乘之车的四马。

道高益安，势高益危。（卷一二七《日者列传》/3220 页）

【译文】 道行越高越安稳，权势越高越危险。

【评点】 宋忠贾谊互叹之言，指出统治集团上层争权夺利的危险性，往往身居赫赫高位，忽然一天就成为阶下囚。旧时俗语有“伴君如伴虎”，正是此意。古代多少忠良不得善终，故这两句话很有实在意义。同时也寓含有人生修养的哲理，德行高尚比权利增大要安全得多。

暴得者必暴亡，强取者必后无功。（卷一二八《龟策列传》/3231 页）

【译文】 突然得来的东西，必定很快地失去；用强力方法夺取的，必然是一场空。

【评点】 褚少孙补传宋元王之言，认为非正常得来的不义之物，是无法永久保住的。暴，《博雅》：“猝也。”突然。

福之至也，人自生之；祸之至也，人自成之。（卷一二八《龟策列传》/3233 页）

【译文】 幸福的到来，是人们自己争取的；灾祸的降临，也是人们自己招来的。

【评点】 褚少孙补传宋元王之言。祸福由人不由天，趋福避祸，要加强自身的修养，不怨天，不尤人。

古谚第二

【引言】　古谚篇，凡 40 条。《史记》中保存了大量的古代民歌童谣、俚语俗谚，有许多至今仍有生命力。刘知几就反对俚语俗谚写史，而司马迁却明白标示谚曰、语曰、鄙语曰，或标为某闻，将俚语俗谚融合在叙事之中，挥洒自如，用于刻画人物，用于叙事说理，妙趣横生，寓意透辟。歌谣俚语，寓有平凡的真理，是人民生活实践的结晶，用以叙事说理，大大丰富了语言的内容，提高了语言的表现力。司马迁还将歌谣俚语引入赞中，用以褒贬人物，就像引用经典一样郑重。但这为正统史家所不容，班彪批评为“论议浅而不笃”，郑樵讥之为“雅不足”。司马迁大量提炼和引用歌谣俚语，正是他过人的识力的一种表现形式。这里集中选录俗谚，删去了原文的冠头语“谚曰”、“语曰”、“鄙语曰”、“某闻”等字样，使行文简洁。歌谣另作集中选录，列于第三篇。

【牝鸡之晨】牝鸡无晨。牝鸡之晨，惟家之索。（卷四《周本纪》/122 页）

【译文】　母鸡不叫鸣报晓。母鸡叫鸣报晓，这个家就要离散。

【评点】 武王伐纣所引古代谚语，原载《尚书·牧誓》。索，离散。武王伐纣，在牧野誓师，列述罪状，其中一条“今殷王纣维妇人言是用”，指纣王宠信妲己乱政。“牝鸡之晨”，后世作“牝鸡司晨”。又写作“牝鸡牡鸣”，以母鸡代公鸡报晓。《后汉书·杨震传》：“《书》诫牝鸡牡鸣。”指责安帝乳母王圣干政，告诫安帝以《牧誓》之言为诫。

先即制人，后则为人所制。（卷七《项羽本纪》/297 页）

【译文】 先动手就能制服人家，后行动就会被人家制服。

【评点】 秦会稽郡守殷通之言。他见陈涉号召的农民大起义如火如荼地兴起，害怕自身遭攻击，也想举起反秦的大旗标榜起义，他对项梁说了这番话。结果，项梁利用这个机会杀了殷通，自己起事吴中。殷通想先发制人，结果被项梁后发制人所击杀。斗争策略，有时要先发制人，而有时要后发制人，都要看具体的形势和条件。这两句话是“先发制人”这一成语的出处。一般情况，先发制人，出奇制胜，总要占些便宜。俗语有：“先下手为强，后下手遭殃。”说的就是这个道理。

养虎自遗患。（卷七《项羽本纪》/331 页）

【译文】 养老虎给自己带来了灾难。

【评点】 为张良、陈平劝谏刘邦乘势追击项羽之言。楚汉相持成皋，数年未决胜负，双方都精疲力竭，智力俱困。刘邦用智，项羽用力。此时恰如两鼠斗于洞中，勇者胜。谁先后退，谁方士气将瓦解。刘邦利用和谈，提出以鸿沟为界，中分天下，诱使项羽撤退东归。项羽果然中计，首先撤兵。刘邦也作出向西撤退的姿态。张良、陈平劝说刘邦，这是灭亡项羽的好时机，不能“养虎自遗患”。刘邦采纳了张良、陈平之计，乘势追击，会诸侯于垓下，灭亡了项羽。这是一句古代的成语，比喻生存斗争，不能给自己留下后患，必须干净、彻底消灭对方。

牵牛径人田，田主夺之牛。径则有罪矣，夺之牛，不亦甚乎？（卷三六《陈杞世家》/1580页）

【译文】 有人牵牛抄近路，踩坏了人家的庄稼地，田地的主人抢了这人的牛。抄近路踩坏人的庄稼，确实有过错，趁机抢了别人的牛，不是也过分了吗？

【评点】 楚大夫申叔时劝谏楚庄王之言。春秋时楚庄王平定陈国的内乱，他趁机灭了陈国，申叔时用俗谚打比喻说服楚庄王重新建立了陈国。这故事说明惩治人要合于情理，量刑适度。

以书御者不尽马之情，以古制今者不达事之变。（卷四三《赵世家》/1810页）

【译文】 按照书本教条赶车的人，不会摸透马的性情；用古代的法制来约束当今的人，不懂得事理的变化。

【评点】 赵武灵王推行胡服骑射所说的话。这是两句古代谚语，讥讽那些按教条办事的书呆子。寓意只有敢于突破教条和传统的人，才能有所创新。御，《说文》：“使马也。”指御马驾车。古，指古代的法制典章。制，《说文》：“裁也。”制裁，约束。

死者复生，生者不愧。（卷四三《赵世家》/1814页）

【译文】 如果死了的人能够重新活过来，活着的人面对他也不感到惭愧。

【评点】 古代民谚，《晋世家》荀息引作“死者复生，生者不惭”。此出肥义答李克之言所引。荀息尽忠晋献公辅佐其子奚齐，肥义尽忠赵武灵王辅佐其子赵惠王，两人都尽节而死，实现了自己的诺言，不惜牺牲生命以明诚信无二心，的确做到生者无愧于死者。

女无美恶，入宫见妒；士无贤不肖，入朝见嫉。

美女者，恶女之仇。（卷四九《外戚世家·褚补》/1984 页；卷八三《鲁仲连邹阳列传》/2473 页）

【译文】　女子不论美丑，一入宫室就被嫉妒；士人不论有才与无才，进了朝廷就要被猜忌。至于天生丽质的美女，更是丑恶女人的仇敌。

【评点】　褚少孙续补所引古代谚语。汉武帝时尹夫人与邢夫人争宠，尹夫人见邢夫人比自己漂亮，痛不欲生，恰如谚语所说，美女是恶女之仇。前四句又见《鲁仲连邹阳列传》邹阳《狱中上梁王书》所引，指贤才遭忌。今俗语有“枪打出头鸟”，和这几句古谚有异曲同工之妙。一个人只要有成就，或受到上级重视，就会被人嫉妒，此种陋习，古今不绝。随着时代的进步，这种猜疑嫉妒的陋习，将被改革的大潮冲刷而去。

忠言逆耳利于行，良药苦口利于病。（卷五五《留侯世家》/2037 页；卷一一八《淮南衡山列传》/3088 页）

【译文】　忠正的话听起来很刺耳，却对于做事有好处；良药喝在嘴里很苦，却对治病有利。

【评点】　古代俗语，张良引用劝谏刘邦察纳雅言。《淮南衡山列传》作“毒药苦于口利于病，忠言逆于耳利于行”。《韩非子·外储说上》、《孔子家语·六本》均载有此言，并一直流传保留至现代汉语中。毒药，即良药，性质猛烈的药物，指治病良药。刘邦入关，居留秦宫室，张良劝其封府库，安定民心，才避免了项羽问罪的口实。这两句话告诫人们要善于听取别人的批评意见，就像生病服药一样。

儿妇人口不可用。（卷五六《陈丞相世家》/2060 页）

【译文】　小儿和妇人的嘴巴不可靠。

【评点】　吕太后之言。吕太后妹妹吕媭，十分痛恨陈平，经常在吕太后面前打小报告，说坏话。陈平就借吕媭之口保护自己。他深知吕太后疑忌自己，于是故意不理政事，沉于酒色，让吕媭报告给吕太后，吕太后果然高兴，就当着吕媭的面对陈平说了这句俗语，表示自己对陈平的信任。陈平多智，善于韬晦，由此可见一斑。

将顺其美，匡救其恶，故上下能相亲也。（卷六二《管晏列传》/2137页）

【译文】 要顺势助成君主的美德，纠正他的过失，所以君臣百姓之间才能亲密无间。

【评点】 司马迁论赞所引古语，用来赞美管仲辅佐齐桓公的功业。司马迁认为，管仲助成齐桓公称霸，既纠正了桓公的过错，也没有违逆桓公的意志，用这几句话来评价，当之无愧。

能行之者，未必能言；能言之者，未必能行。（卷六五《孙子吴起列传》/2168页）

【译文】 能做的人，未必能说；能说的人，未必能做。

【评点】 司马迁论赞所引古代俗谚，说明言与行是有区别的，可以一致，可以不一致。孙膑擒拿庞涓的计谋真是料敌如神，但他不能及早使自己免于庞涓的暗害。吴起谏说魏武侯依凭险阻不如施行德政，但他在楚国推行的改革，却因残刻少恩丢了自己的性命。孙膑、吴起，都是善谋能言的智士，但形势造成他们不能言行一致，救不了自身灾难，真是可悲！

宁为鸡口，无为牛后。（卷六九《苏秦列传》/2253页）

【译文】 宁肯做鸡的嘴巴，也不愿做牛的屁股。

【评点】 苏秦说韩宣王所引俗谚，表示独立自主的尊严。《正义》注云："鸡口虽小乃进食，牛后虽大乃出粪。"语又见《战国策·韩策一》，据《颜氏家训》引作"宁为鸡尸，不为牛从。"尸，鸡中主；从，牛子。宁肯为鸡中的领袖，不愿为牛的儿子。今本《战国策》与《史记》同。民间俗语"宁为鸡口，无为牛后"，语言粗鄙而确切生动。"宁为鸡尸，无为牛从"，文人加工后的雅语，迂曲呆板，失去语言的原有光泽，但意义更显。两组谚语相辅相成，比喻宁肯做独立自主的小国之君，也不愿做受制于人的大国仆从。后世多引喻为宁可做发号施令的正职小官，也不愿做听命于人的副职大官。

积羽沉舟，群轻折轴，众口铄金，积毁销骨。（卷七〇《张仪列传》/2287页）

【译文】 最轻的羽毛积累过多，可以使船沉没；许多轻的东西聚合起来，可以压断车轴；众口一致的诽谤，可以把坚金熔化，把骨头销毁。

【评点】 张仪说魏哀王与秦连横之言。张仪本意是要魏哀王不要听众人的合纵之言，也不要听众人对他张仪的诽谤，而要相信张仪的连横策略。实际上张仪是秦国的奸细，魏哀王听信张仪之言上了他的当。但是张仪的这番言词却说得十分动听，十分有理。无论什么东西，只要积少成多，就会产生很大的力量，众口一致的诽谤可以颠倒黑白。积，储也。铄，熔化，专指熔化金属。《说文》："铄，销金也。"

力则任鄙，智则樗里。（卷七一《樗里子甘茂列传》/2310页）

【译文】 大力士有任鄙，论智慧要数樗里子。

【评点】 秦昭王时民谚，赞扬任鄙之力，樗里子之智。任鄙，秦国大力士。樗里子，秦惠王弟，名疾，很有才智。他死后立庙在渭南县阴乡樗里，故称樗里子。

尺有所短，寸有所长。（卷七三《白起王翦列传》/2342页）

【译文】 尺有时候嫌短，寸有时候嫌长。

【评点】 司马迁论赞所引古代俗谚，原出《楚辞·卜居》。尺和寸是量度长短的标准器具，尺比寸长。但在实际运用中，有时用尺作标准显得短，有时用寸作标准显得长。屈原忠而见疑，求问龟卜，詹尹回答说："夫尺有所短，寸有所长；物有所不足，智有所不明……龟策诚不能知此事。”意思是说，作为标准的尺寸，有时不能用作标准，用以比喻龟卜虽是替人决疑的，但有时不能决疑。司马迁引此，另翻新意，用以比喻白起、王翦两人之智略各有长短，批评两人替秦国打了天下，却不能替秦守天下。白起量度敌人，随机应变，出奇制胜，变化无穷，名震天下，但不能阻止应侯范雎设置的灾祸，被秦昭王赐死杜邮。王翦为秦大将，铲平六国，在当时是一个元老旧将，秦始皇把他当作老师，但他不能辅助秦始皇建立德义，巩固根本，苟且偷生，求容人生，直到老死。他的孙子王离在秦末农民起义灭秦战争中成了项羽的俘虏。白起、王翦都是盖世无双的名将，本可为万人景仰的英雄。但白起暴虐，坑杀赵长平军，不免横死。王翦不谏秦始皇行仁义，其孙受殃。这样，两人的短处，使他们不能成为人们的楷模，不免使人惋惜。司马迁用“尺短寸长”来评论，表现了他的反暴政思想。后世运用“尺短寸长”这一成语，则泛指人和物均有所长，也各有所短，扬长避短，不求全责备。

将门必有将，相门必有相。(卷七五《孟尝君列传》/2353 页)

【译文】 将门的后代一定有将才，相门的后代一定有相才。

【评点】 孟尝君田文对父之言。田文，著名的战国四公子之一，他为齐相数十年，名闻天下。田文父亲田婴是齐威王的小儿子，既有将才，又有相才，因功封于薛。田婴有众多妻妾，有40多个儿子。田文为贱妾所生，出生在旧历五月初五，齐人认为这是一个不吉利的日子，田婴不让其母养育田文。田文被其母偷偷养大，因此很不受父亲重视。有一天，田文对父亲说了“将门必有将，相门必有相”的话，表示自己有才干。后世常用这两句话表明不同家庭出身会造就不同的人才。今俗语有“龙生龙，凤生凤，老鼠生儿打地洞”，说的就是家庭环境是一种社会条件，它对人有重大影响。百工技艺之人有许多世代相传的世家，在封闭的封建社会，这种情况是普遍现象。但随着社会的进步，传统家庭被打破，出身环境影响人们的发展日益缩小。特别是将出身绝对化，则是片面的唯心论，应予摒弃。

利令智昏。（卷七六《平原君虞卿列传》/2376 页）

【译文】 贪图钱财可以使人神智昏聩。

【评点】 司马迁论赞之言。公元前 262 年，秦将白起伐韩，拔野王（今河南沁阳），将韩国切断，一分为二，河北上党地区孤立无援。冯亭为韩国上党太守，他献地于赵，平原君力排众议劝赵孝成王接受冯亭献地，秦人大怒，转而攻赵，爆发了秦赵长平之战，赵国战败，四十余万大军全军覆没。接着秦围邯郸，赵国差点灭亡。司马迁对此评论说：平原君是一个在乱世中轻飘高举的贤德公子，但不懂大体，正如俗话说的“利令智昏”，贪冯亭献地，使赵国兵折于外，内受围困，邯郸差点陷落。后世用此典故批评那些头脑发昏，在利益面前什么都干得出的人为“利令智昏”。

庸主赏所爱而罚所恶；明主则不然，赏必加于有功，而刑必断于有罪。（卷七九《范雎蔡泽列传》/2404 页）

【译文】 昏庸的君主奖赏他所喜爱的人，而惩罚他所讨厌的人；英明的君主就不是这样，奖赏一定施给有功的人，刑罚一定判在有罪的人身上。

【评点】 范雎上书秦王所引俗谚。恶（wù），厌恶。加，《玉篇》：“益也。”断，《说文》：“裁也。”裁断，引申为判决。范雎上书秦昭王，下决心疏远穰侯、华阳君等贵戚，改变用人惟亲的政策而要用人惟贤，实际是自荐于秦王。秦昭王得书，大悦，召见了范雎，不久任用范雎为丞相，建远交近攻之策，秦国日益富强。赏罚分明，用人不分亲疏，既是明主与庸主的分野，也是事业成败的关键。

长袖善舞，多钱善贾。（卷七九《范雎蔡泽列传》/2425 页）

【译文】 袖子长的人善于舞蹈，本钱多的人善于做生意。

【评点】 司马迁论赞所引《韩非子·五蠹》之言，古代俗谚，比喻做事成功要有凭借。贾，《说文》：“市也。”做买卖。

智者不倍时而弃利，勇士不却死而灭名，忠臣不先身而后君。（卷八三《鲁仲连邹阳列传》/2465 页）

【译文】 明智的人不违背时势而放弃有利的机会，勇敢的人不逃避死亡而埋没名声，忠臣不先顾及自己而把国君放在后边。

【评点】 鲁仲连《遗燕将书》中之言，劝燕将认清时势，及时归附齐国。驻守聊城的燕将，内受燕主之疑，外受齐军重围，走投无路。齐将田单围攻三年不下。双方力竭。鲁仲连受田单之请，遗书燕将劝降，说了这番话。燕将得书后自杀。倍，“背”之借字。却死，《索隐》注：“犹避死也。”

规小节者不能成荣名，恶小耻者不能立大功。（卷八三《鲁仲连邹阳列传》/2467 页）

【译文】 拘守小节的人不能成就荣耀的名声，忍受不了小耻辱的人不能建立伟大的功业。

【评点】 鲁仲连劝燕将降齐之言，载《遗燕将书》中。困守聊城的燕将因内受燕主之疑，外遭齐兵三年围困，既不能退，又不得援。在此形势下，鲁仲连写信劝降，不要斤斤计较细小名节，应放开眼界考虑未来。燕将得书，欲战无前途，欲降怕受辱，最后选择了杀身立名之路，自杀而兵降于齐。

有白头如新，倾盖如故。（卷八三《鲁仲连邹阳列传》/2471 页）

【译文】 人生相交，有的相交一辈，还如同新交一样不了解；有的只是邂逅相遇，就如同故交一样相见恨晚。

【评点】 邹阳《狱中上梁王书》所引古代谚语，用以说明自己不被人理解的痛苦。白头，指时间长，一辈子。倾盖，指两车紧靠，以致把车盖都挤歪了，比喻邂逅相遇，一见倾心，密谈个没完。这两句谚语形象生动，极为传神。它指出人际交往，不在时间长短，而在于是否有共同语言，真心相结。这联谚语又分为两个成语。“白头如新”，喻朋友相交，貌合神离，虽然交了一辈子，互相并不了解。“倾盖如故”，则表示相知甚深。

士为知己者死，女为悦己者容。（卷八六《刺客列传》/2519 页）

【译文】　士人总是为报答知己而去牺牲，女人总是为了喜欢自己的人去打扮。

【评点】　豫让之言。这两句是古代流行的成语。豫让是春秋时晋上卿智伯亲爱的武士。韩、赵、魏三家共灭智伯，赵襄子为首谋，豫让坚决要替智伯报仇，谋杀赵襄子。他毁容服哑药，改变形貌来接近赵襄子，吃尽了苦头，就是为了报答知己。后世用这两句话来表扬忠贞不二的人，成为人生修养的格言，有很深广的影响。容，容貌，这里作动词用，指修饰打扮。

千金之裘，非一狐之腋也；台榭之榱，非一木之枝也；三代之际，非一士之智也。（卷九九《刘敬叔孙通列传》/2726 页）

【译文】　价值千金的狐裘，不是一只狐狸的腋皮制成的；楼台亭榭的椽木，不是一棵树的枝条能建成的；夏商周三代的兴起，不是靠一个人的智慧完成的。

【评点】　司马迁论赞之言。高祖兴起于微细的民间，平定了天下，善于谋划，善于用兵，都可以说是达到了顶点。但是刘敬原只是一个拉车夫的庄稼汉，退役士兵，他建言定都长安的一席话，建立了国家万世的根本，可见智慧不是一个人所能专有的。高祖得天下，正是任用了韩信、萧何、张良等一大批文臣武将的缘故。俗语说：“三个臭皮匠，顶个诸葛亮。”团结大众，群策群力，就会有无穷无尽的智慧和力量。所以干大事，成大业，不能依赖一人一智，所谓“最、最、最”的超人是没有的。裘，皮袍，此指狐裘。腋，胳肢窝，狐皮腋下的一块最轻暖。台榭，亭台楼阁。《尚书·秦誓上》伪孔传曰：“土高曰台，有木曰榭。”司马迁的这一段话，又见《慎子·知忠》，古代俗语，司马迁引用比喻起兴，说明群策群力的重要意义，讽喻帝王善纳群言。

【一诺千金】得黄金百斤，不如得季布一诺。（卷一〇〇《季布栾布列传》/2731页）

【译文】　得到黄金一百斤，赶不上得到季布的一次允诺。

【评点】　“一诺千金”，曹丘生引楚谚之言，指季布言必信，行必果，得到他的允诺，价值超过一百斤黄金。诺，允诺，答应别人的请求。季布为秦汉之际游侠，曾为项羽大将，数困刘邦。汉朝建立，季布遇赦，官至河东太守。辩士曹丘生以金钱结交权贵，又与宦官赵同交结，季布看不起他。而曹丘生却千方百计要结交季布，他到处宣传季布的侠义，季布终于与曹丘生相交结。后世用“一诺千金”赞誉重信立名的人。

舐糠及米。（卷一〇六《吴王濞列传》/2825页）

【译文】　舔完糠就要舔到米。

【评点】　古代俗语。吴王刘濞造反，派应高去联络胶西王刘印。刘印已被朝廷削割了六个县。应高就引用这句俗语来挑动胶西王，指朝廷削地，就像狗舔吃食物一样，由糠到米，喻朝廷削地由外到内，直到诸侯国之灭。这是一句粗俗而生动的生活语言，也就是与书面语的“蚕食”一词相当。

毋为权首，反受其咎。（卷一〇六《吴王濞列传》/2836页）

【译文】　不要强行出头，以免招致灾祸。

【评点】　古代俗语。司马迁论赞所引，今俗语“枪打出头鸟”，“出头的椽子先腐烂”，与此意同。司马迁是反说刺讥，因晁错谋划削弱诸侯，蒙冤被害，值得同情，景帝不明，应受批评。

枝大于本，胫大于股，不折必披。（卷一〇七《魏其武安侯列传》/2851页）

【译文】 树枝比树干大，小腿比大腿粗，不是折断，就是分裂。

【评点】 古代俗语，韩安国在东朝廷辩时所引。比喻诸侯豪强势大，会危及中央朝廷的政权。韩安国具体指灌夫，在颍川郡结交大奸巨猾，欺压平民，甚至凌辱皇族，党同田蚡征伐其罪。

虽有亲父，安知其不为虎？虽有亲兄，安知其不为狼？（卷一〇八《韩长孺列传》/2860页）

【译文】 即便是亲生父亲，怎么知道他不会变成老虎？即使是同胞兄长，怎么知道他不会变成恶狼？

【评点】 古代民间俗语，为韩安国劝谏梁孝王奉公守法所引用。梁孝王刘武，汉景帝之弟，他依仗母亲窦太后的宠爱，干了许多违法的事。韩安国劝他谨守臣礼，不要觊觎皇帝之位，并用高帝尊礼父亲为太上皇，景帝废了栗太子并赐死的故事警告梁孝王。在权力争夺时，父子之间，兄弟之间，都会变得如虎如狼，这是不以人的意志为转移的。

强弩之极，矢不能穿鲁缟；冲风之末，力不能漂鸿毛。非初不劲，末力衰也。（卷一〇八《韩长孺列传》/2861页）

【译文】 强弓射程的极限，箭头射不穿鲁地所产的白绸；向上猛吹的狂风，到最后即使飘起雁毛的力量也没有。并不是它们起始的力量不强，而是到了最后，力量衰竭了。

【评点】 韩安国反对出征匈奴之言。汉武帝准备反击匈奴，让大臣们主战与主和两派各抒己见。韩安国主和，认为汉军千里奔袭匈奴，人困马乏，而匈奴以逸待劳，势必不胜，并引用俗谚作比喻，说明任何强大的力量，衰弱后起不了什么作用。强弩，一种用机械发射的强弓。鲁缟，鲁地所产的轻薄白绸。冲风，向上直吹的强风。鸿毛，大羽毛，雁毛。

桃李不言，下自成蹊。（卷一〇九《李将军列传》/2876 页）

【译文】 桃树李树，春天有着芬芳的花朵，秋天有着甘美的果实，它不言不语，人们却在树下踩出了一条条小路。

【评点】 司马迁论赞之言。这是两句古代广为流传的谚语。司马迁引用借以高度评价李广的品格，赞美他诚实朴直，事事以身作则，赢得了全军和普通老百姓的尊敬。司马迁特别强调："此言虽小，可以喻大。"后世人们常用这两句话赞喻德高望重的杰出人物，他们的言行成为一代风范，昭示众人遵循。

家累千金，坐不垂堂。（卷一一七《司马相如列传》/3054 页）

【译文】 富贵之家的人不坐在屋檐底下，避免瓦片落下来打伤身体。

【评点】 古代谚语，司马相如《上书谏猎》所引，用以劝谏汉武帝不要去频繁打猎，以免出危险。《孟子·尽心》："知命者不立乎岩墙之下。"懂得命运的人是不站在有倾倒危险的墙壁之下的，也说的是这个道理。一个对社会有责任心，又懂得生命可贵的人，就不要去做冒险的事，留着自身的才干为社会多做贡献。又《袁盎晁错列传》作"千金之子，坐不垂堂"。汉文帝二年（前 178），汉文帝乘车至霸陵，想从西边近道驰下陡坡，袁盎引此谚劝阻文帝以宗庙为重，不去冒险。

千金之子，不死于市。（卷一二九《货殖列传》/3256 页）

【译文】 有千金的富家子弟，不应遭杀身之祸于闹市。

【评点】 千金之子，喻有钱有势的人家，或有尊贵地位的人。市，交易热闹的街市。古代行刑，将犯人斩于闹市示众，称"弃市"。这两句原本之意是说富贵人家不轻易去犯法，不会死于闹市。《货殖列传》反用其意，指有钱有势人家子弟犯了法也不死于市。

何知仁义，已享其利者为有德。（卷一二四《游侠列传》/3182 页）

【译文】 管它什么仁义不仁义，我享受了谁的利益，谁就是有德的人。

【评点】 序论所引古代俗语。这是对于古代侯门道德虚伪性的揭露。今俗语有“有奶便是娘”，与此义同，用于批评见利忘义的人。

人貌荣名，岂有既乎！(卷一二四《游侠列传》/3189 页)

【译文】 人的相貌和荣誉名声，难道有必然的联系吗！

【评点】 司马迁论赞之言。郭解天下知名，但他的品貌还够不上中等，说话没什么可取的。司马迁用这两句话赞扬郭解，深受人们爱戴，名声很大，却在外貌上看不出来，不能不让人敬佩、感叹。今俗语有“人不可貌相，海水不可斗量”，与此语义正同。既，已；引申为必定，必然。旧解，释已为尽。谓人以荣誉、名声作容貌，难道会有穷尽的时候吗？与上下文扞格不通，今不取。

力田不如逢年，善仕不如遇合。(卷一二五《佞幸列传》/3191 页)

【译文】 努力耕田赶不上碰到好年成，兢兢业业做官不如遇上志同道合的明君。

【评点】 所引古代谚语，指机遇十分重要。司马迁引用此语，是说那些佞臣，本无什么才能，只靠阿谀逢迎取悦人主，身居高官；而那些忠心耿耿，实实在在任职的贤才，往往坎坷不平，倍受压抑。

相马失之瘦，相士失之贫。(卷一二六《滑稽列传》/3209 页)

【译文】 相马因外表清瘦而漏掉良马，相士因衣衫褴褛而失去人才。

【评点】 褚少孙补传所引古代谚语，用以赞誉东郭先生。齐人东郭先生，贫困饥寒，衣服鞋子都破旧不堪，待诏公车，无人理会。一次他半道拦住大将军卫青，劝卫青以所得赏赐分一半给汉武帝母亲王夫人的亲戚，一定会得好处。卫青照办，果然得到汉武帝的召见，东郭先生也蒙恩拜郡都尉。大家才知道东郭先生是一位贤士。看任何事物都不能只看表面，对人更不能以衣貌取人。高贵者未必聪明，贫贱者未必愚蠢。相，观察品评。

制宅命子，足以观士；子有处所，可谓贤人。（卷一二七《日者列传》/3221页）

【译文】 建造什么样的住宅，教导儿子干什么，足可以看出士大夫的为人志趣；儿子有了合适的职业，可以说做父亲的就是贤人。

【评点】 褚少孙补传所引俗谚。说明一个人的道德修养，可以从日常生活和教导子女中反映出来。反过来说，一个人要有高尚的道德情操，就要在日常生活、教育子女中一点一滴做起。

谏者福也，谀者贼也。（卷一二八《龟策列传》/3233页）

【译文】 听得进批评劝谏的人得到幸福，喜欢阿谀奉承的人蒙受灾祸。

【评点】 褚少孙补传宋元王之言。喜欢阿谀奉承的人记住这两句古谚，对身心有益。

【熙熙攘攘】天下熙熙，皆为利来；天下壤壤，皆为利往。（卷一二九《货殖列传》/3256页）

【译文】 天下的人，熙熙壤壤，都是为利而来，为利而往。

【评点】 古代谚语，司马迁引用说明社会上各色人物，上自天子王侯，下至庶民百姓，忙忙碌碌，都是为了求利致富，不愿贫困，从而委婉地表达了他对抑商的不平。成语“熙来攘往”，或作“熙熙攘攘”，由此化出，形容人来人往，热闹非凡。壤壤，通“攘攘”，与“熙熙”同义，热闹拥挤的样子。

歌谣第三

【引言】 古代歌谣篇，凡 30 条。《史记》语言质朴清新，生动形象，人物语言具有个性色彩，叙事语言富有文学色彩。司马迁大量提炼歌谣诗赋入史，成为《史记》引语的一大特色。其他正史引用歌诗，多为经典诗，一般是引用《诗经》。《史记》引用《诗经》全书只有一二条，其他大量歌谣都是当时当事人的创作。汉武帝设乐府采诗，《史记》中部分民歌童谣，来自乐府，采用士大夫所作之歌，则来自皇室档案，更多的应当来自司马迁亲自搜集整理。运用当时场景的歌谣，尤其是政治歌谣，寓含了特定的历史内容，胜过千言万语的叙述。《史记》引用歌谣，保存了第一手资料的鄙俗特色，这正是司马迁所独具的特色。

元首明哉，股肱良哉，庶事康哉！元首丛脞哉，股肱惰哉，万事堕哉！(卷二《夏本纪》/82 页)

【译文】 国君圣明啊，大臣贤良啊，天下万事安宁啊！国君婆婆妈妈啊，大臣就懈怠啊，天下万事就败坏啊！

【评点】 皋陶、大禹与帝舜君臣在一次讨论政事后作歌娱乐的歌词。原文见《尚书·皋陶谟》。皋陶是帝舜时掌刑政的大臣，这首歌为皋陶所作，两段歌词，一正一反，说明君明臣贤，上下一体，发愤图强，国家才能长治久安。元、首，头也。股，大腿。肱，前胳膊。元首喻帝舜君王。股肱喻大禹等辅臣。《尚书·益稷》孔颖达疏："君为元首，臣为股肱耳目，大体如一身也。"庶，众。康，安宁。丛脞（cuǒ），细碎。惰，懈怠。堕，败坏。

【项羽吟】力拔山兮气盖世，时不利兮骓不逝。骓不逝兮可奈何，虞兮虞兮奈若何！（卷七《项羽本纪》/333 页）

【译文】 力能拔起大山啊，英雄气概举世无双；时运不利啊，乌骓马不往前跑。乌骓马不往前跑啊，这可怎么办；虞姬啊虞姬，怎么安排你啊才妥善？

【评点】 公元前 202 年十二月，项羽垓下之战失败，他在突围前与宠姬告别，悲歌一曲，感慨奈何，《项羽本纪》作了生动描绘。项羽一遍又一遍地唱着，禁不住落下泪来，满面横流，左右的人也一个个泣不成声，抬不起头来。叱咤千军的项羽如此儿女情长，他对生活留恋，尤其痛心虞美人的即将毁灭，他不甘心，他在抗争。这首歌，又称"力拔山兮歌"，表现了英雄末路的悲凉气概。由于项羽乌江自刎的豪壮，后世吟此歌即欲思斗，称"项羽吟"，又演化出成语"霸王别姬"。

【大风歌】大风起兮云飞扬，威加海内兮归故乡，安得猛士兮守四方！（卷八《高祖本纪》/389 页）

【译文】 大风刮起来了啊，云彩飞扬。皇帝威望远播海内啊，终于衣锦还乡。怎能得到勇猛之士啊，守卫四方。

【评点】 这是高帝晚年衣锦还乡，与父老乡亲纵酒宴饮所作的即席诗，史称"大风歌"。这时，开国功臣韩信、彭越、英布等皆被诛杀。高帝在饮酒高兴之时，追忆一生戎马战阵，好不容易打下江山，如何巩固汉家政权，勾起了对人才的思念，自己已到晚景，不免产生悲凉之情，直吐胸臆，写下了这首歌。

【饥饿之歌】诸吕用事兮刘氏危，迫胁王侯兮强授我妃。我妃既妒兮诬我以恶，谗女乱国兮上曾不寤。我无忠臣兮何故弃国？自决中野兮苍天举直！于嗟不可悔兮宁蚤自财。为王而饿死兮谁者怜之！吕氏绝理兮托天报仇。（卷九《吕太后本纪》/403～404页）

【译文】 诸吕专权啊，刘氏已危；胁迫王侯啊，强配我妃。我妃嫉妒啊，诬我以罪，谗女乱国啊，皇上蒙昧。我无忠臣啊，何故失国？自弃荒野啊，苍天公断。不早自裁啊，悔之已晚。为王饿死啊，有谁怜惜！吕氏灭理啊，托天报仇。

【评点】 为赵王刘友所写绝命歌。赵王刘友，高祖第六子，他不喜欢吕太后强配的吕氏宗族女为妻，被吕太后召来京师活活饿死。蚤，通早。

【神马太一之歌】太一贡兮天马下，沾赤汗兮沫流赭。骋容与兮跇万里，今安匹兮龙为友。（卷二四《乐书》/1178页）

【译文】 太一恩赐啊天马下凡，汗流如血啊口吐赭沫。纵情奔驰啊已越万里，谁能匹敌啊与龙为友。

【评点】 歌又载《汉书·礼乐志》，为《郊祀歌》十九首之十《天马歌》的第一段，文字有异。南阳新野人暴利长因刑谪敦煌屯田，得一奇马献之，欲神奇此马，诡称从渥洼水中出。渥洼水，在甘肃安西县境，为党河之支流。据《汉书》，此歌作于元狩三年（前120）。

【大宛天马之歌】天马来兮从西极，经万里兮归有德。承灵威兮降外国，涉流沙兮四夷服。（卷二四《乐书》/1178页）

【译文】 天马来自啊遥远的西方，历经万里啊归向有德的大汉。承蒙灵威啊降服外国，跨越沙漠啊四夷臣服。

【评点】 歌又载《汉书·礼乐志》，为《郊祀歌》十九首之一《天马歌》第二段，文字有异。此为太初四年（前101）汉军征服大宛得马所作。汉匈长期战争，中国要建立大骑兵团，需要改良马种，同时在战略上断匈奴右臂，故汉武帝派贰师李广利远征大宛，前后四年，得以成功，所以作歌庆贺，列入郊祀礼仪之中。按，《史记·乐书》所载《大宛天马之歌》一节为后人所增窜，因其歌与前一条《神马太一之歌》、后一条《瓠子之歌》均为汉武帝所作，故一并引录于此。

【瓠子之歌】其一：瓠子决兮将奈何？皓皓旰旰兮闾殚为河！殚为河兮地不得宁，功无已时兮吾山平。吾山平兮巨野溢，鱼沸郁兮柏冬日。延道弛兮离常流，蛟龙骋兮方远游。归旧川兮神哉沛，不封禅兮安知外！为我谓河伯兮何不仁，泛滥不止兮愁吾人！啮桑浮兮淮、泗满，久不反兮水维缓。

其二：河汤汤兮激潺湲，北渡污兮浚流难。搴长茭兮沉美玉，河伯许兮薪不属。薪不属兮卫人罪，烧萧条兮噫乎何以御水！颓林竹兮楗石菑，宣房塞兮万福来。（卷二九《河渠书》/1413页）

【译文】 瓠子决口啊怎么办？一片汪洋啊村落尽成河！尽成河啊地方不宁，削山塞河功未成啊，鱼山快削平。鱼山快削平啊，巨野莽泽又洪水四溢。到处是鱼的乐园，时节又迫近冬天。河水正道废弛啊水横流，蛟龙得意啊正远游。水还旧道啊神灵保佑，若不封禅啊怎知关外有灾难。请替我对河神说啊，他为什么这样不仁？河水泛滥不止啊，愁煞吾人。啮桑被水淹啊，淮水泗水也被灌满。河水长久不回故道啊，惟愿水流稍缓。

泛滥的河水浩浩荡荡啊，波涛滚滚；北流的河水迂回路远啊，难以疏导。取长缆来运土石啊，沉美玉以献河神；河神答应帮忙啊，塞河柴薪又供不上。塞河柴薪供不上啊，卫人将遭罪；生活柴薪都不够烧啊，唉，拿什么来塞河！只好砍光竹林作楗啊，再加石为柱；一定要塞住宣房啊，让多多的幸福来人间。

【评点】 《瓠子之歌》二首，为汉武帝亲临塞河工地庆成功之所作。水利工程是发展农业的一个重要基础。传说大禹治水得天下，从此，历代帝王治水是国家的一项大政。战国时兴修了许多人工的灌溉渠与交通运河。而大规模治理黄河这样的大工程是统一的西汉王朝从汉武帝时开始的。此外，通渭、引汾、开褒斜道、穿洛，都是大工程。最难忘的是堵塞黄河瓠子口。元封二年（前109），汉武帝从泰山封禅回京，亲率百官赴临瓠子口塞河工地，每人自将军以下都背负一捆柴薪支援，史称负薪塞河。皇帝亲临，百官上阵，这一壮举极大地鼓舞了十余万军民的士气，在冲入云霄的万岁声中，为害二十余年的黄河大决口终于堵塞了。广大中原地区免除了水害。这是人与自然灾害斗争的一场伟大胜利。汉武帝作歌庆成功，在中国水利史上也是不可多得的珍贵资料献，赖司马迁引载得以保存下来。歌词写出了河水泛滥带给人民的疾苦，表达了人民战胜灾害的决心。在这场人与自然的斗争中，至尊皇上与普通军民打成了一片，拧成了一股绳。卫地人民克服困难，支援柴薪，皇上百官，亲临工地，那场面是何等的动人。幸福由双手创造，堵塞宣房万福来。当然，根治黄河水患，直到1949年新中国成立以后的今天才变为现实。但汉武帝的治河业绩是不可磨灭的。间殚为河，指村镇全被河水淹没。柏，通迫。柏冬日，临近冬天，河水还在泛滥。河伯，黄河河神。啮桑，地名，在今江苏沛县西南。

【麦秀之歌】麦秀渐渐兮，禾黍油油。彼狡童兮，不与我好兮！（卷三八《宋微子世家》/1621页）

【译文】 麦芒尖尖啊，禾苗绿油油。那个顽皮的孩子啊，不和我亲近啊！

【评点】 箕子所作《麦秀之歌》。渐渐，通尖尖，麦芒刺立之状。狡童，顽童，指殷纣王。箕子，子姓，纣王之叔，封于箕（今山西太谷东北），史称箕子。纣王无道，箕子装疯为奴，免于祸患。殷亡，箕子朝周，路过殷墟，感怀故国，作《麦秀之歌》，称昔日繁华商都，今为禾黍油油，这都是纣王这小子荒淫无道的结果。箕子为长辈，故诗中称纣王为狡童，一片怨愤哀婉之情，道不尽亡国之痛。殷遗民闻之，皆为之流涕。

【士蒍之歌】狐裘蒙茸，一国三公，吾谁适从！（卷三九《晋世家》/1646 页）

【译文】 狐皮袍子毛蓬蓬，一个国里有三个君主，我该听从哪个主人！

【评点】 “士蒍之歌”，化出成语“一国三公”，喻政出多门，典原载《左传》僖公五年（前 655）。春秋时晋献公宠爱骊姬，欲以骊姬之子奚齐继位，逐群公子出朝。晋献公派大夫士蒍为公子重耳筑蒲城，为夷吾筑屈城。士蒍知道晋国将乱，不认真筑城，二公子不满，晋献公发怒，士蒍于是作歌，唱一国三公，意谓两公子与献公将发生对抗，自己不知听从哪一边好。蒙茸，形容狐毛乱蓬蓬的样子，比喻国家政局动乱。

【大雅抑篇】白珪之玷，犹可磨也，斯言之玷，不可为也。（卷三九《晋世家》/1649 页）

【译文】 白玉有了污点，还可以磨去，把话说错了，不好补救了。

【评点】 语出《诗经·大雅·抑》篇诗句，《晋世家》君子曰引此诗赞扬晋大夫荀息言出必行的为人。白珪，白玉。玷（diàn），玉上的斑点。晋献公宠爱骊姬，害死太子申生，逼走公子重耳、夷吾，将君位传给骊姬所生之子奚齐。晋献公废嫡立庶，加之奚齐年少，大臣不服。晋献公临终托孤荀息，荀息发誓尽心辅佐，说：“使死者复生，生者不惭，为之验。”意谓他荀息以死捍卫誓言，如果晋献公复生，他荀息问心无愧。结果晋大夫里克杀奚齐及其弟悼子，荀息果然从容就死，不食其言。荀息为晋献公之乱命而死，使人惋惜，这几句诗用以评价荀息十分妥帖。同时告诫世人，说话要三思，说了就要兑现。

【赵国民谣】赵为号，秦为笑。以为不信，视地之生毛。（卷四三《赵世家》/1832 页）

【译文】 赵人号哭，秦人欢笑。如果不信，请看地上的庄稼苗。

【评点】 此为赵国灭亡前夕的民谣。秦灭赵，双方战争十分残酷，赵良将李牧，多次打退秦兵进攻。当时秦强赵弱，赵国丁壮疲于军旅，老弱忙着转输，全国笼罩在战争中，误了农时，所以有这样的民谣，可见战争之酷。不久，赵人杀李牧，秦人长驱直入，赵国灭亡。

【鼎铭三命之歌】一命而偻，再命而伛，三命而俯，循墙而走，亦莫敢余侮。饘于是，粥于是，以馔余口。（卷四七《孔子世家》/1908 页）

【译文】 第一次任命鞠躬而受，第二次任命弯腰驼背而受，第三次任命九十度垂头鞠躬而受。走路时顺墙快走，也没人敢欺侮我。我就用这个鼎煮面糊和稀粥用以糊口度日。

【评点】 孔子祖先正考父受命为宋上卿所铸礼鼎上的铭文。此鼎供在正考父庙上。正考父历仕宋戴公、武公、宣公三君，三次受命为上卿，一次比一次谦逊。从偻（lóu）到伛（yǔ）到俯，是腰越弯越低，每升迁一次，更感责任重大，受命时腰越弯得低。走路顺沿宫墙，表示不敢走正中，他这样谦逊，别人对他也更尊敬。一日三餐总是饘（较稠的粥）与粥，生活是如此简朴。这一组铭文，生动地记载了孔子家族世代谦逊尊礼的光荣传统，地位越高越是谦虚和简朴。

【去鲁之歌】彼妇之口，可以出走；彼妇之谒，可以死败。盖优哉游哉，维以卒岁！（卷四七《孔子世家》/1918 页）

【译文】 那些妇人的一张嘴啊，可以把执政大臣赶走；满足那些妇人的要求啊，可以国破身亡啊。悠闲啊悠闲，我只有这样度过岁月啊！

【评点】 孔子去鲁之歌。鲁定公时孔子为司寇，兼行相事，执政三月，道不拾遗。邻国齐国恐惧，就送给鲁国国君一个由 80 个美女组成的歌舞团，让他们迷惑鲁君和执政上卿季桓子。季桓子接受女乐后一连三天不问政事，在郊外祭天后又不分祭肉给大夫们，使孔子无法处理政事。于是孔子唱起了这首歌，感慨女乐乱政，鲁君和季桓的昏庸，于是离开了鲁国。

【太山之歌】太山坏乎！梁柱摧乎！哲人萎乎！（卷四七《孔子世家》/1944 页）

【译文】 泰山毁坏了，梁柱折断了，一代哲人就要凋谢了。

【评点】 孔子临死前几天，子贡来看他，他唱了这首歌，感叹道之不行，预示自己即将谢世。同时也表现了孔子的信心，自称哲人，他相信自己的学说终究要传世，并与泰山相提并论。过了七天，孔子就死了。

【耕田歌】深耕概种，立苗欲疏；非其种者，鉏而去之。（卷五二《齐悼惠王世家》/2001 页）

【译文】 深耕密种，留苗稀疏，不是同类，铲锄丢弃。

【评点】 这是一首西汉时流行的耕田歌，简明地总结了农作经验。要想获得高产，必须深耕密种，间苗疏朗，把不同的杂草，干净彻底地锄掉丢弃。《说文》：“概（jì），稠也。”概种，即密种，指播种时要多下几粒种子，保证出苗整齐。立苗，指间苗时留下的禾苗。西汉吕太后擅权，刘姓宗室遭迫害，外戚吕氏炽盛。高帝刘邦之孙，即齐悼惠王刘肥之次子刘章，时年 20 岁，勇敢有力气，宿卫宫中。他愤慨刘姓宗室得不到职权，在一次侍奉吕太后的宴席上，乘着酒兴唱了这首耕田歌，语意双关地表达了铲除非刘氏之种的诸吕的壮志和决心。吕太后死后，汉大臣诛除诸吕，刘章果然建功，斩杀了相国吕产，封朱虚侯。借助诗词歌谣或俚语俗谚来抒发感慨，表达壮志，词婉而意显，这是中国文化中一种传统的语言艺术。古人这样用，今人也这样用。

【高祖为戚姬之歌】鸿鹄高飞，一举千里。羽翮已就，横绝四海。横绝四海，当可奈何！虽有矰缴，尚安所施！（卷五五《留侯世家》/2047 页）

【译文】 鸿鹄高飞，一飞千里。羽翼已成，翱翔天下。翱翔天下，无法可想。虽有弓箭，派不上用场。

【评点】 汉高祖为戚夫人所作。鸿鹄喻惠帝刘盈，时为太子。四海，指天下。矰，短箭。缴，系在短箭上的丝绳。高祖宠爱戚夫人，又担心吕太后强横，太子刘盈仁弱，打算废掉太子，立戚夫人之子刘如意为太子，大臣反对，下不了决心。留侯用计，请来商山四皓辅助太子，刘邦又惊又喜。高祖刘邦亲自请四皓出仕遭拒绝，他们居然辅助太子，感到惊奇。喜的是太子成人，能得四皓高士为辅，如同高飞千里的鸿鹄，继位守成，当不辜负重任。但是，想到戚夫人母子将来的安全，没有保障，悲从中来，只能相对短叹长吁，抒怀作歌。从此，高祖不再提出更易太子的事。

【采薇之歌】登彼西山兮，采其薇矣。以暴易暴兮，不知其非矣。神农、虞、夏忽焉没兮，我安适归矣？于嗟徂兮，命之衰矣！（卷六一《伯夷列传》/2123 页）

【译文】 登上那座西山啊，采集那山上的薇菜。用暴虐去代替暴虐啊，还没认识到是错误啊。神农、虞舜、夏禹的时代一下子就过去了啊，我到哪里去找归宿呢？哎呀呀，我们就要死了啊，命中注定要这样吧！

【评点】 伯夷、叔齐临终前所唱的歌。孔子称道伯夷、叔齐，求仁而得仁，不念旧恶，“怨是用希”（见《论语·公冶长》和《述而》篇）。这首《采薇之歌》却充满了怨情，司马迁发出质问，伯夷、叔齐不食周粟而死，到底“怨邪非邪？”按传统的天道观念，上天惩恶佑善。但现实生活却往往是好人遭殃，坏人享福，对这不公平的世道，司马迁提出了愤怒的质问。苍天佑善吗？像伯夷、叔齐那样的好人，“积仁絜行如此而饿死”，“天之报施善人，其何如哉？”苍天惩恶吗？“盗跖日杀不辜，肝人之肉，暴戾恣睢，聚党数千人，横行天下，竟以寿终。”司马迁说：“余甚惑焉，傥所谓天道，是邪？非邪？”伯夷是被儒家所神圣化的人物，而司马迁借以抒发对天道质疑的议论，伯夷也是有怨的。这首《采薇之歌》录在司马迁笔下，表达了“是非颇谬于圣人”的进步历史观。伯夷是被某神道义异化了的人物，他怨怼而死，不就是对不公平世道的抗争吗？

绵绵不绝，蔓蔓奈何？豪氂不伐，将用斧柯。（卷六九《苏秦列传》/2256页）

【译文】 野草细微不拔除，蔓延长大后怎么办？恶木幼苗时不剪削，长成大树后就要用斧头了。

【评点】 苏秦游说魏襄王时所引《逸周书·和寤解》之言，说明消除祸患要在萌芽之时，等到大祸蔓延开来就要用大力气了。当时魏国割地事秦，以求一时之安，苏秦用野草恶木作喻，不及早杜绝将酿成大祸。绵，《说文》：“联微也。”绵绵，细微蔓延的样子。蔓，《说文》：“葛属。”一种蔓延生长的野草。蔓蔓，与绵绵相对，指长大蔓延的样子。豪，通毫。柯，《说文》：“斧柄也。”

【一去不返】风萧萧兮易水寒，壮士一去兮不复

还！（卷八六《刺客列传》/2534 页）

【译文】 风声萧萧啊易水寒凉，壮士一去啊不再回还。

【评点】 “一去不返”，喻义无反顾，必死不屈，不达目的，决不生还。此为荆轲刺秦王，在易水辞行时与众人一起高唱的壮士曲。易水，指今河北易县境内的太清河支流，战国时为燕国南界。公元前 227 年，燕太子丹组织刺杀秦王的活动，荆轲受命刺秦王，燕太子丹及宾客都穿着丧服白衣白帽为荆轲送行。在易水岸边，饯行上路，荆轲和送行人高唱这曲高亢激昂的壮士歌，面对死亡，勇往直前。送行人怒目圆睁，头发直竖，把帽子都顶了起来。荆轲上路，直视前行，始终连头也不回。大家怀着满腔的义愤，发出抗暴的吼声，目送英雄直到天际！

【优孟之歌】 山居耕田苦，难以得食。起而为吏，身贪鄙者余财，不顾耻辱。身死家室富，又恐受赇枉法，为奸触大罪，身死而家灭。贪吏安可为也！念为廉吏，奉法守职，竟死不敢为非。廉吏安可为也！楚相孙叔敖持廉至死，方今妻子穷困负薪而食，不足为也。（卷一二六《滑稽列传》/3201 页）

【译文】 住在山野耕田苦，累死累活难以糊口。出外做官靠贪赃，积有余财无廉耻。自身死了家室富，只怕贪赃枉法犯大罪，自身受刑家室遭株连，贪官哪能做呢？想做清官守法纪，到死不做非法事，唉，清官又哪能做呢？楚国贤相孙叔敖，一生清廉直到死，而今妻儿受穷困，依靠打柴来为生，清官实在做不得。

【评点】 楚庄王时乐人优孟所作。楚庄王相孙叔敖死后，其子贫困，打柴为生。优孟装扮成孙叔敖，引起楚庄王对故相的回忆，楚庄王要优孟为相，时时缅怀故相。优孟一面摇头，一面唱歌，拒绝做相，贪也不成，廉也不成，还是做平民好。楚庄王感悟，封孙叔敖子四百户。优，古代艺人。孟，人名。优孟化装表演，即席而歌。这故事后人概括为成语“优孟衣冠”，称赞演技高超的艺人。参见“优孟衣冠”条。

【优旃趣语】“汝虽长，何益，幸雨立。我虽短也，幸休居。”“善。多纵禽兽于其中，寇从东方来，令麋鹿触之足矣。”“漆城荡荡，寇来不能上。”（卷一二六《滑稽列传》/3202～3203页）

【译文】 “你们虽然长得高，又有什么用，有幸挨雨淋。我尽管长得矮，倒有幸悠哉悠哉休息”，“妙得很，扩大上林苑，禽兽养得多，盗从东方来，麋鹿角去触，足以退敌兵”，“涂了漆的城墙光光亮，盗寇来了爬不上”。

【评点】 秦人优旃诙谐谏说秦皇之言。秦宫值勤警卫一天到头不换班，风吹日晒受雨淋，优旃很同情。他选中秦始皇上朝高兴时，在一个雨天故意奚落警卫，秦始皇听了感悟，改为倒班站岗，警卫得了半日休息。秦始皇要扩大上林苑，把关中肥沃土地变成打猎场，东边扩大到函谷关，西边划到雍县和陈仓，八百里秦川都划进去了。优旃巧妙地用顺口溜醒悟秦始皇，停止了这项计划。秦二世即位，更为荒唐，他下令把咸阳城墙涂得金碧辉煌。优旃仍用诙谐的顺口溜逗得秦二世哈哈大笑，停止了漆城。优旃是秦宫中供帝王娱乐的小丑演员，他善于运用自身长于言谈表演的技艺，把真理融于笑声中，警悟至尊，达到正人君子义正词严所起不到的作用，这难道不是对历史所作的大贡献吗！所以司马迁特为立传，记载小人物的精妙语言，称赞他们的智慧，供人评说。

【周宣王时童谣】檿弧箕服，实亡周国。（卷四《周本纪》/147页）

【译文】 桑木做成的弓啊，箕木制成的箭袋啊，正是这东西要把周朝灭啊。

【评点】 周宣王时京师女孩所唱童谣。檿弧，桑木做的弓。

箕服，箕木制成的箭袋。这是一个传说故事。周宣王时，京师有一对夫妇，他们出售檿弧箕服，周宣王听了民谣派人抓这对夫妇。他们逃出京师，在路上拾了一个女婴，这女婴就是后来乱周天下的褒姒。当然传说不可靠，但它反映了幽王宠爱褒姒，荒怠国家政治，人民不满，编歌谣讽刺，指责褒姒确是历史事实。司马迁记载政治童谣，以观政风，以取借鉴，识见不凡。

【莱人之歌】景公死乎弗与埋，三军事乎弗于谋，师乎师乎，胡党之乎？（卷三二《齐太公世家》/1505 页）

【译文】 景公死了不能参加丧葬，三军大事不能参加商量，众公子的追随者哟，你们躲到哪里去了啊。

【评点】 姜齐政治动乱时的讽刺歌谣。齐景公年老昏聩，他宠爱小儿子荼，想传位给他，迟迟不立嫡子。他临死前把荼的五个兄长赶出京城，迁到莱邑。景公死后，国惠子、高昭子奉景公遗命立荼为君，景公还没有安葬，诸公子怕诛，公子寿、驹、黔三人奔宋，公子驵、阳生两人奔鲁。莱人同情群公子，编了这首歌谣。莱，古国名，齐灭为邑，在今山东黄县东南。

【鲁文成之世童谣】鸜鹆来巢，公在乾侯。鸜鹆入处，公在外野。（卷三三《鲁周公世家》/1540 页）

【译文】 八哥鸟来筑巢，国君在乾侯。八哥鸟来住宿，国君在野外。

【评点】 鲁国文公、成公时的政治童谣，预示鲁昭公将被逐。鲁大夫师己之言。鸜鹆，即八歌鸟，不是中原地区的常鸟。鲁昭公二十五年（前 517），八哥鸟到鲁京师曲阜筑巢定居，师己认为这应了文成时的童谣，不久季孟叔三家果然逐出了昭公。

【娃嬴之歌】美人荧荧兮，颜若苕之荣。命乎命乎，曾无我嬴。（卷四三《赵世家》/1804 页）

【译文】 美人光彩照人啊，容貌像苕花一样漂亮。命运啊命运，可惜没人知道娃嬴之名。

【评点】 赵武灵王梦中美人娃嬴所唱之歌。赵武灵王为战国时赵国贤君，他推行胡服骑射的改革，赵国成为强国。可是他宠爱娃嬴，生赵惠王何，从而变易太子，废长子章，后反悔，立章为代王，导致内乱，赵国差点分裂。武灵王因之死于内乱。这首武灵王梦中所见美女鼓琴歌，不过是为自己纳妃制造的舆论，它带来政治动乱，司马迁特作记载，却也使武灵王生活带有传奇色彩。

【采芑之歌】妪乎采芑，归乎田成子！（卷四六《田敬仲完世家》/1883 页）

【译文】 老太太采来的芑菜，都送给了田成子。

【评点】 齐京师临淄歌颂田成子的歌谣。田成子，即田常，他做姜齐悼公的左相。田常用大斗贷出，小斗收进的办法，收买民心，图谋篡夺姜齐政权。老百姓都拥戴他，连老太太打来的野菜，都要送给田成子。此言人心归向，田氏将要代齐。芑（qǐ），一种野生的蔬菜。

【松柏之歌】松耶柏耶？住建共者客耶？（卷四六《田敬仲完世家》/1902 页）

【译文】 松树啊，柏树啊，你们可是见证？让齐王建住到共城的难道不是宾客吗？

【评点】 战国末年齐地流传的一首政治民歌。齐王建，是战国田齐的末代君主。他信用奸臣后胜为相，后胜广招宾客为秦国作间谍，秦攻东方各国，齐国坐视不救。最后秦灭齐，把齐王建迁居在共城一处有松树、柏树的宫中。齐地百姓惋惜齐国之亡，痛恨齐王建使用奸佞宾客不加审察，作了这首松柏之歌。它告诫人们结交要善于择友，齐王建国亡于客是一个深刻的教训。共，西周时共伯封国，旧邑在今河南辉县。

【萧曹之歌】萧何为法，𩔰若画一；曹参代之，守而勿失。载其清净，民以宁一。（卷五四《曹相国世家》/2031页）

【译文】 萧何制定规章，十分严明公正；曹参继任为相，遵守萧规毫厘不差。多谢这无为的政治，使百姓享受到了安宁统一。

【评点】 这是一首颂扬西汉贤相曹参奉行无为政治，遵守萧何旧章的民歌，成语“萧规曹随”，由此化出。𩔰（jiào），直，明。司马贞《史记索隐》云：“训直，又训明，言法明直若画一也。”载，通戴，感戴。清净，指无为政治，统治者不生事扰民，一切按成例办事，这里指曹参无为而治，不生事改变萧何法规。萧规曹随，保证了西汉初年的政治平稳，巩固了统一成绩，人民享受太平，因此歌唱颂扬。

【颍川儿歌】颍水清，灌氏宁；颍水浊，灌氏族。（卷一〇七《魏其武安侯列传》/2847页）

【译文】 颍水清清，灌氏安宁；颍水混浊，灌氏族灭。

【评点】 西汉武帝时颍阳儿歌。表达了人民对土豪恶霸鱼肉乡里的痛恨。颍阳人灌夫，在景帝时平定吴楚七国之乱中立有战功，武帝时官至太仆，坐法失官，家居长安。灌夫为人正直，好打抱不平，与失势的故丞相魏其侯窦婴交结，共同对付新贵武安侯丞相田蚡。但灌氏家族在颍阳鱼肉乡里，为一方恶霸。田蚡抓住把柄，置灌夫于死地。司马迁称扬灌夫的正直，但通过这首儿歌对灌夫横行乡里的行为则给予贬斥。

【淮南民歌】一尺布，尚可缝；一斗粟，尚可舂。兄弟二人不能相容。（卷一一八《淮南衡山列传》/3080页）

【译文】 一尺麻布，尚可补衣；一斗谷子，尚能舂米。兄弟两人，却不能相容。

【评点】 这是一首汉代民歌。布，古代无棉，蚕桑所织称帛，麻葛所织称布。一尺布，一斗粟，喻微小，仍可两人共用，起兴衬托兄弟二人不能相容。汉文帝前元七年（前 173），文帝同父异母弟淮南王刘长骄恣不法，被废为庶人，流放到蜀郡。刘长性情暴烈，不忍受辱，绝食死在半道上。汉文帝后悔，以侯礼葬刘长于雍（今陕西凤翔），封刘长四子为侯。文帝前元十二年（前 168），淮南地方流行了这首民歌，批评文帝天下之大竟不能容兄弟之过。文帝处置淮南王的是非不值得去议论，而这首民歌告诫人们要珍惜手足之情的意义却得到人们的赞同，因而得以流传。

讽喻第四

【引言】 讽喻篇，凡22条。《十二诸侯年表序》云，孔子次《春秋》，“七十子之徒口授其传指，为有所刺讥褒讳挹损之文辞不可以书见也”。《匈奴列传赞》云：“太史公曰：孔氏著《春秋》，隐桓之间则章，至定哀之际则微，为其切当世之文而罔褒，忌讳之辞也。”这两则论赞，无疑提示了《史记》对当代史的记载多有微词讽喻。清代学者牛运震在《史记评注》中就说：太史公“凡称誉万石君过情处皆含风刺”。司马迁不仅对平庸官僚进行讽刺，尤其对汉朝帝王，包括开国帝王汉高祖、当今皇上汉武帝，以及公孙弘等赫赫大臣，笔端往往带讽刺。司马迁微词讽喻手法多种多样。条列其大端者有五。其一，状摹本人自矜声色动态以寓讽；其二，引用他人之语以寓讽；其三，言古事以讽今；其四用以褒为贬，或以贬为褒的反写法以寓讽；其五，叙写人物言行故作破绽，或周而复始，相映成趣以寓讽。此外，制造行文环境，以无声的沉默以寓讽。例如，写酷吏传，集中在汉武帝一朝，写循吏传不及汉代人，两相对照，构成无声的讥刺。司马迁是一位讽刺语言大师。擅长用讽刺艺术讥刺时事。因而“马迁之述汉非”（刘知几《史通·直书》），成为《史记》叙事的一大特色。以今语言之，《史记》的讽刺艺术，具有干预现实生活的文学功能。

孔氏著《春秋》，隐桓之间则章，至定哀之际则微，为其切当世之文而罔褒，忌讳之辞也。（卷一一〇《匈奴列传》/2919 页）

【译文】 孔子编著《春秋》，对于隐公、桓公时的事记载得鲜明切实，到了定公、哀公时候就记载得隐讳婉约，因为孔子生活在定公、哀公之世，对于当代的事不便于直切记载，也就免不了有虚美，是因为行文有所忌讳。

【评点】 司马迁论赞之言。孔子修《春秋》隐微当世，主要原因是孔子生活的当世，鲁政衰微，孔子为尊者讳而罔褒，当时还没有什么思想钳制。秦焚诗书，汉黜百家，至司马迁之世，文网兴起，故这里是借孔子而言今，隐喻《史记》所言汉代当世之多微词。唐刘知几有言："齐史之书崔弑，马迁之述汉非，韦昭仗正于吴朝，崔浩犯讳于魏国。"（《史通·直书》）这些直笔史家，以司马迁成绩为最大。刘知几着重指出，史家直笔，贵在对现实生活不合理部分的批判，特别肯定了司马迁的"述汉非"。如果一个史家没有批判现实的勇气，没有爱憎分明的立场，没有直言不讳的精神，那么史家就丧失了史德，也就没有史家的地位和历史的价值。司马迁"述汉非"，被东汉王允斥为"谤书"（见《后汉书·蔡邕传》及《三国志·董卓传》裴氏注）。唐章怀太子李贤注云："凡史官之事，善恶必书。谓迁所著《史记》，但是汉家不善之事，皆为谤也，非独武帝之身。"（见《后汉书·蔡邕传》注）这具体说明了司马迁"述汉非"的内容与范围，不只是刺讥汉武帝，它涉及了百年汉史的整个纵横面，包括了汉朝至高无上的皇帝从刘邦到汉武帝，以及汉代文质彬彬而竞荣逐利的儒生，还有功臣宿将，都作了深刻的"微文刺讥"。对前代帝王亦有讽喻，如《滑稽列传》多诙谐婉词，但"述汉非"则是讥刺主流。故本篇讽喻精言妙事 22 条，全为汉事，以显司马迁之旨。本条居首揭旨，全按时间顺序排列，故君臣相间。

高祖五日一朝太公，如家人父子礼。太公家令说太公曰："天无二日，土无二王。今高祖虽子，人主也；太公虽父，人臣也。奈何令人主拜人臣！如此，则威重不行。"后高祖朝，太公拥彗，迎门却行。高祖大惊，下扶太公。太公曰："帝，人主也，奈何以我乱天下法！"于是高祖乃尊太公为太上皇。心善家令言，赐金五百斤。（卷八《高祖本纪》/382 页）

【译文】　高祖每五天朝拜太公一次，像平常人一样的家庭父子礼相见。主管太公生活的家令劝太公说："天上不能有两个太阳，地上不能有两个君主。如今皇上虽然是你的儿子，却是全天下人的君主；太公你老人家虽然是父亲，却是皇上属下的人臣。怎么能让皇上拜见臣子呢！这样做，那就会损害皇上的威严。"这之后，高祖朝拜太公，只见太公抱着扫帚在门口迎接，退着走路。高祖大吃一惊，赶紧下车扶起太公。太公说："皇帝是天下人的主子，怎么能因为我乱了天下的法度！"于是高祖就尊奉太公为太上皇。心中着实喜欢家令指导太公的一席话，赏赐家令金五百斤，即五百万钱。

【评点】　太公家令劝太公执人臣礼，刘邦着实高兴，"心善"二字揭示刘邦做作孝敬的内心世界十分妙绝。"赐金五百斤"，这一行动就是"心善"意识下情不自禁的表现。

高祖兄弟四人，长兄伯，伯早卒。始高祖微时，尝辟事，时时与宾客过巨嫂食。嫂厌叔，叔与客来，嫂详为羹尽，栎釜，宾客以故去。已而视釜中尚有羹，高祖由此怨其嫂。及高祖为帝，封昆弟，而伯子独不得封。太上皇以为言，高祖曰："某非忘封之也，为其母不长者耳。"于是乃封其子信为羹颉侯。（卷五〇《楚元王世家》/1987 页）

【译文】 高祖兄弟四个，大哥名伯，早已故去。当初高祖贫贱时，无所事事，经常拉着朋友到大嫂家去吃饭。大嫂心里讨厌这位小叔。有一次小叔又与客人来了，大嫂假装羹汤已经吃完的样子，用勺子刮响锅边，客人因此散去。过了一会，小叔送客回来一看，锅里还有羹汤，高祖以此怨恨大嫂。等到高祖做了皇帝，分封兄弟，可是惟独不封大哥的儿子。高祖之父太上皇出来说情，高祖说："我并没有忘记封他，只是他母亲太不厚道了。"于是封大哥之子刘信为羹颉侯。

【评点】 这个故事说明了刘邦的心胸狭隘，与他在政治上做出的宽大长者风度形成鲜明对比，具有强烈的讽刺意义。这类故事在刘邦身上有许多反映。例如他喝酒常常赖账，他还记得他外出护送沛县徒囚去咸阳服役时，县吏萧何多送了几文钱，所以对萧何封赏特别加厚。这些既是农民意识，也是人的性格具有多侧面的反映，高祖是一个有血有肉的凡人，与普通人有共同的生活情趣，喜怒哀乐。这些故事对于了解领袖人物是很有意义的。

"淮阴、黥布等皆以诛灭，而何之勋烂焉。位冠群臣，声施后世，与闳夭、散宜生等争烈矣。""曹相国参攻城野战之功，所以能多若此者，以与淮阴侯俱。及信已灭，而列侯成功，唯独参擅其名。""假令韩信学道谦让，不伐己功，不矜其能，则庶几哉，于汉家勋可以比周、召、太公之徒，后世血食矣。"（卷五三《萧相国世家》/2020 页；卷五四《曹相国世家》/2031 页；卷九二《淮阴侯列传》/2630 页）

【译文】 淮阴侯韩信、黥布等人都被诛杀，而萧何的功勋更显得灿烂。位居群臣之首，名声留传后世，可以和周朝的闳夭、散宜生等人比美了。相国曹参的战功之所以这样多，是因为他和淮阴侯韩信在一起。等到韩信死后，说到列侯的功勋，只有曹参有资格占据第一位。假如韩信学会道家的谦恭退让，不夸耀自己的功劳，不仗恃自己的才能，那就差不多了。若果这样，他对于汉朝的功劳真可以和周代的周公、召公、太公这些人相比，世世代代享受香火的祭祀了。

【评点】 以上用分号相隔的三段文字，分别摘自萧何、曹参、韩信三人本传后司马迁论赞之言。西周开国第一等元勋为周公、召公、太公；第二等功臣为闳夭、散宜生等人。司马迁不以成败论英雄，认为汉代开国第一等功臣，非韩信莫属，而韩信蒙受叛国罪被诛，司马迁仍然评之为汉代的周、召、太公。曹参为韩信副帅，共同开辟北方战场，韩信之后，他的战功应当第一。在论功封赏时，诸将认为曹参第一，高帝压服群臣以萧何第一。司马迁在论赞中，直截了当点出曹参功第一，将萧何比之于西周的闳夭、散宜生，极有深味，也极有分寸。在行文中，司马迁对萧曹，巧妙地以褒为贬，而对韩信以贬为褒。当然，司马迁对萧、曹的功绩，尤其是推行无为政治带来的社会安定作了肯定评价，而对他们在建造西汉过程中各应得到的荣誉是否相称，通过史家之笔在对照中表现出来。司马迁运用反写法，存了历史之真，对西汉最高统治者提出了委婉的批评。

汉四年，遂皆降平齐。使人言汉王曰：“齐伪诈多变，反覆之国也，南边楚，不为假王以镇之，其势不定。愿为假王便。”当是时，楚方急围汉王于荥阳，韩信使者至，发书，汉王大怒，骂曰：“吾困于此，旦暮望若来佐我，乃欲自立为王！”张良、陈平蹑汉王足，因附耳语曰：“汉方不利，宁能禁信之王乎？不如因而立，善遇之，使自为守。不然，变生。”汉王亦悟，因复骂曰：“大丈夫定诸侯，即为真王耳，何以假为！”乃遣张良往立信为齐王，征其兵击楚。（卷九二《淮阴侯列传》/2621 页）

【译文】 汉四年（前 203），韩信降伏并平定了齐国。他派人上书汉王说："齐人狡诈多变，是个反覆无常的国家，南部与楚接界，如果不设置一个代理封王来镇抚它，那形势就不会安定。我希望代理齐王便于安定社会。"这时，楚军项羽正在荥阳紧急围攻汉王，韩信使者到来，打开书奏，汉王刘邦勃然大怒，骂道："我被围困在这里，日夜盼着你来辅佐我，你竟然想自立为王。"张良、陈平暗中踩了一下汉王的脚，凑近耳朵说："汉军目前形势不好，怎能禁止韩信称王呢？不如顺水推舟立他为真王，好好对待他，让他自己镇守齐国。不这样，可能发生变乱。"汉王刘邦也醒悟过来，立即重新骂起来："大丈夫平定了诸侯，就要做一个真王，干吗做一个代理王！"于是派遣张良作特使，前往齐国封立韩信为王，征调他的军队攻击楚军。

【评点】 刘邦顷刻之间，两次骂韩信，态度一百八十度大转弯，表现了他的机智权变。刘邦受困，急待韩信来救；而在这紧要关头，韩信竟要挟为王。刘邦心存杀机，故怒不可遏，不加思索发作而骂，此乃口吐真言。张、陈示意，立刻感到失言，后果严重，马上改口要封韩信为真王，以便稳住阵脚，防止生出变乱，可是要改变骂出的口中语，转变为站在韩信的立场，口是心非，玩弄权术，阴一套，阳一套，刘邦瞬间完成，神情活现。妙在前后皆用骂语，似乎汉王先前的骂是对韩恨铁不成钢，不做真王而要做假王。对照前后骂语，司马迁未加褒贬，而刘邦狡黠面目，政客心态，宛然如画。

上欲自击陈豨，蒯成侯泣曰："始秦攻破天下，未尝自行。今上常自行，是为无人可使者乎？"上以为"爱我"，赐入殿门不趋，杀人不死。（卷九八《傅靳蒯成列传》/2712 页）

【译文】 皇上汉高祖想要亲自挂帅征讨陈豨，蒯成侯周緤流着眼泪说："秦始皇统一天下，从没有亲自带兵出行。如今皇上经常亲自带兵出行，这是因为没有可以派遣的人吗？"皇上认为周緤爱护自己，恩赐他进入宫门不必快步走，杀人不必偿命。

【评点】　周緤，沛人，从高帝起沛，常为参乘，以功封蒯成侯。周緤追随高祖，只有伺候生活行止的犬马之劳，无大功绩，而他以愚忠得宠，受到特殊礼遇。这种人与善佞者不同，他们的内心却真是忠心耿耿。所以司马迁以一本正经的严肃的口吻话出周緤的愚忠心态，诙谐而尖酸，态度冷峻而内心热烈，这是一种善意的讽喻。但“杀人不死”，又多少透出对人主以意为法的某种程度的批评。

太史公曰：阳陵侯傅宽、信武侯靳歙皆高爵，从高祖起山东，攻项籍，诛杀名将，破军降城以十数，未尝困辱，此亦天授也。蒯成侯周緤操心坚正，身不见疑，上欲有所之，未尝不垂涕，此有伤心者然，可谓笃厚君子矣。（卷九八《傅靳蒯成列传》/2712～2713页）

【译文】　太史公说：阳陵侯傅宽、信武侯靳歙都得到高爵。他们追随高祖起兵山东，攻击项籍，诛杀名将，打败敌军，攻破城池有数十座，从没有遭受过危险，这也是天在保佑啊。蒯成侯周緤忠心耿耿，从不被猜疑，高祖每有艰巨的行动，他就垂泣痛哭，真像有伤心事的人一样，可以称得上是一个仁厚的君子啊。

【评点】　出自司马迁论赞。傅宽，原为魏将，从沛公入关。楚汉相争，傅宽为曹参部属，从韩信攻战，定齐地，封阳陵侯，食邑二千六百户。靳歙，秦末起兵宛朐，从沛公为侍卫官，常随汉王征讨，以功封信武侯，食邑四千六百户。周緤，沛人，为汉王参乘，封蒯成侯，食邑三千三百户。《太史公自序》云：“欲详知秦楚之事，惟周緤常从高祖平定诸侯，作《傅靳蒯成列传》。”但周緤等人传中并无显迹，他们只是凭愚忠和奉迎来取得二千户以上的高爵，所以“欲详知秦楚之事”，与赞中特别点明的高爵相呼应，用以喻讽。因为秦楚之事已详叙在秦汉之际头等人物列传中，不应叙入平庸如周緤等人传中。司马迁之意是说，像韩信那样的大功臣被高祖诛灭了，像周緤这样的平庸之人得高爵了，你们就看看这些人是怎样发迹的吧！

【叔孙通制礼】叔孙通说上曰："夫儒者难与进取，可与守成。臣愿征鲁诸生，与臣弟子共起朝仪。"于是叔孙通使征鲁诸生三十余人。鲁有两生不肯行，曰："公所事者且十主，皆面谀以得亲贵。公所为不合古，吾不行。公往矣，无污我！"叔孙通笑曰："若真鄙儒也，不知时变。"（礼成），大行设九宾，胪传。于是皇帝辇出房，百官执职，传警，引诸侯王以下至吏六百石以次奉贺。自诸侯王以下莫不振恐肃敬。于是高帝曰："吾乃今日知为皇帝之贵也。"乃拜叔孙通为太常，赐金五百斤。高帝悉以诸生为郎。诸生乃皆喜曰："叔孙生诚圣人也，知当世之要务。"（卷九八《叔孙通列传》/2722、2723、2724 页）

【译文】 叔孙通向皇上进言说："那些儒生，难以用他们取天下，却可以用他们保守成业。我希望征召一批鲁地儒生，和我的弟子一起制定演习朝廷礼仪。"这样，叔孙通奉命去征召了30多位鲁地儒生。其中有两个不肯参加。指责叔孙通说："你事奉了近十个主子，都是靠当面吹捧赢得亲近和尊贵。你所做的事不合古道，我们不去，你去吧，不要污辱了我们。"叔孙通笑着说："你们真是蠢笨的书呆子，不懂得时势的变化。"礼仪制成了，大行令设置了九个傧仪，排列传令。这时皇帝坐着人力辇车出房坐朝，朝廷百官各守其职，举着旗帜传呼警戒，引导诸侯王以下直到六百石级的官员按次序朝拜皇帝。从诸侯王以下，无不恐惧肃静。于是汉高帝说："我今天才知道了皇帝是这样的尊贵。"立即任命叔孙通为太常，赏赐五百万钱。高帝让所有参加制定演习礼仪的众儒生为郎官。众儒生都高兴地说："叔孙先生真是圣人，懂得当代的重要事务。"

【评点】 这段文字极具讽刺艺术。司马迁引他人之语鲁生直斥叔孙通"公所事者且十主，皆面谀以得亲贵"，作为铺垫，而后又借叔孙通弟子之言，称赞叔孙通为"圣人"，知当世之要务。这一褒一贬，相映成趣，使叔孙通好面谀以取宠的情态跃然纸上，嬉笑怒骂皆成讽喻。高帝说："吾乃今日知为皇帝之贵"。自矜声色活脱脱地显现。

【利口捷给】【喋喋不休】夫绛侯、东阳侯称为长者，此两人言事曾不能出口，岂敩此啬夫谍谍利口捷给哉！（卷一〇二《张释之冯唐列传》/2752页）

【译文】 那绛侯、东阳侯既然被称为忠厚长者，可是这两人在谈论事情时竟连话都说不清，难道是像这个啬夫一样喋喋不休的伶牙俐齿么！

【评点】 绛侯，指周勃。东阳侯，指张相如。两人为西汉开国功臣，厚道无文化，说话不善表达，办事认真，被称为长者。有一次汉文帝到上林苑巡视，见一个管理虎圈的小吏啬夫善于言谈，对答如流，就要提拔他。谒者仆射张释之不执行诏令，以周勃、张相如为对比劝谏文帝收回成命，不能助长夸夸其谈的人。"利口捷给"，即口齿敏捷，能言善辩，后世用以讽刺巧舌如簧的人。成语"喋喋不休"亦出此，形容长嘴、多舌，说个没完没了。

中国一统，明天子在上，兼文武，席卷四海，内辑亿万之众，岂以晏然不为边境征伐哉？自是后，遂出师北讨强胡，南诛劲越，将卒以次封矣。（卷二〇《建元以来侯者年表序》/1027页）

【译文】 中国是一个大一统的帝国，上面有英明的皇帝，兼资文武，席卷天下，统治了亿万之众，难道可以因为天下太平而不到边境打仗吗！自从战端一开，于是北征强大的匈奴，南讨顽强的越人，将士依次得到封侯。

【评点】 司马迁评论之言。本表列汉武帝所封功臣七十三人为侯，计征匈奴功者侯二十五人，征两越朝鲜功者侯九人，匈奴、两越、朝鲜、小月氏归义降者侯三十人，以功荫者侯三人，以父死事南越者侯二人，绍先代封者侯一人，以丞相封者侯二人，以方术封者侯一人。表《序》引《诗》《书》征伐之义，明武帝开边以抚四夷为正义事业，此为一层。但齐桓公伐山戎，赵武灵王服单于，秦穆公霸西戎，吴、楚役百越，皆用力小而收功大，而汉武帝以承平一统之天下，内辑亿万之众，南征北讨，只不过换得功臣受封“侔于祖考”，其用力大而收功小，讥其好大喜功，专用武力，真是“一将功成万骨枯”。

齐人少翁以鬼神方见上。上有所幸王夫人，夫人卒，少翁以方盖夜致王夫人及灶鬼之貌云，天子自帷中望见焉。于是乃拜少翁为文成将军，赏赐甚多，以客礼礼之。文成言曰：“上即欲与神通，宫室被服非象神，神物不至。”乃作画云气车，及各以胜日驾车辟恶鬼。又作甘泉宫，中为台室，画天、地、太一诸鬼神，而置祭具以致天神。居岁余，其方益衰，神不至。乃为帛书以饭牛，详不知，言曰此牛腹中有奇。杀视得书，书言甚怪。天子识其手书，问其人，果是伪书，于是诛文成将军，隐之。（卷二八《封禅书》/1387～1388 页）

【译文】 齐地人少翁用鬼神方术朝见皇上。皇上最宠爱王夫人，王夫人死了，少翁用法术使王夫人和灶鬼的形貌在夜间出现，皇上在帐幕中仿佛看到了。于是就委任少翁为文成将军，赏赐极为丰厚，当着尊贵的客人接待。文成将军说：“皇上想与神交往，而宫殿居室、衣服用具不像神仙用的，神仙就不会降临。”于是专门制作了画有五彩云气的车子，又按五行相胜的原理选定制胜的日子，驾驶神车驱除恶鬼。又修建了甘泉宫，在宫中起高台，台上建宫室，室内画作天、地、太一等神鬼形象，并且摆上祭祀用具，希望召来天神。过了一年多，他的法术越来越不灵，神仙不下凡。就使出新招，在帛上写字，让牛吃到肚里去，装作不知道，煞有介事地说，这条牛肚子中有奇物。杀牛得帛书，上面写的话很奇怪。皇上认识书写人的字，经过追查，果然是假的，于是杀了文成将军，并把这件事隐瞒起来。

【评点】 这段文字淋漓尽致地讥讽汉武帝迷信鬼神，受方士捉弄的种种情态。文成将军仅仅是一个事例。文成将军替汉武帝招王夫人之魂，汉武帝夜间真个看到了，说明他对方士的鬼话笃信不疑。文成将军让盖神仙府第，汉武帝就大兴土木。汉武帝给方士以高官，不惜重赏；直到最后西洋镜被拆穿，杀人解恨，还要严严实实隐瞒起来，以保存幻想，又去听信另一个方士的摆布。接着是文成将军的师兄弟栾大来行骗，汉武帝竟招为驸马。司马迁讥刺汉武帝的愚昧可笑，入木三分。

于是外攘夷狄，内兴功业，海内之士力耕不足粮饷，女子纺绩不足衣服。古者尝竭天下之资财以奉其上，犹自以为不足也。无异故云，事势之流，相激使然，曷足怪焉。（卷三〇《平准书》/1442～1443 页）

【译文】 于是对外征伐夷狄，对内大兴功业，全国的男子竭力耕种不够交纳征发的粮饷，女子拼命纺织也不够制作衣服。古代曾有这样的情况，刮尽天下的资财供奉君王，君王仍不满足。没有别的原因，只不过是由于世事的发展和时势的变化，互相影响促成的，有什么值得奇怪的呢？

【评点】 司马迁论赞之言，借古以讽今。这段话直斥始皇，暗喻武帝。《史记评林》眉批引茅坤语云：“不及本朝，而以秦事为言若此，其旨深矣。”方苞《评点史记》云：“举秦事以譬况汉也。”

陛下内多欲而外施仁义，奈何欲效唐虞之治乎！

（卷一二〇《汲郑列传》/3106 页）

【译文】 陛下内心里有很多欲望，而只在外表摆出一副施行仁义的样子，怎能效法唐尧、虞舜的政治呢？

【评点】 汲黯直谏汉武帝之言。汉武帝外儒内法，招选儒者为点缀品，例如张汤断狱就深文巧诋而缘饰以儒术。汲黯耿直，当面直谏，戳穿汉武帝的权术。气得汉武帝说不出话，脸色都变了，担心汲黯安危的公卿都出了一身冷汗。汉武帝对左右的人说，“汲黯戆厚才当面顶撞我。”这个故事一方面表现了汲黯的精忠，义不顾身，另一方面也表现了汉武帝头脑是非分明，器识容人，不愧为一个雄主。

建为郎中令，书奏事，事下，建读之，曰：“误书！‘马’者与尾当五，今乃四，不足一。上谴死矣！”甚惶恐。其为谨慎，虽他皆如是。

万石君少子庆为太仆，御出，上问车中几马，庆以策数马毕，举手曰：“六马”。庆于诸子中最为简易矣，然犹如此。（卷一〇三《万石张叔列传》/2766～2767 页）

【译文】 石建做郎中令时，一次书写奏章，奏章批复下来，石建再读时说：“写错了一个字。‘马’字下有四点加下曲的尾巴应当是五笔，现在才四笔，少了一笔，要是皇上怪罪下来，岂不该死！”十分惊恐。他为人谨慎，即使其他小事，也是这样。

万石君的小儿子石庆做太仆，为皇上驾车外出，皇上问驾车的马有几匹。石庆举起马鞭一一点数完毕，然后举手示意说：“六匹。”石庆在几个儿子中算是最粗心简略的人，然而还是如此小心谨慎。

【评点】 万石君名石奋，是追随高帝的一位忠实仆人。石奋是个文盲，但他一生谨慎小心，伺候皇上非常勤劳，他的四个儿子继承了这个传统，父子五人历仕高帝、惠帝、文帝、景帝、武帝五朝，都是二千石高官，五人合为一万石，时人给了石奋一个外号叫万石君。汉武帝时，石建为郎中令，掌宫廷警卫；石庆为太仆，掌皇帝车马，官至丞相。司马迁抓住典型生活小事，形象生动地刻画了万石君一家人小心谨慎的形态，揭示这种老实人的做官秘诀。他们是在权力淫威加高官厚禄下人格被异化的典型奴才，什么是奴才，就看万石君父子。

塞侯直不疑者，南阳人也。为郎，事文帝。其同舍有告归，误持同舍郎金去，已而金主觉，妄意不疑，不疑谢有之，买金偿。而告归者来而归金，而前郎亡金者大惭，以此称为长者。文帝称举，稍迁至太中大夫。朝，廷见，人或毁曰："不疑状貌甚美，然独无奈其善盗嫂何也！"不疑闻，曰："我乃无兄。"然终不自明也。（卷一〇三《万石张叔列传》/2770～2771 页）

【译文】 塞侯直不疑是南阳人。他做郎官侍奉文帝。与他同住一室的人有人请假探家，误拿他人的金子走了，不久金子的主人发现金子丢了，就胡乱猜疑直不疑。直不疑向他道歉承认误拿了金子，就买了一块来赔偿他。等到请假探家的人回来归还了金子，而先前丢金子的那个郎官极为惭愧，因此人们称赞直不疑是个忠厚的人。文帝也称赞提拔了他，一级级升到太中大夫。一次上朝廷见，有人诽谤他说："直不疑长得很美，但很可惜他却与嫂嫂私通。"直不疑听说后，说："我是没有兄长的。"谈过后他始终不作自我辩解。

【评点】 万石，指石奋、石建、石庆一家，张叔，指张欧。还有卫绾、直不疑、周仁等与之合传。这一群人的共同特点是纯厚、老实，对主上唯唯诺诺，与人相处不争利害，总是夹着尾巴做人，实际上是一群善于迎奉的高级奴才。这些人有两重性，一方面，他们身上确有许多好的品德，办事认真，不争名夺利，有忠实心肠，善与人处；另一方面，他们又极圆滑世故，虚伪奸巧，达到不近人情的地步。司马迁在评论中说，直不疑过于巧诈，周仁谦恭近于谄媚，所以被道德高尚的人看不起，但他们也确有敦厚的一面。就拿直不疑代人赔金和被诬盗嫂不作辩护这两件事来说，不与人论长较短，显示了他的敦厚，但受诬而不辩明，就表现出了奴才性，近于利用别人的诬陷来标榜自己，又显得有些狡黠了。

骠骑将军少而侍中，贵，不省士。其从军，天子为遣太官赍数十乘，既还，重车余弃粱肉，而士有饥者。其在塞外，卒乏粮，或不能自振，而骠骑尚穿域蹋鞠。事多类此。（卷一一一《卫将军骠骑列传》/2939页）

【译文】 骠骑将军霍去病从少年时起就在宫廷做了侍中，过惯显贵生活，不知体恤士兵。他出兵打仗，天子派遣太官送他几十车物品，待他回来时，辎重车上丢弃了许多剩余的好米好肉，可他的士兵有的在挨饿。他在塞外打仗，士兵缺粮，有的饿得站不起来，而骠骑将军还在画定球场，踢球游戏。他做的事多半如此。

【评点】 司马迁寓论于叙事，批评骠骑将军不爱重士卒，带兵打仗，也不忘贵族公子作风。这和李广与士卒同甘共苦形成鲜明对照。骠骑所带之兵，是随时精选，不断补充的精锐骑兵，有充分的后勤供应，靠严明的纪律和将略指挥打胜仗。李广所带为长期与共的普通兵员，供应也差，为地方太守，所带为乡兵，如果不同甘共苦，将士离心，就无法打仗。显然，霍去病的贵族作风，不是一个带兵的良将，难怪司马迁批评他打胜仗是靠天幸了。

太史公曰：苏建语余曰："吾尝责大将军至尊重，而天下之贤大夫毋称焉，愿将军观古名将所招选择贤者，勉之哉。大将军谢曰：‘自魏其、武安之厚宾客，天子常切齿。彼亲附士大夫，招贤绌不肖者，人主之柄也。人臣奉法遵职而已，何与招士！”骠骑放此意，其为将如此。（卷一一一《卫将军骠骑列传》/2946 页）

【译文】　太史公说：苏建对我说：“我曾经对大将军指出，你是当今朝廷上最尊贵的人，但天下的贤士大夫却不称颂您。希望将军看看古代名将是怎样招选贤士的，应努力效法啊。大将军回绝说：‘自从魏其侯、武安侯两人厚招宾客以来，皇上常常切齿痛恨。使士大夫亲附，招纳贤才，黜退不贤之士，那是皇上的权柄。作为人臣守法循职就可以了，为什么要参与招纳人才的事呢！”骠骑将军也如此效法，这两人做将军的诀窍就是这样。

【评点】　司马迁论赞之言。苏建，杜陵人，以校尉从卫青击匈奴有功，封平陵侯。责，责问，指出。招士，招纳贤士。汉武帝亲自策问招选贤良方正，又下令，凡有一技之长者，可以自荐。所以武帝一朝，人才辈出。魏其侯窦婴，武帝祖母窦太后之侄。武安侯田蚡，武帝母王太后同母异父弟。魏其、武安两位外戚，互相倾轧，魏其侯被腰斩。魏其、武安均好养士，遭汉武帝之忌。这里卫青以此为托词，不愿荐贤养士，以免猜忌，也从侧面反映了封建专制政体下，即使是贵戚，也是生活得战战兢兢。卫、霍两人，既有外戚之贵，又为一世名将，为了持禄固宠，不修名节，不招贤士，对主上和柔自媚，所以司马迁对此提出了批评。将《卫将军骠骑列传》与《李将军列传》对照，史家扬此抑彼，态度极为鲜明。“桃李不言，下自成蹊”与“天下之贤大夫毋称”，不可同日而语。卫、霍贵幸，李广被逼惨死，同一人主，同为人臣，遭遇却如此不同，不能不由史家感慨叹惋，读者亦然。

建元二年春，青姊子夫得入宫幸上；上闻乃召青为建章监，侍中，及同母昆弟贵，赏赐数日间累千金……子夫为夫人；青为太中大夫……元朔元年春，卫夫人有男，立为皇后；其秋，青为车骑将军。（卷一一一《卫将军骠骑列传》/2922～2923 页）

【译文】 建元二年（前 139）的春天，卫青的姐姐卫子夫得以选入皇宫，受到汉武帝的宠幸；汉武帝于是召来卫青，任命他为建章监，加官侍中，连同他的同母兄弟们都得到显贵，皇上给他们的赏赐，几天之内竟累计有一千金。卫子夫做了夫人后，升任卫青为太中大夫。元朔元年（前 128）的春天，卫子夫生了男孩，被立为皇后；这年秋天，卫青当了车骑将军。

【评点】 司马迁只是平平叙事，但他巧妙地把卫子夫的贵幸与卫青的荣辱连在一起叙述，顿然形成强烈对照，喻意“一人得道，鸡犬升天”，揭示封建社会靠裙带而发迹的不合理现实。卫青同母昆弟有卫长君、卫步、卫广，以及卫青姐子霍去病都得到贵幸。卫、霍二人因其本身亦有天才而获显名。

弘为人恢奇多闻，常称以为人主病不广大，人臣病不俭节。弘为布被，食不重肉。后母死，服丧三年。每朝会议，开陈其端，令人主自择，不肯面折庭争。于是天子察其行敦厚，辩论有余，习文法吏事，而又缘饰以儒术，上大悦之。二岁中，至左内史。弘奏事，有不可，不庭辩之。尝与主爵都尉汲黯请间，汲黯先发之，弘推其后，天子常悦，所言皆听，以此日益亲贵。尝与公卿约议，至上前，皆倍其约以顺上旨。汲黯庭诘弘曰：“齐人多诈而无情实，始与臣等建此议，今皆倍之，不忠。”上问弘。弘谢曰：“夫知臣者以臣为忠，不知臣者以臣为不忠。”上然弘言。左右幸臣每毁弘，上益厚遇之。（卷一一二《平津侯主父列

传》/2950页)

【译文】 公孙弘为人气度非凡，识见广博，经常说人主最要命的缺点是心胸不广阔，人臣最要命的缺点是不节俭。公孙弘盖粗麻布被，吃饭不上两道肉菜。后母死了，服丧三年。每次上朝议政，总是讲出几种方案，让皇上自己选择，不肯当着大众与皇上争论。于是皇上看出他品行忠厚，言谈有余，熟悉文书法令和官吏公务，而又用儒术加以文饰，对他非常喜欢。两年中，从博士升官到左内史。公孙弘奏事，有的不被采纳，也不在朝廷上争辩。曾经与主爵都尉汲黯一起请求皇上特别召见，由汲黯先提出问题，公孙弘随后阐述，说得条理分明，皇上总是很满意，他说的一一听从，从此，公孙弘一天比一天受到皇上的亲近和贵重。他曾经与公卿约好向皇上奏明某事，但到了皇上面前，他却违背约定，而顺从皇上的旨意。汲黯在朝廷上当众责备公孙弘说："齐地人多半欺诈而无真情，开始与我们一起商议好的，现在当着皇上的面全都变了，不忠诚。"皇上问公孙弘，公孙弘谢罪说："了解我的人认为我忠诚，不了解我的人认为我不忠。"汉武帝相信了公孙弘的话。皇上身边的亲信每每诋毁公孙弘，但皇上却越发厚待公孙弘。

【评点】 公孙弘为人苟合取容，外宽内深。本节文字刻画公孙弘两面派的嘴脸，活灵活现展现在读者面前。公孙弘这样的两面派人物何以产生？行文中点出，公孙弘说话，"上大悦之"，"天子常悦"，他的说话，阿谀顺旨，总是能得汉武帝欢心。当汲黯用事实揭露公孙弘当面一套背后一套时，公孙弘无可辩驳，巧妙地用诚恳自我责备的方式来掩饰，十分狡黠地说："夫知臣者以臣为忠，不知臣者以臣为不忠。"意思是说：正是因为忠才受人诽谤，忠与不忠，请皇上裁决吧！"上然弘言，"上益厚遇之"，把讥刺矛头直指汉武帝。司马迁在《酷吏列传》中每叙酷吏残虐，笔锋一转，"上以为能"，轻轻一笔，力重千钧。酷吏，鼠辈小人，面谀奴才，都是集权皇上这一制度造成。庭，通廷。

弘为人意忌，外宽内深。诸尝与弘有郤者，虽详

与善，阴报其祸。杀主父偃，徙董仲舒于胶西，皆弘之力也。(卷一一二《平津侯主父列传》/2951页)

【译文】 公孙弘为人猜疑妒忌，外表宽宏大量，内心却城府很深。他对那些与自己曾经有过嫌隙的人，虽然表面相处很好，暗地里却报仇加祸。杀主父偃，外调董仲舒去做胶西王相，都是公孙弘一手促成的。

【评点】 郤，嫌隙，仇怨。详，通佯，假装，表面。主父偃，临淄人，习纵横家言，由卫青推荐，官至中大夫。主父偃为人阴狠，喜揭人隐私，大臣多畏其口而趋奉之。后为齐相，被诬告劫齐王自杀，事情不实，但因公孙弘为言，汉武帝族灭了主父偃。董仲舒治公羊学，学问超出公孙弘。公孙弘内心嫉妒，表面尊重董仲舒。胶西王刘端，景帝子，汉武帝兄，为人阴狠，他杀了几个国相。公孙弘推荐董仲舒为胶西王相，使用借刀杀人之计。由于胶西王慑于董仲舒名声才没有加害于他。董仲舒为了避祸，称病致仕家居。公孙弘虽然加害董仲舒未得逞，也达到了排挤出朝的目的。外宽内深，表面是人，暗地是鬼，阴一套，阳一套，背后放暗箭，此等伪善人杀人不见血，最为狠毒，人人忌恨。司马迁亦不屑此等人的恶行，故不为尊者讳，公孙弘有此恶行也加以揭露。但总体说，公孙弘大节还是好的，他不主动加害于人，政治斗争中保护自己而不择手段，也可理解。公孙弘节俭，好养宾客，他把俸禄都献给了穷书生，家无余财，受到人们的称赞，司马迁也予以肯定记载。

天下谓刀笔吏不可以为公卿，果然。必汤也，令天下重足而立，侧目而视矣！(卷一二〇《汲郑列传》/3108页)

【译文】 天下人都说刀笔吏不能做公卿，真是这样的。一定照张汤的建议去做，将使天下的人叠足不敢迈步，只能斜视不敢正眼向前看。

【评点】 汲黯骂张汤之言。刀笔吏，汉时书写用简，误书先用刀刮削，然后再用笔写，故称主办文案的官吏为刀笔吏。公卿，朝廷三公九卿高级官员的泛称。重足而立，两脚叠立，形容不敢跨步的危惧样子。侧目而视，斜着眼睛看，形容不敢抬起头正眼向前看。汉武帝时主爵都尉汲黯，崇尚道家黄老学说，主张清静无为，好直谏。廷尉张汤，崇尚儒家《公羊春秋》，断案深文周纳，阿随武帝旨意，经常小题大做，是一个酷吏。张汤又更改了很多法律条文，汲黯在汉武帝面前质问张汤。汲黯说："你作为朝廷正卿，上不能发扬先帝功业，下不能抑制天下人的邪心，不但没有把犯罪率降低下来，而且还陷人于罪，不惜迫害无辜来成就你的办案，任意解释法律，竟然把高皇帝制定的律令改得像乱麻一样，你将要断子绝孙。"张汤善于言辞，很会咬文嚼字，说话言必依法律条文，汲黯只能讲原则和大道理，他气愤不过就开口骂张汤。上引几句汲黯骂张汤的话却说得非常深刻，已超过法律之外。本来，惩恶扬善，保护国家和黎民百姓的法官应受人民爱戴，但因法律是统治阶级意志的表现，所以在专制政体下不可能有公正的法官。汉武帝利用酷吏来推行他的政治路线，必然要纷更法律。不过像张汤这样的刀笔吏，其狰狞面目，的确令人可憎，所以汲黯骂出了断子绝孙的话。

"是岁也，张汤死而民不思。""子产去我死乎！民将安归？"(卷三〇《平准书》/1434页；卷一一九《循吏列传》/3101页)

【译文】　"这一年，廷尉张汤死了，而老百姓对他毫无思念之情。""子产离开我们死去了啊，老百姓将依靠谁？"

【评点】　前二句出自《平准书》，后二句出自《循吏列传》。张汤，汉武帝时酷吏，他为廷尉时按皇上意志办案，制造了许多冤狱。他为御史大夫，支持汉武帝外伐匈奴，内修宫室，聚敛民财。元鼎二年（前115）张汤被丞相长史朱买臣等诬告而死，但没人给他说好话。"张汤死而民不思"，一语贬尽，讥刺刻骨。子产，春秋时郑国贤相，治理郑国，道不拾遗，买卖公平，老百姓都讲礼节。子产死了，男女老幼，悲痛欲绝，他们呜咽着说："子产丢下我们走了，老百姓将依靠谁啊！"爱戴之情，如丧考妣。司马迁写循吏传，叙春秋时五人，不及汉人；写酷吏传，叙汉代酷吏十二人，无一先汉人。并非春秋时无酷吏，汉时无循吏。司马迁作绝然的划分，意在突出世风的变化，法日益严密，刑治日益严峻。汉武帝加强中央集权，用法严酷，故酷吏十二人，十人在武帝一朝。子产入《循吏列传》，张汤入《酷吏列传》，老百姓的情思，一恨一爱，更加烘托出两传的鲜明对比。

学识第五

【引言】　学识篇，凡 25 条。唐刘知几论良史必须具备才、学、识三长，清章学诚又加之以德。这才、学、识、德四大要素，司马迁可谓兼备一身。司马迁聪颖勤奋，10 岁诵古文，养育了他的才。得天独厚的家学渊源和师承，培植了他的学，壮游与受祸锤炼了他的识。史官世家的传统和气质，司马谈尽忠尽孝的教育，临终遗言的震响，涵育了司马迁的德。这些主观条件是《史记》成为不朽著作的根本原因。司马谈学天官于唐都，受《易》于杨何，习道论于黄子，虚心学习，不耻下问，成为一个重振天官学，发凡起例"太史公书"的学识渊博的学者。司马迁在家学熏陶下，又学公羊于董仲舒，问故于孔安国，成长为一个成熟的历史家。司马迁还仰承至圣先师孔子，以孔子为榜样激励自己不断学习，永远奋进。孔子倡导的教育事业，在汉代由公孙弘、董仲舒等儒学大师的推广而昌盛；孔子其人的事迹，因司马迁首创《孔子世家》传记而更加远扬；尤其是孔子所修《春秋》，因司马迁的弘扬而发展成为独立的史学。司马迁以恢弘的气魄，吸收了公羊家学说中的精华，写出了比《春秋》规模更大、褒贬尺度更富人民性、内容体制更符合大一统时代要求的伟大著述，从而使司马迁成为了中国历史学之父，这是后世许多历史家所不可企及的。

非好学深思，心知其意，固难为浅见寡闻道也。
(卷一《五帝本纪》/46 页)

【译文】 只有好学深思的人，才能心领神会，本来就难于对见识浅薄、孤陋寡闻的人说清楚。

【评点】 司马迁论赞之言，提示《史记》起于黄帝，具有一般人难以体察的深意，儒家述史起于唐尧，司马谈发凡起例"太史公书"，效《春秋》而宗儒家之说，也起于唐尧。司马迁扩展至黄帝，寄寓中华民族皆黄帝子孙，因为各地风习传说，都称颂黄帝。这一观念宣扬民族一统，天下一统。这一层深意，司马迁认为要好学深思的人才能体察。扩而大之，做一切事，见新鲜事物，都应好学深思，才能有所发明，有所前进。孔子就说过："学而不思则罔，思而不学则殆。"(《论语·为政》)好学而不动脑子思考则易受欺罔，只是空想而不学习更加危险而迷不知返。好学而深思，才算是真正的学问。可以说这是一条颠扑不破的真理。非独读史公之书而然。

见微而知清浊。(卷三一《吴太伯世家》/1475 页)

【译文】 看到一点迹象就能明辨事物的清白与污浊。

【评点】 司马迁论赞之言。微，《尔雅》："幽，微也。"即微为幽，隐微。《广韵》："微，细也。"细微。引申为苗头，迹象。古有成语"见微知著"。《白虎通义·情性节》："智者知也，独见前闻，不惑于事，见微而知著也。"司马迁化用成语称赞吴延陵季子仁爱，向慕道义终生不止，能够见微知著，分辨清浊，从隐微的迹象看出时代的治乱。延陵季子，春秋时吴王寿梦少子名札，故称"季札"、"季子"，封于延陵，史称延陵季子。他贤明博学，辞让王位弃室而耕。曾游历齐、晋、郑等国，与齐晏婴、郑子产等交游，议论盛衰大势，颇中时要。

愚者暗成事，智者睹未形。(卷四三《赵世家》/1807 页)

【译文】 愚笨的人对已经成就的事情还弄不明白，而聪明的人在事先就能看出苗头。

【评点】　肥义劝赵武灵王实行胡服骑射之言。这是两句古代成语，商鞅在秦国推行变法，在与论敌辩难中也引用了这两句话，见《商君列传》，又见《商君书·更法》，可见在古代广泛流传。愚者，指目光短浅的人，尤其是保守分子。智者，对待事物敏感有主见和有预见能力的人，尤其是改革者。个人要想干点事业，凡是认准的事，就要力排众议，大胆去干，不能受平庸保守的人的阻挠而犹豫不决，更不要妥协退让。

非其地，树之不生；非其意，教之不成。（卷一二七《日者列传》/3221页）

【译文】　不适合它生长的地方，种上也长不起来；不符合他心意的东西，教了他也学不会。

【评点】　褚少孙补传之言，谓教育人要因材施教，因势利导。

富为上，贵次之；既贵，各各学一伎能立其身。（卷一二七《日者列传》/3221页）

【译文】　最上等是富足，其次是有地位；有了地位以后，各自又能学会一技之长就可立身于不败之地。

【评点】　褚少孙补传之言，以富贵与一技之长作比较，虽然富与贵为人所羡慕，但立身于不败之地，还是有一技之长为好。古代有相猪、相马、相牛、相羊，或磨刀、卖胭脂等百工小技都可成名。俗话说“七十二行，行行出状元”。做任何事，只要是第一流的，都可成名。最要紧的是业精于勤，干出顶尖的事。今日社会，五光十色，每一个人都有广阔的天地，最根本之点就是善于学习，掌握知识和技能。

季札使齐。说晏平仲曰：“子速纳邑与政。无邑无政，乃免于难。齐国之政将有所归；未得所

归，难未息也。”故晏子因陈桓子以纳政与邑，是以免于栾、高之难。（卷三一《吴太伯世家》/1457 页）

【译文】 季札出使到了齐国。劝说齐国执政晏平仲，说：“你尽快交出你的封邑和职位，没有这两样东西，才能免于祸患。齐国的政权将要转移；在没有转移之前，祸乱不会平息。”因此晏子通过陈桓子交出了封邑与官职，这才免遭栾、高二氏互相攻杀争权的祸难。

【评点】 吴公子季札使齐，说晏婴让权，免于齐国内乱之祸，表现了他的识见不凡。贪权固位，人之常情。季札在吴，坚决辞去王位，不卷入内争。晏平仲，名婴，字平仲，齐国名相，他善择雅言，避免了祸患。季札、晏婴，是春秋时著名的谦谦君子。

【韦编三绝】孔子晚而喜《易》，序《彖》、《系》、《象》、《说卦》、《文言》。读《易》，韦编三绝。（卷四七《孔子世家》/1937 页）

【译文】 孔子晚年喜欢读《易》，并撰写《彖》、《系》、《象》、《说卦》、《文言》等篇阐释《易》理。他读《易》勤奋，把编连书简的牛皮绳都磨断了好多次。

【评点】 韦，熟牛皮。三绝，断了多次。“韦编三绝”，喻勤奋学习。典出《孔子世家》。序，概况，序言。这里作撰述解，指孔子作注释《易》的“十翼”，即十篇阐释易理的论文，有《上彖》、《下彖》、《上象》、《下象》、《上系》、《下系》、《文言》、《序卦》、《说卦》、《杂卦》。

【三千弟子】【七十二贤】孔子以诗书礼乐教，弟子盖三千焉，身通六艺者七十有二人。（卷四七《孔子世家》/1938 页）

【译文】 孔子用诗书礼乐作教材，求学的弟子有三千左右，精通六艺的有七十二人。

【评点】 “三千弟子”与“七十二贤”，均赞扬孔子德高望重，学生很多。弟子，孔子待学生，年长者视之为弟，年幼者视之为子，故称学生为弟子。六艺，有两解。单独使用，与六经相通，六艺，即六经，指《礼经》、《乐经》、《春秋》、《诗经》、《尚书》、《易经》。这里六艺与诗书礼乐并提，则是指礼（礼仪）、乐（音乐）、射（射箭）、御（驾车）、书（写字）、数（算术）等六种技艺。

“高山仰止，景行行止。”虽不能至，然心向往之。（卷四七《孔子世家》/1947页）

【译文】 “巍巍高山，供人瞻仰，宽宽大路，导人遵循。”我的道德学问虽然没有达到这样的境地，然而心里十分向往着这个目标。

【评点】 司马迁论赞之言。“高山仰止，景行行止”，引自《诗经·小雅·车舝》，喻孔子的道德学问像高山一样使人瞻仰，像大路一样导人遵循。仰，《说文》：“举也。”抬头瞻望。景行，大路，喻行为光明正大。止，表示肯定的句尾语助词。司马迁读孔子书，想象孔子的为人。他曾到孔子故居参观，徘徊沉思，发出了向孔子效法和学习的深深感叹！

余读孔氏书，想见其为人。适鲁，观仲尼庙堂车服礼器，诸生以时习礼其家，余祗回留之，不能去云。（卷四七《孔子世家》/1947页）

【译文】 我读孔子的书，想到他的为人。我到鲁地，看到了孔子的庙堂、他乘坐过的车子、穿过的服装、用过的礼器。儒生学者们按时在孔庙里演习礼仪，使我徘徊深思，留恋忘返。

【评点】 司马迁论赞之言。孟子有言：“予未为孔子徒也，予私淑诸人也。”（《孟子·离娄下》）孟子自诩为孔子的私淑弟子，对孔子的学说作了发扬光大。司马迁说：“余读孔氏书，想见其为人。”替孔子作“世家”，推许为至圣。从此，一代哲人孔子的光辉形象被塑造在史传之中，深入人心。司马迁也可以说是孔子的私淑弟子。“考信于六艺，折衷于夫子”，司马迁是如此地推尊，他二十壮游，不仅在孔子的庙堂流连徘徊，而且还在那里久久地与当地儒生演习礼仪，他简直是忘情到不肯离开这一圣地了。效《春秋》作《史记》，不仅仅是继承父志，也可以说是自觉地效法圣人的事业，因为孔子的品格、思想已经在青年司马迁心中深深根植了。

【不厌糟糠】七十子之徒，仲尼独荐颜渊为好学。然回也屡空，糟糠不厌，而卒早夭。天之报施善人，其何如哉？（卷六一《伯夷列传》/2124页）

【译文】 孔夫子的七十个高足门徒中，只有颜渊被称赞为好学。但恰恰是颜回经常陷于穷困，连糟糠都吃不饱，还早早地死去。上天报答好人的，竟是这样的吗？

【评点】 不厌，不饱。糟，酒糟。糠，米皮。糟糠，喻粗劣食物。“不厌糟糠”，极言贫困，并赞誉安贫乐道的人。颜渊，名回，字子渊。孔子最称赞颜渊。有一次鲁哀公问孔子，弟子中谁最好学，孔子独荐颜渊，见《论语·雍也》第三章。但他家贫又早死，故司马迁以此为例对上天报施善人之说发出了质问。

【孺子可教】良尝闲从容步游下邳圯上，有一老父，衣褐，至良所，直堕其履圯下，顾谓良曰：“孺子，下取履！”良鄂然，欲殴之。为其老，强忍，下取履。父曰：“履我！”良业为取履，因长跪履之。父以足受，笑而去。良殊大惊，随目之。父去里所，复还，曰：“孺子可教矣。后五日平明，与我会此。”良因怪之，跪曰：“诺。”（卷五五《留侯世家》/2034～2035页）

【译文】 张良闲暇无事时，曾经到下邳的桥上随意漫步，有一个老翁，身穿粗布短衣，走到张良跟前，故意把他的鞋子掉在桥下，回头对张良说："小伙子，到桥下去把鞋子捡上来。"张良感到惊讶，想揍这老头。因见他年岁大，强忍住性子，到桥下把鞋子拾了上来。老翁说："给我穿在脚上！"张良想，已经替他拾了鞋，于是跪下替老人穿上鞋。老翁伸出脚让张良穿上鞋，笑着离开了。张良特别吃惊，注视着老人远去。老翁离去一里左右，又走回来，说："小伙子还能接受教导。五天以后天亮时分，到这里来与我相会。"张良更感到奇怪，恭敬地跪下说："好。"

【评点】 "孺子可教"的典故，指年青人谦虚有礼，可以施教。这个故事平平地写来，由一系列细节组成"孺子可教"的场面。张良原为贵公子，心气高傲，他组织刺客在博浪沙击打秦始皇未遂，才来到下邳地方避祸。老人故意弃履，一个"直"字活画出老人试探的设计。"履我！"生硬的命令口气。张良见其年老，强忍性子，均一一遵从了老人的指示，这才赢得了老人"孺子可教"的赞许。五天以后，张良按时去桥上，比老人迟到，受到批评。第二次又迟到了。第三次张良半夜就去了，老人随后来到，高兴地送给张良一本《太公兵法》。老人说："认真读这本书，日后将为帝王师。"老人临去，告诉张良，十三年后到谷城山下找他，有一块黄石的就是。十三年后，张良果然找到这块黄石，供奉在家中，于是称这位桥上所遇老翁为黄石公。这个故事富有神话色彩，不必去追究它的真实性。这个故事是张良性格的转折点，他忍耐老翁的摆布，说明了他在政治上的成熟，从个人冒险，走向要为帝王师，组织群众起义推翻秦朝，后人概括这个故事为"孺子可教"，教导青年要谦虚有礼，才能得人指教，学问长进。

公孙弘以《春秋》白衣为天子三公，封以平津侯。天下之学士靡然乡风矣。（卷一二一《儒林列传》/3118页）

【译文】 公孙弘因为精通《春秋》公羊学，他从一个普通的平民成了天子的三公，被封为平津侯。于是讲习经学在全天下的学人士子中蔚然成风。

【评点】 司马迁寓论于序事之言。公孙弘以一个普通百姓，因精通公羊《春秋》而做了高官，封侯拜相，成为全天下号召士人攻读《诗》《书》的榜样。公孙弘为丞相后，大力推行教育事业，除京师太学增员博士弟子外，地方郡国也兴立了学校，各级地方行政郡县设置文学掾管理教育。在中国教育史上，公孙弘的功绩是不可磨灭的。

【曲学阿世】公孙子，务正学以言，无曲学以阿世！（卷一二一《儒林列传》/3124页）

【译文】 公孙先生，务必按照正道真理来说话，不要曲解学说来迎合世俗。

【评点】 汉代诗学大师辕固生批评公孙弘之言。辕固生，景帝时为博士，后为清河王太傅，以传齐《诗》闻名于社会，他主张独尊儒术。正学，即指儒家正统学说。汉武帝即位举贤良，公孙弘、辕固生都被举荐到京师对策。公孙弘治公羊《春秋》，喜欢随意解释以迎合当政者的口味。其时辕固生年九十余，是老前辈，他告诫了公孙弘这番话。从政治立场看，公孙弘迎头赶上汉武帝的政治变革，依靠治“公羊春秋学”以布衣取卿相，影响了一代人的风气。单从品德修养与治学态度上说，辕固生的话可为警世格言。成语“曲学阿世”由此化出，用以指斥那些为了趋炎附势而违背自己所学的人。

郡国县道邑有好文学，敬长上，肃政教，顺乡里，出入不悖所闻者，令相长丞上属所二千石，二千石谨察可者，当与计偕，诣太常，得受业如弟子。（卷一二一《儒林列传》/3119页）

【译文】 郡、国、县、道、邑有爱好经学，崇敬长上，尊奉政教，悌顺乡里，行动不违背所学知识的人，县令、侯相、县长、县丞都要向所隶属的郡、国二千石举荐，二千石再认真审查合格的人，然后与上计掾一起赴京师，到太常学习，等同博士弟子。

【评点】 郡、县，地方两级行政建制，郡统县。国，诸侯王国，同郡级。道，少数民族生活的县。邑，侯级爵的封邑，同县。计，郡县的财政官，称上计掾，每年按时进京呈报财税户口。这里记载了西汉武帝时代大兴文教的情况和办法。京师办太学，给博士配弟子，称博士弟子，即京师大学生。博士弟子，经各部门各级地方推荐十八岁以上的高才生，经过太常府考核入学。另外地方推荐忠孝子弟为同等生入太学，称“如弟子”。

申公独以《诗》经为训以教，无传，疑者则阙不传。（卷一二一《儒林列传》/3121页）

【译文】 申公专门教授《诗经》，只对正文作口头解释，没有写成注疏著作，有疑义的地方宁肯空着，不随意讲授。

【评点】 《诗》，指《诗经》的正文。无传，没有写成文章，注疏。传，讲解经文的注疏或文章。申公，名申培，公为尊称。西汉初著名《诗经》学大师，他只作口讲，没有写成著述，不懂的地方就不讲，表现了他的严谨学风。

董仲舒，广川人也。以治《春秋》，孝景时为博士。下帷讲诵，弟子传以久次相受业，或莫见其面，盖三年董仲舒不观于舍园，其精如此。进退容止，非礼不行，学士皆师尊之。（卷一二一《儒林列传》/3127页）

【译文】 董仲舒是广川人，因为研究《春秋》，在景帝时做了博士。他居家讲学，放下帷幕授徒，由于弟子众多，不能一一亲授，弟子之间便依学辈先后辗转相传，有的弟子甚至没有见过他的面。董仲舒足不出户，甚至有三年不到后花园游玩，不合礼法的行动他从没有，学人士子都按师礼尊敬他。

【评点】 董仲舒为西汉第一大儒，这里记载了他精研学问传授弟子的情况，全身心投入，达到了忘我的境界，故学术造诣，无人可比。

太史公学天官于唐都，受《易》于杨何，习道论于黄子。(卷一三〇《太史公自序》/3288页)

【译文】 太史公师从唐都学天文，师从杨何学《易经》，师从黄子学道家理论。

【评点】 这里“太史公”指司马迁之父司马谈。唐都、杨何、黄子三个人都是西汉时代活跃于朝廷的大学问家。唐都是著名的天文学家。天官即天文学。汉武帝即位，唐都受征召，在太卜府掌管星象观测。太卜与太史两府均属太常，司马谈与唐都为同僚。杨何，字叔元，孔子嫡传的“易”学专家。黄子，道学大师。景帝时已为博士。司马谈身为太史令，他为了重振世传家学的天官学，为了发愤修史，不耻下问，向与自己差不多同级的学问家学习，这种求知精神值得敬仰。

年十岁则诵古文。(卷一三〇《太史公自序》/3293页)

【译文】 司马迁十岁时就能识读古文书籍。

【评点】 司马迁自述幼年读书情况。“古文”二字有两解。一指先秦古文，名籀书，又称大篆。《太史公自序》云：“秦拨去古文”，指秦统一文字，推行小篆，废去古文。二指用古文书写的图书，即先秦典籍。司马迁年十岁“诵”古文，诵为阅读诵习，不是“书”写练习，因此是指读古文书。《史记》中称《春秋》、《国语》、《论语》、《世本》以及《尚书》等为古文。能诵读古文书，必先识读古文字。所以“诵古文”比“书古文”要前进一步。司马迁年十岁诵古文，表明他聪明绝伦。由于秦朝焚灭《诗》《书》，禁写古文，古文典籍多藏民间。司马氏官僚世家，说明其家多有藏书，这大概也是司马迁少年时代耕牧河山之阳的原因之一吧！总之，年十岁诵古文的司马迁，承传着深厚的家学渊源，天资聪颖而勤奋学习，故能打下坚实的基础，成长为大学问家。

余死，汝必为太史；为太史，无忘吾所欲论著矣。（卷一三〇《太史公自序》/3295 页）

【译文】　我死后，你一定要做太史，做了太史，千万不要忘记我想要论著的事业啊！

【评点】　司马谈临终遗命司马迁之言。司马谈发凡起例“太史公书”，即《史记》，草创未就，元封元年（前 110），从巡武帝东上泰山封禅，因病留滞周南，不得与从事。恰好司马迁奉使回来向武帝报告，追随而来，见父于洛阳。司马谈临终遗命司马迁继承他的事业，不要在仕途上发展，而做太史令，完成修史重任。司马谈用尽忠、尽孝、立身的伦道教育司马迁。史官记载明主贤君忠臣死义之士的业绩，就是尽忠；光耀司马氏世传家学，完成父亲遗志，就是尽孝；修成“太史公书”，可以追步孔子修《春秋》，就是立身建业。尽忠、尽孝、立身，三种品格的完美统一，就是一个伟大的历史人物。司马谈高度评价了修史的重要意义，不亚于创造了八百年周朝的太王、王季、文王、武王、周公、召公等伟大历史人物的创业。司马迁承受父命，向父亲保证：“小子不敏，请悉论先人所次旧闻，弗敢阙。”后来司马迁受李陵之祸，遭腐刑之辱，痛不欲生，但想到父亲的临终遗教，他就鼓起了勇气，发奋著述，终于完成了父亲的遗志，给炎黄子孙留下了伟大的著述，即《史记》。总之，司马迁秉受“事亲”“事君”“立身”的父教，成为他创作《史记》的动力之一，这是没有疑义的。

太史公曰：“先人有言：‘自周公卒五百岁而有孔子。孔子卒后至于今五百岁，有能绍明世，正

《易传》，继《春秋》，本《诗》《书》《礼》《乐》之际?’意在斯乎！意在斯乎！小子何敢让焉。”(卷一三〇《太史公自序》/3296 页)

【译文】 司马迁回顾了父亲的遗命说：“父亲说过：‘自从周公死后，隔了五百年生了孔子。孔子死后到今天又是五百年了，有谁能够继承孔子宣扬继承清明盛世的教化，验正《易传》，续作《春秋》，依据《诗》、《书》、《礼》、《乐》来衡量一切呢?’意思就在这里！意思就在这里！我怎么敢谦让这一时代所给予的使命呢!”

【评点】 司马迁追述父教，发奋著述之言。这段话有两层意义，其一，追步孔子完成一代大典；其二，要效法孔子的治世精神，把撰述《史记》视为六经的事业。“绍明世”，宣扬继承清明盛业的教化。“正《易传》”，正，训为是，即验证，核实《易传》所阐述的幽明变化之理。“继”，效法，即效法《春秋》作史，使《史记》成为一部人伦道德教科书，使乱臣贼子惧。“本”，依据，要依据《诗》、《书》、《礼》、《乐》来衡量一切。近代学者十分推崇章学诚“六经皆史”的议论，其实司马迁早就把《六经》既作榜样，又作史料加以利用了。《太史公自序》又说：“厥协六经异传，整齐百家杂语。”说明改造六经，是司马迁有意识有目的创作。

于戏！余维先人尝掌斯事，显于唐虞，至于周，复典之，故司马氏世主天官。至于余乎，钦念哉！钦念哉！(卷一三〇《太史公自序》/3319 页)

【译文】 啊！我们的祖先曾经是史官世家，在唐尧、虞舜时代就很显赫。到了周代，重做史官，所以司马氏世世代代职掌天官，难道断送在我这一代吗?要牢牢地谨记在心中，要牢牢地谨记在心中!

【评点】 司马谈临终遗命司马迁之言。《太史公自序》追叙司马氏远祖至唐虞之际的重黎氏，职司天地之官。周代程伯休甫就是重黎氏的后代，为司马，于是姓司马氏。司马氏世守天官之职，掌理天文和管理图书。太史兼作史官。《说文》："史，记事者也。从又，持中。中，正也。"据近代文字学的考古研究，史字象手执简形，表示史官持简侍君，记言记功。"中"字为"册"之省形。这一成果纠正了许慎释"史"构造的错误，但是不能否定许慎所记录的古人观念。"中，正也"，这是对史官的要求。也就是说，记事的史官是公正无私的。司马谈以祖先世世代代为史官而自豪，他以这一"光荣家谱"教导司马迁，希望他发扬祖德，确立修史壮志。一个人要奋发有为，做出贡献，必须有一点精神，树立壮志，努力学习，是绝不可缺少的基础工作。司马迁牢记了父亲的教导，慎重地记载源远流长的家世，意味着由他们父子来肩负使命，修撰一部贯通古今的一代大典是义不容辞的历史使命。

"百年之间，天下遗文古事靡不毕集太史公，太史公父子仍相续纂其职"；"紬史记石室金匮之书"。(卷一三〇《太史公自序》/3319、3296 页)

【译文】 汉朝建国以来百年之间，天下所有的遗文古事没有不集中在太史署里的。太史公父子相继担任编述历史的职务，十分方便地阅读和采摭石室金匮收藏的图书档案。

【评点】 司马迁自述为太史令，广泛阅读和采摭皇家图书档案的情况。秦焚《诗》、《书》典籍，全国藏书散乱了。汉朝建立，废去挟书令，收藏民间献书，整理和积累历史文献。萧何编了律令，韩信整理了兵法，张苍草拟了章程，叔孙通制定了礼仪。民间的《诗》《书》典籍不断捐献出来，国家大收图籍，"建藏书之策，置写书之官"(《汉书·艺文志》)，百年之间，典籍充栋，宫内有天禄阁、延阁、广内等藏书馆，外朝有太常、太史、博士官署藏书。汉制，天下计书，公文档案，正本藏于太史府。司马迁所读《诗》、《书》、《春秋》、《国语》、《牒记》、《春秋历谱牒》、《秦记》、《列封》、《功令》等等，皆国家所藏图书。故司马谈临终遗言，司马迁必为太史。“卒三岁而迁为太史令，紬史记石室金匮之书”，司马迁特地书出，表明他身为六百石秩的小小太史令，然而事业上却得天独厚。利用皇室藏书，给修史提供了必要条件。

网罗天下放失旧闻，王迹所兴，原始察终，见盛观衰，论考之行事，略推三代，录秦汉，上记轩辕，下至于兹。（卷一三〇《太史公自序》/3319 页）

【译文】 搜集天下遗散的历史传闻及帝王兴起的事迹，考察事件的发生根源，研究它的发展过程，观察朝代兴衰原因，考核事实，略述三代，详录秦汉，从黄帝写起，直到当今。

【评点】 司马迁自述《史记》创作内容及宗旨之言。《史记》是一部综合古今典籍，包容万象的百科全书式的通史。司马迁“网罗天下放失旧闻”，囊括天下遗文古事在《史记》之中，记事上起黄帝，下迄汉武，贯通三千年，用以探索历史发展的治乱规律。“原始察终，见盛观衰”，就是他提出的研究方法和理论之一。“原始察终”，就是追原其始，察究其终，把握历史演变的全过程来看它的原因、经过、发展和结果。“见盛观衰”，就是在兴旺的时候，要看到它转化的起点。司马迁用这八个字来看人类社会历史的发展，整个长河是一个不断兴衰发展的连续的系列，要洞悉它的发展过程，不仅要作贯通的研究，还要划分段落来考察。前一段历史是后一段历史发展的原因，后一段历史是前一段历史发展的结果。这就是司马迁创作通史的原则和识见，并创作年表来建立历史年代学，把贯通的历史划分断限，具有把历史叙述引向科学化轨道的重大意义。司马迁的这一理论与实践，是空前的创造，是那个时代朴素唯物史观的最高水平。

【名山事业】藏之名山，副在京师，俟后世圣人君子。（卷一三〇《太史公自序》/3320 页）

【译文】 正本藏在名山，副本留在京师，等待后世知音的圣人君子。

【评点】 《索隐》注："言正本藏之书府，副本留京师也。"司马迁完成《史记》，正本上奏朝廷，藏于帝王书府，副本留京师家中。名山，喻官家书府，《汉书·司马迁传》颜师古注，认为名山指实，正本藏名山以备失，姑备一说。"名山事业"典故出此，为著书立说之雅称。司马迁完成《史记》，十分自信，认为它有流传价值，当世即使不为人理解，必有后来君子发其宝藏。司马迁死后两千余年，如今"史记学"昌盛，史公地下有知，必当欣然而笑。

游踪第六

【引言】 游踪篇，凡 18 条。汉武帝元朔三年（前 126），司马迁 20 岁，正当盛壮之年，抱着凌云壮志，进行了一次全国漫游的学术旅行。此行目的是“网罗天下放失旧闻”（《太史公自序》），它是在司马谈的决定和指导下进行的。这也是父亲对儿子的一场考验，让他走出书斋，面向社会做调查，了解和搜求古代和近代的历史传说故事及各种史料。“读万卷书，行万里路”，司马迁是一个身体力行者。

司马迁游踪极广，他西登崆峒，东临大海，北出长城，南至江浙，西南历云贵，大江南北，黄河两岸，都留下了他的足迹。司马迁的游历考察，兼有历史家和文学家的兴趣。对于历史事件，大至秦始皇的破魏战争，小至战国时的一个城门名字，他都要力求掌握第一手的资料。除历史事件外，有关人物遗事，生动的民间歌谣俚语，无不广泛地作了记载。至于山川地理，古今战场更是了如胸中。顾炎武评论说：“秦楚之际，兵所出入之途，曲折变化，唯太史公序之如指掌。以山川郡国不易明，故曰东曰西曰南曰北，一言之下，而形势了然。盖自古史书兵事地形之详，未有过此者。太史公胸中固有一天下之势，非后代书生之所能几也。”（《日知录》卷二六）这是司马迁在史事方面所得游历之助。苏辙云："太史公行天下，周览四海名山大川，与燕赵间豪俊交游，故其文疏荡，颇有奇气。岂尝执笔学为如此之文哉？其气充乎其中而溢乎其貌，动乎其言，见乎其文，而不自知也。"（《上枢密韩太尉书》）这是司马迁在文章辞采风格方面所得游历之助。总之，司马迁通过游历，体察了深广的社会生活，不仅使他获得了广博的社会知识，搜求了遗文古事；而且开阔了视野，扩展了胸怀，增长了他的识见和才干。这是《史记》成功的条件之一，在今天也是值得我们借鉴的。司马迁壮游，曾适鲁，观孔子遗风，见本书"学识篇"。

二十而南游江、淮，上会稽，探禹穴，窥九疑，浮于沅、湘；北涉汶、泗，讲业齐鲁之都，观孔子之遗风，乡射邹、峄；厄困鄱、薛、彭城，过梁、楚以归。（卷一三〇《太史公自序》/3293页）

【译文】　20岁南游江淮。上会稽山探访禹穴，到九疑山考察舜的遗迹。浮游沅水、湘水，寻踪屈原漫游的路径。北上汶、泗，到临淄、曲阜去研习学问，观察孔子教化的遗风流俗，还到邹县、峄山去学习乡射礼节。在游历鄱、薛、彭城的时候，一度遭到危困。然后取道沛县，经过砀、睢阳到达大梁，由那里回到长安。

【评点】　游历在司马迁一生行事中始终是一个重要生活事历。共有三种方式：一为二十壮游，二为奉使之游，三为扈从之游。三种游历，各有重点，对司马迁的人格修养和述史，都产生了重大影响。汉武帝元朔三年（前126），司马迁20岁，正当盛壮之年，怀抱着凌云壮志，进行了一次全国漫游的学术旅行，所以王国维称为"宦学之游"（《太史公行年考》），因在二十盛壮之年，学术界又称"二十壮游"，司马迁自述为"二十南游江、淮"。因为这次游历的重点在南方。夏商周三代的文化中心在中原，大江以南为楚文化区域，这里产生了伟大的爱国诗人屈原。楚文化充满浪漫激情。秦汉大一统开发了新局面，浩浩万里长江与滚滚黄河遥遥相应，对西汉时的中原人来说，广阔的南方无疑充满了神秘色彩。司马迁壮游重点选在南方，无疑是经过深思熟虑的探险。中原地区，皇帝经常出巡，司马谈扈从出游，而南方偏远，仕宦者难以到达，司马谈安排司马迁去旅游，无疑是经过精心策划的。

司马迁壮游，从京师长安出发东南行，出武关至宛。南下襄樊到江陵。渡江，溯沅水至湘西，然后折向东南到九嶷。窥九嶷后北上长沙，到汨罗屈原沉渊处凭吊，越洞庭，出长江，顺流东下。登庐山，观禹疏九江，辗转到钱塘。上会稽，探禹穴。还吴游观春申君宫室。上姑苏，望五湖。之后，北上渡江，过淮阴，至临淄、曲阜，考察了齐鲁地区文化，观孔子留下的遗风。然后沿着秦汉之际风起云涌的历史人物的故乡，楚汉相争的战场，经彭城，历沛、丰、砀、睢阳至梁（今河南开封），回到长安。此次壮游历程数万里，历时二三年，在鄱、薛、彭城遭受厄难，饱读无字之书，故司马迁在论赞中往往追怀历述焉。

奉使西征巴、蜀以南，南略邛、笮、昆明，还报命。（卷一三〇《太史公自序》/3293页）

【译文】 元鼎六年（前111）奉使监军，西征巴、蜀以南，平定了邛、笮、昆明。元封元年（前110），回到长安报告使命。

【评点】 汉武帝元狩五年（前118）选郎，司马迁始仕为郎，时年28岁。汉武帝爱好文学，身边集聚了东方朔、枚皋、严助、吾丘寿王等一大批文人学士，他们都是司马迁的前辈。司马迁后生晚辈，在文豪林中崭露头角，激动非凡，“务一心营职，以求亲媚于主上”（《报任安书》）。君臣相知，如鱼水相依。主上明圣，德布四方；臣下百官，力诵圣德。这是青年司马迁的幸运和思想境界，受到了汉武帝的器重。

元鼎六年（前111）十月，汉兵破南越。十二月武帝东巡，将幸缑氏。至左邑桐乡，闻南越破，以为闻喜县。春正月，至汲新中乡，闻驰义侯领巴蜀兵受阻于苴兰，于是汉武帝派司马迁为郎中将，奉使监军，平定西南夷，设郡置吏。建元六年（前135）

郎中将唐蒙出使夜郎，置犍为郡。元光六年（前127）司马相如为郎中将出使西夷，略定邛、笮、冉駹，置都尉。司马迁此次奉使，命巴蜀兵大规模征讨，自然亦为郎中将。司马迁不止是传令，还“征略”巴蜀以南，直达邛、笮、昆明，说明为监军，肩负设郡置吏的钦差。直到元封元年（前110）汉武帝东封泰山，司马迁还报命，时在三四月间。从元鼎六年正月奉使，至此历经一年又四个月，往返途中需时半年，司马迁在西南夷地区征略考察历时十个月之久。他有足够的时间调查、了解这一地区的民情风俗，以及汉朝前后经营西南夷始末，为他撰写《西南夷列传》搜集了足够的素材，也为他民族一统观思想的形成奠定了基础。司马迁在旅途中还考察了水利，对秦朝李冰所修都江堰离碓工程发出深深的感叹。

余尝西至空桐，北过涿鹿，东渐于海，南浮江淮矣，至长老皆各往往称黄帝、尧、舜之处，风教固殊焉，总之不离古文者近是。（卷一《五帝本纪》/46页）

【译文】 我曾经西到崆峒山，北过涿鹿山，东临大海，南游江淮，所到之处，都能听到父老们讲述黄帝、尧、舜兴起发展的事迹，但这些地方的风俗教化原来彼此并不相同，总之，不违背古文记载的说法，比较接近事实。

【评点】 司马迁论赞之言。这里司马迁追述了他数十年从不间断地在全国范围内考察关于上古黄帝、尧、舜的传说、遗迹。“南浮江淮”，指二十壮游。“西至空桐，北过涿鹿，东渐于海”，指数十年的扈从之游。汉武帝雄才大略，个性奇倔，他一生不断在巡幸。据《汉书·武帝纪》不完全记载，武帝在位54年，巡幸34次。汉武帝元鼎四年（前113）立后土祠于河东汾阴，每三年一次巡幸。元封元年封禅泰山，也是每三年一次复上泰山修封。这时基本解决了北边匈奴的威胁，汉武帝以封禅和求仙为主要内容而不断巡幸。从元鼎四年到太始四年（前113—前93）21年间，汉武帝巡幸全国21次，司马迁从巡20次，因元封元年十月汉武帝阅兵长城十八万骑，正值司马迁奉使巴蜀以南，是一次例外。如果从元狩五年司马迁出仕起，至征和二年汉武帝最后一次上泰山封禅止，前后扈从武帝 28 次，从巡汉武帝漫游中国 26 次，其中半年以上的巡游就有 6 次。汉武帝还经常上雍祭祀五天帝。所以，以雍、河东郡汾阴、泰山为主要巡幸点，包括今关中、河南、河北、山西、山东等广大黄河中下游地区是汉武帝经常巡幸之所。这正是华夏民族文化中心的中原地区，五帝及三代的文化政治中心。司马迁扈从汉武帝，走遍黄河上下，长城内外，还远及江南，游历了整个中国腹地，汉武帝巡幸，气派雄伟壮观。元鼎四年，汉武帝周游河、洛，观省民风。元鼎五年，西登崆峒，北出萧关，带领数万骑打猎于新秦中。扈从武帝的司马迁，目睹了壮阔宏伟的场面，涌起无限豪情。司马迁在《史记》中擅长于激烈场面的描写，这和他几十年的豪放旅游分不开。更为重要的是，司马迁扈从，跻身于封建中央王朝的神经中枢，了解了大量机密，像“入寿宫侍祠神语”这样触及汉武帝隐私与心理的活动，也得以闻知。这也是司马迁写《封禅书》的生活基础。

太史公曰：学者皆称周伐纣，居洛邑，综其实不然。武王营之，成王使召公卜居，居九鼎焉，而周复都丰、镐。至犬戎败幽王，周乃东徙于洛邑。所谓“周公葬于毕”，毕在镐东南杜中。（卷四《周本纪》/170 页）

【译文】 太史公说：学者都说周武王伐纣，定都洛邑，综合考察历史事实，却不是这样。周武王营建了洛邑，周成王命召公卜问都邑所在，结果把九鼎置放在洛邑，而西周仍以丰、镐为都城。直到犬戎杀了周幽王，周室才东迁洛邑。所说的“周公葬于毕”，其地就在镐京东南的杜中。

【评点】 司马迁作史，已用了考证方法。《五帝本纪》所载传说，夏、商、周、秦诸本纪论赞所载各王朝祖先氏族统系，均是他对古史考证的成果。《太史公自序》云："论考之行事，略推三代，录秦汉，上记轩辕，下至于兹。"整部《史记》所载三千年史都熔铸了司马迁考证的劳动。他这条对西周都城的考证最为精彩。西汉学者对殷周之际的历史已不甚了然，认为武王定都洛邑，司马迁作了廓清，有重大意义。他用历史典籍与实地考察互相参证，纠正误说，得出了正确的结论。他的考信精神及其方法，在今天仍有借鉴意义。周公营建了洛邑，而他的葬地在镐京东南的杜原上，这是西周都镐的铁证。司马迁说得如此斩钉截铁，说明他亲自作了实地调查，行文语气至为明显。

太史公曰：余从巡祭天地诸神名山川而封禅焉。入寿宫侍祠神语，究观方士祠官之意，于是退而论次自古以来用事于鬼神者，具见其表里。后有君子，得以览焉。(卷二八《封禅书》/1404页)

【译文】 太史公说：我从巡皇帝祭祀天地山川众神和封禅，又亲自到寿宫里侍奉神主，听过神语，详细研究了方士祠官的言论，于是回来记述了从古以来祭祀鬼神的活动，原原本本地将其外表及真实内容记载下来，使后世学者得以观览。

【评点】 司马迁论赞之语。《封禅书》记载了从上古到武帝3000年间帝王祭祀天地山川鬼神的活动，标题为《封禅书》，旨在突出封禅是这一活动的最高形式。所谓封禅，是古代帝王祭告天地，表彰政绩和表示自己受命于天的一种盛大祭典。在泰山顶上祭天称为封，在泰山下的小梁父山上祭地叫禅。所以封禅又称"封泰山，禅梁父"。传说古代帝王上泰山封禅者70余君，实际上这是托古定制。封禅实际起于秦始皇，成于汉武帝，这是象征秦汉大一统的盛典，是历史发展的必然。典礼由司马迁之父司马谈与祠官宽舒等长期研讨制定，但司马谈死于封禅途中，病故洛阳，未能参与。司马迁从奉使西征前线赶回来，这一成绩要祭告天地，所以司马迁本人参与了这一盛典。这是写《封禅书》的基础。封禅后，汉武帝飘飘欲仙，巡幸东海就是为了求仙。他盖寿宫，由方士请神，招魂。汉武帝宠妃李夫人死了，武帝思念不已，由方士装神弄鬼，招李夫人魂与汉武帝相见。由于司马迁受青睐，得以闻其秘。因而，《封禅书》对汉武帝的迷信无知，也作了淋漓尽致的揭露和批判。

太史公曰：余南登庐山，观禹疏九江，遂至于会稽太湟，上姑苏，望五湖；东窥洛汭、大邳，迎河，行淮、泗、济、漯洛渠；西瞻蜀之岷山及离碓；北自龙门至于朔方。曰：甚哉，水之为利害也！余从负薪塞宣房，悲《瓠子》之诗而作《河渠书》。（卷二九《河渠书》/1415页）

【译文】 太史公说：我曾南登庐山，察看了大禹疏浚过的流归扬子江的九条河流，于是又到了会稽太湟，上姑苏山，望五湖。又自东向西察看洛汭和大邳，巡视黄河，行经淮水、泗水、济水、漯水、洛渠。西边观察过岷山水系及离碓渠。北边从龙门至朔方。我不禁感叹说：了不得啊，水流的利与害是个大问题啊！我跟从皇上巡游，在宣房瓠子口背柴塞河，感叹这一伟大工程和《瓠子》之歌，因此写了《河渠书》。

【评点】 司马迁追述他写作《河渠书》的过程。他二十壮游大江南北，奉使西征巴蜀以南，几十年扈从武帝巡游，时时刻刻都没有忘怀对水利的考察。司马迁在元封二年（前109）亲自参加了塞河工程，追想大禹治水的功业，回顾三代以来的治水经验，面对汉代治水的辉煌成就，感奋异常，创作了《河渠书》。

太史公曰：吾适齐，自泰山属之琅邪，北被于海，膏壤二千里，其民阔达多匿知，其天性也。以太公之圣，建国本，桓公之盛，修善政，以为诸侯会盟，称伯，不亦宜乎？洋洋哉，固大国之风也。（卷三二《齐太公世家》/1513页）

【译文】　太史公说：我到旧时的齐地考察，从泰山往东直到琅邪，往北直临大海，这一片辽阔肥沃的土地，方二千里，人民的习俗，举止大方而深藏智慧，这大概是天生的情性吧。像太公这样伟大的人物，又在这样好的土地上建立国家，到齐桓公时达到鼎盛，修明政治，会盟诸侯，成为霸主，不也是很自然的吗！雄伟气象本来就是大国的遗风。

【评点】　司马迁论赞之语。司马迁二十壮游和扈从武帝，齐地是主要的游历考察地区之一。司马迁写《货殖列传》，把中国分为许多经济区来作比较，考察各地的自然地理经济，着重物产、交通、民俗、历史等要素，既是给四方之民总结的治生之术，也是给商贾大亨提供的周流指南。司马迁在齐地考察，把齐国的兴起，与地理经济、民俗、历史联系起来，已经隐约地发现了人类社会的基础是物质生活资料的生产，因此，这里着重以经济条件来说明齐地人民的习性和齐国富强的原因。如果不是反复多次的考察体察，司马迁这种朴素唯物史观的思想是不可能产生的。

太史公曰：吾适故大梁之墟，墟中人曰："秦之破梁，引河、沟而灌大梁，三月城坏，王请降，遂灭魏。"（卷四四《魏世家》/1864 页）

【译文】　太史公说：我到了大梁的旧城，当地人对我说："秦军之所以打破大梁，是挖了鸿沟引黄河水灌大梁，淹了三个月，城墙塌了，魏王只好投降，于是灭了魏国。"

【评点】　司马迁论赞之言。秦并六国，是司马迁所处近代史上的大事件，他一一去做调查，探索秦并六国的原因。由于秦军打仗极其残暴，杀降、屠城，被东方六国称为虎狼之国。因此在兼并过程中遭到六国的强烈抵抗，韩、赵、魏三国抵抗尤为坚决。但众寡悬殊，弱不敌强，东方六国终于被秦国一个个击破而灭亡。

太史公曰：余登箕山，其上盖有许由冢云。（卷六一《伯夷列传》/2121页）

【译文】 太史公说：我登上过箕山，上面大概真有一个许由的坟墓。

【评点】 箕山，在河南登封。许由，传说中尧时隐士。尧打算把天下禅让给他，他拒不接受，逃到颍水之北、箕山之下隐居起来。这是一个传说人物，民间留下他的遗迹，司马迁也怀着浓厚的兴趣去作实地考察。所以特作记载，用一个“盖”字，意思是或许还真有许由的坟冢，信不信由你。但司马迁的这种执着考察精神是难能可贵的。

太史公曰：吾尝过薛，其俗闾里率多暴桀子弟，与邹、鲁殊。问其故，曰：“孟尝君招致天下任侠、奸人入薛中盖六万余家矣。”世之传孟尝君好客自喜，名不虚矣！（卷七五《孟尝君列传》/2363页）

【译文】 太史公说：我曾经到过薛，那个地方的风俗习惯很粗野，到处都有脾气暴躁的青年人，和邹、鲁之人谦逊的风度很不一样。询问它的缘故，人们说：“孟尝君招致了各国的游侠和亡命之徒，到薛地来安家落户的有六万多家。”世间传说孟尝君爱好宾客而自我陶醉，的确是名不虚传啊！

【评点】 司马迁论赞之言。战国四公子养士，游侠之风盛行，对社会产生了深远的影响。司马迁写《孟尝君列传》，写了鸡鸣狗盗之徒，其流风余韵，一直影响到汉代。

太史公曰：吾过大梁之墟，求问其所谓夷门。夷门者，城之东门也。天下诸公子亦有喜士者矣，然信陵君之接岩穴隐者，不耻下交，有以也。名冠诸侯，不虚耳。高祖每过之而令民奉祠不绝也。（卷七七《魏公子列传》/2385页）

【译文】　太史说：我经过大梁旧城的时候，察访夷门是什么地方，原来夷门就是东门。天下很有几个好客的公子，但只有信陵君特别能和那些埋名隐姓的人来往，能够放下架子和地位卑贱的人相交，的确是这样的啊。信陵君的名声超过诸侯，并不是虚夸。汉高祖每次经过都要去祭奠，还下令置守冢民（五家），让香火不要断绝。

【评点】　司马迁论赞之言。齐孟尝君田文，赵平原君赵胜，魏信陵君无忌，楚春申君黄歇，以养士著名，各有食客三千，史称“战国四公子”。四公子中信陵君最贤，特以“魏公子”名篇，篇中称公子凡一百四十七，寄托了作者无限神往的敬佩之情。全篇以“客”作眼，通篇以客起，以客结，前后照应，连环无端。传中所叙之客，如侯生、朱亥、毛公、薛公都是社会底层的非凡人物，用以衬映魏公子之贤。信陵君礼贤以国事为重，故司马迁以满腔热情歌颂他，精心塑造了魏公子以一人之身系国家安危的动人形象。论赞突出对夷门的考察，因公子座上客侯生为夷门监者，这表明魏公子的事迹经过了严密细致的调查，引人回味。

太史公曰：吾适楚，观春申君故城，宫室盛矣哉！初，春申君之说秦昭王，及出身遣楚太子归，何其智之明也！后制于李园，旄矣。（卷七八《春申君列传》/2399 页）

【译文】　太史公说：我到楚地去考察，参观了春申君的故城，宫室殿宇的建筑十分富丽堂皇。当初，春申君上书谏秦昭王止伐楚，以及挺身而出掩护楚太子归国，那时他的智慧是多么高明！后来受李园控制，糊涂到了极点。

【评点】　司马迁论赞之言。春申君壮时英明果决，其大功有三：一为谏秦昭王伐楚，二为救楚入秦质子熊完归国，即顷襄王，三为救赵解秦军邯郸之围。晚年，楚地日削，而春申君却在封邑吴县大修宫室，又误听李园，纳其妹有身后献给楚王，以求固宠，结果为李园所玩弄，丢了性命。这些带传奇性的史实，也是司马迁实地考察、搜集、加工写成的。

太史公曰：余读《离骚》《天问》《招魂》《哀郢》，悲其志。适长沙，观屈原所自沉渊，未尝不垂涕，想见其为人。及见贾生吊之，又怪屈原以彼其材，游诸侯，何国不容，而自令若是。读《服鸟赋》，同死生，轻去就，又爽然自失矣。（卷八四《屈原贾生列传》/2503页）

【译文】 太史公说：我读了屈原的《离骚》、《天问》、《招魂》、《哀郢》，深深被他的志节所感动。到了长沙，在汨罗江畔看了屈原自沉的地方，想到屈原一生的为人，禁不住悲痛流泪。等到读了贾谊的《吊屈原赋》，又责怪起屈原来，像他那样有才干，如果去游说诸侯，哪个国家不可以容身呢，何必让自己走上自杀这条路。可是读了《鹏鸟赋》，明白了生和死本来就一样，去和留都无所谓，突然觉得一身轻快，看来我的责怪是错了。

【评点】 司马迁论赞之言。屈原，战国时爱国诗人；贾谊，西汉初著名政论家。两人都有高才而怀抱改革壮志，但都不得意，命运相似，司马迁故将二人合传。贾谊为长沙王太傅，追步屈原的足迹凭吊。司马迁二十壮游，“浮于沅、湘”，追寻屈原足迹，思考古往今来的历史变迁，想着屈原的为人，禁不住悲伤流涕。司马迁又到长沙凭吊了贾谊的遗迹，感到他的遭遇与屈原相似，于是构思酝酿，创造了屈贾合传，开启了历史比较研究法的雏形，类传更是不同时代人物合传的最高形式。屈贾传赞语中“爽然自失”的慨叹是作者对不平世道的强烈控诉，表达了对屈、贾的无限崇敬。

太史公曰：吾适北边，自直道归，行观蒙恬所为秦筑长城亭障，堑山堙谷，通直道，固轻百姓力矣。夫秦之初灭诸侯，天下之心未定，痍伤者未瘳。而恬为名将，不以此时强谏，振百姓之急，养老存孤，务修众庶之和，而阿意兴功，此其兄弟遇诛，不亦宜乎！何乃罪地脉哉？（卷八八《蒙恬列传》/2570 页）

【译文】　太史公说：我到过北方边地，从直道回京师，沿途察看了蒙恬为秦朝修筑的长城，设置的亭障，他又凿山填沟，大修直道，本来就是滥用民力的人。再说秦朝刚刚统一中国，天下的人心还没有安定，战争的创伤还没有恢复。而蒙恬身为秦始皇重用的名将，不在这个时候尽力劝谏，解救老百姓的急难，扶养老弱，存问孤寡，努力修明政治，使老百姓和乐安居，反而逢迎秦始皇大兴功利，因此，他兄弟二人被杀，不也是该当的吗！这哪里是斩断地脉的罪过呢？

【评点】　司马迁论赞之言。蒙恬，秦大将蒙骜之孙，蒙武之子。蒙氏世世为秦将，故蒙恬、蒙毅兄弟深得秦始皇信任。蒙恬将三十万众居外防匈奴，受命修直道，筑长城。直道，从甘泉直通北方九原的大道。蒙毅居内为谋臣。秦始皇死，秦二世即位，蒙恬兄弟被诛。蒙恬死时，不明自己罪过，慨叹修长城凿断了地脉，真是该死。司马迁在传中记述了蒙氏世世为将的功绩，在论赞中斥其罪地脉而死为非，认为他不顾人民疾苦，阿意兴功，这才是罪有应得。这里表现了司马迁同情人民的立场。

太史公曰：吾如淮阴，淮阴人为余言，韩信虽为布衣时，其志与众异。其母死，贫无以葬，然乃行营高敞地，令其旁可置万家。余视其母冢，良然。（卷九二《淮阴侯列传》/2629～2630 页）

【译文】　太史公说：我到了淮阴，当地人对我说：韩信还是平民的时候，志向就与众不同。他的母亲死后，家里穷得买不起棺材埋葬，仍然到处访求高敞的地方，好使日后在坟旁的空地上可以安置万户人家。我看了他母亲的坟地，的确是这样。

【评点】 司马迁论赞之言。韩信年少时落拓，寄食南昌亭长，乞食漂母，受市井屠夫胯下之辱，但却不与俗子为伍，葬母行营高敞地，显示了他的大志。司马迁对历史英杰的生活调查竟是这样的细致。

太史公曰：吾适丰、沛，问其遗老，观故萧、曹、樊哙、滕公之家，及其素，异哉所闻！方其鼓刀屠狗卖缯之时，岂自知附骥之尾，垂名汉廷，德流子孙哉？余与他广通，为言高祖功臣之兴时若此云。（卷九五《樊郦滕灌列传》/2673 页）

【译文】 太史公说：我到丰、沛两县访问遗老，观看萧何、曹参、樊哙、夏侯婴的故居，了解他们平时的为人，真是闻所未闻啊。当樊哙操刀杀狗、夏侯婴贩卖丝绸的时候，哪里会想到依附高祖能使自己留名汉廷，德惠延及子孙呢！我和樊他广交往，他广对我讲的高祖功臣们兴起的事迹就是如此。

【评点】 司马迁论赞之言。当时古代人们用天命论来解释改朝换代，在观念中帝王将相都是不平凡的人物。在这种观念下，很自然是“成则为王，败则为寇”。可是司马迁却与俗议相异，不以成败论英雄，项羽失败了，陈涉陨落了，可司马迁给他们作本纪，作世家，认为项羽是近代以来无人匹比的英雄，陈涉发难反暴秦，其功可与汤、武、孔子相提并论。西汉开国帝王刘邦，人们尊为“大圣”，开国功臣文臣武将，头上无不具有光环。可司马迁却记载了他们原来也都是平凡的人。刘邦无赖，为亭长；樊哙，狗屠；郦食其、郦商兄弟，家贫落拓，郦食其为里监门，郦商无业；夏侯婴养马赶车，给事县衙；灌婴为卖缯的小贩；他如周勃，吹箫给丧；曹参、萧何，沛县小吏，等等。这些故事、生活，都是从调查中所得，与人云亦云或官府簿书记载大不相同，所以是“异哉所闻”。难能可贵的是，司马迁调查了西汉开国君臣的平凡事迹，并没有把这些人物看成平庸，恰恰相反，感叹他们创造了新世界，新时局。司马迁还由此深思，时势的“天”，是怎样在造就人才，又怎样地毁灭人才。一些人失败了，一些人胜利了，这既是人为，也是时机。所以他从实际调查中升华总结，不以成败论英雄。失败的未必不是伟大的；胜利的未必是天生的，他们也有平凡的一面。所以司马迁在《史记》写出了生动的汉初布衣将相之局。如果没有“异哉所闻”的第一手调查资料，这是不可能的。

余至江南，观其行事，问其长老，云龟千岁乃游莲叶之上，蓍百茎共一根。又其所生，兽无虎狼，草无毒螫。江傍家人常畜龟饮食之，以为能导引致气，有益于助衰养老，岂不信哉！（卷一二八《龟策列传》/3225页）

【译文】　我到江南旅游时，考察过蓍龟的事，访问了当地的老人。他们说，一千岁的灵龟可以在荷叶上行走，生长了一百年的蓍草一条根长百枝茎。又说生长了灵龟蓍草的地方，没有虎狼这样的猛兽，草丛里也没有毒虫，沿长江边居住的人家有养龟作食的习惯，认为吃了龟肉可以导引顺气，有助于防止衰老，延年益寿，难道能不信吗？

【评点】　这是司马迁壮游江淮考察民俗搜求的遗事。

迁生龙门，耕牧河山之阳。（卷一三〇《太史公自序》/3293页）

【译文】　司马迁出生在龙门，少年时代嬉游于黄河与龙门山之间，并体验耕牧的生活。

【评点】　司马迁自述少年时代生活。司马迁生于西汉左冯翊夏阳县高门原，在今陕西韩城市西南10公里之高门村。龙门，山名，横跨在黄河两岸，黄河穿越龙门，“两岸断山绝壁，相对如门，故曰龙门”（《乾隆韩城县志》卷一）。所以龙门又为津名，又称禹门口。龙门山及禹门口，在韩城东北六七十里，距高门原八九十里。由于龙门津渡奇险，相传为大禹所凿，其名悠久，载于

《尚书·禹贡》，所以司马迁引龙门以重桑梓，自称迁生龙门。在古代，龙门为夏阳地望之称，已成通用名词，因龙门为梁山支脉，梁山为夏阳境内之山。在现代地图上，龙门山主峰在山西河津县北，这是局部的地理。大地形，龙门山乃梁山支脉。司马迁生于公元前 145 年，19 岁时家徙茂陵，他少年时代曾在家乡耕读。司马迁曾祖、高祖在秦汉之际为京师官，祖父为汉五大夫，所以家庭为中产地主官僚世家。司马迁并非家贫而耕牧，乃是父亲司马谈有意识留他在乡间龙门形胜地，接受山川的陶冶，培养他具有开阔的胸怀和热爱山川人民的感情，为他的二十壮游打下生活的基础。故“耕牧河山之阳”只是司马迁的最初实践，在乡间度过了美好的童年。

哲理第七

【引言】 哲理篇，凡31条。前20条讲人生哲学，祸福盈虚转化和生死观，具有朴素的辩证法观点。后11条讲天道运行与人间社会的关系，其中最后一条突出讲历史观。讲人事时，司马迁是发展、进化、变革的历史观；讲历史的发展，是大一统的历史观；讲天道哲理，是带二元论色彩的朴素唯物史观。二元论的表现，主要有三个方面：其一，司马迁认为天人相感，却又不受星占术荒诞迷信的束缚；其二，司马迁认为天能支配人事，但又对“天道惩恶佑善”提出了质疑；其三，司马迁认为贤君贤相可以治平天下，但又承认人心向背起最后的作用。第三点是司马迁治国任贤的理论基础。

满而不损则溢，盈而不持则倾。(卷二三《乐书》/1175页)

【译文】 太满而不减损就要溢出来，太盛而不扶持就要倾倒。

【评点】 司马迁论音乐之言。原意是说，生活安定，欣赏音乐，但不要放纵淫乐，善于节制感情才是真正的娱乐。因为创作音乐的目的，就是用来节制人们过分的逸乐。所以快乐也不能过满，过盈。做任何事情，尤其是人生享受，都应有一个限度，过满过盈就意味着泛滥、倾倒，这是具有辩证精神的至理名言。

物盛而衰，固其变也。物盛则衰，时极而转，一质一文，终始之变也。（卷三〇《平准书》/1420、1442 页）

【译文】 事物兴盛到顶点就要衰败转折，这本是自然的变化法则。事物盛强就要衰落，时势到顶就要逆转，朴实和文采，交替着循环往复变化。

【评点】 此为司马迁对秦汉之际历史盛衰变化的两段评论。盛，兴旺；衰，败落。两字相对，引申盛为极点，衰为转折。质，朴实；文，文采。两字相对，引申代表两端。终始，有始有终的一个变化过程，一个周期。汉初承秦之弊，经过高惠文景四朝休息无为而兴，汉武帝外征内作，多欲达于极点而衰。司马迁反复引用"物盛而衰"、"物极必反"的道理发出感叹，原来寓意讲治国理民要居安思危。扩而大之，做任何事情切忌太盛太强，防止物极必反，因为超过限度就要走向反面。

智者举事，因祸为福，转败为功。（卷六九《苏秦列传》/2270 页）

【译文】 聪明人做事情，能够使祸转变成福，使失败转化为成功。

【评点】 苏代致燕昭王信中之言。当时齐国强大，迫使燕国为附庸，齐国让燕国出兵帮助攻打宋国。苏代在宋国，替宋君致信燕王，分析利害，齐灭宋，壮大齐国是燕之害，燕王何不结交秦国，联络赵、韩、魏，反过来攻打齐国。苏代在信中结尾时说："结交秦国是有利的外交；讨伐齐国是正当的利益。奉行有利的外交政策，追求正当的利益，是圣王所做的事情。"燕昭王采纳了苏代信中的策略，重新信用苏代，后来终于连秦、赵、韩、魏并燕共五国之兵大破齐国，恢复了燕国的独立地位，还几乎灭亡了齐国。

语曰"日中则移，月满则亏"。物盛则衰，天地之常数也。进退盈缩，与时变化，圣人之常道也。（卷七九《范雎蔡泽列传》/2422页）

【译文】　常言说："太阳行至正午，就要偏移西沉；月亮到圆满，就要逐渐亏损。"事物发展到顶点就要衰落，这是大自然的规律啊。该进则进，该退则退，该伸则伸，该屈则屈，应该适应形势而相应变化，这就是圣人遵循的常理。

《易》曰："亢龙有悔。"此言上而不能下，信而不能诎，往而不能自返者也。（卷七九《范雎蔡泽列传》/2424页）

【译文】　《易经》说："龙飞到最高的地方，往下飞不可能，一定后悔。"这话就是说只能上而不能下，只能伸而不能屈，只能前进而不能后退所必然产生的后果。

【评点】　以上两条为战国时游士蔡泽入秦以物极必反之理劝说秦相范雎应功成身退之言。原载《战国策·秦策三》第十七章。范雎，魏人，字叔，入秦说秦昭王强霸之术而为秦相。范雎为秦建远交近攻之策，又荐大将白起屡立战功。范雎在秦国的地位十分尊贵，被封为应侯。范雎又举荐恩人郑安平为将军，王稽为河东守。秦昭王五十年（前256）郑安平率军击赵，不胜而降赵。秦昭王五十二年（前255），王稽与诸侯通谋被弃市。按秦法，臣下犯罪，举者与之同罪。范雎十分忧恐。蔡泽，燕人，在东方游说不遂，他此时乘机入秦，想借助范雎的推荐取而代之，范雎很不高兴。蔡泽以比干、伍子胥、申生、商君、吴起、大夫种等历史人物建立大功而惨遭悲剧的历史为借鉴，说服范雎功成身退，效法范蠡，求得终身安全。蔡泽又指出，范雎之功不能超过商君、吴起、大夫种，而富贵爵禄却又过之，如果不及时醒悟，功成身退，祸患一定比他们三人还要严重。蔡泽又用"日中则移，月满则亏"与"亢龙有悔"等谚语、格言反复说理，认为这是圣人都不能违背的规律。范雎终于被说服，也引用谚语作结论说："欲而不知止，失其所以欲；有而不知足，失其所以有。"于是向秦昭王推荐了蔡泽，自己让出了相位。蔡泽为相只有几个月，有人向秦昭王进谗言，蔡泽主动让出了相位，被封纲成君，居秦十余年，历仕昭王、孝文王、庄襄王到秦始皇，得到善终。"满招损，谦得益"，蔡泽是一个身体力行者。

祸兮福所倚，福兮祸所伏。（卷八四《屈原贾生列传》/2498页）

【译文】 灾祸啊，它里面依存着幸福；幸福啊，它里面潜伏着灾祸。

【评点】 贾谊《鹏鸟赋》所引《老子》之言，原见《老子》第五十八章。兮，语气词。倚，依存。伏，潜伏。这两句话说明祸福在一定条件下可以转化。坏事可以变好事，好事也可变成坏事。这是古代的朴素辩证法思想。它告诫人们，跌倒了，可以重新站起来；欢乐时，要留心别乐极生悲。

物禁大盛。（卷八七《李斯列传》/2547 页）

【译文】 事物忌讳过于繁盛。

【评点】 李斯所引荀卿之言。李斯为秦丞相，百官经常来家聚会拜访，门庭若市，车骑以千数，他对儿子感慨地说："啊，荀卿老师说：'物禁大盛'。现在我在一人之下，万人之上，可以说富贵到了顶点，物极则衰，我不知道自己的归宿在哪里。"李斯不幸而言中。他说这话不是谦退，而是得意，患得患失。他为固宠，与赵高合谋，篡改始皇遗诏，发动沙丘宫廷政变，拥立昏暴的秦二世，到头来自己被诬以叛国罪，满门抄斩，真是物禁大盛，做事过了头，没有好下场。按：大，读太。

大直若诎，道固委蛇。（卷九九《刘敬叔孙通列传》/2726 页）

【译文】 最直的东西就像是弯曲的，大路本来就是弯弯曲曲的。

【评点】 司马迁论赞所引古代谚语。叔孙通，秦朝博士，他在昏暗的秦朝，为了明哲保身，阿谀奉承，随风转舵，被人们看作是一个油滑之徒。叔孙通很有学问，是一个大儒，他精通朝廷礼仪制度。高帝即位，叔孙通适应时代变化的需要，制定了汉家礼仪制度，终于成为汉朝的儒学首脑。高帝纳谏，叔孙通也敢于直言，官至奉常。秦博士叔孙通与汉奉常叔孙通，判若两人。司马迁感慨万端，引用这句谚语来评价叔孙通，说明看一个人要有发展的眼光，辩证的方法，而用其长。“大直若诎，道固委蛇”，很富有哲理。委蛇，即逶迤，形容道路弯弯曲曲。

成败之转，譬若纠墨。（卷一一三《南越列传》/2978页）

【译文】 成功与失败，互相转化，就像搓绳索一样。

【评点】 司马迁论赞之言。古代三股绳拧在一起叫“纠”，两股绳拧在一起叫“纆”。墨，通“纆”。贾谊《鹏鸟赋》：“夫祸之与福兮，何异纠纆。”汉武帝元鼎六年（前111），汉军伐南越，伏波将军路博德与楼船将军杨仆水陆两路合围南越都城番禺（今广州）。楼船将军率主力攻打东南面，伏波将军只有1000多人攻打西北面。伏波因兵少，不进攻，派人招降，楼船凭藉兵力强大，锐意攻打，想立头功。结果，楼船越是努力攻打，越是把南越驱赶去投降伏波，首功被伏波将军获得，祸福发生了出人意料的转化。

【左支右绌】非吾能教子支左绌右也。夫去柳叶百步而射之，百发而百中之，不以善息，少焉气衰力倦，弓拨矢钩，一发不中者，百发尽息。（卷四《周本纪》/165页）

【译文】 我不是教你怎样射箭，而是说说射箭的道理。一个人在百步之远的地方射柳叶，百发百中，如果不在射得最好的时候停下来，过一会儿力气衰弱身体疲倦了，弓摆不正，发箭不直，只要有一发射不中，那么射中的一百发也全部作废了。

【评点】 “左支右绌”，指射箭姿势，左手撑弓，右手扣弦。支，撑，指左手伸直，撑住弓身。绌，通“屈”，弯曲，指右手弯曲拉开弓弦。典出《周本纪》苏厉对周君之言。秦大将白起加紧进攻韩、魏、赵三晋，东方告急。苏厉劝周君出面，派人去劝说白起停止进攻，以楚国善射的养由基作比喻。养由基百步射柳叶，百发百中，左右围观的人有数千之多，无不喝彩叫好。内中有一人却说养由基不懂箭术，要指点他，养由基大怒。这个客人就说了一番支左绌右的道理，教导射箭者见好就收，不要力尽一发不中而前功尽弃，比喻大将功高不赏，争立战功，适可而止。后世也指能力不足，顾此失彼；或则力量匮乏，支应不周，谓之“左支右绌”。这一典故尤为志大才疏者戒。

【殊途同归】天下一致而百虑，同归而殊途。（卷一三〇《太史公自序》/3288页）

【译文】 治理天下这样一个道理，可以有各种方案；走向一个目的地，可以有不同的道路。

【评点】 司马谈所作《论六家要指》之言，引自《易系辞》，原文作“天下同归而殊涂，一致而百虑。”司马谈借用这两句话提出议论，为《论六家要指》全篇宗旨，讲综合学术，暗含一个“治”字。意思是说，百家学说虽然主张不同，都是为了治天下。所以司马谈将先秦诸子百家条理为阴阳、儒、墨、名、法、道六家，认为六家学说都是为了治天下，可以综合六家之长用以治理天下。司马谈从政治利弊角度评价六家，也表明他发凡起例所修《太史公书》也有强烈的政治意义，总结历史经验为治政服务。

无成势，无常形，故能究万物之情。（卷一二九《太史公自序》/3292页）

【译文】 没有一成不变的形势，没有固定不变的形体，所以能够适应万物的规律。

【评点】 司马谈《论六家要指》评论道家之言。势，指运动变化的发展趋势，形，固定格式。这三句是说道家学说没有一成不变的发展方向和固定格式，能随物变化，所以能适应万物的规律。

不为物先，不为物后，故能为万物主。（卷一三〇《太史公自序》/3292 页）

【译文】 不走在事物的前边，也不落在事物的后边，所以能够做万物的主宰。

【评点】 司马谈《论六家要指》评论道家之言。《淮南子·原道训》有“所谓无为者，不先物为也；所谓无不为者，因物之所为。”可为这两句注脚。也就是说，随物变化才能为万物之主。俗语“入乡随俗”，可帮助我们理解。

有法无法，因时为业；有度无度，因物与合。（卷一三〇《太史公自序》/3292 页）

【译文】 法则的有无，顺应时势来确定；度数的有无，迎合外物起变化。

【评点】 司马谈《论六家要指》评论道家之言。“有法无法，因时为业”，与“有度无度，因物与合”相对成文，指道家不是不要法度，而是随时应变，顺物秩序，自成法度，归于无为。四句“法”与“业”为韵，“度”与“合”为韵。

实中其声者谓之端，实不中其声者谓之窾。窾言不听，奸乃不生，贤不肖自分，白黑乃形。（卷一三〇《太史公自序》/3292 页）

【译文】 行为与言论相符叫做真实，行为与言论不符叫做虚假。虚假的话不听，奸伪就不发生。好人与坏人自然区分，黑白也就分明。

【评点】 司马谈《论六家要指》之言。端，正，真实。窾，空，虚假。中（zhòng），符合。国君言行如一，不听奸伪之言，自然奸伪不生。做一切事情，名实相符，也就不会有偏差。

神大用则竭，形大劳则敝。（卷一三〇《太史公自序》/3289页）

【译文】 精神用得太多就要枯竭，身体过分劳累就要损坏。

【评点】 司马谈《论六家要指》之言。神，指人的精神、声气。形，指形体。司马谈认为，人所赖以生存的是精神，精神所依托的是身体。神形太疲劳，就要分离，人就死亡。原意比喻国家治理要清静无为，节用民力，过于劳民，如同人生过于劳命，就要死亡。引申开来，做任何事都要有节制，不可过度。

失之毫厘，差以千里。（卷一三〇《太史公自序》/3298页）

【译文】 即使微小的失误，有时会造成巨大的恶果。

【评点】 引《易传》之言。《礼记·经解》云："《易》曰：'君子慎始，差若毫厘，缪以千里。'"孔颖达疏云："此《易系辞》文也。"但今本系辞无此文。裴骃《集解》谓引自《易纬》，见《易纬·通卦验》。毫厘，微小的长度单位，喻极小的失误。千里，遥远长途，与毫厘相对，喻极大差错、后果。这两句告诫人们行事，要虑事于未萌，防患于未然，堵塞细小的漏洞，以免造成大祸。又，《大戴礼·保傅》引《易》曰："正其本，万物理；失之毫厘，差之千里；故君子慎始也。"

同明相照，同类相求；云从龙，风从虎，圣人作而万物睹。（卷六一《伯夷列传》/2127页）

【译文】 同是发光的互相照映，同是一类的互相依存；云伴随着龙，风伴随着虎，圣人出现则世间万物都会随之兴起。

【评点】 这几句话是从《周易·乾卦·文言》脱化而出。原文为："同声相应，同气相求。水流湿，火就燥，云从龙，风从虎，圣人作而万物睹。本乎天者亲上，本乎地者亲下，则各从其类也。”同声相应，指音律和谐而相应；同气相求，指人们志趣相同而互相应合。水向低湿处流，火向干燥物燃烧，云伴随着龙，风伴随着虎，这些都是自然法则，用以比兴而衬托圣人出现万物兴旺，万事兴办。这一切比附，旨在阐明仁人德行的榜样作用。

朕闻盖天下万物之萌生，靡不有死。死者天地之理，物之自然者，奚可甚哀。当今之时，世咸嘉生而恶死，厚葬以破业，重服以伤生，吾甚不取。（卷一〇《孝文本纪》/433～434页）

【译文】　我听说天下万物出生之后，没有不死亡的。死亡也是天地之间的常理，万物生灭的自然规律，有什么值得特别哀痛的呢！可是现今时代，世上的人都赞美新生而厌恶死亡，实行厚葬以致倾家荡产，服重丧以致损害身心健康，我很不赞成这种做法。

【评点】　孝文帝遗诏薄葬之言。人死有无灵魂，是厚葬还是薄葬，千百年来人们一直存在着两种认识。古代帝王大修陵墓，普通百姓有钱的厚葬，无钱的尽哀，儒家主张服三年之丧，推波助澜。又有多少帝王希求长生不老，或死后灵魂升天，不知破费了多少黎民脂膏。秦始皇、汉武帝求仙求药，劳民伤财，就是很典型的例子。一个在汉文帝前，一个在汉文帝后，两位雄主，可谓功业显赫，而在生死观上又显得多么渺小。汉文帝不愧为开明之君，他对生死观如此豁达，简直达到了近代唯物主义者的水平。他认为生老病死是天地间的常理，是万物的自然规律，有生就有死，人也不应例外。汉文帝后元七年（前157）六月初一，病逝于未央宫。上引的一段话就是文帝临终发布的薄葬遗诏，并在诏书中具体安排了薄葬和丧事从简的规定，表现了他豁达明澈的思想境界，实在难能可贵。

使其中有可欲者，虽锢南山犹有隙；使其中无可

欲者，虽无石椁，又何戚焉。（卷一〇二《张释之冯唐列传》/2753 页）

【译文】 如果坟中有使人想得到的东西，即使封闭南山作为棺椁，也还有缝隙；如果里面没有使人想要的东西，虽然没有石椁，又何必忧虑呢？

【评点】 欲者，指引诱人值得冒险而得到的东西，如随葬的金银珠宝之类。锢，用熔化的铜汁浇铸南山，堵塞空隙。南山，即长安南面的终南山。汉文帝三年（前 177），文帝与群臣出行路经霸陵，汉文帝面对雄伟的南山，感慨地对群臣说："如果用北山的好石头做外椁，把纻麻、绵絮剁细充塞在石椁缝隙，再用漆黏合起来，难道还能打开么！"左右的人都说好。只有中郎将张释之走到文帝跟前劝谏，说了上面的一席话，受到了汉文帝的称赞。从此汉文帝不再提厚葬的事，而且生活十分俭朴。后来文帝死时，留下遗诏薄葬，随葬品都用陶器，不用金银珠宝。文帝在遗诏中要求全国官员，从接到诏令之日起，哭吊三天就除去丧服，不要禁止婚娶、祭祀、饮酒、吃肉。皇上亲人应当服丧哭祭的人，都不要赤脚踏地。孝带不要超过三寸，送葬时不陈列车驾和兵器，不要发动男女百姓到宫中哭吊。宫中应当哭祭的人，只在早晚临吊时各哭十五声，礼毕即止。下葬后，大功只服丧十五天，小功只服十四天，缌麻只服丧七天，此后就停止服丧。文帝要求布告天下，使家喻户晓。儒家提倡孝子要服三年之丧，汉文帝破了这个例，表现了他的爱民与豁达。而厚葬之风，至今仍有余波，面对汉文帝应当羞红脸皮。汉文帝接纳张释之劝谏的精神，值得人们学习。至于张释之说的"可欲"与"无可欲"更是富有哲理，它已超出论葬这一具体事务之外，更值得玩味。

昔自在古，历建正作于孟春。于时冰泮发蛰，百草奋兴，秭鴂先滜。物乃岁具，生于东，次顺四时，卒于冬分。（卷二六《历书》/1255 页）

【译文】 从遥远的古代起，纪年的历法确定正月就从孟春开始。在这时结冰消解，蛰虫复苏，草地泛青，杜鹃首先鸣叫。万物生长是一岁一循环，岁始寅月，顺次历经春夏秋冬四季，结束于冬尽。

【评点】　司马迁序论之言。这段话通过对春天来临的描写，揭示制历与农业的紧密关系，并阐述春夏秋冬的变化是一种自然规律，一岁又一岁周而复始。春天为一岁之始，历法正月起首。春天到来，一切生机勃勃。

夫阴阳四时、八位、十二度，二十四节各有教令，顺之者昌，逆之者不死则亡，未必然也，故曰“使人拘而多畏”。夫春生夏长，秋收冬藏，此天道之大经也，弗顺则无以为天下纲纪，故曰“四时之大顺，不可失也”。（卷一三〇《太史公自序》/3290页）

【译文】　阴阳家对春夏秋冬四季、八个方位、十二度星次、二十四节气，都规定了禁忌，说什么“顺之者昌，逆之者亡”，不一定是这样。所以说阴阳家“使人的思想受到束缚，什么也怕动。”至于春天生育，夏天滋长，秋天收获，冬天收藏，这是自然的常规，不遵循它就没有别的东西可以作为自然法则。所以说“它所推定的四时顺序，是不可丢掉的。”

【评点】　司马谈论“六家要旨”之言，也是司马迁的观点。这里，司马迁肯定了阴阳五行学说中对自然规律的概念，批判了“使人拘而多畏”的迷信禁忌学说。《太史公自序》还批评了“星气之书，多杂机祥，不经。”《封禅书》对秦始皇、汉武帝的迷信活动都作了无情的揭露和揶揄讽刺。这些表明了司马迁对阴阳五行学说的迷信部分基本是持否定态度的。

或曰：“天道无亲，常与善人。”若伯夷、叔齐，可谓善人者非邪？积仁絜行如此而饿死！天之报施善人，其何如哉？若至近世，操行不轨，专犯忌讳，而终身逸乐，富厚累世不绝。或择地而蹈之，时然后出言，行不由径，非公正不发愤，而遇祸灾者，不可胜数也。余甚惑焉，傥所谓天道，是邪非邪？（卷六一《伯夷列传》/2124～2125页）

【译文】 有人说：“天对人并没有偏爱，总是帮助好人的。”像伯夷、叔齐可以说是好人呢？还是不是呢？有着高尚的仁德，洁白的品行，竟这样饿死了！上天对好人的报施，又怎么样呢？至于到了近代，有的人操行不守规范，专作犯法之事，却一辈子安享快乐，钱财富有，一代一代享用不完。有的人看好地方才走路，到适当时候才说话，走路从不抄便道，不是公正的事决不奋发去做，却总是遇到灾祸，真是说不完这样的事例。我确实困惑不明白，假若这就叫天道的话，那么，天道到底是对呢？还是错呢？

【评点】 司马迁对天道惩恶佑善发表的评论。“究天人之际”是司马迁“一家之言”的组成部分。《史记》五体，各有重心。八书重在究天人之际，七十列传重在讲人事功利。司马迁以人事验证天道，对天道质疑，强调重人事。因为在现实中，看不见天道惩恶佑善，往往是好人遭殃，坏人享福，对这不平的世道，司马迁发出了愤怒的质问。苍天佑善吗？像伯夷、叔齐那样的人，却被饿死！苍天惩恶吗？“盗跖日杀不辜，肝人之肉，暴戾恣睢，聚党数千人，横行天下，竟以寿终。”司马迁对此发出了尖锐的质问：“余甚惑焉，傥所谓天道，是邪？非邪？”这一质问，表明七十列传载述人物，重在行事，论其功利，在这人事变迁的历史叙述中是看不到天道的影子的。

自初生民以来，世主曷尝不历日月星辰？及至五家、三代，绍而明之，内冠带，外夷狄，分中国为十有二州，仰则观象于天，俯则法类于地。天则有日月，地则有阴阳。天有五星，地有五行。天则有列宿，地则有州域。三光者，阴阳之精，气本在地，而圣人统理之。（卷二七《天官书》/1342页）

【译文】　自从人类社会产生以来，历代君主哪有不观测和推度日月星辰的运动的呢？到了五帝三代，由于继承和发扬了前人的成就，才明白了规律。内为衣冠之民，外为夷狄之邦，划分中国为十二州，上观天文，下察地理。天上有日月，地上有阴阳。天上有五星，地上有五行。天上布满列宿，地上划分州域。日、月、星发出的光芒，正是阴阳所聚的精气。气本在地上，只有圣人才能认识它的奥秘。

【评点】　司马迁论赞之言。《天官书》记载的是司马迁及其前人对天文学研究的成就。天官，指天上的星宿，天官书就是天文学。在古代，天文学被蒙上"天人感应"的迷雾。人们认为天上的列星与人间君臣对应，亦有尊卑等级，"若人之官曹列位，故曰天官"（《天官书·索隐》）。实际上天官等级是人间等级的投影。天、地、人三者是宇宙的统一。列星等级与人间社会尊卑相应，实际是把人间等级在天上的投影倒过来，帝王假借天上的权威来为地上的等级辩护，帝王自称天子，统理万民是天经地义的。在这一天道哲学理论下，人们尊天、敬天，国家设立专门机构天官来观天，推验天人感应。中国古代的天文学就在这一形式下发展起来。但在司马迁所写《天官书》的论述中，淡化抽象的天道，认为只有圣人才能理解，语意双关。一方面是说，一般人只须听从圣人的说教就行了；另一方面是说，一般人不须多说天道，实际是司马迁对天人感应天道的怀疑。因此，司马迁强调天运。天运，是指客观星空的运行，着重实测经验，了解自然规律，这就是真正的天文学家。这一段话，表现了司马迁对天人感应的既相信，又怀疑，着重点是讲天与地的对应，把天看成是一个客观实体，说明人在自然界的位置，人生天地间，以天地为依托，这就是把天地纳入历史领域的理由。

天运，三十岁一小变，百年中变，五百载大变；三大变一纪，三纪而大备：此其大数也。为国者必贵三五。上下各千岁，然后天人之际续备。（卷二七《天官书》/1344页）

【译文】 天道运行，三十年一小变，百年中变，五百年一大变，三大变一千五百年为一纪，三纪四千五百年为一周期，这是一个较大的循环年数。所以治国的人必须研究三十年一小变，五百年一大变的历史经验，要考察前后各一千年的变化，然后天人关系的系统知识才能逐步完备。

【评点】 司马迁论赞之言。董仲舒提倡“天不变，道亦不变”的哲学思维，宣扬三统循环论，随顺人主意志，扼杀变化，宣扬神意史观。司马迁接过循环论，把它发展成为变革的历史观。这里讲“三五往复”的天运，仍带循环论的框架，但重点是讲“变”，称“三五之变”。“三”即三十年，是一代人。司马迁认为每一代人都有变化。“五”即五百年是一个大的周期变化。孟子就说过“五百年必有王者兴。”司马谈告诫司马迁说，“自周公卒五百岁而有孔子，孔子卒后至于今五百岁”云云，只不过是借用成说语言，而不必指实。周公卒至孔子生，超过五百年。孔子卒至司马迁生，只有三百多年。可见司马迁说的“五百载大变”只是借用循环论的语言来说“变”。司马迁“究天人之际”，得出“三五之变”，为讲历史之“变”提供理论根据，与董仲舒的“天不变，道亦不变”完全针锋相对。这就是司马迁对循环论的扬弃和改造。

“太史公推古天变，未有可考于今者”；“幽厉以往，尚矣。所见天变，皆国殊窟穴，家占物怪，以合时应，其文图籍禨祥不法。”（卷二七《天官书》/1344、1343页）

【译文】 太史公推究古代的天变，无法在现今加以验证。

周厉王、幽王以前，太久远了。所记的天变物怪，各国的解释异趣，各家的占验不同，都是附会当时需要的，所以流传的文书、图籍，以及吉凶记载，都不可信从。

【评点】 司马迁论赞之言。司马迁通过对历史的深入研究，发现历史事变与星占家的天人感应记载，不能互相验证，从而对天人感应学说的思想体系提出了质疑。

孔子论六经，纪异而说不书。至天道命，不传；传其人，不待告；告非其人，虽言不著。（卷二七《天官书》/1343 页）

【译文】 孔子编定六经，只记载天变，而对其感应的说法不作记载。至于天道性命，则不轻易传授；或有传授，若得其人，就不须深讲；若所传之不当，即使讲论，也不发明其中的深奥意义。

【评点】 司马迁论赞之言。这里对天道性命并没有完全否认，但不信仰，不宣扬。“纪异而说不书”，可以说是司马迁借孔子来表达自己的观点，对天道循环，对天人感应之异，只择要记载，不加解说，不作引申，在神意史观占统治地位的时代，有这样的怀疑精神，无疑是进步的思想。

近世十二诸侯七国相王，言从衡者继踵，而皋、唐、甘、石因时务论其书传，故其占验凌杂米盐。（卷二七《天官书》/1344 页）

【译文】 近代十二诸侯中，七国互相称王，讲习纵横的人一个接一个，尹皋、唐眛、甘公、石申等人因时事需要而著书立说，所占验的灾异记录十分杂博细碎。

【评点】 司马迁论赞之言。在古代，科学思维的萌芽，往往与宗教、神话相混杂。皋、唐、甘、石是战国时代杰出的天文学家，他们观测天体恒星及日月五星的运行，总结发展了古代天文学。同时他们又是星占家，利用观测星宿的变化隐现以预卜人事的吉凶，其目的是阿世取容，胡说八道，占起了米盐琐事，极不严肃。在这里，星占家的神圣光环被司马迁剥去，显现出了光怪陆离的原形。

【形见应随】秦始皇之时，十五年彗星四见，久者八十日，长或竟天。其后秦遂以兵灭六王，并中国，外攘四夷，死人如乱麻。因以张楚并起，三十年之间兵相骀藉，不可胜数。项羽救钜鹿，枉矢西流，山东遂合从诸侯，西坑秦人，诛屠咸阳。汉之兴，五星聚于东井。平城之围，月晕毕七重。诸吕作乱，日蚀，昼晦。由是观之，未有不先形见而应随之者也。（卷二七《天官书》/1348～1349 页）

【译文】 秦始皇为秦王时，亲政十五年，彗星出现了四次，最长的一次有八十多天，长长的彗星曾横贯整个天空。后来秦国就用武力消灭了六国，统一了中国。对外打击四夷，尸横如乱麻。随后，各地又趁着张楚发难，纷纷都起来响应，30 年之间，兵荒马乱，互相践踏，死者无法统计。项羽救钜鹿，矢状流星蛇行西奔，东方诸侯于是合纵西进，坑杀秦人，屠灭咸阳。汉朝建立，金木水火土五大行星会聚在井宿星区。汉高帝平城被围，月亮在参、毕星区发生月晕，有七重光芒。诸吕作乱，发生日蚀，白天变成了黑夜。由此看来，只要出现天变，就必定有人世间的事变相应，没有不应验的。

【评点】 司马迁论赞之言。古代太史观天，职责之一，就是解释天人感应，因此《天官书》记载天人感应资料是很自然的。这一段文字，总结秦汉之际发生重大历史事变与天象之间的关系，当然，这些都是人为的附会。例如“汉之兴，五星聚于东井”，指汉元年（前 206）十月，金木水火土五星会聚于东方井宿星区，又称五星连珠，本是天体运行周期性的自然现象，说它兆示圣王兴起，就是人为的附会。这种附会是政治需要，而不是客观规律。但是星占家的附会，十分重视历史经验的总结，进行形势分析，对局势作出预测，有时也能言中。如果我们对星占条文，剥去感应的迷信外壳，作为历史预言的资料来研究，也就有了一定的意义。司马迁对此是信疑参半。他说，“太史公推古天变，未有可考于今者”，就是怀疑。同时又把经过牵强附会的感应史事记载下来，供为政者借鉴、修德，就是相信。总的倾向，司马迁处理信仰与事实二者关系时，更相信事实，能突破星占术的束缚，由怀疑进而修正，对人事作出历史根本原因的探索，对“形见应随”的现象，强调为政者修德，其用心也是积极的。参阅本篇“日变修德”条。

日变修德，月变省刑，星变结和。凡天变，过度乃占。国君强大，有德者昌；弱小，饰诈者亡。太上修德，其次修政，其次修救，其次修禳，正下无之。(卷二七《天官书》/1351页)

【译文】 日蚀发生，国君要修养仁德；月蚀发生，就要平反冤狱；列星变异，要与邻国结合。总之，天体运行超过常规的变异，就要推占吉凶。国家强大，又有仁德，就繁荣昌盛；国家弱小，矫饰欺诈，就衰败灭亡。最好的国君修养仁德，次一等的修明政治，再次一等的能补救过失，更下一等的祈求鬼神保佑，最下等的是不闻不问。

【评点】 司马迁论赞之言。尊重事实，承认自然界和社会活动的客观现象，这是一个科学家和历史家取得成就的立足点。在这一点上，司马迁十分强调观测的重要，并亲自考察百年以来的“行事”，得出“五星无出而不反逆行，反逆行，尝盛大而变色；日月薄蚀，行南北有时”这样的承认自然界客观规律的科学结论，这是相当进步的思想。又，司马迁载天人感应，强调重人事，而不是宣传“畏天”。在“日变修德”一段中，明确地提出：“国君强大，有德者昌；弱小，饰诈者亡。太上修德，其次修政，其次修救，其次修禳，正下无之。”强调统治者在“天变”面前修德、修政的重要作用，重视人心向背，这是一个了不起的进步，突破了天人感应的牢笼，接过来作了革新的解释，把唯心主义的官方哲学，转化成了思想进步的主张。这是司马迁论天官的主流。

太史公曰：儒者断其义，驰说者骋其辞，不务综其终始；历人取其年月，数家隆于神运，谱牒独记世谥，其辞略，欲一观诸要难。于是谱十二诸侯，自共和讫孔子，表见《春秋》、《国语》学者所讥盛衰大指著于篇，为成学治古文者要删焉。

（卷一四《十二诸侯年表》/511 页）

【译文】 太史公说：儒家学者偏重义理，纵横家、杂家夸张文辞，都没有注重历史发展本来的研究。历谱家只编制了一些简单的年月表，阴阳五行家仅宣扬神秘的宿命论，谱牒家则单单记载帝王的世系谥号。所有这些著述有一个通病，就是文辞太简略，想从中了解历史的变迁形势是很困难的。因此我编述《十二诸侯年表》，从共和元年到孔子末年止，用它来反映《春秋》、《国语》两部书的内容，力求反映出这两部书的批评精神和盛衰大旨。也可以说，这个年表是替学习古史文献的人做的钩玄提要。

【评点】 司马迁序论。司马迁创作十表，用以勾勒历史发展的线索与轮廓，明确提出了划分历史断限的理论。十表明确地划分古代约 2300 年的历史为三个段落（上古、近古、今世），五个时期。上古史表分为《三代世表》和《十二诸侯年表》两个时期。近古史表分为《六国年表》和《秦楚之际月表》两个时期。汉代诸表为今世史表一个时期。每个时期以历史大事变为临界点，即西周共和、孔子卒、秦亡、陈涉起义、刘邦称帝等大事变为临界点，这是十分光辉的思想。《十二诸侯年表》作了一个明确的交代。《十二诸侯年表》的内容，是用系统的历史资料来表现《春秋》、《国语》所评论的春秋历史时期的盛衰要点，察其变化终始，明其因果规律，可以说这就是司马迁最基本的历史研究方法。这一方法司马迁称之为“综其终始”，并在其他几个年表序中反复论及，或称“察其终始”（《六国年表序》），或称“谨其终始”（《高祖功臣侯者年表序》），或称“咸表终始”（《惠景间侯者年表序》）。司马迁批评了俗儒、纵横家、杂家、历数家、阴阳家等空言论道的历史观，认为只有“综其终始”，“通古今之变”，并“稽其成败兴坏之理”，才是一个真正的历史家。《史记》之所以体大思精，因它具有系统的史学理论统贯其中。十表序既是司马迁史学理论的集中阐述，同时也仅仅是示例而已，故言简义深，意在言外。读十表序要推开去，与全书内容联系，《十二诸侯年表》可以说是作了一个提示。

修身第八

【引言】 修身篇，凡 20 条。儒家倡导“修身齐家治国平天下”，十分注重个人的品德修养。司马谈临终遗言，对司马迁有“事亲、事君、立身”的教导；司马迁对友人挚伯陵有“立德、立言、立功”的告诫。立德者，即修身。千里之行，始于足下；立功立言，始于立身。孝悌为仁之本，求忠臣必于孝子之门。一个人尽忠尽孝，小则齐家，大则治国，皆于立身始。司马迁在《史记》中继承和发扬了这些思想。其中许多精言警句，仍有借鉴意义。

舜耕历山，历山之人皆让畔；渔雷泽，雷泽上人皆让居；陶河滨，河滨器皆不苦窳。一年而所居成聚，二年成邑，三年成都。（卷一《五帝本纪》/33～34 页）

【译文】 舜在历山耕作，历山人互让田边地界；在雷泽捕鱼，雷泽人互让便于捕鱼的位置；在黄河边制作陶器，那里的人制作陶器没有伪劣品。一年之后，舜所住的地方成了村庄，两年后成了集镇，三年后成了城市。

【评点】 舜继尧而为帝，他是被诸侯推荐的继承人。舜为平民时，勤俭修身，走到哪里，就能得到哪里百姓大众的拥戴。

季札自卫如晋，将舍于宿，闻钟声，曰："异哉！吾闻之，辩而不德，必加于戮。夫子获罪于君以在此，惧犹不足，而又可以畔乎？夫子之在此，犹燕巢于幕也。君在殡而可以乐乎？"遂去之。文子闻之，终身不听琴瑟。（卷三一《吴太伯世家》/1458页）

【译文】 季札从卫国到晋国，打算在戚地住宿，听到钟鼓作乐之声，感叹地说："奇怪啊！我听说有辩才而无德行的人，一定遭到杀身之祸。孙文子先生得罪了卫君才栖身在这里，小心谨慎还恐不够，还能作乐吗！孙文子先生在这里，好比燕子在帷幕上筑巢一样充满危险。而且国君尚未安葬，难道可以作乐吗？"于是离开了戚地。孙文子知道后，一辈子不再听音乐。

【评点】 孙文子，卫大夫，他闻善改过，终身记取，值得称赞。

【祁傒荐贤】祁傒可谓不党矣！外举不隐仇，内举不隐子。（卷三九《晋世家》/1682页）

【译文】 祁傒真是一个大公无私的人，他推荐人才，对外人不埋没自己的仇人，对亲人不回避自己的儿子。

【评点】 引《左传》襄公三年"君子谓"赞扬祁傒之言。"君子"，指贤德之人，"君子谓"，即权威人士说。《左传》作者发议论，托称"君子曰"。春秋时晋悼公征求大臣意见举荐人才，祁傒推荐了自己的仇人解狐。悼公再问，祁傒又推荐了自己的儿子祁午。党，偏私，拉帮结派。不党，不偏私，大公无私。外、内，指家外、家内之人。隐，隐藏，掩盖，引申为埋没，回避。祁傒，晋中军统帅。祁傒荐贤，外举不避仇，内举不避子，出于公心，成为千古佳话。成语"祁傒荐贤"，又作"祁傒举仇""祁傒举亲"，用为大公无私推荐人才的典故。

【贫贱者骄人】子击逢文侯之师田子方于朝歌，引车避，下谒。田子方不为礼。子击因问曰："富贵者骄人乎？且贫贱者骄人乎？"子方曰："亦贫贱者骄人耳。夫诸侯而骄人则失其国，大夫而骄人则失其家。贫贱者，行不合，言不用，则去之楚、越，若脱蹝然，奈何其同之哉！"（卷四四《魏世家》/1838页）

【译文】 魏文侯之子姬击出游，在朝歌（古邑名，在今河南淇县东北）遇见魏文侯老师田子方，退车让路，并下车拜见。田子方不还礼。姬击便问道："富贵的人对人傲慢呢，还是贫贱的人对人傲慢？"田子方说："只有贫贱的人才敢对人傲慢啊。诸侯对人傲慢就会失掉自己的国家，大夫对人傲慢就会失掉自己的封邑。贫贱的人，行为不合国君要求，建议不被国君采用，那就离开他到楚国、越国去，就像脱掉旧鞋子一样，怎么可以同等看待呢？"

【评点】 田子方，又单称为田方，孔子的再传弟子，孔子高足子贡的学生，为魏文侯的老师。子击，即公子击，魏文侯之子姬击，继文侯为魏国国君，即魏武侯。魏文侯、武侯都是贤明的国君，尊礼儒者，故田子方敢直言。魏文侯派姬击带兵伐灭了中山，专一方之任。姬击在朝歌路遇田子方，于是两人发生了上面的一段对话。田子方故意不向姬击还礼，以傲慢的举止与说话，警谕魏太子姬击不要以富贵骄人，因为富与贵之人，一般都要傲视别人。《论语·学而》篇，有一段子贡与孔子的对话。子贡说："贫而无谄，富而无骄，何如？"子曰："可也。未若贫而乐，富而好礼者也。"谄，巴结迎逢。骄，傲慢自大。孔子认为贫穷的人不谄媚富人，富贵的人不以傲慢对人，当然是难能可贵的，但还不是最高境界。最高尚的人，没有贫富的界限，贫者安贫乐道，富者守礼下士。孔子讲的是自动的认识，主观上修身养性。田子方则从客观利害讲理，富贵而骄，有国的失国，有家的失家。古时卿大夫的封邑称家。至于贫穷的人，什么都没有，合则留，不合则去，走到哪里无非都是一个贫，骄亦无所损，富贵者怎敢相比。田子方危言深论，激使人们回味，很富有刺激性。成语“贫贱者骄人”出此，喻脱俗清高，指安贫乐道的人敢于蔑视权贵。

富贵者送人以财，仁人者送人以言。（卷四七《孔子世家》/1909 页）

【译文】 富贵的人是用财物送人，品德高尚的人用言辞劝勉人。

【评点】 老子之言。这两句是古代流行的成语。孔子青年时曾问礼于老子，老子临别赠言，引用这两句提起话头，告诫孔子要韬晦善处，不要议论人，揭人之短，认为聪明深察的人容易招来祸害。财，指金钱宝物。言，指经验教训，思想财富。这两句包含思想财富比金钱物质更珍贵的思想意义，在今天仍有积极意义。

大臣议欲立齐王，而琅邪王及大臣曰：“齐王母家驷钧，恶戾，虎而冠者也。方以吕氏故几乱天下，今又立齐王，是欲复为吕氏也。代王母家薄氏，君子长者；且代王又亲高帝子，于今见在，且最为长。以子则顺，以善人则大臣安。”于是大臣乃谋迎立代王，而遣朱虚侯以诛吕氏事告齐王，令罢兵。（卷五二《齐悼惠王世家》/2003～2004 页）

【译文】 大臣们商议打算立齐王为皇帝，而琅邪王和另一些大臣说：“齐王舅舅驷钧，非常凶暴，简直就是一只戴着帽子的猛虎。刚刚由于吕氏的缘故几乎大乱天下，国家刚刚度过这一危机，现在又立齐王，这不是想要吕氏复燃吗。代王刘恒母家薄氏，是君子厚道人家；何况代王又是高帝的亲生子，现今幸存，年龄又最长。他作为儿子继位，顺理成章；他作为善良君子即帝位，大臣平安。”于是大臣一致商定迎接代王继位，并派朱虚侯刘章把朝廷已诛除诸吕的事通知齐王，命令齐王罢兵。

【评点】 这则故事讲的是西汉文帝即位前的一场政治斗争情况，急剧的政治变化局势启示人生哲理的深层意义。齐王刘襄是高帝的长孙，他的弟弟刘章果敢有谋，在长安宫中用事，封朱虚侯。在铲除诸吕的斗争中，齐王首先发难，起兵打开局面。朱虚侯刘章旗帜鲜明地与诸吕作斗争，在诛杀诸吕中又立了大功。无论从血缘亲疏，宗法制度，还是从现实事功，齐王立为皇帝，当之无愧，所以许多大臣主张立齐王为帝。但是齐王的舅舅驷钧贪婪残暴，专横跋扈，又深得齐王欢心为齐相，于是有的大臣认为立了齐王，又来一个凶恶的外戚掌权，大臣们岂不遭危难吗？琅邪王刘泽是高帝远房宗室，他亲附吕太后得封琅邪王。齐王起兵，请琅邪王议事，假称听从琅邪王指挥，琅邪王信以为真，亲到齐国议事遭到扣留，齐王兼并了琅邪王之兵。琅邪王受了欺骗十分恼怒，但他不动声色，反过来欺骗齐王说：“大王是高帝嫡长孙，当立为皇帝，如果你把我释放，让我到京师长安去说服大臣，岂不很好吗？”齐王于是让琅邪王入关。当大臣议立帝位时，琅邪王以宗室长者身份反对立齐王，举出齐王亲近驷钧危及大臣为理由，十分有力。代王刘恒是高帝中子，母家寒微，代王为人仁孝，他为了避诸吕之祸远离朝廷，到边地去做代王，于是被大臣拥立为帝，这就是汉文帝。我们姑置这场政治斗争的是非不论，单就齐王不得为帝的历史教训，留给人们的深深的启示，儒家提倡修身齐家治国平天下（见《礼记·大学》），孟子有言“修其身而天下平”（《孟子·尽心下》）。这都是说一个人要干大事，必须先修养品德。齐王刘襄在大好条件下丧失为帝，关键是他不修身。他信用虎而冠的驷钧，对琅邪王采取欺诈做法，说明他久与恶人相处已染上恶习，在政治斗争中赤裸裸地搞欺诈，是不得人心的。从另一个角度来看，齐王容忍一个品德恶劣的人在身边，好比一个人带着一条恶狗行路，岂不使得群众敬而远之。推而广之，人们交友、做事，都不要与恶人打交道。

岁寒，然后知松柏之后凋。（卷六一《伯夷列传》/2126 页）

【译文】 到了寒冷的冬天，然后才知道松树、柏树是最后凋谢的。

【评点】 引孔子之言，原文见《论语·子罕》篇。这是一句含有丰富人生哲理的形象语言，可以有多种引申意义。《伯夷列传》引用是说，一个人在混浊之世而能独清，出污泥而不染，是一个真正的有德君子。也可比喻只有经过艰难困苦的严峻考验，才能看出谁是真正的英雄。宋人韩琦诗："莫嫌老圃秋容淡，且看黄花晚节香。"这是说一个人要像松柏一样傲寒，保持晚节。无论哪种意义都是说人要向松树、柏树学习，要能经风雨，傲霜雪，这样不愁名声不立。

良贾深藏若虚，君子盛德容貌若愚。（卷六三《老子韩非列传》/2140 页）

【译文】 善于经商的人，把货物隐藏得很深，好像没有东西似的；君子的品德愈是高尚，他谦和的容貌就愈像一个愚笨的人。

【评点】 老子教诲孔子之言。孔子青年时曾问礼于老子，老子教诲说，有德君子如蓬草一样，随遇而安，大智若愚。"良贾深藏若虚"，是一句古代流行的谚语，老子用以比兴，形象地衬托"君子盛德容貌若愚"，劝导人们要有修养，品德才干不必锋芒外露，很有深意。

反听之谓聪，内视之谓明，自胜之谓强。（卷六八《商君列传》/2233 页）

【译文】 能反躬自问的叫做聪，能反省自己的叫做明，能克制自己的叫做强。

【评点】 秦隐士赵良劝说商鞅之言。反，同"返"。反听，即回过头来听听自己说过的话，即反躬自问。内视，自己看看内心，即反省自察，思想深处责问自己。自胜，自己战胜自己，克服自己的缺点。商鞅变法，用严酷苛察的手段推行，赵良劝其实行宽松政策，给自己留一条后路。姑不言政治是非，从一般做人原则立论，这几句话要求每一个人要经常自省自察，发扬长处，克服短处，应该说是至理名言。这与曾子所说“吾日三省吾身：为人谋而不忠乎？与朋友交而不信乎？传不习乎？”（《论语·学而》）有异曲同工之妙。

不义而富且贵，于我如浮云。（卷七九《范雎蔡泽列传》/2422页）

【译文】 用不义的手段获得富贵，我看来好像浮云一般。

【评点】 蔡泽引用孔子之言，是劝官至秦相、恩仇已报的范雎，不要贪恋禄位，而在志满意得之际，早思退路，以免兔死狗烹的下场。浮云，天上飘动的云，比喻不值得关心的事物。

新沐者必弹冠，新浴者必振衣。（卷八四《屈原贾生列传》/2486页）

【译文】 刚洗过头的人一定要弹一弹帽子才戴上，刚洗过澡的人一定要抖一抖衣服才穿上。

【评点】 古代俗语，屈原遭谗流放，行吟泽畔时引用回答渔父之言。沐，洗头。弹冠，弹去帽子上的尘土。振衣，抖掉衣服上的灰尘。渔父劝说屈原，随波逐流，可以保持高官厚禄。屈原说，刚洗过头，洗过澡的人，尚且要弹抖掉帽子衣服上的尘土，我怎么能够随顺世俗同流合污呢？屈原表示宁肯投江葬身鱼腹，也决不追随世俗，让自己的清白品德受到污染。屈原果真以他的实际行动保持了高洁的节操，在楚国国都被秦兵攻破后投汨罗江而死。

举世混浊而我独清，众人皆醉而我独醒。（卷八四《屈原贾生列传》/2486页）

【译文】 整个社会一片浑浊，只有我是清白的；大家都像醉鬼稀里糊涂，只有我是清醒的。

【评点】 屈原遭谗流放，行吟江畔回答渔父之言，说明自己因为不肯同流合污，才遭谗流放。混浊，指政治黑暗，社会混乱。众人，指楚国上层统治者。醉，饮酒过量而知觉麻木。这两句话表现了屈原独善其身的高风亮节和对黑暗政治的强烈不满。同时也流露了屈原对楚国前途的无限悲哀，举世混浊，只有一人清醒，如同大厦将倾，独木难支啊！

以色事人者，色衰而爱弛。(卷八五《吕不韦列传》/2507页)

【译文】 只依靠美貌得到宠爱的人，一旦容貌减色，宠爱也就完结。

【评点】 吕不韦游说华阳夫人之言。华阳夫人受到秦太子安国君的宠爱，但没有生下儿子。吕不韦游说华阳夫人以赵国秦质子子楚为继嗣，趁以色得宠之时，给自己留一条后路。封建时代，母以子贵，华阳夫人立继嗣，就可长保富贵。后世用此语，泛指女子不要单凭天生丽质事奉人，要有内才、修养品德知识，才能长葆青春，受人宠爱。色，《说文》：“颜色也。”指容貌。弛，《说文》：“弓解也。”即放松弓弦，引申为松懈。爱弛，宠爱疏淡，完结。

其身正，不令而行；其身不正，虽令不从。(卷一〇九《李将军列传》/2878页)

【译文】 本身行为端正，不用命令人们也会遵行；本身行为不端正，即使三令五申也没有人遵从。

【评点】 孔子之言，司马迁引为《李将军列传》篇后赞语，称颂李广的为人，强调领导者以身作则的重要性。

力行近乎仁，好问近乎智，知耻近乎勇。(卷一一二《平津侯主父列传》/2952页)

【译文】 努力去做，就接近了仁德；喜欢向别人请教，就接近了聪明；知道什么是耻辱，就接近了勇敢。

【评点】 公孙弘上书引《礼记·中庸》之言。原文作“好学近乎智，力行近乎仁，知耻近乎勇”。儒家传统讲修身齐家治国平天下，《中庸》云：“知所以修身，则知所以治人；知所以治人，则知所以治天下国家矣。”修身的最高境界就是达到智、仁、勇。智、仁、勇的最高境界，恐怕也只有圣人才够得上有智、仁、勇。但是，智、仁、勇的修养却是人人都可做得到的。力行、好问、知耻，就是修身之法。

楼船将狭，及难离咎。悔失番禺，乃反见疑。荀彘争劳，与遂皆诛。两军俱辱，将率莫侯矣。（卷一一五《朝鲜列传》/2990页）

【译文】 楼船将军心胸褊狭，孤军围城遭到了失败。他后悔在番禺的失计，改变策略反被疑忌。荀彘争功，和公孙遂一起被诛。两军不协，久不建功，将帅都不得封侯。

【评点】 司马迁论赞之言。楼船将军杨仆，心胸褊狭，打仗总想争头功。他和左将军荀彘分路进攻朝鲜。杨仆率水师登陆，先至王险城，不等待荀彘陆军到达，孤军进攻，遭到失败。等到荀彘到达会师后，他又不出力攻打，于是两将不和，久打朝鲜不下。杨仆曾经与路博德会围南越番禺，杨仆力战，反驱南越人向路博德投降。这次进攻朝鲜，他先是孤军冒进，等到友军到达他又不并力，坐等友军攻敌，自己受降。汉武帝派济南太守公孙遂前往调解，荀彘与公孙遂合谋以节捕执杨仆，并其军才攻灭了朝鲜。班师后，汉武帝认为荀彘争功，公孙遂未完成调解任务，两人合谋擅并友军，一起被杀头。杨仆当斩，被赎为庶人。杨仆两次与友军并肩作战，都因心存“私”字，第一次失算，第二次错误地总结了经验，失败更惨，还害了友军。同心协力才能完成的事，任何一方切不可有私！没有修养的人，是不可能顾全大局的，其后果是危害自身。荀彘与杨仆争功，两败俱伤，身毁名灭，可为不修身者戒。

孙叔敖三得相而不喜，知其材自得之也；三去相而不悔，知非己之罪也。（卷一一九《循吏列传》/3100 页）

【译文】 孙叔敖三次荣居相位并不沾沾自喜，他知道这是凭自己才能获得的；三次离开相位也并不悔恨，因为他知道这不是自己的过错。

【评点】 孙叔敖，春秋时楚庄王贤相。他治理楚国不用下令管束，百姓自觉遵守，身边的人效法他的言行，离得远的人效法他周围的人。他不以进而喜，也不以退而忧，始终保持高尚的修养品德，无论升与降，他都问心无愧。

庄为太史，诫门下："客至，无贵贱无留门者。"执宾主之礼，以其贵下人。庄廉，又不治其产业，仰奉赐以给诸公。然其馈遗人，不过算器食。每朝，候上之间，说未尝不言天下之长者。其推毂士及官属丞史，诚有味其言之也，常引以为贤于己。未尝名吏，与官属言，若恐伤之。闻人之善言，进之上，唯恐后。山东士诸公以此翕然称郑庄。（卷一二〇《汲郑列传》/3112 页）

【译文】 郑庄为右内史，告诫守门人说："有来访的人，不论贵贱要立即请进，不得阻留在门口等待。"他执行主人敬客之礼，放下自己高贵身份的架子屈居在客人之下。郑庄廉洁，又不添置私产，依靠俸禄和所得的赏赐来供应诸位年长友人。他送人的礼物，不过是用竹器装些食品。每次上朝，等候皇上的空闲，进言时从不遗漏赞扬天下的贤人。推荐士人和丞、史等属吏时，说得津津有味，还时时说这些人超过了自己。他从不对下属直呼其名，与他们谈话，谦和得生怕伤害了对方。听到别人有高见，便马上报告皇上，惟恐拖延误事。殽山以东的中原士人和贤达都一致赞扬郑庄。

【评点】 这段话具体而细微地描写出郑庄的为人，他待人极为厚重，爱好推荐贤才，周济贫士和老人，官至大农令，执掌财政，而死时家无余财。郑庄，名当时，字庄，是汉武帝一朝的循吏。

上德不德，是以有德；下德不失德，是以无德。（卷一二二《酷吏列传》/3131 页）

【译文】 最有道德的人不标榜自己有德，因此确有道德；最无道德的人口口声声说有德，其实根本无德。

【评点】 司马迁序论所引《老子》第三十八章之言，用以阐明礼义道德贵在实行而不是宣传。

贤之行也，直道以正谏，三谏不听则退。其誉人也不望其报，恶人也不顾其怨，以便国家利众为务。故官非其任不处也，禄非其功不受也；见人不正，虽贵不敬也；见人有污，虽尊不下也；得不为喜，去不为恨；非其罪也，虽累辱而不愧也。（卷一二七《日者列传》/3217 页）

【译文】 贤才的行为，应是用刚正之道对人主进行匡正和劝谏，如果再三劝谏而不被采纳，就辞官引退。他们称赞别人并不期望得到报偿，憎恶他人也不顾忌会招来怨恨，而是以怎样对国家、对民众有利为要务。所以自己不能胜任的官职就不做，不是由于自己的功劳而得到的俸禄就不接受；看到别人行为不端，虽然地位高贵也不敬重；知道此人品德龌龊，虽然官居显职也不屈就；得到官爵并不沾沾自喜，失去了也不以为恨；不是自己的罪过，虽一再牵连受辱也不羞愧。

【评点】 日者司马季主之言，论贤士的品德修养，至今仍有借鉴意义。

处世第九

【引言】 处世篇，凡15条。处世是人生修养的一部分。修身立足点在自我，处世则讲自我怎样处世，如何摆正在社会中的地位，以及身与物的关系。像魏勃扫门求见，如果只求自身荣贵，是不择手段的干求；如果志在用世，焕发人身价值，那可说是苦心经营了。处世的善与恶，既要看主观动机，还要看客观效果。萧何不为子孙置厚产，似乎有违常情，实则深谋远虑，颇具现代文明的思维，至今读来，仍令人叹服。

【扫门求见】魏勃少时，欲求见齐相曹参，家贫无以自通，乃常独早夜埽齐相舍人门外。相舍人怪之，以为物，而伺之，得勃。勃曰："愿见相君，无因，故为子扫，欲以求见。"于是舍人见勃曹参，因以为舍人。（卷五二《齐悼惠王世家》/2004页）

【译文】 青年时的魏勃，想求见齐相曹参，家里贫困，拿不出钱财来打通关系，就经常独自一人在黎明之前去齐相舍人的大门外打扫。齐相舍人很是奇怪，以为有妖怪，于是暗中窥察，见到魏勃。魏勃说："想见曹相，没有路子，所以为您打扫，想通过你得到求见的机会。”于是舍人将魏勃引荐给曹参，因此魏勃也做了舍人。

【评点】 “扫门求见”，通过在门前扫地来得到求见机会，喻千方百计干谒权门，又简作“扫门”。魏勃，官至齐哀王中尉，权重于齐相。吕太后死，齐哀王刘襄首先起兵讨诸吕，魏勃为首谋。舍人，王公及大臣的亲近侍从官。

后世贤，师吾俭；不贤，毋为势家所夺。（卷五三《萧相国世家》/2019 页）

【译文】 后代子孙贤明，效法我的俭朴；后代子孙无才干，可以不被有权势的人家侵夺。

【评点】 萧何之言。萧何身为丞相，生活俭朴，他为子孙购置田产，修建住宅，都选在偏僻贫苦的地方，认为这样最安全。人皆有舐犊之情，往往为子孙聚财谋势，作周密考虑，这都是目光短浅。萧何为子孙长远考虑，看起来淡泊，实际最为周密，一般人都做不到，史家特为记载，警喻世人。

何素不与曹参相能，及何病，孝惠自临视相国病，因问曰：“君即百岁后，谁可代君者？”对曰：“知臣莫如主。”孝惠曰：“曹参何如？”何顿首曰：“帝得之矣！臣死不恨矣！”（卷五三《萧相国世家》/2019 页）

【译文】 萧何一向与曹参不和睦，等到萧何病重时，孝惠帝亲自探视萧相国病情，趁便问道：“你如果百岁之后，谁能代替你呢？”萧何回答说：“了解臣下的莫过于君主。”孝惠帝说：“曹参怎么样？”萧何叩头说：“皇上得到了最好的人选了，我死也不遗憾了。”

【评点】 萧何、曹参都是沛县人，秦时同为沛县小吏，同时追随刘邦起义，本来有很深的友谊。后来由于封赏不平，曹参多野战之功，萧何为后勤文吏，居功在曹参之上，于是两人不和睦。但在顾全国家大局上，萧何、曹参都很有雅量，萧何荐曹参，曹参继为相国不改萧何法度，史称萧规曹随，西汉得到大治。

所说出于为名高者也，而说之以厚利，则见下节而遇卑贱，必弃远矣。所说出于厚利者也，而说之以名高，则见无心而远事情，必不收矣。所说实为厚利而显为名高者也，而说之以名高，则阳收其身而实疏之；若说之以厚利，则阴用其言而显弃其身。此之不可不知也。（卷六三《老子韩非列传》/2149 页）

【译文】 所游说的对象，如果是一个好高务名的人，你用厚利去游说，那么你将被视为下流之人遭到卑贱的待遇，而被抛得很远。所游说的对象是一个重利的人，你用名誉去游说，那么，你将被视为迂腐，没有心计而不切现实，也一定不会被录用。所游说的对象，骨子里求利，而表面上求名，你用名誉去游说，他会表面上任用你，而实际上疏远你；如果你用厚利去游说，他会暗中用了你的计谋而公开抛弃你。以上这些，都是游说的人不能不掌握的要领。

【评点】 韩非《说难》之言。原指游说国君，要摸清国君的脾气和思想爱好，以便对症下药。韩非总结的这些经验，深刻地反映了封建社会上下之间人际关系的微妙。

无报人之志，而令人疑之，拙也；有报人之志，使人知之，殆也；事未发而先闻，危也。三者举事之大患。（卷六七《仲尼弟子列传》/2199 页）

【译文】 没有报复人的意愿而使人怀疑他，是笨拙的；有报复人的意愿而让人知道他，是不安全的；事情还没有办就先让人知道，是危险的。这三种情况都是办事的最大祸患。

【评点】 孔子弟子子贡说越王勾践之言。报仇雪恨，要使对方不疑、不知，行动时出其不意，如果已被对方所疑、所知，作了防范，事必不成。如何才能让对方不疑、不知，那就要韬晦，麻痹对方。越王勾践听从了子贡的建议，给吴王送重礼，派兵帮助吴王攻打齐国、晋国，坐收渔人之利，终于灭掉了吴国。

昔曾参之处费，鲁人有与曾参同姓名者杀人，人告其母曰“曾参杀人”，其母织自若也。顷之，一人又告之曰“曾参杀人”，其母尚织自若也。顷又一人告之曰“曾参杀人”，其母投杼下机，逾墙而走。夫以曾参之贤与其母信之也。三人疑之，其母惧焉。（卷七一《樗里子甘茂列传》/2311页）

【译文】 从前曾参住在费邑，鲁国有个与曾参同名同姓的人杀了人，有人告诉曾参的母亲说：“曾参杀了人。”他的母亲仍然织布神色镇定自如。过了一会儿，又有一个人来说：“曾参杀了人。”他的母亲还能保持神色不变。又过了一会儿，第三个人来说：“曾参杀了人。”他的母亲扔下梭子，走下织布机，翻墙逃跑了。凭着曾参的贤德和他母亲的信任，一连有三个人怀疑他，他的母亲也沉不住气害怕了。

【评点】 甘茂对秦武王之言。秦武王要甘茂为将攻打韩国的宜阳。甘茂向秦武王讲了这个故事，然后说，君臣关系不如母子关系，宜阳是韩国的大县，攻取不是一日之功，而说坏话的人超过了三个，如果大王不坚定信心，攻取宜阳是没有结果的。秦武王坚定了信心，派甘茂出征，打了五个月还没有攻下宜阳，果然有许多人来说坏话，秦武王反而增兵援助甘茂，终于攻下了宜阳。这个故事有多方面的教育意义。它说明人言可畏，俗语“众口铄金”，这是一个生动例证。它还说明，成就大事，要用人不疑，对没有根据人云亦云之言要调查研究。而现实生活中，往往捕风捉影的众口一词败坏了许多大事，值得记取！

王翦曰："大王必不得已用臣，非六十万人不可。"始皇曰："为听将军计耳。"于是王翦将兵六十万人，始皇自送至灞上。王翦行，请美田宅园池甚众。始皇曰："将军行矣，何忧贫乎？"王翦曰："为大王将，有功终不得封侯，故及大王之向臣，臣亦及时以请园池为子孙业耳。"始皇大笑。王翦既至关，使使还请善田者五辈。或曰："将军之乞贷，亦已甚矣。"王翦曰："不然。夫秦王怚而不信人。今空秦国甲士而专委于我，我不多请田宅为子孙业以自坚，顾令秦王坐而疑我邪？"（卷七三《白起王翦列传》/2340 页）

【译文】　王翦说："大王必不得已任用我，少了六十万人不行。"秦始皇说："我听你的谋划好了。"于是王翦率领六十万大军出征，秦始皇亲自送到灞上。王翦辞行时，请求赐给他很多的良田、美宅、园林池苑等。秦始皇说："将军尽管上路好了，为何担忧以后的日子会贫困呢？"王翦说："给大王带兵，即使有功也封不了侯，所以趁着大王器重我的时候，我就抓住这个机会多要些园林池苑给子孙留一份产业罢了。"秦始皇禁不住哈哈大笑起来。王翦出发后到了函谷关，又连续派了五批使者向秦始皇讨良田。有人说："将军这般讨要，也太过分了吧！"王翦说："不是这道理。秦王粗暴而不信任人。现在调光了全国的精兵交给我，我若不多多请求赏赐田宅给子孙置产业，用以表示自己忠于秦国的坚定信心，难道反而要秦王平白无故地怀疑我吗？"

【评点】　王翦年老，多替子孙请求产业，表示自己依恋生活，要求安度晚年的信心，曲折地表达了对秦王的忠心，也就是没有野心。这也是一种大智若愚的韬晦办法，表示了王翦的老谋深算。楚国是南方大国，国土数千里，不集中绝对优势兵力不能取胜。秦王派李信率领 20 万大军征楚，大败而归，不得已起用王翦，调集全国兵力交给他，这一臣重君轻的形势很容易被人离间。王翦征楚，用了一年多的时间才平定了楚国，他如不用计使秦王信任自己，也可能半途而废。王翦利用他的年老来无止无休索要赏赐，表现一种物质贪心来稳固政治地位，这是在中央集权制度下的一种自保之术，它说明王翦很有政治头脑。萧何为汉相，刘邦出征，萧何清廉，遭刘邦之忌，萧何强买民田，中饱自污，刘邦反而高兴，就是这个道理。

人固未易知，知人亦未易也。（卷七九《范雎蔡泽列传》/2416页）

【译文】 人本来不容易让别人了解自己，而了解别人也不是一件容易的事。

【评点】 侯嬴批评魏公子无忌之言。魏国相国魏齐因秦兵逼索弃官逃难到赵国投靠虞卿。秦国又威胁攻打赵国，虞卿辞去赵国上卿之位，带着魏齐投奔魏公子，虞卿这一精神十分可贵。魏公子不敢收纳魏齐就故意问左右的人，虞卿是一个什么样的人，侯嬴就说了上引的一番话责备魏公子，不能推心置腹待人，畏首畏尾。魏公子听后十分惭愧。侯嬴所讲知人之难，具有普遍意义。俗话说："知人知面不知心。"又说："万两黄金易得，知心一个也难求。"因为人际关系受各种利害冲突的制约，所以千变万化，知心也就难求了。

国有道则仕，国无道则隐。（卷七九《范雎蔡泽列传》/2422页）

【译文】 国家政治清明就出来做官，政治黑暗就回家归隐。

【评点】 蔡泽劝范雎功成身退所引孔子之言。原文见《论语·卫灵公》篇，作"邦有道则仕，邦无道则可卷而怀之。"邦，即国。西汉高祖刘邦，因避讳邦，从此改邦为国。孔子说，政治黑暗就把本领收起来，以免杀身，这是君子的做法。从个人角度，这是明哲保身。从国家兴亡角度，杀身成仁，舍生取义，则为忠节之士。这是两种人生观，孔子认为可以并行不悖，在不同场合，针对具体事例，说了不同的话。

臣闻明月之珠，夜光之璧，以暗投人于道路，人无不按剑相眄者，何则？无因而至前也。蟠木根柢，轮囷离诡，而为万乘器者，何则？以左右先为之容也。（卷八三《鲁仲连邹阳列传》/2476 页）

【译文】 我听说即使把明月珠、夜光璧，在黑暗中向走路的人掷去，人们没有不惊恐地拿着宝剑怒目斜视投宝的人。这是为什么呢？因为宝物被无端地抛到跟前。老树的树根，长得弯曲离奇，却可以制成供君主赏玩的器物。这又是为什么呢？因为周围的人事先作了雕饰啊。

【评点】 邹阳《狱中上梁王书》中之言，比喻处于社会底层的人，怀有明月之珠、夜光之璧一样的宝贵忠心，如果没有凭藉，也不会上达于君，还不如老树曲根。蟠木，长得弯曲的老树。轮囷离诡，均连绵字，盘绕屈曲的样子。

圣人迁徙无常，就变而从时，见末而知本，观指而睹归。物固有之，安得常法哉！（卷八七《李斯列传》/2550 页）

【译文】 聪明人应该灵活处事，随着变化赶潮流，看到末端就能推知事物的根本，看到动向就能预知事物的归宿。事物本来的规律就是这样，哪有一成不变的道理。

【评点】 赵高怂恿李斯发动宫廷政变说的话，他用正面道理诱导李斯干违反天常之事，可见赵高是一个能言家。他讲的这番道理是很动听的。迁徙无常，居止无定处，喻灵活处事，不要循规蹈矩。

【死灰复燃】安国坐法抵罪，蒙狱吏田甲辱安国。安国曰："死灰独不复然乎？"田甲曰："然即溺之。”居无何，梁内史缺，汉使使者拜安国为梁内史，起徒中为二千石。田甲亡走。安国曰：“甲不就官，我灭而宗。”甲因肉袒谢。安国笑曰：“可溺矣！公等足与治乎？”卒善遇之。（卷一〇八《韩长孺列传》/2859 页）

【译文】 韩安国因犯法被判罪，蒙县的狱吏田甲侮辱韩安国。韩安国说：“死灰难道不会复燃吗？”田甲说：“燃起来就撒泡尿浇灭它。”过了没多久，梁国内史的职位空缺，汉朝廷派使者任命韩安国为梁国内史，从囚徒中直升为二千石高官。田甲逃跑。韩安国说：“田甲不回到官位上，我就灭你宗族。”田甲只好解衣露体前去认罪。韩安国笑着说：“可以撒尿了！像你们这样的人值得我惩办吗？”终于友好地对待他。

【评点】 “死灰复燃”，指熄灭的灰重新燃烧起来。喻失势的人东山再起，也指消亡的事重新出现。韩安国，梁人，字长孺，初事梁王为中大夫，在平定吴楚之乱时立功，名显天下。官至京师御史大夫，行丞相事。韩安国喜欢推荐贤才，为人厚道。他善待田甲的故事表现了他胸怀大度的品德。而，通“尔”，你。

才贤不为，是不忠也；才不贤而托官位，利上奉，妨贤者处，是窃位也。（卷一二七《日者列传》/3218 页）

【译文】 有才干不去做官，这是不忠；没有才干反而占据官位，享受俸禄，妨碍贤者任职，这是窃据官位。

【评点】 日者司马季主之言，指出人要有自知之明，有才出仕，当之无愧，有才不作贡献是不忠。无才居显位，则是强盗，俗语“占着茅坑不拉屎”，就是讽刺那些无才居高官显位的人。

人或忠信而不如诞谩，或丑恶而宜大官，或美好佳丽而为众人患。（卷一二八《龟策列传》/3232 页）

【译文】 人群之中，有的忠厚信实却不如奸诈狂诞，有的面貌丑陋却适宜担任大官，有的俊美佳丽却是众人的祸害。

【评点】 褚少孙补传卫平之言。人才品性千差万别，善于引导，各有各的场所和用处，反之，优点将转化为缺点。例如与奸险狡诈的敌人周旋，那就的确是“忠厚信实”不如“奸诈狂诞”了。

【范蠡泛湖】范蠡既雪会稽之耻，乃喟然而叹曰：“计然之策七，越用其五而得意。既已施于国，吾欲用之家。”乃乘扁舟浮于江湖，变名易姓，适齐为鸱夷子皮，之陶为朱公。（卷一二九《货殖列传》/3257页）

【译文】 范蠡已经辅助越王洗雪了会稽被困之耻，便长叹说：“计然的策略有七条，越国只用了五条就实现了报仇雪耻的愿望。既然施用于治国已见成效，我想把它用来治家。”于是乘坐一条小船漂泊江湖，改名换姓，到齐国改名叫鸱夷子皮，到了陶邑改名叫朱公。

【评点】 “范蠡泛湖”，喻功成身退，归隐江湖。典出《货殖列传》。范蠡帮助越王勾践灭吴之后，认为勾践其人“可与同患，难于处安”，于是泛舟五湖，到齐国经商，成为大商人，后定居于陶，史称陶朱公。今太湖有蠡园，相传为范蠡与西施泛舟归隐之所。

交友第十

【引言】 交友篇，凡15条。前10条论交友之道，后5条为论诚信之德。缓急为人之所时有，故人们喜欢交友，急难时可得人之助。这是从消极方面说。积极方面说，交友择邻，是获得知识、品德修养的一条门径。旧时“师友”二字往往相连使用。“不知其人，视其友”，说明交友之间的互相影响，好朋友，就是一位好老师。“德不孤，必有邻”，一个修养道德高尚的人，不可能没有好朋友。如果一个人，没有一个知心朋友，是十足的孤家寡人，那么这个人就值得警惕了。

【管鲍之交】管仲曰：“吾始困时，尝与鲍叔贾，分财利多自与，鲍叔不以我为贪，知我贫也。吾尝为鲍叔谋事而更穷困，鲍叔不以我为愚，知时有利不利也。吾尝三仕三见逐于君，鲍叔不以我为不肖，知我不遭时也。吾尝三战三走，鲍叔不以我为怯，知我有老母也。公子纠败，召忽死之，吾幽囚受辱，鲍叔不以我为无耻，知我不羞小节而耻功名不显于天下也。生我者父母，知我

者鲍子也。”（卷六二《管晏列传》/2131～2132页）

【译文】 管仲说：“我起初贫困时，曾和鲍叔一起经商，分钱财时我自己多拿一份，鲍叔不认为我贪财，知道我贫困。我曾经替鲍叔谋划事情，反而使他更加艰难，鲍叔不认为我愚笨，知道时机有利有不利。我曾经三次做官三次下台，鲍叔不认为我无才，知道我没赶上好时机。我曾经三次上战场当了三次逃兵，鲍叔不认为我是胆小鬼，知道我有老母在堂。公子纠失败，召忽自杀死节，我被囚禁受辱，鲍叔不认为我没有廉耻，知道我不以小节为羞愧而以不成就功名显赫于天下为耻辱。生我的是父母，了解我的是鲍叔啊。”

【评点】 “管鲍之交”喻朋友相知至深，管仲自叹之言。管仲是辅佐齐桓公称霸的大功臣，中国历史上著名的政治家和改革家，可是他前半生做什么事都不顺当，经商亏本，当官被逐，打仗当逃兵。后来他与召忽两人共佐公子纠与公子小白争齐国君位，公子小白胜利了，成为国君即齐桓公，管仲与召忽成为政治上的失意者。召忽死节，管仲成了囚犯，由于鲍叔力荐，管仲为齐相建功业。所以管仲传，不写管仲事迹，通过管仲之口写鲍叔，没有鲍叔就没有管仲。鲍叔是中国历史上最高尚最伟大的伯乐。

【石交之义】 大王诚能听臣计，即归燕之十城。燕无故而得十城，必喜；秦王知以己之故而归燕之十城，亦必喜。此所谓弃仇雠而得石交者也。（卷六九《苏秦列传》/2263页）

【译文】 大王当真能听从我的计谋，就归还燕国的十座城邑。燕国平白地收回十座城邑，一定高兴；秦王知道是因为他的缘故而归还燕国的十座城邑，也一定很高兴。这就叫做抛弃仇敌，而得到坚如磐石一样的朋友。

【评点】 “石交之义”，喻交情深厚，坚如磐石，苏秦说齐宣王之语。齐侵夺燕国十城，秦燕两国有婚姻之约。苏秦为燕使齐，对齐宣王说，齐取燕十城，将遭到燕秦的联合进攻，将有大祸临头，如果归还燕国 10 城，燕、秦都将成为齐国石交一般的朋友，那么齐国得燕秦相助，就可称霸于天下了。齐王果然退还了燕国的 10 座城。今俗语“铁哥们”与“石交”之义同。

苏秦不信于天下，而为燕尾生；白圭战亡六城，为魏取中山。（卷八三《鲁仲连邹阳列传》/2471 页）

【译文】 苏秦对各国都不守信用，但对燕国却像尾生一样守信用；白圭战败丢了中山六座城邑，却为魏国灭了中山。

【评点】 邹阳《狱中上梁王书》中之言。尾生，传说中极守信之人。他与一女子相约于桥下，女子未来，洪水淹至，尾生守信不离，抱桥柱而死。苏秦游说秦、赵不见信用，后游说燕文侯，文侯出车马金帛以为资，使得苏秦拜六国相印，所以苏秦对诸侯各国都不守信用，入齐卖齐，而对燕独守尾生之信。白圭，本为中山相，因打仗丢了六座城邑，中山王要杀他，他逃奔魏，反而替魏攻中山。苏秦、白圭贰于彼，忠于此，就是知遇的程度不同。士为知己者死，这就是例证。

【虚左以待】魏有隐士曰侯嬴，年七十，家贫，为大梁夷门监者。公子闻之，往请，欲厚遗之。不肯受，曰：“臣修身絜行数十年，终不以监门困故而受公子财。”公子于是乃置酒大会宾客。坐定，公子从车骑，虚左，自迎夷门侯生。（卷七七《魏公子列传》/2378 页）

【译文】 魏国有个隐士名叫侯嬴，70 岁了，家里贫困，做大梁城夷门的守门人。魏公子听了他的故事，前去问候，要丰厚地赠送他财物。他不肯接受，说：“我几十年修身养性，纯洁操守，终究不能因为做一个看门人因生活贫困而接受公子的财物。”魏公子于是就摆设酒宴，大请宾客。客人们坐定以后，公子带着车马，空着车子左边的座位，亲自去迎接夷门侯先生。

【评点】　“虚左以待”，又作“虚席以待”。虚左，指空着车子左边的客位；虚席，指留着上座以待客。魏公子无忌，礼贤下士，他亲自恭请侯生，既“虚席”又“虚左”。“坐定，公子从车骑，虚左，自迎夷门侯生。”客人坐定以后，还空着上席，有一位尊贵客人未到，所以魏公子亲自从车骑去迎请，又“虚左以待”，极力描写出公子的气度与真诚。侯嬴后来也舍命报君子，他替魏公子策划了“窃符救赵”，而后自刎以激励公子创立英雄伟业。这故事千古流传不衰，人们概括出“虚左以待”与“虚席以待”两个典故，用以表示对贤能者的期待和礼遇。夷门，魏国都城大梁的东门。

公子闻赵有处士，毛公藏于博徒，薛公藏于卖浆家，公子欲见两人，两人自匿不肯见公子。公子闻所在，乃间步往从此两人游，甚欢。平原君闻之，谓其夫人曰：“始吾闻夫人弟公子天下无双，今吾闻之，乃妄从博徒卖浆者游，公子妄人耳。”夫人以告公子。公子乃谢夫人去，曰：“如吾闻平原君贤，故负魏王而救赵，以称平原君。平原君之游，徒豪举耳，不求士也。无忌自在大梁时，常闻此两人贤，至赵，恐不得见。以无忌从之游，尚恐其不我欲也，今平原君乃以为羞，其不足从游。”乃装为去，夫人具以语平原君。平原君乃免冠谢，固留公子。平原君门下闻之，半去平原君归公子，天下士复往归公子，公子倾平原君客。（卷七七《魏公子列传》/2382～2383 页）

【译文】　魏公子听说赵国有两个隐士，毛公藏身在赌徒中，薛公藏身在卖酒人家中，魏公子很想见这两个人，可是这两个人却躲起来不肯见魏公子。魏公子终于打听到了他们藏身地，就秘密地步行去同这两人相交，彼此都很高兴。平原君听了这件事，就对夫人说："当初我听说夫人您的弟弟魏公子是举世无双的贤才，现在我听到一个消息，他竟然胡乱地同赌徒、酒店伙计交往，看来魏公子不过是一个荒唐的人罢了。"平原君夫人告诉了魏公子。魏公子就告别夫人，打算离开，说："当初我听说平原君贤明，所以才违背魏王领兵救赵，以顺平原君的心愿。现在才知道，平原君与人交往，只不过是表现自己的豪放罢了，他不是真正的器重人才。我无忌在大梁时，早就知道这两人是贤士，到了赵国，生怕见不到他们。拿我这样的人与他们交往，还怕他们不理我呢，想不到平原君认为这是丢面子的事，我看平原君本人才不值得交往。"于是打点行装就要离开。夫人原原本本告诉了平原君。平原君就摘下帽子向魏公子赔罪，坚决挽留。平原君的门客听说后，有一半客人离开了平原君归附了魏公子，天下的士人又都来投靠，魏公子使平原君的宾客纷纷倒向自己。

【评点】 魏公子信陵君在战国四公子中最为有名，他真正礼贤下士，在魏国结交城门看守侯嬴和屠夫朱亥。他窃符救赵，客居赵国，宾客大多散去。他因结交赌徒毛公、酒店伙计薛公，使得平原君门客又一边倒。当时战乱环境，有许多才智之士深藏于下层民间，魏公子放下架子与这些贤才交游，并且得到了他们的帮助，历史上建立了轰轰烈烈的功业。

【布衣之交】臣以为布衣之交尚不相欺，况大国乎！（卷八一《廉颇蔺相如列传》/2440 页）

【译文】 我认为平民百姓相交还讲信义，互不欺骗，何况是大国相交往呢！

【评点】 布衣，为古代庶民之服。平民相交，平等相待，称"布衣之交"，亦指不以权贵骄人。战国时，赵国蔺相如奉使送和氏璧到秦，秦昭王说用十五座城来交换这块玉璧。而秦王却是想讹诈这块和氏璧，不想给赵国城邑。蔺相如觉察后，从秦王手中要回玉璧，立于秦庭，愤怒地指责秦王背信弃义：还不如平民相交讲信义。秦王慑于正义，善待蔺相如，相如终于完璧归赵。

【漆身吞炭】豫让又漆身为厉，吞炭为哑，使形状不可知，行乞于市。其妻不识也。行见其友，其友识之，曰："汝非豫让邪?"曰："我是也。"其友为泣曰："以子之才，委质而臣事襄子，襄子必近幸子。近幸子，乃为所欲，顾不易邪?何乃残身苦形，欲以求报襄子，不亦难乎!"豫让曰："既已委质臣事人，而求杀之，是怀二心以事其君也。且吾所为者极难耳!然所以为此者，将以愧天下后世之为人臣怀二心以事其君者也。"

（卷八六《刺客列传》/2520页）

【译文】 豫让用漆涂身，使皮肤长出癞疮，又吞炭使声音变哑，弄得面目全非不能辨认，在街上讨饭，他的老婆也不认识。在路上碰见他的朋友，这个朋友把他认了出来，说："你不就是豫让吗?"豫让说："我就是。"他的朋友激动得流泪，说："以你的才能，委身去投靠赵襄子，赵襄子必然亲近你。既然亲近你，就可以为所欲为，反倒不是更容易吗?何苦摧残身体，丑化形貌，用这种办法达到报复赵襄子的目的，不是很困难吗!"豫让说："既然委身服事别人，又想杀他，这是怀着二心服事他的君主啊。况且我自己也知道这样做是很困难的，但我之所以这样做，正是为了使天下后世那怀着二心去服事君主的人感到羞愧啊!"

【评点】 "漆身吞炭"，喻毁容报仇。豫让事奉智伯，受到器重。赵襄子与韩魏联合灭了智伯，豫让发誓报仇，自刑以变其容，他是以身作则贯彻"士为知己者死"的精神。事原载《战国策·赵策一》。

【三跃击之】豫让曰："臣闻明主不掩人之美，而忠臣有死名之义。前君已宽赦臣，天下莫不称君之贤。今日之事，臣固伏诛，然愿请君之衣而击之，焉以致报仇之意，则虽死不恨。非所敢望也，敢布腹心！"于是襄子大义之，乃使使持衣与豫让。豫让拔剑三跃而击之，曰："吾可以下报智伯矣！"遂伏剑自杀。（卷八六《刺客列传》/2521 页）

【译文】 豫让说："我听说贤明的人主不埋没别人的美名，而忠臣理应为名节而死。前次您宽恕了我，天下的人没有不称赞您的贤明。今天的事理，我应当伏法受诛，但我希望得到您的衣服砍它几下，用这办法表达我报仇的心意，就是死也没有遗恨了。这当然不是我能指望得到的，只是冒昧地表达我的衷心！"当时赵襄子十分赞赏他的义气，就派一个人拿着衣服递给豫让。豫让抽出剑来三次跳起来砍它，说："我可以报答智伯于地下了！"然后用剑自杀。

【评点】 春秋时，豫让事智伯，深得智伯信任。韩、赵、魏三家分晋灭了智伯，豫让誓为智伯报仇，多次变易形体，刺杀赵襄子，均遭失败。最后一次，赵襄子对豫让说："我已多次放了你，这次再不放你了。"就命士兵围捕豫让，豫让请求赵襄子赐衣砍杀以表示报仇之意，赵襄子满足了豫让的要求。豫让接过衣服"三跃击之"，表示了他对智伯仇敌的愤恨，同时表示了他履行了"士为知己者死"之义，然后自杀，赵国的志士听了这个悲剧，都为他哭泣。

不知其君视其所使，不知其子视其所友。（卷一〇四《田叔列传》/2780 页）

【译文】 不了解一个国君，看一看他使用的人；不了解某个人的儿子，看一看他儿子相交的朋友。

【评点】 褚少孙补传赵禹之言。汉武帝下诏让大将军卫青推举门客中的贤才，卫青推举了一些没有才德的富家子弟。少府赵禹来拜访卫青，说了这两句话，要求卫青重新推荐，选拔能干的人去见皇帝，皇帝要从卫青推荐的门客中了解卫青经常是和一些什么人交往。俗语有“物以类聚，人以群分”，从相交中去看一个人，就是这个道理。

缓急，人之所时有也。(卷一二四《游侠列传》/3182 页)

【译文】　急难的事，人们是常会碰到的。

【评点】　司马迁序论之言，说明游侠深受人民的爱戴的原因。缓急，偏义复词，重在“急”字，指人遇急难。游侠是社会底层的受压迫者，还是统治阶级的帮凶？学术界有着较大的争论。这个问题，司马迁已有明确的划分，一类是“赦而无足敬者”的强盗，他们就是统治者的帮凶或地方恶霸，一类是解人急难，为知己者死的侠义之士，朱家、郭解等人就是这样的侠义之士。他们言必信，行必果，不矜其能，羞伐其德，助人解难而不取分文，敢于牺牲，捍卫底层人民的正义，具有真正的仁义道德。人总是有急难的，真正的游侠就是救人之难的，所以他们尽管无权无势，而与人民生息相关，因而名声很大，深受人民爱戴。

【季札挂剑】【心许之信】季札之初使，北过徐君。徐君好季札剑，口弗敢言。季札心知之，为使上国，未献。还至徐，徐君已死，于是乃解其宝剑，系之徐君冢树而去。从者曰：“徐君已死，尚谁予乎？”季子曰：“不然。始吾心已许之，岂以死倍吾心哉！”(卷三一《吴太伯世家》/1459 页)

【译文】　季札出使北上时，途中拜见徐君。徐君喜欢季札的佩剑，口里不好意思说出来。季札心里明白，因为出使中原诸国，没有把剑赠给徐君。季札回来时再路过徐国，徐君已经死了，于是就解下宝剑，挂在徐君坟墓旁的树上才离去。随从的人说："徐君已经死了，还把剑送谁呢？"季札说："不能这样说。当初我内心已经答应将宝剑送给徐君了，怎么能因为他死了我就违背自己的心愿呢？"

【评点】 "季札挂剑"、"心许之信"两个典故，表示友谊笃厚，重信誉。季札是春秋时吴王寿梦的少子，封于延陵，又称延陵季子，历史上有名的重信人物。他曾出使齐晋等国，路过徐国。徐国在今江苏泗洪南，是春秋时一个诸侯小国。吴都姑苏，在今江苏苏州，北上必经徐国，所以季札出使中原来回路过徐国。佩剑代表身份，出使在身，未敢奉献，完成公务，准备把剑送给徐君，但徐君已死，就挂剑于徐君墓旁树上而去，表示自己的诚心。为人处世，心口如一，讲求信用，是自身人格的完善。季札可是一个完美的人。

乘人之车者载人之患，衣人之衣者怀人之忧，食人之食者死人之事，吾岂可以向利背义乎？（卷九二《淮阴侯列传》/2624 页）

【译文】 坐了人家的车子就要分担他的祸患，穿了人家的衣服就要为他分忧，吃了人家的饭就要替他的事业效死力，我怎能为了私利而违背大义呢？

【评点】 韩信对蒯通之言。蒯通劝韩信背汉自立为王，韩信想到是刘邦拜他为大将，又同车共食，不肯背离，用这几句话表达他那种受人滴水之恩，当思涌泉之报的思想感情，对于忘恩负义之人，今语有云："吃哪家饭，砸哪家锅，住哪家屋，拆哪家房。"与韩信所言对照，有相映成趣之妙。

项梁既追章邯，章邯兵益盛，项梁使使告赵、齐，发兵共击章邯。田荣曰："使楚杀田假，赵杀田角、田间，乃肯出兵。"楚怀王曰："田假与国之王，穷而归我，杀之不义。"赵亦不杀田角、田间以市于齐。齐曰："蝮螫手则斩手，螫足则斩足。何者？为害于身也。今田假、田角、田间于楚、赵，非直手足戚也，何故不杀？且秦复得志于天下，则龄龁用事者坟墓矣。”楚、赵不听，齐亦怒，终不肯出兵。章邯果败杀项梁，破楚兵，楚兵东走，而章邯度河围赵于钜鹿。（卷九四《田儋列传》/2644页）

【译文】　项梁追击章邯后，章邯收缩定陶，得到增援，兵力雄厚，项梁派遣使者通报赵国、齐国，要两国发兵共同攻打章邯。田荣说：“如果楚国杀死田假，赵国杀死田角、田间，那才出兵。”楚怀王说：“田假是友好盟国的君主，在走投无路时来投归我们，杀他是不义的行为。”赵国也不杀田角、田间以讨好于齐国。齐王说：“手被蝮蛇咬了就要砍掉手，脚被蝮蛇咬了就要砍掉脚。为什么？因为不这样就要危害全身。而现在田假、田角、田间对楚、赵两国来说，并不是手足骨肉之亲，为什么不杀他们呢？况且秦朝若再能统治天下的话，对于我们这些首事的人，恐怕连祖宗坟墓都要被挖掘。”楚、赵两国不肯依从齐国，齐国也非常生气，始终不肯出兵。章邯果然击败了楚军，杀了项梁，楚兵向东溃逃，章邯就乘胜渡过黄河，围攻赵国的钜鹿。

【评点】　此节文字记述章邯击杀项梁，寓论于事讥刺田荣不顾全大局以救楚也。秦末，山东诸田中，田儋首先起事，称齐王。章邯败杀田儋，齐人立田假为王。田儋弟田荣击田假，田假走楚，田假相田角、角弟田间走赵，所以田荣提出楚、赵杀田假、田角、田间才肯出兵。楚怀王，项梁所立。项梁实操楚军政大权。欲为诸侯盟主，故不卖义以求救兵。尽管项梁孤军苦战而失败，他的大义精神足以感召各路诸侯。章邯一败陈王，再败项梁，造成秦末起义大军的两次转折，都因起义军内部不合被各个击破。这节文字将定陶大战背景写得淋漓如画，极有精神。项梁宁败而不失信义的精神，令人赞佩。

有诏召见卫将军舍人，此二人前见，诏问能略，相推第也。田仁对曰："提桴鼓立军门，使士大夫乐死战斗，仁不及安。"任安对曰："夫决嫌疑，定是非，辨治官，使百姓无怨心，安不及仁也。"武帝大笑曰："善。"使任安护北军，使田仁护边田谷于河上。此两人立名天下。（卷一〇四《田叔列传》/2781 页）

【译文】 皇帝下令召见大将军卫青推荐的门客，任安、田仁这两人前去朝见。皇帝召见时询问两人的才智谋略，互相评价对方才能高下。田仁首先回答说："手执鼓槌，站立军门，能使将士乐于死战，田仁赶不上任安。"任安接着回答说："决断嫌疑，评判是非，考核官员，使老百姓没有怨心，任安赶不上田仁。"汉武帝大笑着说："好啊。"委任任安监护北军，委任田仁到黄河岸边监护屯田种谷。这两人立即扬名天下。

【评点】 褚少孙补传，讲述任安、田仁两人互相推荐，既谦虚又各显所长，汉武帝亦善识人用人，两人名扬天下。

言必信，行必果，已诺必诚。（卷一二四《游侠列传》/3181 页）

【译文】 说的话一定要守信用，办事一定要有结果，自己答应了的事一定要真心实意去做。

【评点】 司马迁序论赞扬游侠之言，原文为"其言必信，其行必果，已诺必诚。"其，指游侠。他们言行不一定符合世俗的道德和法律标准，但他们言必信，行必果，遵守诺言，不惜牺牲生命解救别人的急难，不夸耀自己，这些品德也是值得称赞的。信，信用。果，《说文》："木实也。"引申为结果，结局。诺，应答之声。

世情第十一

【引言】 世情篇，凡15条。权利交合，世态炎凉，这是封建社会的两种弊病。“以权利交合者，权利尽而交疏”，所以前有甫瑕之诛，后有里克之被赐死。权利交合，本质是尔虞我诈的合谋，必然是一些人升上去，一些人跌下来。得志者总是踩着别人的肩膀而上升。到头来这种人也没有好下场。在这样的社会中，守道直行的人往往无济于事，所以荀息虽守节身死，然而不能存奚齐。司马迁身受酷吏之害而交游莫救，故对于权利交合、世态炎凉两种世情，常常在论赞中发出深深的感叹！至于在权利面前弑君弑父，夫妻反目，如吴起之杀妻求将，更是虎而冠，人头畜鸣之人，不足数也！

太史公曰：语有之，“以权利合者，权利尽而交疏”，甫瑕是也。甫瑕虽以劫杀郑子内厉公，厉公终背而杀之，此与晋之里克何异？守节如荀息，身死而不能存奚齐。变所从来，亦多故矣！

（卷四二《郑世家》/1777页）

【译文】 太史公说：俗语说，“用权势财利相交的人，没有了权势财利，交情就要疏远”，甫瑕正是这样的人。甫瑕虽然杀了郑子婴，迎纳了郑厉公，到头来郑厉公却背弃诺言杀了他，这和后来晋国的里克简直一样！可是像荀息那样坚守节操的人，以死殉职也不能保护奚齐。世势的这种变化，也是有多种原因的。

【评点】 司马迁论赞之言。甫瑕，郑大夫。公元前680年，出居于栎的郑厉公突诱甫瑕定盟，以求复位。甫瑕杀了郑子婴及其二子，迎立厉公突。突复位后以甫瑕事君有二心，诛杀了他。里克，晋大夫，他杀死晋献公宠姬骊姬所生二子奚齐、悼子，迎立出奔于秦的公子夷吾为君，是为惠公。惠公即位后赐里克死，对他说：“没有你我当不了晋君，但是你杀了两个晋君，我也当不了你的君。”里克被赐死，在公元前650年，晚于郑厉公杀甫瑕30年，因其事相类，故这里相提并论。守节如荀息，晋大夫荀息接受晋献公托孤，拥立骊姬之子奚齐及悼子为晋君，两个晋君及自己本人均被里克所杀。荀息以身殉死节，但不能挽救奚齐、悼子的灭亡，司马迁认为这就是先诈力而后仁义这一世风之变带来的结果。荀息为晋献公之乱命尽愚忠，他的死亡是在劫难逃。

孙膑尝与庞涓俱学兵法。庞涓既事魏，得为惠王将军，而自以为能不及孙膑，乃阴使召孙膑。膑至，庞涓恐其贤于己，疾之，则以法刑断其两足而黥之，欲隐勿见。（卷六五《孙子吴起列传》/2162页）

【译文】 孙膑曾经和庞涓一起学习兵法。庞涓先在魏国做官，成了魏惠王的将军，他自认为才能赶不上孙膑，于是暗中派人招请孙膑。孙膑到来，庞涓害怕他的本领超过自己，因而妒忌他，就找了一个罪名，用刑砍了孙膑的两只脚，还在他脸上刺了字，好让他隐藏起来不露面。

【评点】 庞涓与孙膑，本是同窗好友，庞涓为了消灭对手，在天下显示个人之才，专有魏惠王的宠信，不惜用残酷手段加害同窗。只是“机关算尽太聪明，反送了卿卿性命”。后来孙膑逃到齐国，终于在马陵之战中逼庞涓自杀。

【杀妻求将】齐人攻鲁，鲁欲将吴起，吴起取齐女为妻，而鲁疑之。吴起于是欲就名，遂杀其妻，以明不与齐也。鲁卒以为将。将而攻齐，大破之。（卷六五《孙子吴起列传》/2165页）

【译文】 齐国攻打鲁国。鲁国打算用吴起为将，而吴起娶了齐国女子作妻，鲁国起了疑心。吴起想趁这机会成就功名，就杀了自己的妻子，用以表示不亲附齐国。鲁国终于起用吴起为将，他率领鲁军反击齐军，大败齐人。

【评点】 吴起，战国初年名将，曾仕鲁、魏、楚等国，最后在楚国变法被射杀。他“杀妻求将”以成功名，不择手段，伤天害理，后世遂以这一典故批判那些被权力异化的人。

【前倨后恭】苏秦者，东周洛阳人也……出游数岁，大困而归。兄弟嫂妹妻妾皆窃笑之，曰：“周人之俗，治产业，力工商，逐什二以为务。今子释本而事口舌，困，不亦宜乎！”苏秦闻之而惭，自伤，乃闭室不出，出其书遍观之……得周书《阴符》，伏而读之。期年，以出揣摩，曰：“此可以说当世之君矣。”……于是六国从合而并力焉。苏秦为从约长，并相六国。北报赵王，乃行过洛阳，车骑辎重，诸侯各发使送之甚众，疑于王者。……苏秦之昆弟妻嫂侧目不敢仰视，俯伏侍取食。苏秦笑谓其嫂曰：“何前倨而后恭也？”嫂委蛇蒲服，以面掩地而谢曰：“见季子位高金多也。”苏秦喟然叹曰：“此一人之身，富贵则亲戚畏惧之，贫贱则轻易之，况众人乎！且使我有洛阳负郭田二顷，吾岂能佩六国相印乎！”于是散千金以赐宗族朋友。（卷六九《苏秦列传》/2241～2262页）

【译文】 苏秦是东周洛阳人。他外出游历多年，到处碰壁，只好回家。兄嫂、弟妹、妻妾都在背后讥笑他，说：“周国人的习俗，人们都治理产业，努力从事工商，以谋取20%的利润为目标。如今你丢了本行而耍嘴皮子，穷困潦倒，不也是应该的吗！”苏秦听了十分惭愧，暗自伤心。于是闭门不出，发奋苦读，把藏书都统统读完。他找到一本周代的书叫《阴符》，埋头钻研，下了整年的功夫，从中揣摩出游说国君的诀窍，激动地说：“凭着这些体会，可以游说当世的君主了。”于是苏秦游说六国合纵成功，同心协力了。苏秦做了合纵联盟的六国纵约长，同时担任六国的国相。苏秦从南方楚国北上向赵王复命，途中经过洛阳老家，带着大量的车辆马匹和行装，各国诸侯派来送行的使者很多，气派比得上国君。苏秦的兄弟、妻嫂斜着眼睛不敢正面看他，都俯伏在地上，侍侯他用饭。苏秦笑着对他的嫂子说：“你怎么先前那么傲慢，而现在却这么恭顺呢？”他的嫂子赶快曲身匍匐向前，脸贴着地面请罪说：“因为我看到小叔您现在地位显贵，又有很多钱财啊！”苏秦感慨地说：“同样是我这个人，富贵了亲戚都害怕我，贫贱时都看不起我，何况一般的人呢！当初如果让我有洛阳近郊的二百亩田，现在我哪能佩带六国相印呢？”于是散发了千金，赏赐给亲戚朋友。

【评点】 通过苏秦穷困显达时亲戚家人的态度，活画出一幅人情世态。今成语有“前倨后恭”，讥讽炎凉小人，即出于此。

【夥涉为王】 客曰：“夥颐！涉之为王沈沈者！”楚人谓多为夥，故天下传之，夥涉为王，由陈涉始。（卷四八《陈涉世家》/1960页）

【译文】　客人说："好阔啊，陈涉大哥做了王，宫殿多么深广。"楚地人的方言形容多叫做夥，所以天下流传开来，"夥涉为王"这句话，从陈涉开始。

【评点】　陈涉少时为人佣耕，与伙伴相约。"苟富贵，勿相忘"。陈涉称王后，故人来访，用方言土语说话，讲陈涉少时故事，仍像早先一样称兄道弟。"夥颐，涉之为王沈沈者"，这是一句楚地人民的土语，司马迁用以刻画贫苦农民的天真、淳朴和具有土气的真挚感情，十分传神。可是陈王却认为老朋友太土，言故情是揭短，有损他的威望，把客人杀了。这一举动大失人心，忠臣远去，奸佞包围，成为陈涉失败的重要原因。

【耳馀之交】张耳、陈馀始居约时，相然信以死，岂顾问哉。及据国争权，卒相灭亡，何向者相慕用之诚，后相倍之戾也！岂非以势利交哉？（卷八九《张耳陈馀列传》/2586页）

【译文】　张耳、陈馀在贫困的时候，互相信任不惜牺牲生命，难道不是义无反顾的吗！等到有了国土，就争权夺利，竟至于相互火并而灭亡，为什么先前相互敬重是那样的真诚，后来互相背叛是那样的狠毒！难道不是互相利用的势利之交吗？

【评点】　司马迁论赞之言。张耳、陈馀两人都是战国末的儒生，魏大梁人，是一对交往密切的朋友。他们在逃避秦朝法律通缉时，相依为命。秦末，俩人共同投入陈胜起义军，为新建赵国的将相。因两人争权，张耳投汉，陈馀扶赵助楚。汉高祖三年（前204），张耳、韩信率兵灭赵，杀陈馀，张耳被刘邦封为赵王。顾问，顾虑，顾及。《索隐》注云："谓然诺相信，虽死不顾也。"指张耳、陈馀两人在患难时为生死之交，毫无顾虑，义无反顾。后来争权相仇，势不两立，表明两人经不起权势的考验，成了互相利用的势利交。成语"耳馀之交"，即用比喻势利之交。

【虎而冠者】大臣议欲立齐王，而琅邪王及大臣曰："齐王母家驷钧，恶戾，虎而冠者也。方以吕氏故几乱天下，今又立齐王，是欲复为吕氏也。"（卷五二《齐悼惠王世家》/2003 页）

【译文】 大臣们商议打算立齐王为帝，而琅邪王及另一些大臣们说："齐王母家兄弟驷钧，非常凶暴，像是一只戴着帽子的老虎。刚刚度过了吕氏扰乱天下的危机，现在又立齐王，这等于是又重新立一个吕氏。"

【评点】 "虎而冠者"，是一个衣冠猛兽样的人，喻外善而内残的凶人。齐王刘襄，高帝孙，第一个起兵讨伐诸吕的宗室王，由于他的舅舅驷钧凶残，未能为帝。琅邪王刘泽，汉宗室王。他与大臣周勃等拥立了代王刘恒即位，这就是有名的汉文帝。

【绨袍之义】范雎既相秦，秦号曰张禄，而魏不知，以为范雎已死久矣。魏闻秦且东伐韩、魏，魏使须贾于秦。范雎闻之，为微行，敝衣间步之邸，见须贾。须贾见之而惊曰："范叔固无恙乎！"范雎曰："然。"须贾笑曰："范叔有说于秦邪？"曰："不也。雎前日得过于魏相，故亡逃至此，安敢说乎！"须贾曰："今叔何事？"范雎曰："臣为人庸赁。"须贾意哀之，留与坐饮食，曰："范叔一寒如此哉？"乃取其一绨袍以赐之。（卷七九《范雎蔡泽列传》/2413 页）

【译文】 范雎已经做了秦国的国相，秦国人叫他做张禄，可是魏国人并不知道，认为范雎已经死了多时了。魏国听说秦国将要向东征伐韩国、魏国，魏国便派须贾出使秦国。范雎得知须贾到了秦国，便隐蔽了相国的身份改装出行，他穿着破旧的衣服偷偷步行到客馆，见到了须贾。须贾一见范雎不禁惊愕道："范叔原来很平安啊！"范雎说："是这样的。"须贾笑着说："范叔是来秦国游说的吧?”范雎说:“不是的。范雎从前得罪了魏国宰相,所以逃亡到这里,怎敢再去游说呢!”须贾说:“现今范叔做什么事呢?”范雎说:“我替人做差役。”须贾内心同情范雎,留他下来一起喝酒吃饭,说:“范叔竟贫寒到这个样子!”于是取了一件自己的粗丝袍送给了他。

【评点】 范雎字叔,原是魏国大夫须贾门客,一同出使齐国,齐王很看重范雎,须贾因妒忌而怀疑范雎出卖了魏国情报,于是范雎受到惩罚,差点丢了命。范雎改名换姓入秦做了宰相,须贾使秦,范雎装扮穷人求见,须贾动了恻隐之心,留他吃饭赠袍,范雎才免了须贾的死罪。须、范相交,由于无诚实心肠,须贾以忌才妒能的一念之善,置范雎于死地,给魏相魏齐和魏国都带来了灾难;须贾使秦又以眷恋故人的一念之善而赠绨袍,赎了死罪,流传为佳话。“绨袍之义”这个典故,又写作“绨袍赠”、“范叔袍”,为不忘旧情,或赠与寒士钱物的典故。唐高适《咏史》:“尚有绨袍编,应怜范叔寒。”

【平原十日饮】寡人闻君之高义,愿与君为布衣之友,君幸过寡人,寡人愿与君为十日之饮。(卷七九《范雎蔡泽列传》/2415 页)

【译文】 我久闻您的高尚德义,愿意与您做一个平等的朋友,希望您到我这里来,我愿意和您作十天的长饮。

【评点】 秦昭王之言。平原,指战国时赵相平原君,四公子之一。愿意和平原君畅饮十日,喻朋友欢聚。范雎在魏国曾遭魏相魏齐鞭打,几至于死。范雎逃到秦国做了秦昭王的相,很受宠信。秦昭王要替范雎报仇,举兵伐魏。魏齐辞相逃到赵国平原君家避难。秦昭王假称与平原君交朋友,写信给平原君,要请他入秦作十日之饮。平原君入秦,被扣为人质,要挟赵国引渡魏齐。原来秦昭王的交友,只不过是一场政治骗局。

武安侯田蚡者,孝景后同母弟也,生长陵。魏其已

为大将军后，方盛，蚡为诸郎，未贵，往来侍酒魏其，跪起如子姓。(卷一〇七《魏其武安侯列传》/2841页)

【译文】 武安侯田蚡，是景帝王皇后的同母弟，出生在长陵县。魏其侯窦婴为大将军，正当贵盛之时，田蚡为郎官，没有显贵，出入魏其侯府中，陪从宴饮，跪拜起立像儿孙一样。

【评点】 魏其侯窦婴是武帝祖母窦太后的侄儿，为外戚。田蚡是武帝母王太后即景帝王皇后的同母弟，亦外戚。景帝时，窦婴为大将军，平吴楚之乱立了战功，名显天下，封魏其侯。田蚡是在汉武帝时当丞相封武安侯的。这时魏其侯已经失势，一落千丈在家闲居。窦婴、田蚡同为外戚，窦婴先贵，田蚡阿谀奉承，唯唯诺诺像儿子一样，等到他贵盛后，反过来凌辱魏其，索取魏其的城南田，索取不成，竟挑起纷争，诬赖魏其图谋不轨，将其迫害至死。田蚡虽身为外戚之贵，手握丞相之权，但本性却是一个势利小人。

丈夫生不五鼎食，死即五鼎烹耳。吾日暮途远，故倒行暴施之。(卷一一二《平津侯主父列传》/2961页)

【译文】 大丈夫为人在世，生不能列五鼎而食死，那就受五鼎烹刑之死算了。我日暮途远，所以要倒行逆施，急暴横行。

【评点】 主父偃答友人之言。主父偃，西汉临淄人，习纵横家言。善于说辞，由大将军卫青推荐，拜郎中，迁为中大夫。主父偃为人阴狠，贪污受贿，喜揭人隐私，大臣多畏其口而趋奉之。有朋友对他说："你太横暴了。"主父偃回答了上面的话，他认为自己四十多年怀才不遇，受尽了父亲、兄弟、朋友的冷落，现在年老了，日子不多了，就是要横暴贪虐，尽情享受。司马迁借主父偃之口，生动地刻画了一个要报复社会而有变态心理的人的嘴脸。变态心理的人，有形形色色的表现。例如，一个少女碰到坏人施暴，身体心灵受到伤害，有的平复伤害，站起来继续走路；有的破罐子破摔，从此沦落；有的怀恨社会，要报复世上的所有男人，就走上了倒行逆施的道路了。一般说，倒行逆施，多指政治上的作恶。一个有变态心理的人掌握了权力，无论是大还是小都是令人生畏的。人们不难发现，一个活龙活现的主父偃就站在你的身边。对这种人不留心防范，你就要受害。鼎，古代煮食物的三足锅，一鼎是一道菜。五鼎食，列五鼎而食，古代大夫以上才有资格列五鼎而食，形容生活豪侈。

主父偃当路，诸公皆誉之，及名败身诛，士争言其恶。悲夫！（卷一一二《平津侯主父列传》/2963页）

【译文】 主父偃当权的时候，各位士大夫都赞誉他，等到他身败名裂的时候，士人们又争相说他很坏，真使人痛心。

【评点】 司马迁论赞之言。主父偃贵幸时，宾客有千数，等到他被族死后，没有一个人来收他的尸。后来有一个叫孔车的人收葬了他，受到汉武帝的称赞。一个孔车与上千宾客对照，构成强烈的反差，世态炎凉，人情冷暖，于此可见。

君何不知分也。君所治夷灭者几何人矣？今人言君皆有状，天子重致君狱，欲令君自为计，何多以对簿为？（卷一二二《酷吏列传》/3143页）

【译文】 你怎么不识相（皇上什么都明白）。您办理案件灭门绝户的不知有多少人家了？现在大家都说你有问题，十分具体，皇上不想把你交给司法官，想让你自裁，何必反复对证答辩呢？

【评点】 张汤自杀，导火线是张汤与副手御史中丞李文不和，这时张汤为御史大夫，他们两人互相抓把柄打击对方。张汤指使下属鲁谒居诬告李文，张汤冤杀了李文。这事被张汤政敌丞相长史朱买臣等抓住，也设计诬告张汤与商人交通，出卖机密，坐地分赃。人人都愿作证证实张汤犯罪。汉武帝发现张汤不忠，也就顺势惩治他，派赵禹去促使张汤自杀，说了上面的话。一个人作恶多端，平时今天揭发这个人，明天揭发那个人，一旦掌握权力更不得了，制造冤案，横行无忌，一旦地位动摇，就陷入四面楚歌，人人都来落井下石，不管事情真假，以其人之道还治其人之身，无论怎么奸猾也逃脱不了灭顶之灾了。许多奸恶人的下场都和张汤一样。所以张汤蒙冤而死，没人替他伸冤，没人说他一声好！

【门可罗雀】下邽翟公始为廷尉，宾客阗门；及废，门外可设雀罗。（卷一二〇《汲郑列传》/3114页）

【译文】 下邽县人翟公，当初为廷尉，宾客充满了门庭；等到他被罢官，大门外冷清得可以张设捕雀的罗网。

【评点】 司马迁论赞之言。“门可罗雀”，指失官后门庭冷落，可张设捕雀的罗网，讽喻世态炎凉。后世用作门庭冷落的形容词。下邽，汉县名，在今陕西渭南县东北。翟公，姓翟，史失其名，尊称公。

【一死一生】一死一生，乃知交情；一贫一富，乃知交态；一贵一贱，交情乃见。（卷一二〇《汲郑列传》/3114页）

【译文】 死后一个样，生前一个样，才知结交的真情；贫穷时一个样，富裕时一个样，才知结交的实态；尊贵时一个样，卑贱时一个样，结交的真情才能显现。

【评点】 司马迁论赞引翟公之言，意谓生死关头，才能见出交情的真假。翟公做廷尉，宾客盈门，等到丢了官，门外可张网捕鸟。后来翟公复职，就在门上写下“一死一生”的诗句，谢绝客人登门。汲黯、郑庄当时是两位著名的直臣，清廉品正，也遭遇了翟公的同一命运，两人中途被罢官，门庭冷落。司马迁被刑，交游莫救，故论赞借翟公之言抒发内心的愤慨。这里用死与生，贫与富，贵与贱对比，深刻地揭露了当时社会的世态炎凉，羞愧那些趋炎附势之徒，读来令人齿冷。末句之“见”，读现。

立名第十二

【引言】 立名篇，凡20条。司马迁为历史人物写传，就是为了让他们名垂后世，贤者为人伦之表，恶者为世人鉴戒，即所谓惩恶劝善。因此道德是司马迁评价历史人物的重要标准。《史记》一书载述的道德内容非常广泛。社会伦理，君臣、父子、夫妇、朋友等各种人际关系，荣辱、生死、爱国、礼让、忠义、孝悌、诚信等各种人生观念，司马迁能以飞扬的神笔写出各种伦理道德的典型人物，成为激励人们学习、效法的榜样。作为个人，首要的是立德，其次立功，其次立言，而最终达到立名的境界。司马迁在《报任安书》中说："人固有一死，死有重于泰山，或轻于鸿毛，用之所趋异也。"又说："修身者智之府也，爱施者仁之端也，取予者义之符也，耻辱者勇之决也，立名者行之极也。士有此五者，然后可以托于世，列于君子之林矣。"五种修身中以立名为最高境界，这就是生命所趋的价值取向。孔孟倡导"杀身成仁，舍身取义"，而司马迁发展为要看是否立名为准则。因为立名就必须有所作为，对社会作出贡献，甚至一个人备受艰难困苦或奇耻大辱，均可以从立名中得到补偿。由此可见，司马迁所说的立名，是充满了人生立德、立功、立言的价值内容，它又是一种精神境界，即执着的、无止境的追求，所以十分赞赏孔子的执着精神，即知其不可而为之的精神。我们今天说，人总是要有一点精神的，大概就是与司马迁的立名精神相通的吧！

【著于竹帛】祖宗之功德著于竹帛，施于万世。（卷一〇《孝文本纪》/436页）

【译文】 祖宗的功德要载于史册，流传万代。

【评点】 景帝前元元年（前156）十月立文帝庙制诏中语。竹帛，古代用于书写记事的竹简和丝帛，这里指代史册。施（yì），传留。“著于竹帛”，成为“名垂青史”的代用语。“竹帛”为史册的代用语。《汉书·李广苏建传》：“李陵置酒贺武曰：‘今足下还归，扬名于匈奴，功显于汉室，虽古竹帛所载，丹青所画，何以过子卿！’”

【太伯让位】吴太伯，太伯弟仲雍，皆周太王之子，而王季历之兄也。季历贤，而有圣子昌，太王欲立季历以及昌，于是太伯、仲雍二人乃奔荆蛮，文身断发，示不可用，以避季历。季历果立，是为王季，而昌为文王。太伯之奔荆蛮，自号句吴。荆蛮义之，从而归之千余家，立为吴太伯。（卷三一《吴太伯世家》/1445页）

【译文】 吴太伯及其弟仲雍，都是周太王古公亶父的儿子，是王季历的兄长。季历最有才干，他又有一个聪明的儿子姬昌。太王想立季历为继承人以便传给姬昌。于是太伯、仲雍两人就逃往荆蛮，随从当地风俗，文身剪发，表示不做继承人，让给季历。季历终于继位，这就是王季，他的儿子姬昌后来成了文王。太伯逃至荆蛮，自称句吴。荆蛮人认为他有德义，追随归附的有1000余家，拥立他为吴太伯。

【评点】 太伯，也写作“泰伯”，周祖先古公亶父长子。古公有三子，太伯、仲雍、季历。季历的儿子就是姬昌。传说古公见姬昌聪明，欲传位姬昌，示意打破惯例不传长子而传贤。太伯顺从父亲的意愿，偕同仲雍出走至句吴，受到当地蛮人拥戴，成为吴国的始祖，所以史称吴太伯。“孝悌”和“礼让”是儒家倡导的最高道德，为政教化，导民以礼，孝悌为本。吴太伯让国，集中体现了这两种道德，因此受到孔子的称赞，许之为“至德”（《论语·泰伯》），也赢得了司马迁的崇高敬意。所以《太史公自序》说：“嘉伯之让，作《吴太伯世家》第一。”

太伯可谓至德矣，三以天下让，民无得而称焉。

（卷三一《吴太伯世家》/1475 页）

【译文】 吴太伯的道德可以说是最崇高的了，他多次把天下让给季历，老百姓简直找不出恰当的词语来赞美他。

【评点】 司马迁论赞所引孔子之言，原见《论语·泰伯》篇第一章。

子贡曰：“夫子之道至大也，故天下莫能容夫子。夫子盖少贬焉？”孔子曰：“赐，良农能稼而不能为穑，良工能巧而不能为顺。君子能修其道，纲而纪之，统而理之，而不能为容。今尔不修尔道而求为容。赐，而志不远矣！”（卷四七《孔子世家》/1931 页）

【译文】 子贡说：“老师您的政治学说太博大了，所以天下没有一个国家能够容纳老师。老师何不稍微降低一点要求呢？”孔子说：“赐啊，一个好的农夫善于播种，但不一定有好的收成，一个好的工匠可以有精巧的手艺，但不一定使所有的人都满意。有才德的君子能够完善自己的学说，纲领条目，井井有条，但不一定能被社会容纳。现在你不完善提高你的学说，却去迎合世俗。赐啊，你的志向太不远大啊。”

【评点】 子贡经商，了解世情，劝孔子放下身架，降低仁德标准，融入社会。孔子要维护仁德道义的最高境界，绝不向世俗低头，对子贡说了这番话。

颜回曰：“夫子之道至大，故天下莫能容。虽然，夫子推而行之，不容何病，不容然后见君子！夫道之不修也，是吾丑也。夫道既已大修而不用，是有国者之丑也。不容何病，不容然后见君子！”孔子欣然而笑曰：“有是哉颜氏之子！使尔多财，吾为尔宰。”（卷四七《孔子世家》/1932页）

【译文】 颜回说：“老师的政治学说博大到了极点，所以天下没有一个国家能够容纳。虽然这样，老师仍是积极推广自己的学说，不被容纳有什么损害？正是因为不被容纳，这才显示出君子的本色呢！一个人不精研自己的学说，那才是耻辱和丑陋。如果学说本身研修完善而不被使用，这才是当权者的耻辱。不被容纳有什么损害？正是因为不被容纳，这才显示君子的本色哩。”孔子听了欣慰地笑着说：“是这样的啊，姓颜的小伙子！如果你很富有，我一定给你当管家。”

【评点】 上引两段孔子与学生子贡、颜渊的对话。孔子周游列国不遇，在陈蔡受困，断绝了粮食，大家在生命受到威胁的时候，孔子照样讲诵，弦歌不绝。子贡很不高兴，劝孔子降低格调，与社会合拍。颜渊认为，孔子周游不遇，正因为他是阳春白雪才和者寡，尽管不容于世，这不是真理和道义的过错。孔子非常赞赏颜渊，并教导子贡，坚持原则，宣扬道义，要像农夫一样，只问耕耘，不问收获，这样秋天才能有收获。这表明了孔子对真理的执着追求，路漫漫而上下求索，虽九死其犹未悔，这一点和屈原是相通的。孔子的伟大正在于此。

【不食周粟】武王已平殷乱，天下宗周，而伯夷、叔齐耻之，义不食周粟，隐于首阳山，采薇而食之。（卷六一《伯夷列传》/2123页）

【译文】　武王已经平定了乱天下的纣王以后，天下都归服了周朝，而伯夷、叔齐却认为归服周朝是可耻的，坚定节义不吃周朝的粮食，隐居在首阳山上，采集薇菜为生。

【评点】　“不食周粟”，喻坚守气节。伯夷、叔齐兄弟是商末孤竹君的两个儿子，伯夷因为要成全父亲想传位给自己的弟弟叔齐的心愿，于是让位给叔齐，叔齐不肯接受，两兄弟一起逃归西伯。这时西伯已死，伯夷、叔齐正赶上武王伐纣，他们叩马谏阻，武王不听。周朝建立后，他们不食周粟而饿死在首阳山上。

君子疾没世而名不称焉。（卷六一《伯夷列传》/2127 页）

【译文】　君子引以为恨的就是死后不能把好名声流传到后世。

【评点】　孔子之言，原文见《论语·卫灵公》第二十章。司马迁认为立名后世，是人生价值的最高体现，他多次强烈地表达了这一观点。他崇拜孔子，认为“天下君王至于贤人众矣，当时则荣，没则已焉。孔子布衣，传十余世，学者宗之”（《孔子世家》）。司马迁受腐刑，痛不欲生，他之所以“隐忍苟活，函粪土之中而不辞者，恨私心有所不尽，鄙没世而文采不表于后也”（《报任安书》）。又说：“古者富贵而名摩灭，不可胜记，唯俶傥非常之人称焉。”（同上）他发愤立名，以呕心沥血著述《史记》来洗刷他的耻辱。“君子疾没世而名不称焉”这句话，既是他个人品格修养和人生价值追求的格言，更是他历史观内容的组成部分，还是他评价历史人物的一个重要尺度。例如楚将季布，他遭汉高祖通缉，忍辱为奴而不死，终于蒙赦为汉名臣，就赢得了司马迁很高的评价。

伯夷、叔齐虽贤，得夫子而名益彰。颜渊虽笃学，附骥尾而行益显。岩穴之士，趣舍有时若此，类名堙灭而不称，悲夫！闾巷之人，欲砥行立名者，非附青云之士，恶能施于后世哉？（卷六一

《伯夷列传》/2127 页）

【译文】 伯夷、叔齐固然有贤德，由于有孔子的称赞而声名更加显著。颜渊虽然专心好学，因为附在千里马的尾巴上而德行越发高尚。隐居山林的高士，有的成名于世，有的湮没无闻，全凭时运，就是这样的。具有这样声名的人，如果被埋没而得不到称扬，真是令人悲叹啊！想要修养品德，建立名声，但又没有地位的普通人，如果不依附于德高望重的人，怎么可能把声名留传到后世呢！

【评点】 司马迁对立名所发的议论。《太史公自序》云："扶义俶傥，不令己失时，立功名于天下，作七十列传。"一个有志于对社会作出贡献的人，就要敢于拼搏，抓住时机，发挥自己的才能，建功立业，留下声名。这只是问题的一个方面。另一方面，普通人如何立名呢？已经立功的人又怎样留名于后世呢？俗话说："一个好汉三个帮。"任何个人的奋斗离不开环境，离不开已成名的人的提携。颜渊是因为得为孔子的学生才显名的。司马迁发誓要为忠臣死义之士树碑立传，使之留传后世。他认为论载各类立名立节的历史人物是史官义不容辞的历史责任，而且尤其注意砥行立名的闾巷之人。所以七十列传除载述帝王将相，贤士大夫之外，还记载了下层社会的侠客、医卜、隐士、商贾、俳优、博徒、妇女等等，呈现出绚丽多彩的丰富内容。这段话正是表达了司马迁这一写作宗旨的宣言。

君子以义死难，视死如归；生而辱不如死而荣。士固有杀身以成名，唯义之所在，虽死无所恨。

（卷七九《范雎蔡泽列传》/2420 页）

【译文】 君子为了大义遇难而死，面对死亡如同回家；与其活着受辱，还不如死了光荣。士人本来就有敢于牺牲以成就声名的志向，只要是大义的需要，即使死了，也没有什么遗憾。

【评点】 范雎与蔡泽辩论之言。蔡泽劝范雎功成身退，不要贪恋禄位丧身。范睢认为，杀身成名的士人，不能贪生苟活而避祸，为了大义而死，虽死犹荣。姑不论范睢、蔡泽辩论的历史背景，单就这几句话来说，却是掷地有声的人生格言，它是鼓励志士仁人为真理而奋斗的警语。

夫待死而后可以立忠成名，是微子不足仁，孔子不足圣，管仲不足大也。夫人之立功，岂不期于成全邪？身与名俱全者，上也；名可法而身死者，其次也；名在僇辱而身全者，下也。（卷七九《范睢蔡泽列传》/2421页）

【译文】 如果只有用死才可以树立忠诚的美名，这样微子算不得是仁人，孔子算不得是圣人，管仲算不得是伟大。人们要建功立业，难道不希望功成名就而人身安全吗？所以生命与功名都能保全的，这是上等；功名可以让后世也效法而自身性命不保的，这是中等；名声污秽而生命保全的，这是下等。

【评点】 蔡泽论忠节之言。人立功名不必付出生命的代价，但二者不可得兼的时候，那就要选择，贪生而亏名的人最不足取。

论行而结交者，立名之士也。（卷八〇《乐毅列传》/2431页）

【译文】 衡量德行而结交朋友的人，是能够树立名声的士人。

【评点】 乐毅报燕惠王书中之言。原见《战国策·燕策二》第九章。燕昭王时，乐毅为上将军，他为燕国雪耻，大破齐国七十余城，眼看齐国就要灭亡。这时燕昭王死，燕惠王即位，他忌惮乐毅功高，派骑劫去代替了乐毅。乐毅逃亡到赵国。齐田单打败了燕军，燕惠王后悔，写信召还乐毅。乐毅回信，信中这两句表明了燕惠王不可交，因而拒绝回到燕国去。论行而后交，这真是生活的实践结晶，可为酒肉交者诫！

贤圣之君，功立而不废，故著于《春秋》；早知之士，名成而不毁，故称于后世。（卷八〇《乐毅列传》/2432页）

【译文】 英明的君主，建立了功业而不衰败，所以留名青史；有远见的士人，获得了声名而不败坏，所以受到后世的称扬。

【评点】 乐毅与燕惠王书中之言，原见《战国策·燕策二》第九章。这几句话阐明了无论国君还是一般士人，要善于自处，保持晚节，才能垂名后世，为人效法。《春秋》，泛指史书。

古之君子，交绝不出恶声；忠臣去国，不洁其名。（卷八〇《乐毅列传》/2433页）

【译文】 古代的君子与人断交，不出恶言恶语；忠臣离开本国去到别国，不标榜自己的名声。

【评点】 乐毅与燕惠王书中之言。原见《战国策·燕策二》第九章。交绝，交情断绝，即绝交。恶声，《庄子·山木》成玄英疏："恶声，骂辱也。"燕惠王信谗，逐走立有大功的乐毅，燕惠王担心乐毅报复，写信召还乐毅，一方面表示自己的歉意，申言"岂敢一日而忘将军之功"；一方面又责备乐毅不当"捐燕而归赵"。乐毅见燕惠王并无真正自责的诚意，写了回信，称燕惠王为足下，表示不回燕国，不为昏主效劳，但也绝不做伤害燕国、辱骂君主的事，表现了他的高尚情操。

【赴东海而死】彼秦者，弃礼义而上首功之国也，权使其士，虏使其民。彼即肆然而为帝，过而为政于天下，则连有蹈东海而死耳，吾不忍为之民也。（卷八三《鲁仲连邹阳列传》/2461页）

【译文】 那秦国，是一个不讲礼义而崇尚战功的国家，用权谋诈术使用士卒，像奴隶一样役使民众。如果让它恣意妄为地称帝，甚至统治了全天下，那么我鲁仲连只有跳进东海一死罢了，我决不甘心作秦国的顺民。

【评点】 “赴东海而死”，后世以此成语表示个人重义死节的决心。

【排难解纷】 平原君欲封鲁连，鲁连辞让者三，终不肯受。平原君乃置酒，酒酣起前，以千金为鲁连寿。鲁连笑曰：“所贵于天下之士者，为人排患释难解纷乱而无取也。即有取者，是商贾之事也，而连不忍为也。”遂辞平原君而去，终身不复见。（卷八三《鲁仲连邹阳列传》/2465页）

【译文】 平原君打算封赏鲁仲连采邑，鲁仲连再三辞让，始终不肯接受。平原君就设宴款待，饮酒到高兴的时候，平原君起身上前，献上千金作为谢礼。鲁仲连笑笑说：“天下的英雄豪杰之所以可贵，就在于他能帮助别人排除祸患，消释灾难，解决纠纷而不取报酬啊。如果收取酬劳，那岂不成了商贾买卖的行为了，我鲁仲连决不这样做的。”于是辞别平原君离去，终身不再见他出现。

【评点】 “排难解纷”，指帮助别人解除危难。鲁仲连，又省称鲁连，齐人，一生不做官，好为人排难解纷。秦围邯郸，魏派辛垣衍使赵，劝赵惠文王尊秦为帝，即向秦投降称臣。正好鲁仲连游赵，反对尊秦为帝，折服了辛垣衍，坚定了赵魏抗秦的决心。秦军听了这消息退却了50里。邯郸解围后，平原君对鲁仲连封官拜爵，赐钱千金，遭到鲁仲连的拒绝。鲁仲连认为“排难解纷”，是立名义举，索取报酬是市井行为，他告辞平原君终身不再见，表现了他的志气高洁。司马迁在论赞中认为，鲁仲连逃封让爵，不居官理民不合大义，但他作为一个普通老百姓，却能随心所欲，不屈身受制于诸侯，为伸张正义而谈说于当世，挫抑卿相的权势。这一评论恰如其分，十分中肯。

【墨子回车】臣闻盛饰入朝者不以利污义，砥厉名号者不以欲伤行，故县名胜母而曾子不入，邑号朝歌而墨子回车。（卷八三《鲁仲连邹阳列传》/2478 页）

【译文】 我听说庄重严整上朝的人，不会因贪图利禄而玷污道义；讲求名誉的人，不会放纵私欲来败坏品行。所以，县名叫做“胜母”，曾参不肯进入；城名叫做“朝歌”，墨翟回车离去。

【评点】 邹阳《狱中上梁王书》中之言，说明名节之士维护个人尊严的神圣性，是不能用暴力压服的。胜母，《汉书·贾邹枚路传》作“里名”，而非县名。里名，即村落名。曾子，孔子弟子名曾参，极孝，故不入“胜母”之里。朝歌，殷都，在今河南淇县境。墨子，即墨家创始人墨翟，他提倡俭朴而非乐，认为朝歌，就是早晨唱歌，所以回车不入。“墨子回车”典故又见《淮南子·说山训》。

太史公曰：鲁连其指意虽不合大义，然余多其在布衣之位，荡然肆志，不诎于诸侯，谈说于当世，折卿相之权。邹阳辞虽不逊，然其比物连类，有足悲者，亦可谓抗直不桡矣，吾是以附之列传焉。（卷八三《鲁仲连邹阳列传》/2479 页）

【译文】 太史公说：鲁仲连逃封让爵，不肯居官理民，虽然不合大义，但是我十分赞赏他。作为一个普通老百姓，他却能随心所欲，不屈身受制于诸侯，为伸张正义而谈说于当世，挫抑卿相的权势。邹阳的狱中书虽然不恭顺，但书中列举的同类历史人物的遭遇，足以使人痛惜。他也可以说是一个刚直不屈的人，我因此把他附在鲁仲连列传之后。

【评点】 司马迁论赞之言。鲁连游赵，反对尊秦为帝，坚定了赵魏抗秦的决心。他功成不居，辞平原君终身不见。他为田单致书燕将，劝其投降或自杀，助田单攻下聊城，不受封赏。他一生荡然肆志，自由自在生活，看轻尘世权势。邹阳，西汉初齐人，辞赋家。他为梁孝王门客，智略超群而慷慨不苟合，被梁孝王的宠臣羊胜、公孙诡谗害下狱。梁孝王要杀他，他在狱中写了一封《狱中上梁王书》，“辞虽不逊”，直言批评梁孝王信谗疑忠，情理动人，梁孝王看了信，立即释放了他，待为上宾。比物连类，用相近之物互相比较。司马迁认为战国时鲁仲连，西汉时邹阳，两人不同时代，却有共同的刚直不屈的品德，他们以言论德行留照人间，于是合传。“吾是以附之列传”，就是说明合传的理由。

太史公曰：自曹沬至荆轲五人，此其义或成或不成，然其立意较然，不欺其志，名垂后世，岂妄也哉！（卷八六《刺客列传》/2538 页）

【译文】 太史公说：从曹沬到荆轲共五人，他们所行的义，有的成功了，有的没有成功，但他们的志向都是一样的洁白，没有辱没自己的理想，名声流传到后世，难道是虚妄的吗？

【评点】 司马迁论赞之言。春秋战国时代的刺客，用暗杀手段来进行个人冒险，大多出于“士为知己者死”的报恩思想，为某些个人或集团利益卖命，如专诸、豫让、聂政等，在今天看来是不足取的。刺客列传共写五人：曹沬、专诸、豫让、聂政、荆轲。曹沬劫齐桓公退还侵鲁之地，得以成功；荆轲刺秦王，遭到失败。两人并不是为个人私仇，而是为弱者伸张正义，藐视强敌，不惜牺牲一切以实践“不欺其志”的侠义精神，这是值得肯定的。司马迁笔下的刺客形象，使懦者勇，使弱者奋，历来传诵不绝。“不欺其志”，实践的是某种精神，司马迁立传，也是为了惩恶扬善，这就是他不以成败论英雄的思想基础。荆轲失败了，但他抗暴献身的精神，义无反顾入强秦的大勇，都值得歌颂。所以这一失败英雄，成了刺客列传中的中心人物，辞采流漓居五人之冠。

田横之高节，宾客慕义而从横死，岂非至贤！（卷

九四《田儋列传》/2649页)

【译文】 田横有那样崇高的节操，宾客都仰慕他的大义而追随他死节，难道不是最高洁的贤人吗！

【评点】 司马迁论赞之言。田儋、田荣、田横为田齐宗室，兄弟三人在秦末起义，相继为齐王。田儋称王被秦将章邯击杀。田荣继起称齐王为项羽所杀。田横之继起称齐王被汉将韩信所败，逃入海岛中。汉高祖平定天下，招安田横。田横来到离洛阳三十里远的尸乡，对随从说："我田横原来也称王，现在汉王为天子，我为亡国奴，岂能去朝拜下跪受辱。皇帝召我进京，是想看一下我的面貌。现在请你们割下我的头颅，快马飞奔到洛阳，让皇帝见见我的真面目。"说罢自刭而死。随从与汉使捧着头飞报汉高祖，汉高祖大惊，为之流涕，按王礼安葬。田横的随从二人，以及在海岛的五百壮士，全都自杀追随田横于地下，于是天下人都知道田横兄弟能得人死力，故司马迁称颂为"至贤"。壮哉，田横！悲哉，田横！

古布衣之侠，靡得而闻已。近世延陵、孟尝、春申、平原、信陵之徒，皆因王者亲属，藉于有土卿相之富厚，招天下贤者，显名诸侯，不可谓不贤者矣。比如顺风而呼，声非加疾，其势激也。至如闾巷之侠，修行砥名，声施于天下，莫不称贤，是为难耳。然儒、墨皆排摈不载。自秦以前，匹夫之侠，湮灭不见，余甚恨之。以余所闻，汉兴有朱家、田仲、王公、剧孟、郭解之徒，虽时扞当世之文罔，然其私义廉絜退让，有足称者。名不虚立，士不虚附。至如朋党宗强比周，设财役贫，豪暴侵凌孤弱，恣欲自快，游侠亦丑之。余悲世俗不察其意，而猥以朱家、郭解

等令与暴豪之徒同类而共笑之也。（卷一二四《游侠列传》/3183页）

【译文】 古时候的民间游侠，已无从知道了。近代的延陵季子、孟尝君、春申君、平原君、信陵君这样的人，都是国君的亲属，凭借着封地的收入和卿相的地位，招揽天下有才干的人，使自己扬名于诸侯，当然不能说他们不是贤能的人。但这好比顺着风向呼喊，声音本没有加大，可那风势却使它传得更远。至于一个乡间的游侠，修养自己的品德，成就自己的名望，扬名于天下，没有不说他们贤能的，这真是不容易啊！但是儒家、墨家都排斥游侠，不记载他们的事迹。秦以前的乡间游侠都被埋没了，使我非常遗憾。就我所知，汉朝建立以来，有朱家、田仲、王公、剧孟、郭解这些人，虽然他们触动了当世的法网，然而他们个人的道德信义，他们廉洁与谦让的品德，很是值得称赞。他们的名声不是凭空吹起来的，一般士人也不是随便附和的。至于那些结党营私的强宗豪族，彼此勾结，利用钱财役使贫困的人，依仗权势欺凌势孤力弱的人，放纵情欲，贪图安乐等行径，真正的游侠也是鄙弃的。我感到痛心的是，世俗之人不辨察游侠的行为用意，不分青红皂白地把朱家、郭解等人和那些土豪恶霸们混为一谈，而一起加以讥笑。

【评点】 司马迁序论之言。游侠的出现，司马迁追溯到春秋、战国之际。当时天下大乱，社会底层人民穷苦无奈，告状无门，因而从没落的士中游离出一种不事生产，专门从事“犯法”活动的游民阶层，这就是游侠。战国时代兼并剧烈，斗争残酷，各国统治者争取人才，游侠大多成了诸侯权门的食客，从而被统治阶级所利用，《刺客列传》所载，就是那个时代的游侠。因此韩非说：“犯禁者诛，而群侠以私剑养。”（《五蠹》）秦汉统一以后，强化封建统治秩序，游侠被列为打击对象，汉武帝残酷地镇压郭解，夷其族，以后游侠就衰落了。从这一历史背景来看，游侠的出现，正是封建社会法制瓦解、匹夫抗愤的一种形式。他们为受压迫、受冤屈的下层百姓伸张正义，而不惜牺牲性命。司马迁颂游侠，表现了他同情广大人民的反暴愿望，这是应当肯定的。游侠有两类，一类是“敖而无足数者”的盗跖之徒，统治阶级的帮凶或地方恶霸。一类是言必信，行必果，重然诺，替人打抱不平的真正游侠。司马迁赞扬的是后一类。而人们总是要碰到急难的，游侠就是解救急难的，所以他们身上尽管有许多恶行，仍然受到老百姓的称赞和爱护。司马迁不愿游侠湮灭不见，于是作《游侠列传》，使游侠垂名后世。

发奋第十三

【引言】 发奋篇，凡15条。不随世俗论是非，褒扬个人发奋取得成功的人，这是司马迁评论历史人物的一大特色。发奋有两个方面。一是指人生要有大志，从小树立追求目标，终生奋斗，不达目的，战斗不息。二是指发愤，即一个人身处逆境而其志不屈，更加激扬奋发而有所作为。越王勾践、伍子胥、范雎、蔡泽、季布、栾布等人给发愤树立了榜样。少小立志是发愤精神的基础，而成人发愤是发奋精神的进一步升华，达到百折不回的境界。推广言之，发愤即是发奋，少小立志就是发奋。所以司马迁对陈涉为人佣耕而有鸿鹄之志，韩信从人寄食而葬母行营高敞地，陈平宰社肉而思治天下等等，津津乐道，并非好奇，而是颂扬发奋立志的精神。韩信葬母行营高敞地，见“游踪篇”。

“彼可取而代也！”“嗟乎，大丈夫当如此也。”（卷七《项羽本纪》/296页；卷八《高祖本纪》/344页）

【译文】 那就是秦始皇，他的权势地位我可以夺取过来代替他！啊，作为一个真正的大丈夫，就应该像秦始皇那样。

【评点】 前一句出《项羽本纪》项羽观秦始皇之言，后一句出《高祖本纪》刘邦看秦始皇之语。两人的感慨，均是豪气逼人，不同凡响。但由于两人出身、教养、性格等不同，发语也不同，均体现各自的思想品格和个性，对照也有高下之分。清人王鸣盛《十七史商榷》云："项之言，悍而戾；刘之言则津津然不胜其歆羡矣。"彼，指代秦始皇。嗟乎，感叹声。

汤系夏台，文王囚羑里，晋重耳奔翟，齐小白奔莒，其卒王霸。由是观之，何遽不为福乎？（卷四一《越王勾践世家》/1742 页）

【译文】 商汤被囚禁在夏台，周文王被囚禁在羑里，晋重耳逃奔到翟人那里，齐小白逃到莒国，他们终于称王称霸。由此看来，今天的遭遇不见得不是福分。

【评点】 越大夫文种之言。越王勾践伐吴兵败，被困于会稽，勾践感叹说："越国就这样完蛋了吗？"文种引用历史上因祸得福的人劝说勾践从失败中吸取教训，重新站起来。商汤遭夏桀囚禁，周文王遭殷纣王囚禁，后来都成就了王业。晋文公重耳、齐桓公小白都蒙受过逃离之苦，终成霸业。勾践以前人为榜样，也终于从失败中奋起，报仇雪恨成为霸王。祸福可以转化，就看人们自己的主观努力了。

【卧薪尝胆】【发奋图强】吴既赦越，越王勾践反国，乃苦身焦思，置胆于坐，坐卧即仰胆，饮食亦尝胆也。曰："女忘会稽之耻邪？"身自耕作，夫人自织，食不加肉，衣不重采，折节下贤人，厚遇宾客，振贫吊死，与百姓同其劳。（卷四一《越王勾践世家》/1742 页）

【译文】 吴王赦免了越王以后，越王勾践回到越国，于是亲身勤劳，备受艰苦，忧心苦思，把苦胆悬挂在座位上边，不论是坐着还是睡下，都要仰望苦胆，吃饭之时也要舔尝苦胆。越王经常自言自语，警醒自己说："你忘记了被困在会稽山上所受的耻辱吗?”他亲自耕作，夫人亲自纺织，吃饭只有一道肉菜，穿衣只在外层穿一件好衣，放下架子谦恭地敬待有识之士，优厚地接纳宾客，赈济贫民，悼念死者，与普通老百姓同甘共苦。

【评点】 越王勾践的这段事迹，就是卧薪尝胆、发奋图强两个成语的出处。司马迁对于越王勾践，不怕挫折，在失败与困辱中奋起的精神极为赞赏。他在传后对越王勾践作了如下动情的评价。司马迁说：“夏禹的后代子孙勾践，艰苦奋斗，焦虑忧思，终于灭了强吴，北上耀兵中原，尊奉周室，号称霸王。勾践可真是一个贤明的君主啊！他发扬了大禹的功业。”

【鸿鹄之志】嗟乎，燕雀安知鸿鹄之志哉！王侯将相宁有种乎！(卷四八《陈涉世家》/1949页，1952页)

【译文】 唉！燕子、麻雀这般小鸟怎能知晓天鹅的志向呢！王侯将相难道是世代相传的贵种吗?

【评点】 陈胜青年发奋与成人时起义所发出的呼喊。嗟乎，叹息声。燕雀，泛指燕子、麻雀一类小鸟。鸿鹄，天鹅。陈胜字涉，秦末农民起义领袖。陈胜青年时为人佣耕，他发奋感叹，对伙伴们说：“富贵了，不要忘记了这段生活。”受到伙伴嘲笑，陈胜发出“燕雀安知鸿鹄之志”的感慨，表达他的壮志。种，指世代天生的贵种。“王侯将相宁有种乎”，是陈胜发动起义时的口号，表现了他蔑视权贵，不信天命的叛逆精神，极大地鼓舞了起义群众。成语“鸿鹄之志”出此。

里中社，平为宰，分肉食甚均。父老曰：“善，陈孺子之为宰！”平曰：“嗟乎，使平得宰天下，亦如是肉矣！”(卷五六《陈丞相世家》/2052页)

【译文】 闾里父老祭祀土地神，陈平主持分配祭肉，切割得十分均匀。父老们说：“好啊，姓陈的小伙子真是一个公平的主持人!”陈平感叹地说：“唉，如果让我陈平来管理天下，也会像分肉一样平均。”

【评点】 里，古代乡间基层组织居民村。陈平所居名库上里。社，土地神。每年春社主持祭祀，祈求保佑丰年。祭肉为村中人所分食。宰，《玉篇》："治也，主也。"这里为主持分配祭肉的人。寥寥 36 字对话，有情节，有故事，在叙事中刻画了陈平少有壮志的高尚情怀，真是一段妙文。

弃小义，雪大耻，名垂于后世，悲夫！伍子胥窘于江上，道乞食，志岂尝须臾忘郢邪？故隐忍就功名，非烈丈夫孰能致此哉？（卷六六《伍子胥列传》/2183页）

【译文】 伍子胥不顾小节，终于洗刷了羞辱，留名后世，可叹啊！当伍子胥在江上受困，路上乞食的时候，他难道有片刻时间忘记郢都吗？所以他暗地忍耐着仇恨，终于成就了功名，若不是一个刚正的男子汉，谁能做到这一步呢？

【评点】 司马迁论赞之言。弃小义，雪大耻，指伍子胥不顾世俗议论，背负不忠不孝之名，出逃吴国，借兵报父兄遭楚王冤杀的仇恨，终于洗刷了耻辱。窘于江上，道乞食，指伍子胥在出逃过程中吃尽了苦头。他从昭关（今安徽含山北）往东过江，差点被追上，幸亏一个渔夫把他渡过了江。伍子胥在路上又生了病，乞食而行。是什么力量支撑伍子胥呢？那就是不忘杀回郢都报父兄之仇的信念，也就是一种忍辱负重的精神。司马迁受腐刑，"就极刑而无愠色"，又"所以隐忍苟活，函粪土之中而不辞者，恨私心有所不尽，鄙陋没世而文采不表于后世也。"（《报任安书》）司马迁忍辱发愤写成《史记》，以垂名后世来洗刷耻辱，这正是伍子胥式的抗争精神。俗话说：能屈能伸才是大丈夫。能忍能让，能刚能烈，是成就大事者的共同特点。因此，"弃小义，雪大耻，名垂于后世"，流露了作者的身世之感，寄意良深。

张仪已学而游说诸侯，尝从楚相饮，已而楚相亡璧，门下意张仪，曰："仪贫无行，必此盗相君之璧。”共执张仪，掠笞数百，不服，醳之。其妻曰：“嘻！子毋读书游说，安得此辱乎？”张仪谓其妻曰：“视吾舌尚在不？”其妻笑曰：“舌在也。”仪曰：“足矣。”（卷七〇《张仪列传》/2279 页）

【译文】 张仪学成就去游说诸侯。他曾陪同楚相喝酒，席间，楚相丢了一块玉璧，门客怀疑张仪，说：“张仪贫困，品行卑劣，一定是他偷了相国的玉璧。”一起把张仪抓起来，拷打了几百板子，张仪没有承认，只好把他放了。他的妻子悲伤地说：“唉，您要是不读书游说，怎会受到这般侮辱呢？”张仪对他的妻子说：“看看我的舌头还在否？”他的妻子苦笑着说：“舌头倒是完好。”张仪说：“这就够了。”

【评点】 这个故事生动地记载了战国时游说之士的辛酸历程。他们游说人主不仅要经过一番苦读，而且还要冒风险。《战国策·秦策一》记载，苏秦伏读《太公阴符》，“读书欲睡，引锥自刺其股，血流至足。”这是锥刺股的故事。苏秦说：“安有说人主不能出其金玉锦绣，取卿相之尊者乎？”苏秦、张仪的发奋终于成功，他们执着的拼搏精神，世世代代激励着人们去奋斗。张仪、苏秦在成功旅途中付出的艰辛，也说明了做任何事情，在成功的背后都是要付出代价的。成语“舌尚在否”，出自《张仪列传》，原意是舌头完好，还可以游说诸侯取富贵。后世用以比喻有才学的人不因身处逆境而意志消沉。辛弃疾《满江红·送汤朝美自便归金坛》词云：“看依然，舌在齿牙牢，心如铁。”

【佩紫怀黄】吾持粱刺齿肥，跃马疾驱，怀黄金之印，结紫绶于要，揖让人主之前，食肉富贵，四十三年足矣。（卷七九《范雎蔡泽列传》/2418 页）

【译文】 我端着精米饭，吃着肥肉，赶着高头骏马快跑，抱着黄金印信，在腰上系着紫色绶带，在君主面前行礼作揖，享受荣华富贵，四十三年足够了。

【评点】 “佩紫怀黄”喻身居要职，重任在身。蔡泽长久游说东方六国不遇，年已蹉跎，但他认为能在西方秦国取得富贵，不知还有多年寿。他去看相，看相人说他还有四十三年寿，他高兴地说佩紫怀黄四十三年足矣。秦汉时，丞相三公高位，佩黄金印，紫色绶带。要，通腰。

范雎、蔡泽世所谓一切辩士，然游说诸侯至白首无所遇者，非计策之拙，所为说力少也。及二人羁旅入秦，继踵取卿相，垂功于天下者，固强弱之势异也。然士亦有偶合，贤者多如此二子，不得尽意，岂可胜道哉！然二子不困厄，恶能激乎？（卷七九《范雎蔡泽列传》/2425页）

【译文】 范雎、蔡泽是当世出类拔萃的辩士，但是他们游说诸侯直到头发白了也没有遇到相知，不是智谋不善，而是有助于游说成功的因素太少了。后来他们二人旅居秦国，却相继取得了卿相，成名于天下，其原因在于凭藉的强弱之势不同，所以，效果就不一样。但是士人也必须碰机会。天下像范、蔡那样由于没有碰到机会，因而不能发挥才干的人，哪能说得完呢！可是范、蔡二人若不是遭遇困难的磨炼，怎能激励奋发呢！

【评点】 司马迁论赞之言。战国之世，各国之间战争频仍，政治和军事形势错综复杂。在这种形势下，造就了一大批反应敏锐、思想活跃的谋臣策士。范雎、蔡泽两人就是杰出的代表。范雎本是魏国人，他本想报效祖国，可是却受中大夫须贾的诬陷，被魏相魏齐笞打折肋，装死才得逃脱。范雎不得已入事秦昭王，外建远交近攻之策，内除穰侯、尊主之权，推动秦国向东方发展，对秦朝的统一事业作出了重大贡献。蔡泽是燕国人，虽多次游说诸侯，均未得志。最后入秦取卿相，向秦昭王献攻取三川之策，夺取了东周洛阳以西地方。范、蔡二人在东方六国白首无所遇，而西入秦相继取卿相，建功立名。因为他们二人都是能屈能伸的大丈夫，他们不因受困而丧志，反因忍辱而激发，功成身退而推贤，司马迁特别赞美他们的这些品德，很能启迪人们。

夫天者，人之始也；父母者，人之本也。人穷则反本，故劳苦倦极，未尝不呼天也；疾痛惨怛，未尝不呼父母也。（卷八四《屈原贾生列传》/2482页）

【译文】 上天是人的原始，父母是人的根本。人在处境穷困时就要追念根本，所以劳苦疲倦达到极点时，没有不呼喊上天的；极度伤痛时，没有不呼唤爹娘的。

【评点】 司马迁评论屈原创作《离骚》之言。司马迁认为，《离骚》就是遭遇忧患的意思。屈原坚持公正，行为正直，对君王一片忠心，竭尽才智，却受到小人的挑拨离间，处境极为悲凉。屈原诚心为国而遭怀疑，忠心事主而被诽谤，怎能不呼天抢地喊爹叫娘一吐悲愤之气呢？所以《离骚》是一部发泄愤闷的作品。

【三败之辱】曹沫为鲁将，与齐战，三败北。鲁庄公惧，乃献遂邑之地以和。犹复以为将。齐桓公许与鲁会于柯而盟。桓公与庄公既盟于坛上，曹沫执匕首劫齐桓公，桓公左右莫敢动，而问曰："子将何欲？"曹沫曰："齐强鲁弱，而大国侵鲁亦甚矣。今鲁城坏即压齐境，君其图之。"桓公乃许尽归鲁之侵地。（卷八六《刺客列传》/2515页）

【译文】 曹沫为鲁庄公将，与齐国作战，接连打了三次败仗。鲁庄公害怕了，就把遂邑之地割让给齐国求和。但仍然任用曹沫为将。齐桓公同意与鲁庄公在柯邑会盟。齐桓公与鲁庄公在土坛上订约时，曹沫突然拿着匕首威胁齐桓公，齐桓公左右的人都不敢妄动，只得问道："你有什么要求？"曹沫说："齐国强大鲁国弱小，以大国侵略小国，太过分了。现今鲁国城墙塌了就要压在齐国土地上，你应考虑这一情况。"齐桓公答应退还所占领的全部鲁国土地。

【评点】 “三败之辱”，喻忍辱报仇。三，多次，也可指实数。虽然多次战败，蒙受屈辱，而最终雪耻。《文选·李陵答苏武书》：“昔范蠡不殉会稽之耻，曹沫不死三败之辱，卒复勾践之仇，报鲁国之羞。”

【胯下受辱】淮阴屠中少年有侮信者，曰：“若虽长大，好带刀剑，中情怯耳。”众辱之曰：“信能死，刺我；不能死，出我袴下。”于是信孰视之，俛出袴下，蒲伏。一市人皆笑信，以为怯。（卷九二《淮阴侯列传》/2610 页）

【译文】 在淮阴城的屠户中，有个年轻人侮辱韩信，说：“你虽然长的高大，喜欢带刀剑，内里却是个胆小鬼。”当众侮辱他说：“韩信你不怕死，就拿剑刺我；如果怕死，从我胯下爬过去。”于是韩信仔细地打量了他一番，俯卧在那人胯下爬过去，趴在地上。满街的人都笑话韩信，认为他是个胆小鬼。

【评点】 “胯下受辱”，喻为了大业而能忍辱受诟的人。讲青年韩信一段受辱的往事。俗话说，能屈能伸谓之大丈夫。这个故事说明韩信能忍，他不贸然办事。孰视，仔细打量，认真审察，看出对方是一个无赖，并且还有几分本领，韩信不愿把生命白白地拼掉，路还长，壮志未酬，于是忍辱。后来韩信当了楚王，找到这个无赖，任命他作中尉，由此可见韩信大度，不记仇恨的可贵品德。

【身囚不死】太史公曰：魏豹、彭越虽故贱，然已席卷千里，南面称孤，喋血乘胜日有闻矣。怀畔逆之意，及败，不死而虏囚，身被刑戮，何哉？中材以上且羞其行，况王者乎？彼无异故，智略绝人，独患无身耳。得摄尺寸之柄，其云蒸龙变，欲有所会其度，以故幽囚而不辞云。（卷九〇《魏豹彭越列传》/2595 页）

【译文】　太史公说：魏豹、彭越虽然原来卑贱，但已经席卷了千里之地，南面称王，踏着流血争逐胜利，每天都有捷报。他们心怀叛逆的志意，失败了也不肯去死而成为俘虏囚犯，身遭杀戮，是什么原因呢？中等才干以上的人尚且都以囚虏为羞辱，何况是作王的人呢？他们忍辱苟活没有别的原因，因为他们的智慧胆略超过了别人，只怕没有自己的身体存在罢了。只要活着掌握了些微的权柄，就可以等待天下大变的到来，以获得机会来施展谋略，这就是不回避囚辱的原因呢！

【评点】　司马迁论赞之言。魏豹，魏之诸公子，秦灭魏，沦为家人。秦末，魏豹乘势而起，下魏二十余城，引精兵从项羽入关，被立为西魏王，都平阳。汉二年（前205），刘邦遣韩信破西魏，虏魏豹，令守荥阳。项羽围荥阳急，豹为周苛所杀。彭越，字仲，昌邑人，秦末为群盗，后归汉，收魏、定梁、灭楚，多建奇功，封为梁王。汉十年（前197），高祖击陈豨，征兵于梁，彭越称疾不往，被太傅告发欲谋反，高祖收彭越，夷三族。魏豹、彭越，由家人奴隶及群盗起家，乘时用世而为王，已经是奋发有为的英雄。他们均失败，但没有去自杀，想来他们还想找机会东山再起吧，故司马迁不以成败论英雄，为二人立传，让其名垂后世。项羽失败，自刎乌江，表现他的抗争，成为悲壮的英雄，更加成就了他的名声。魏豹、彭越身囚不死，项羽自刎，表现形式不同，其立意都在实现自我人生价值，殊途同归，均得到了司马迁的肯定。

【贤者诚重其死】太史公曰：以项羽之气，而季布以勇显于楚，身屦典军搴旗者数矣，可谓壮士。然至被刑戮，为人奴而不死，何其下也！彼必自负其材，故受辱而不羞，欲有所用其未足也，故终为汉名将。贤者诚重其死。夫婢妾贱人感慨而自杀者，非能勇也，其计画无复之耳。栾布哭彭越，趣汤如归者，彼诚知所处，不自重其死。虽往古烈士，何以加哉！（卷一〇〇《季布栾布列传》/

2735页）

【译文】 太史公说：因为项羽崇尚气力，所以季布得以勇力扬名于楚国，他亲自多次领兵夺取敌人军旗，冲锋陷阵的事有好多次，可以称得上是一个英雄。但是当他被列为刑戮的罪人遭通缉时，却隐匿为奴隶而不死，为什么那样低下！他一定是自恃有才干，所以宁愿受辱而不以为羞耻，是要发挥他还没有施展出来的抱负，终于成了汉家名将。有志节才干的人实在不愿轻易地死去。那些身为奴婢，地位低下的人，往往激于一时的愤慨而自杀，不能算是有勇，只表现他们缺少计谋没有其他出路罢了。栾布哭祭彭越，视死如归，那是因为他确实知道应当怎样处生死，所以才不贪生怕死。即使是古代的勇烈之士，也不能超过他。

【评点】 司马迁论赞之言。季布，楚人，为项羽将，多次困迫刘邦。项羽灭亡后，刘邦悬赏捉拿季布，他隐匿在大侠朱家的家里为田奴，经过朱家活动被赦免死罪。惠帝时官至河东太守。栾布，梁人，为彭越将。汉诛彭越，将其头悬在洛阳示众，并发布诏令，“有敢收视者，辄捕之。”栾布却去哭祭彭越。刘邦壮其义，赦免了他，孝文时官至燕相，景帝时平吴楚有功，封俞侯。季布不死，以屈为伸；栾布冒死赴义，因此显名。二人合传，殊途同归，形成鲜明对比。司马迁认为两人是懂得生死，怎样使用生命而成名的真正勇士。由于司马迁身受腐刑，忍辱负重发愤以著书，对于处置生死荣辱有着切身的体会，故抒发在人物评论中多愤激之语，自况之言。论死，是“太史公曰”论赞中一大主题，司马迁十分重视每一个历史人物的下场，须仔细玩索，寄意良深。

夫《诗》、《书》隐约者，欲遂其志之思也。昔西伯拘羑里，演《周易》；孔子厄陈蔡，作《春秋》；屈原放逐，著《离骚》；左丘失明，厥有《国语》；孙子膑脚，而论兵法；不韦迁蜀，世传《吕览》；韩非囚秦，《说难》、《孤愤》；《诗》三百篇，大抵贤圣发愤之所为作也。此人皆意有所

郁结，不得通其道也，故述往事，思来者。（卷一三〇《太史公自序》/3300 页）

【译文】 那《诗》、《书》之所以意蕴深沉而文辞简约，原因是作者想要充分地表达他心中的思想。从前西伯被囚禁在羑里，推演了《周易》；孔子被困厄于陈、蔡，留下《春秋》；屈原遭到放逐，创作《离骚》；左丘明成了盲人，撰述《国语》；孙膑受了刖刑，论述《兵法》；吕不韦流放蜀地，给世间留下了《吕览》；韩非遭秦王囚禁，写成了《说难》《孤愤》；《诗经》三百篇，大都是圣贤发愤泄懑的作品。这些人都因心中聚凝着郁闷之气，而又得不到宣泄，所以才叙述往事，寄情后人。

【评点】 这段话司马迁又写进《报任安书》中，开头语说："古代有多少富贵而其名埋没不闻的人，是无法统计的，只有卓越非凡的伟人才能名垂后世。"这是司马迁痛定思痛的深沉总结，故作偏激之言以表达他的发愤之志。这段话中所引述的古人事迹与历史事实有出入。例如吕不韦的《吕览》写成在放逐之先，韩非的《说难》、《孤愤》作于入秦之前。这都是《史记》在他们的本传中明白地作了记载的。但我们不能钻牛角尖儿，司马迁引述古人以自况，旨在说明他发愤著书。司马迁所引古人，除左丘明外，都不同程度地蒙受了冤假错案的打击，他们身前虽不得荣名，但留下了传世之作，死后却为人们所怀念。司马迁以这些立言成名的古人自励，终于从沉痛中奋起，发愤著书，完成了"究天人之际，通古今之变，成一家之言"的一代大典，是值得我们学习的。同时，司马迁认为只有那些能够经受得起艰难环境磨炼的人，才能做出一番大事业来，这一认识不但激励了自己，而且也启迪着后人深思。至于司马迁的这段名言被后世文艺理论家称为"发愤著书说"，更是沾溉后人，遗泽无穷！

果决第十四

【引言】 果决篇，凡 10 条。个人的才干和立身，可以用才、学、识、德四要素来加以概括。德为立身之本，着重在品格修养，严格说不在才的范围之内。而才、学、识三者，以识为最重要。才，一个健康人的天生资质，先天智商，尽管有差别，但不是人生事业的决定因素，因为后天的学可以弥补。而学乃是勤奋的积累。而为学有识与无识，则差之毫厘，失之千里。一个人只有超卓的识，才能知其远，察其微，探其源，究其终，通古今之变，吐浩然之气。而果决是识的最高境界。韩信用兵如神，才智拔出千人万人之上，但失于果决，终为阶下囚。大凡超世英杰，雄才大略，最核心的表现就是果决之识，人所不及。

疑事无功，疑行无名。(卷四三《赵世家》/1807 页)

【译文】 做事不果断的人建不成功业，行动犹豫不定的人不可能成名。

【评点】 肥义劝赵武灵王推行胡服骑射之言。《商鞅列传》商鞅推行改革在与保守派的论战中说了这两句话，写作“疑行无名，疑事无功。”犹豫不决，丧失机遇，办不成大事，尤其是推行改革，当机立断，抓住机遇，是成功的关键。

得时无怠。（卷八七《李斯列传》/2539 页）

【译文】　遇到时机，千万不可松懈错过。

【评点】　李斯向老师荀卿辞行打算西游秦国时说的话。李斯认为秦王想统一天下，正在招揽人才，他不能丧失这个机会，告辞老师，西游秦国展示自己的才能。时，时机，机会，机遇。任何人在他一生行程中都能遇到若干机遇。抓住机遇，不但要勇敢，敢于迎上去。更重要的是，机遇还是一个百般挑剔小伙子的姑娘，如果你邋遢，机遇姑娘不屑一顾。

时乎时乎，间不及谋！赢粮跃马，惟恐后时。（卷八七《李斯列传》/2549 页）

【译文】　时光啊时光，错过机会没法谋划！要像背着干粮骑上快马赶路一样，还惟恐耽误了时机。

【评点】　赵高怂恿秦二世篡位时说的话。原意发动政变，瞬息万变，抓紧时机，刻不容缓。姑不论赵高发动政变的是非，这几句话讲抓住机遇，间不容发，则是至理名言。间，指短暂的时机。直译为：机遇短暂得来不及商量，译文为意译。赢，携带，背负。

安可危也，危可安也。安危不定，何以贵圣。（卷八七《李斯列传》/2550 页）

【译文】　平安可以转为危险，危险可以转为平安。对安危不能早做决断，怎能算是圣明呢？

【评点】　赵高怂恿李斯发动宫廷政变时说的话。姑不论政治是非，这几句话告诫人们在时势动荡面前，对安危去就必须早做决断，犹豫不决，干不成大事，还是有道理的。

“成败在于决断。”“当断不断，反受其乱。”（卷九二《淮阴侯列传》/2623 页；卷七八《春申君列传》/2399 页）

【译文】 是成功还是失败，关键在于决策是否正确果断；应当决断的事不作决断，反过来自己就要遭受祸乱。

【评点】 这都是古代成语，前一句出自《淮阴侯列传》蒯通劝韩信叛汉之言；后二句出自《春申君列传》朱英劝春申君诛除小人李园之言。蒯通说韩信，如果优柔寡断，不背汉自立，将来免不了狡兔死走狗烹，后来韩信果然遭到刘邦疑忌，被吕太后所杀。朱英劝春申君，若不早做决断，诛除野心家李园，将要大祸临头。春申君不听，朱英恐祸及身，于是逃走。十几天后，楚考烈王死，李园发难，杀了春申君。以上格言告诫人们，凡干大事，立大业，看准机会，就要下决心，瞻前顾后，必然遭祸。

天与弗取，反受其咎；时至不行，反受其殃。（卷九二《淮阴侯列传》/2624 页）

【译文】 上天赐予而不接受，反过来就会受到惩罚；时机到了而不行动，反过来就会受到祸殃。

【评点】 蒯通说韩信之言。汉高帝四年（前 203），韩信破齐，又击杀了楚骁将龙且，项羽感到了惊恐。这时形势已经明朗。刘项的成败，在于韩信的倒向。倒向项羽，项羽胜；倒向刘邦，刘邦胜。项羽派武涉去游说韩信，与楚联合，三分天下；刘邦也派张良去山东，封韩信为齐王，督促他出兵击项羽。韩信权衡了刘、项两人对自己的恩德后，拒绝了武涉。武涉走后，韩信的谋士蒯通以看相为名，进一步游说韩信抓住机遇背离刘邦，自己经营天下。蒯通对韩信说："相君之面，不过封侯，又危不安；相君之背，贵乃不可言。"蒯通"相君之背"是一句双关语，指韩信要背离刘邦，独自称王。当时三分天下，韩信力量最强，坐观刘项争斗，然后向西进攻，为民请命，可得志于天下，所以说"向君之背，贵乃不可言"。"相君之面"，也是双关语，指出韩信忠于汉王，最多不过封侯，而且刘胜项败，汉王就要收拾韩信，所以"又危不安"。最后蒯通用当时流行的谚语"天与弗取，反受其咎；时至不行，反受其殃"说明机不可失，时不再来，一旦丧失机会，后悔莫及。韩信权衡再三，不忍心背叛，加速了天下的统一，有积极意义，但个人未能抓住机遇，蒙受了悲剧，这就叫“天与弗取，反受其咎”。《国语·越语》载范蠡劝越王勾践灭吴亦有是言，作“得时无怠，时不再来。天与不取，反为之灾”。

听者，事之候也；计者，事之机也，听过计失而能久安者，鲜矣。（卷九二《淮阴侯列传》/2625 页）

【译文】 听取了好的谋略，是事情成功的征兆；制定了周密的计划，是事情成功的关键。听了错误的意见，制定了失败的计划，而能够长久平安的，实在少有。

【评点】 蒯通劝说韩信背汉自立时说的话，强调听取他人正确意见的重要性。候，征兆，苗头。机，机要，关键。鲜，少。

知者，决之断也；疑者，事之害也。（卷九二《淮阴侯列传》/2625 页）

【译文】 聪明人智慧的表现，就是办事果断坚决；迟疑不决，是办事情的祸害。

【评点】 蒯通劝说韩信之言，要韩信坚决果断地背汉自立，否则就要遭受祸殃。知，通智，智慧。智者，聪明的人。

功者，难成而易败；时者，难得而易失也。时乎时，不再来。（卷九二《淮阴侯列传》/2625 页）

【译文】 建立功业很艰难，断送它却很容易；有利的时机难以碰上，丧失它却非常容易。机会呀机会，机会失掉了是不会再来的。

【评点】 蒯通劝说韩信切不可丢掉时机之言，他劝韩信趁楚汉难争难解之时，坐收渔人之利，背汉自立为王。俗语“机会千载难逢”，称孤道寡的机会更是如此。

智诚知之，决弗敢行者，百事之祸也。故曰：

“猛虎之犹豫，不若蜂虿之致螫；骐骥之跼躅，不如驽马之安步；孟贲之狐疑，不如庸夫之必至也；虽有舜禹之智，吟而不言，不如喑聋之指麾也。此言贵能行之。”（卷九二《淮阴侯列传》/2625页）

【译文】 有判断是非的智慧，决定了又不敢实际行动，这是办一切事情都不成功的祸根。所以说：“猛虎迟疑不决，比不上蜂子、蝎子敢于放刺；骏马踏步不前，比不上劣马慢步前行；勇士孟贲犹豫不定，比不上一个下了决心干事的庸夫；即使有虞舜、大禹那样的智慧，但闭口不说话，还不如聋哑人用手比画。以上俗语都是说付诸行动是多么可贵。”

【评点】 蒯通劝说韩信背汉自立为王之言，强调敢作敢为的重要性。有了智慧，但没有行动的勇气，不但办不成任何一件事，而且原有的优势也会丧失，猛虎不如蜂蝎，快马不如劣马，勇士不如庸夫，闭嘴的健全人不如聋哑，一连串的贴切比喻，增强了语气，极具煽动性。指麾，同指挥，用手比画。

爱国第十五

【引言】 爱国篇，凡10条。爱国主义，在古代表现为尽忠死义，司马迁称之为“忠臣死义之士”，如果史家不表现他们，就是一种失职和罪过。为此，司马迁塑造了精神闪光的爱国志士典型形象。有以身殉国的屈原，有以国家大局为重的蔺相如、廉颇，有捐躯守义的王蠋，有推锋陷敌的李同，有输财助边的卜式。此外，勾践的发奋图强，也是爱国行为。明确地以爱国主义为题材，给历史人物树碑立传，就是从司马迁开始的。《屈原列传》是这一题材最精彩的篇章，故本篇列屈原第一。

屈平既嫉之，虽放流，眷顾楚国，系心怀王，不忘欲反，冀幸君之一悟，俗之一改也。其存君兴国而欲反覆之，一篇之中三致志焉。然终无可奈何，故不可以反，卒以此见怀王之终不悟也。……乃作《怀沙》之赋，……于是怀石遂自沉汨罗以死。（卷八四《屈原贾生列传》/2485；2486；2490页）

【译文】 屈原非常痛恨公子子兰等人劝怀王入秦这件事，自己虽然遭到流放，还是眷恋楚国，系念怀王，始终不忘回到楚王身边效力，期望怀王能够悔悟过来，使腐败的政治积习得到改正。他渴望问候君王，振兴国家，扭转衰弱局势，在他的作品中反复再三地流露出来。然而终究无可奈何，所以不可能回到朝中，终于由此看出怀王始终没有觉悟啊。于是写了绝命辞《怀沙赋》，竟然抱着石头自沉于汨罗江而死。

【评点】 屈原名平，字原，我国古代最著名的爱国诗人。他两次遭流放，始终眷恋楚国，不到他国谋职。他留下《离骚》这一长篇爱国自叙诗，成为千古绝唱。"一篇之中三致志焉"，就指的是这一伟大作品。司马迁在传中评价说"上称帝喾，下道齐桓，中述汤武，以刺世事，明道德之广崇，治乱之条贯"，并兼有《国风》《小雅》之长。屈原为找到真理，警悟君王，他在诗中称，上天下地而求索。公元前 278 年，秦将白起攻破楚都郢，在流放中的屈原，闻知消息，悲痛万分，他写了《怀沙赋》，于五月五日投汨罗江自杀，以死警悟世人。《怀沙赋》，格调沉痛，悲凉地控诉了自身的不幸遭遇，坚决地表达了不与世俗沉浮的崇高品德。在这篇赋中，没有了对楚王的怀念，表现了屈原对祸国殃民昏君的蔑视，也是他幻想的破灭和最后的觉醒，但对祖国和人民的无限热爱之情不减，死在自己的国土上。人民为了纪念屈原，五月五日成为传统节日。

【七日七夜】［秦庭哭师］吴王入郢。申包胥走秦告急，求救于秦。秦不许。包胥立于秦廷，昼夜哭，七日七夜不绝其声，秦哀公怜之，曰："楚虽无道，有臣若是，可无存乎！"乃遣车五百乘救楚击吴。（卷六六《伍子胥列传》/2177 页）

【译文】 吴王阖庐进入了楚国郢都。申包胥就跑到秦国告急求救。秦国不答应。申包胥站在秦国朝廷上，白天黑夜哭诉，七天七夜没有停止。秦哀公同情他，说："楚王虽然无道，但有这样的臣子，能不保全楚国吗?"于是派遣了 500 辆兵车援救楚国，攻击吴国。

【评点】　“七日七夜”，又作“秦庭哭师”，喻精诚的报国之心，也形容悲伤之极。伍子胥逃亡时对申包胥说：“我一定要灭亡楚国。”申包胥说：“我一定要恢复楚国。”鲁定公四年（前506），伍子胥引导吴兵攻破楚都郢，申包胥入秦求救，以精诚感动秦哀王，终于借来救兵，恢复了楚国。

【怒发冲冠】相如因持璧却立，倚柱，怒发上冲冠。（卷八一《廉颇蔺相如列传》/2440页）

【译文】　蔺相如便拿着宝石，后退几步站立，靠着殿柱，愤怒得头发都竖立起来冲动了帽子。

【评点】　秦昭王想占有赵惠王的稀世之宝和氏璧，假意说用十五座城换取。赵国派蔺相如出使，在秦廷殿上，蔺相如见秦昭王无意偿赵城，于是赚过宝玉，后退几步，倚柱斥责秦昭王失信，史家用“怒发上冲冠”来形容蔺相如的极度愤怒感情以及蔑视强暴的气概。岳飞《满江红》词，首句用“怒发冲冠”立意，深刻地表达了他誓不与敌共天地的决心。蔑视强暴，激发大勇，是由于爱国心的暴发而忘却自我，故能气贯长虹。

先国家之急而后私仇也。（卷八一《廉颇蔺相如列传》/2443页）

【译文】　优先考虑国家的紧急大事，然后再考虑个人的恩恩怨怨。

【评点】　蔺相如对门客之言。廉颇有攻城野战的大功，蔺相如凭口舌的外交活动，位在廉颇之上，廉颇不服，要羞辱蔺相如。蔺相如主动退让，门客认为是胆怯行为。蔺相如以此语解剖心迹，说明他不与廉颇争个人的短长，志在为国家。廉颇听后很受感动，“肉袒负荆”，由宾客陪着主动上门认错，“卒相与欢，为刎颈之交。”廉颇、蔺相如交欢的故事，成为千古美谈，化出“肉袒负荆”、“负荆请罪”、“将相和”、“刎颈之交”等典故流传。爱国主义精神在这里得到了高度的体现。

【一饭斗米】［一饭三遗矢］廉颇居梁久之，魏不能信用。赵以数困于秦兵，赵王思复得廉颇，廉颇亦思复用于赵。赵王使使者视廉颇尚可用否。廉颇之仇郭开多与使者金，令毁之。赵使者既见廉颇，廉颇为之一饭斗米，肉十斤，被甲上马，以示尚可用。赵使还报王曰："廉将军虽老，尚善饭，然与臣坐，顷之三遗矢矣。"赵王以为老，遂不召。（卷八一《廉颇蔺相如列传》/2448页）

【译文】 廉颇在大梁闲居了很久，魏国不能信任重用他。赵国因为多次遭到秦国的进攻，赵王想要重新起用廉颇，廉颇也想再次为赵国效力。赵王派使臣去探望廉颇的健康情况。廉颇的政敌郭开给使者很多金钱，让他说廉颇的坏话。赵王使者见到了廉颇，廉颇在使者面前吃了一顿饭，用了一斗米，十斤肉，还披甲上马，表示自己还可任用。赵王使者回来向赵王汇报，说："廉将军虽然年老，还有好饭量，但是会见我的时候，不一会就上了三次厕所。"赵王认为廉颇老了，就没有征召他。

【评点】 "一饭斗米"，吃一顿饭用了一斗米，形容食量好，喻老当益壮。"一饭三遗矢"，吃一顿饭上了三次厕所，喻老朽不堪用。矢，借作屎字。郭开，赵王宠臣，受秦间收买的内奸，挤廉颇，害李牧，皆出郭开之手。廉颇客居他国，不忘报效祖国，而奸佞当道，壮志不申，令人悲叹！

【敢死之士】秦急围邯郸，邯郸急，且降，平原君甚患之。邯郸传舍吏子李同说平原君曰："君不忧赵亡邪？"平原君曰："赵亡则胜为虏，何为不忧乎？"李同曰："邯郸之民，炊骨易子而食，可谓急矣，而君之后宫以百数，婢妾被绮縠，余粱肉，而民褐衣不完，糟糠不厌。民困兵尽，或剡木为矛矢，而君器物钟磬自若。使秦破赵，君安得有此？使赵得全，君何患无有？今君诚能令夫人以下编于士卒之间，分功而作，家之所有尽散以飨士，士方其危苦之时，易德耳。”于是平原君从之，得敢死之士三千人。李同遂与三千人赴秦军，秦军为之却三十里。亦会楚、魏救至，秦兵遂罢，邯郸复存。李同战死，封其父为李侯。（卷七六《平原君虞卿列传》/2368～2369页）

【译文】　秦军加紧包围邯郸，邯郸危急，将要投降，平原君十分焦虑。邯郸驿站官员的儿子李同劝说平原君，说：“您不担心赵国灭亡吗？”平原君说：“赵国灭亡我赵胜也成为俘虏，为什么不忧虑呢？”李同说：“邯郸的百姓，拿人骨当柴烧，交换孩子当饭吃，可以说危急到了极点，可是你后宫姬妾侍女数以百计，侍女穿绫罗绸缎，精美的饭肉吃不了，而老百姓连完整的粗布短衣都没有，吃酒渣糠皮都填不饱肚子。百姓困乏，武器用尽，有的人削尖木头当长矛箭矢，而您的珍宝玩器和种磬乐器照样使用。如果秦国打破赵国，您还能保有这些吗？如果赵国保全，您何愁没有？现在您果真能命令夫人以下的全体人员都编入士兵行列，分担守城劳役，把家里所有的东西拿出来全都分发给士兵，士兵正当危急困苦之时，很容易赢得他们的感恩戴德的。”平原君采纳了李同的意见，募得敢死队士兵三千人。李同就和这三千人冲向秦军，锐不可当，秦军退却了三十里。这时也赶上了楚、魏两国的救兵，秦军于是败走，邯郸得以保存下来。李同战死，封他的父亲为李侯。

【评点】　李同，社会下层的普通青年，在国难当头之时，挺身而出，英勇杀敌，为国捐躯。平原君采纳李同的建议，毁家纾难，说明了当时赵国上层统治阶级与下层民众能够团结御敌，这是赵国不灭的主要原因。一个国家主荒政谬，民众怨离，上下离心，也就是亡国之日了。平原君和李同的爱国主义精神，都是值得赞颂的。“敢死之士”典故出此。

燕之初入齐，闻画邑人王蠋贤，令军中曰：“环画邑三十里无入。”以王蠋之故。已而使人谓蠋曰：“齐人多高子之义，吾以子为将，封子万家。”蠋固谢。燕人曰：“子不听，吾引三军而屠画邑。”王蠋曰：“忠臣不事二君，贞女不更二夫。齐王不听吾谏，故退而耕于野。国既破亡，吾不能存；今又劫之以兵为君将，是助桀为暴也。与其生而无义，固不如烹！”遂经其颈于树枝，自奋绝脰而死。齐亡大夫闻之，曰：“王蠋，布衣也，义不北面于燕，况在位食禄者乎！”乃相聚如莒，求诸子，立为襄王。（卷八二《田单列传》/2457页）

【译文】 燕军当初攻入齐国的时候，听说画邑人王蠋有才干，下令军中说：“在画邑周围三十里的地方不得进入。”因为王蠋是画邑人的缘故。不久，燕军派人对王蠋说：“齐国人都称赞您的高尚品德，我们要任用你为将，封您万家之邑。”王蠋坚决辞谢。燕人说：“您不听，我率领大军踏平画邑。”王蠋说：“忠臣不事奉两个君王，贞女不改嫁第二个丈夫。齐王不听我的劝谏，所以我才隐居乡间种田。齐国已经破亡，我不能使它复存；现在你们用暴力来劫持我作将领，这是助纣为虐啊。与其活着干这不义之事，倒不如受烹刑而死！”于是就把脖子吊在树枝上，自己奋力挣扎，扭断脖子死去。齐国逃亡的官员们听了这消息，奔走相告说：“王蠋是一个普通百姓，尚且守义不投降燕人，何况我们这些享受国家俸禄的人呢！”于是相聚起来赶到莒城，寻求齐湣王的儿子，拥立了齐襄王。

【评点】 王蠋的死激发了齐人的爱国之心，坚守即墨和莒两城，为田单复齐奠定了思想基础。王蠋身死，而精神永存。

【卜式输财助边】卜式上书，愿输家之半县官助边。天子使使问式："欲官乎？"式曰："臣少牧，不习仕宦，不愿也。"使问曰："家岂有冤，欲言事乎？"式曰："臣生与人无分争。式邑人贫者贷之，不善者教顺之，所居人皆从式，式何故见冤于人！无所欲言也。"使者曰："苟如此，子何欲而然？"式曰："天子诛匈奴，愚以为贤者宜死节于边，有财者宜输委，如此而匈奴可灭也。"使者具其言入以闻。是时，富豪皆争匿财，唯式尤欲输之助费。天子于是以式终长者，故尊显以风百姓。(卷三○《平准书》/1431～1432页)

【译文】　卜式上书朝廷，自愿输送一半家产给政府，补助边防。汉武帝派使者去询问卜式："想做官吗？"卜式说："我从小放牧，不熟习做官的事，不想做官。"使者又问："难道家里有冤屈，想要申诉吗？"卜式说："我平生与人没有争执。同邑的人，贫穷的，我救济他；品行不好的，我劝导他，我的邻居都尊重我，我怎么会有冤屈呢！我没有什么要申诉。"使者又说："如果是这样，你到底为了什么呢？"卜式说："皇上讨伐匈奴，我认为作为臣民的有才干的应该效死于疆场，其次有钱的出钱，这样，匈奴之祸就可消灭了。"使者把卜式的话原原本本记录下来，报告给汉武帝。当时豪富们都隐瞒财产，只有卜式一次又一次输送财钱补助国家的边防费用。汉武帝认为卜式确是一个有修养的人，所以使他尊贵显荣，用以教化百姓。

【评点】　"卜式输财助边"，颂扬爱国精神。卜式，洛阳人，牧羊致富，正值汉武帝反击匈奴，他多次捐钱给国家，主张在国难之时，有力出力，有钱出钱，始终身体力行。汉武帝把他树为全国榜样，布告天下，使用他做官，官至御史大夫。县官，代指天子、国家。

匈奴未灭，无以家为也。（卷一一一《卫将军骠骑列传》/2939页）

【译文】 匈奴还没有消灭，没有心思考虑个人的成家事业。

【评点】 霍去病之言。霍去病是西汉武帝时的青年大将，他多次带兵与匈奴作战，建立了奇功，汉武帝特为他建筑府第。霍去病以“匈奴未灭，无以家为”的豪言作答，受到汉武帝的称赞。后世人们广泛引用为座右铭，称颂为了国家而不顾家庭安乐的崇高精神的人。

地者，国之本也，奈何予之！（卷一一〇《匈奴列传》/2889页）

【译文】 土地是国家的根本，怎么能送给敌人。

【评点】 匈奴单于冒顿之言。匈奴与东胡为邻，按习惯，在边界两边有一个中间地带。东胡王派人对冒顿单于说，东胡想占有这些中间地带。冒顿召问匈奴大臣，有人认为这是抛荒弃地，不是牧场，给予东胡与不给东胡都是一样的。冒顿单于大怒，杀了那些不重视土地的大臣，然后举兵出征，大败东胡王。我国历史上，那些与敌议和、割地以求苟安的君臣，若地下有知，面对冒顿单于，他们的卑小，真可以说是无地自容。财物美女，珍珠宝贝都可以送人，立国根本的土地，一寸也不可以送人。

明君第十六

【引言】 明君篇，凡20条。《史记》继《春秋》，“述往事，思来者”。《春秋》寓褒贬，“上明三王之道，下辨人事之纪”；《史记》继《春秋》就是要明是非，为后王立法，为人伦立准则。《史记》五体，本纪第一，本纪即以国君为中心，载述国家大体。列传以人臣为中心，载述社会各色人物。司马迁颂扬明君贤臣，正是他任贤治国思想的集中表现。明君，顺民之俗，以民为本，任贤使能，崇尚德治，这些就是司马迁载述和赞扬的内容，是《史记》人民性的成分之一，应予肯定。

天下有不顺者，黄帝从而征之，平者去之，披山通道，未尝宁居。（卷一《五帝本纪》/3页）

【译文】 天下有不归顺的，黄帝就前去征讨，平服一个地方之后，黄帝便带兵离去。一路上劈山开道，从来没有安逸地休息过。

【评点】 五帝，传说的上古圣明帝王，为黄帝、颛顼、帝喾、唐尧、虞舜。五帝禅让相继。黄帝统一部落，草创国家，一生勤劳，从未养尊处优，是中华民族的人文始祖，号轩辕氏。

举风后、力牧、常先、大鸿以治民。顺天地之纪，幽明之占，死生之说，存亡之难。时播百谷草木，淳化鸟兽虫蛾，旁罗日月星辰水波，土石金玉，劳勤心力耳目，节用水火财物，有土德之瑞，故号黄帝。（卷一《五帝本纪》/6页）

【译文】 黄帝任用风后、力牧、常先、大鸿等治理民众。他顺应天地四时的规律，推测阴阳的变化，制定养生送死的规矩，考察国家存亡的原因，按照季节播种百谷草木，驯养鸟兽蚕虫，推步日月星辰的运行，拟定历法，研究水利、土石金玉的性能以供民用，他辛勤地劳动身心耳目，有节制地使用山林川泽的物产。他即位有象征土德的祥瑞征兆，所以称为黄帝。

【评点】 写黄帝任贤，开源节流，为民谋利。

帝颛顼养材以任地，载时以象天，依鬼神以制义，治气以教化，絜诚以祭祀。北至于幽陵，南至于交阯，西至于流沙，东至于蟠木。动静之物，大小之神，日月所照，莫不砥属。（卷一《五帝本纪》/11～12页）

【译文】 帝颛顼养殖各种庄稼牧畜以充分利用地力，按照季节办事顺应自然，敬顺鬼神以制定礼仪，遵循五行之气以教化万民，斋戒沐浴虔诚地祭祀鬼神。他向北达到幽陵，向南达到交阯，向西达到流沙，向东达到蟠木。各种动物植物，大神小神，凡是日月照临的地方，没有不归服的。

【评点】 颛顼继黄帝而为治，也继承了黄帝的敬天法地，为民谋利的遗风。颛顼为传说的五帝之一，号高阳氏。

嚳溉执中而遍天下，日月所照，风雨所至，莫不从服。（卷一《五帝本纪》/14页）

【译文】　帝喾治民像雨水滋润农田一样公正无偏地施满天下，凡是日月照临、风雨所到的地方，没有不归服的。

【评点】　帝喾继颛顼而为帝的古代圣王，传说的五帝之一，号高辛氏。

帝尧者，放勋。能明驯德，以亲九族。九族既睦，便章百姓。百姓昭明，合和万国。(卷一《五帝本纪》/15页)

【译文】　帝尧名放勋。他能修明自己的德行，使同姓九族的人相亲相爱，和睦团结，又使百官明确自己的职守，各部门政绩昭著，与各地诸侯邦国紧紧地团结相助。

【评点】　帝尧是古代儒家理想化的圣明之君。帝尧为传说的五帝之一，号陶唐氏。

尧老，使舜摄行天子政，巡狩。舜得举用事二十年，而尧使摄政。摄政八年而尧崩。于是舜乃至于文祖，谋于四岳，辟四门，明通四方耳目，命十二牧论帝德，行厚德远佞人，则蛮夷率服。三岁一考功，三考绌陟，远近众功咸兴。(卷一《五帝本纪》/38～39页)

【译文】　尧年纪大了，让舜代行天子处理政务，到四方视察。舜被举用处理政务二十年，然后代理尧总理政务。代行政务八年，尧逝世了。于是舜来到尧的始祖庙堂，郑重地与四岳议政，开放四门，沟通四方信息，命令十二州的地方长官讨论帝王应有的德行，都说要实行宽厚的德政，疏远谄媚小人，这样远方外族就都来归服。舜每三年考核一次大家的工作成绩，根据实绩进行升降。这样一来，无论远近，各种事业都兴办起来。

【评点】　写虞舜禅继尧位，是经历了长期实践考验的。这是后人借以寄托理想化政治权力交接的一种模式。虞舜，传说的五帝之一，号有虞氏。

舜之德可谓至矣！禅位于夏，而后世血食者历三代。及楚灭陈，而田常得政于齐，卒为建国，百世不绝，苗裔兹兹，有土者不乏焉。至禹，于周则杞，微甚，不足数也。楚惠王灭杞，其后越王勾践兴。（卷三六《陈杞世家》/1586 页）

【译文】 舜的功德可以说是最高尚的了！他禅位给夏禹，而享受后世祭祀，经历了夏、商、周三代。虽然楚灭了陈国，而田常又在齐国当政，终于建立了国家，传世百代，子孙昌盛，有封土的人不绝如缕。说到禹，在周代有杞国，十分弱小，在列国中排不上队，但直到楚惠王时才灭亡，其后又兴起了越王勾践还一度称霸诸侯。

【评点】 司马迁论赞之言。陈，舜之后的封国；杞，禹之后的封国。司马迁为两个小国立世家，论赞借两小国为借代，旨在颂扬远古贤君有德于民，泽流子孙，提倡仁政。

鸿水滔天，浩浩怀山襄陵，下民皆服于水。予陆行乘车，水行乘舟，泥行乘橇，山行乘檋，行山刊木。与益予众庶稻鲜食。以决九川致四海，浚畎浍致之川。与稷予众难得之食。食少，调有余补不足，徙居。众民乃定，万国为治。（卷二《夏本纪》/79 页）

【译文】 洪水滔天，浩浩荡荡，包围了高山，淹没了丘陵，住在低地的民众遭受洪水的灾害。我陆路坐车，水路坐船，穿过泥沼乘木橇，爬山穿钉鞋，翻山越岭，一路立下标志牌。我和益一块给民众发放稻粮和新鲜的肉食。疏导九条河道引入大海，又疏浚田间沟渠引入河道。我和稷一起给灾民赈济粮食。粮食欠缺的地方，从粮多的地方调粮调济，或者迁移民众稠密地区的人到产粮多的地方定居。民众安定下来了，各地区邦国都得到了治理。

【评点】 大禹之言。大禹治水，在外十三年，三过家门而不入，因为他心里装有天下，想到黎民百姓受水之害，他就睡不安稳，只要还有一个百姓没有安定，他就不得休息。这段话表达了他日夜孜孜不倦的内容。

帝舜荐禹于天，为嗣。十七年而帝舜崩。三年丧毕，禹辞辟舜之子商均于阳城。天下诸侯皆去商均而朝禹。禹于是遂即天子位，南面朝天下，国号曰夏后，姓姒氏。(卷二《夏本纪》/82页)

【译文】 帝舜向上天推荐禹为继承人，十七年之后帝舜逝世。禹服丧三年之后，辞去帝位，让给舜的儿子商均，自己退避到阳城。但天下的诸侯都离开商均而去朝拜禹。禹这才正式登基天子之位，面南而坐，接受天下诸侯的朝拜，国号为夏，姒姓。

【评点】 禹接受禅让继成帝位的情况。儒家歌颂古代禅让为一种让德，而司马迁所写却是一场温和的权力斗争。《五帝本纪》写尧禅位舜，说“尧知子丹朱之不肖，不足授天下于是乃权授舜。”这句话耐人寻味。如果尧未曾想到传子丹朱，怎知丹朱不肖呢？显然是经过考验，丹朱不成器，无可奈何，权授舜。舜是经过摄政二十八年才正式继位的。禹的时代，私有化观念加强，禹又有大功德于民，于是他作出姿态，避位舜子商均，如果舜没有传子意向，禹所避让又何从谈起。不过当时还是部落民主时代，舜和禹的继承都经受了长期为民公仆的考验才取得信任的。尧子丹朱、舜子商均，没有公仆业绩，单凭身贵，还不能继承帝位。这说明尧、舜、禹的禅让虽有斗争，但非私授，四岳诸侯有举足轻重之权。到禹继帝位后，私有制观念更加强化，国家制度日趋完善，统治者权力增长，禹终于完成了家天下的私授，五帝时代的部落民主政治从此结束。

昔我先王世后稷，以服事虞、夏。及夏之衰也，弃稷不务，我先王不窋用失其官，而自窜于戎狄之间。不敢怠业，时序其德，遵修其绪，修其训典，朝夕恪勤，守以敦笃，奉以忠信。奕世载德，不忝前人。至于文王、武王，昭前之光明而加之以慈和，事神保民，无不欣喜。商王帝辛大恶于民，庶民不忍，䜣载武王，以致戎于商牧。是故先王非务武也，勤恤民隐而除其害也。（卷四《周本纪》/135～136页）

【译文】 从前我们周人的祖先弃，父子相继担任农官，服事虞、夏两朝。当夏朝衰落的时候，夏朝废去农官，不务农事，我们的先王不窋因而失去官职，自己流落到戎狄居住的地区。但是他却不敢松懈农事，按时令宣扬弃的德行，继续弃的事业，修治弃的教化法度，早晚恭敬勤奋，用敦厚虔诚的态度来保持，用忠实诚信的态度来奉行。后代累世继承这种美德，没有辱没先人。到了文王、武王的时候，发扬先人的美德，再加上慈爱和善，侍奉鬼神，保护民众，普天之下没有不高兴的。商王帝辛对民众犯下大罪，民众再也不能忍受，都高兴地拥护周武王，因此才发动了商郊的牧野战争。这可见先王并不崇尚武力，而勤勤恳恳地体恤民众的疾苦，为老百姓铲除祸害。

【评点】 西周王室大夫祭公谋父谏周穆王之言。周穆王将征犬戎，祭公谋父以“先王耀德不观兵”劝谏，追溯周朝的兴起靠的是累世积德，而不是穷兵黩武。

【虞芮罢争田】西伯阴行善，诸侯皆来决平。于是虞、芮之人有狱不能决，乃如周。入界，耕者皆让畔，民俗皆让长。虞、芮之人未见西伯，皆惭，相谓曰：“吾所争，周人所耻，何往为，只

取辱耳。”遂还，俱让而去。诸侯闻之，曰：“西伯盖受命之君。”(卷四《周本纪》/117 页)

【译文】　西伯暗中做好事，诸侯都来请他裁决争端。当时虞、芮两国人发生争执不能断决，就一块儿到周国来。进入周国地界，耕地的人互相让界，民间习俗都尊敬长者。虞、芮两国发生争执的人，还没有见到西伯，都感到了惭愧，互相谦让说：“我们所争执的，正是周人所羞耻的，我们还找西伯干啥，只会自取其辱罢了。”于是各自回去，互相致歉离去。诸侯听了这件事，都说：“西伯该是一位得到天命的君王。”

【评点】　“虞芮罢争田”，褒扬互相忍让之德。虞、芮，两古小国名。虞国在今山西芮城县东北；芮国在芮城县西。文王姬昌在殷末为西伯，虞、芮在他的领属之内，故虞芮争田找西伯评判，入西伯之境而受其风气感化息讼，衬托西伯之仁，有无穷影响力。

【八百诸侯】武王九年，东观兵，至于盟津，是时，诸侯不期而会盟津者八百诸侯。(卷四《周本纪》/120 页)

【译文】　周武即位的第九年，向东方作实战演习，到达孟津地方。这时，四方诸侯不约而同地相会于孟津的有八百诸侯。

【评点】　“八百诸侯”，喻得道多助。八百，虚指，极言其多。盟津，即孟津，黄河古渡口名，在今河南孟县西南。观兵，检阅军队。这里是周武王声言向东作进攻殷朝的一次大演习，至孟津与诸侯会盟，未渡黄河而还。两年以后，再次会诸侯于孟津，正式渡过黄河，在牧野誓师，一战灭纣。

【天高听卑】荧惑守心。心，宋之分野也。景公忧之。司星子韦曰：“可移于相。”景公曰：“相，吾之股肱。”曰：“可移于民。”景公曰：“君者待民。”曰：“可移于岁。”景公曰：“岁饥民困，吾

谁为君!”子韦曰:“天高听卑。君有君人之言三,荧惑宜有动。”于是候之,果徙三度。(卷三八《宋微子世家》/1631 页)

【译文】 火星徘徊在心宿星空。心宿是宋国的分野。宋景公十分忧愁。司星子韦说:“可以把灾祸转移到国相身上。”景公说:“不行,国相是我的手脚。”子韦说:“可转移给普通百姓。”景公说:“不行,民众是国君的基础。”子韦又说:“可转移到年成上。”景公说:“更不行,年成歉收,百姓困贫,我做谁的国君。”子韦高兴地说:“上天虽然很高,可是它能听到下界的声音。您一连说了三句真正是国君所说的话,火星该移动了。”于是认真观测火星的动静,果然移动了三度。

【评点】 “天高听卑”,天帝高高在上,却能听得见地上的声音,明察善恶以降祸福。卑,低下。此事不载于《左传》,司马迁采自诸子。《吕氏春秋·制乐》篇、《淮南子·道应训》有类似记载。司星,观测天文的星官。司星子韦与宋景公的对话,以今天科学言之,谓之不经,但在古代天人感应流行的时代,人们相信有其事。天变灾异,人君常委过大臣,秦汉时重大的日食、月食出现,罢三公之官。宋景公不委过臣民,以身当之,感动上帝,天象为之改变,可以说是一位明君。当然,这也与春秋战国时天文学发展,智能之士怀疑天能支配人事有关。宋景公似乎还没有这样高的唯物认识,他之爱护臣民,精神更为可嘉。

【文帝举贤良诏】朕闻之,天生蒸民,为之置君以养治之。人主不德,布政不均,则天示之以菑,以诫不治。乃十一月晦,日有食之,适见于天,菑孰大焉!朕获保宗庙,以微眇之身托于兆民君王之上,天下治乱,在朕一人,惟二三执政犹吾股肱也。朕下不能理育群生,上以累三光之明,其不德大矣。令至,其悉思朕之过失,及知见思之所不及，匄以告朕。及举贤良方正能直言极谏者，以匡朕之不逮。因各饬其任职，务省徭费以便民。（卷一〇《孝文本纪》/422 页）

【译文】 我听说天生万民，为他们设置君主来抚养治理他们。如果君主不贤德，施政不公平，那么上天便显示灾变，用来警告他治政不好。就拿十一月三十日来说吧，出现了日食，正是上天的警告，灾变没有比日食更大的了。我幸运肩负保全宗庙之责，以我微小之躯依托在万民和诸侯之上，天下的治与乱，在我一人身上。诸位执政大臣就是我的臂膀。我下不能治理和抚育好众生，上有损于日、月、星的光明，我真是大大的无德。诏令到达后，大家都想想我的过失，以及我所知所见所思不周到的地方，恳求尽情告诉我。还要推荐贤良方正能够直言极谏的人，用以补救我的不足。趁这个机会，各级官吏要整顿好自己的本职工作，务必减少徭役和费用，以便利民众。

【评点】 汉文帝二年所下举贤良诏。由于日食，汉文帝下诏求言，要求京师及郡国二千石高官举荐贤良，以敢于直谏又能深切中理的人才能入选，到京师议论政治得失。然后举行策问，评出高下名次，量才授官。从此，汉代产生了举贤良的选举制度，一般都是有日食或地震等大灾变发生，或新君即位，或特需人才，此时就发布诏令举贤良。“直言极谏”，是举贤良的基本条件。这一选举制度的产生，表明了汉文帝确是一位开明的贤君。纵观中国两千年封建社会，“用贤则明，任奸则昏”。诸葛亮在《出师表》中说：“亲贤臣，远小人，此先汉所以兴隆也；亲小人，远贤臣，此后汉所以倾颓也。”陆机《辩亡论》论孙权之所以兴，孙皓之所以亡，其言曰：“彼此之化殊，授任之才异也。”而贤如诸葛，不仅未能选拔和造就灿若群星的文武雄才，而且用人前有马谡之失，后有李严之误，更有遗命枉杀魏延之谬，是以“蜀中无大将，廖化充先锋”。诸葛亮自比管仲、乐毅，而管仲佐桓公称霸，管仲死，齐国人才发生断层。由此可见，识人用人之难。识英才而用之，只有明君、雄主才能做到。所谓非常之人，才能行非常之事，无他，决机于能否用贤也。

古之治天下，朝有进善之旌，诽谤之木，所以通治道而来谏者。今法有诽谤妖言之罪，是使众臣不敢尽情，而上无由闻过失也。将何以来远方之贤良？其除之。（卷一〇《孝文本纪》/423～424 页）

【译文】 古代圣明的君主治理天下，朝廷专门设有进言献策的旌旗和批评时政的木牌，用来疏通治政的渠道，招来进谏的人。现今的法律有惩治批评时政和传播妖言的条文，这就会使群臣不敢畅所欲言，而使皇上无法知道自己的过失。这样怎能招来远方的贤良？应当废除这些法令。

【评点】 这是汉文帝二年（前 178）春三月所下废除诽谤妖言法的诏书，也就是说文帝废除了言论罪。这道诏书还明文规定，愚民百姓背后咒骂皇上，也不要治罪。尽管两千多年前的汉文帝还不懂得议会民主制度，也不懂得言论自由，但是他认识到钳制舆论，使在上位的人不闻过失，不知下情，是很大的弊政。他大胆地提出废除言论罪，实在是了不起的先进思想。过了没有几十年，汉武帝重又恢复了言论罪，而且变本加厉制定了“腹诽法”，还没有说出口的不满表情也要治罪，不仅要求舆论一律，而且还要强行表态，说假话、空话，否则就要治“腹诽罪”。这不更衬托文帝的开明和伟大吗？

太史公曰：孔子言“必世然后仁。善人之治国百年，亦可以胜残去杀”。诚哉是言！汉兴，至孝文四十有余载，德至盛也。廪廪乡改正服封禅矣，谦让未成于今。呜呼，岂不仁哉！（卷一〇《孝文本纪》/437～438 页）

【译文】 太史公说：孔子说过：“圣主兴起，也一定要整整一代人才能使仁政大行。善人治理国家更要一百年，才可做到克服暴政，免除虐杀。”这话实在不错呀！汉朝建立到孝文帝，经过了四十多年，德政达到了顶点。差不多具备了改历、变易服色、举行封禅的条件了。但他谦让没有进行，把改制工作留到了今天。啊！这难道不可以说是一个仁爱的皇帝吗？

【评点】 司马迁论赞之言。孔子言，引自《论语·子路》篇第十一、十二两章。必世，整整一代人，三十年为一世。“汉兴”句，孝文帝死于公元前157年，上距汉之建国公元前206年凡49年。廪廪，渐近之义，犹言差不多。文帝即位，贾谊上《定制度兴礼乐疏》，请改正朔，易服色，定官名，兴礼乐，封禅改制，色尚黄，数用五。贾谊还亲自草具了仪法。文帝谦让没有进行，仍守无为政治，休养息民。司马迁同情人民苦难，反对暴政，要求减轻剥削，改善政治，歌颂明君贤臣，这是进步的思想。这里司马迁引孔子言称许孝文帝为“德至盛”的“仁君”，也是一种直书。《孝文本纪》突出记载文帝之“德”，不惜笔墨记载他的节俭和宽厚，又大段引录景帝元年制诏郡国诸侯立太宗庙的令文，称文帝“除诽谤，去肉刑”，“收恤孤独，以育群生”，“罪人不帑，不诛无罪”云云。这些记载表明了司马迁的政治理想和许之为“仁”的标准，为后世明君树楷模。

“汉兴，孝文施大德，天下怀安”；“百姓无内外之徭，得息肩于田亩，天下殷富，粟至十余钱，鸣鸡吠狗，烟火万里，可谓和乐者乎！”（卷一一《孝景本纪》/449页；卷二五《律书》/1242页）

【译文】 汉朝建立，孝文帝施行伟大的德治，天下安定，人民怀念他。老百姓外不戍边，内无徭役，得到了休养生息，从事于田园生产，全国富足，粮价一石才值十余钱。万里江山，到处是鸡鸣狗吠，炊烟缭绕，真可以说是一片和平景象。

太史公曰：文帝时，会天下新去汤火，人民乐业，因其欲然，能不扰乱，故百姓遂安。自年六

七十翁亦未尝至市井，游敖嬉戏如小儿状。孔子所称有德君子者邪！（卷二五《律书》/1243页）

【译文】 太史公说：汉文帝时，国家刚刚脱离水深火热的灾难，人民需要安居乐业，国家也能够顺乎民意，尽量不扰乱百姓的生产、生活，所以老百姓都得到安宁。从生下来直到六七十岁的老翁，也不曾到过集市，玩耍嬉戏像小孩一样天真。汉文帝不就是孔子所称赞的有德君子吗！

【评点】 司马迁评论孝文帝之言。怀安，这是司马迁活用典故的凝缩语。《论语·公冶长》孔子曰：“老者安之，朋友信之，少者怀之。”汉文帝治理天下，使老少男女人人安乐，司马迁顺手拈来圣人之言，加以模写，表明在司马迁心中，汉文帝符合孔子赞扬的人君。

孝文皇帝临天下，通关梁，不异远方。除诽谤，去肉刑，赏赐长老，收恤孤独，以育群生。减嗜欲，不受献，不私其利也。罪人不帑，不诛无罪。除肉刑，出美人，重绝人之世。朕既不敏，不能识。此皆上古之所不及，而孝文皇帝亲行之。德厚侔天地，利泽施四海，靡不获福焉。（卷一〇《孝文本纪》/436页）

【译文】 孝文皇帝治理天下，开放了关卡桥梁，即使边远地区也一样。废除了治诽谤罪的法律，取消肉刑，赏赐老人，抚恤孤独，用以养育天下众生。他节制嗜好，不受贡礼，不谋私利。处治罪人，不株连家属，不枉杀无罪的人。又废除肉刑，放出后宫美人，使之成家养儿育女。朕虽然迟钝，不能深入理解孝文帝的一切德政。但就上面所说，已经是上古帝王比不上的，而孝文帝亲自实行了。他的功德比得上天地，他的恩惠遍及四海，全天下没有哪一个不曾得到他的好处。

【评点】 汉景帝褒扬文帝诏书中的话。景帝元年（前156）

十月下诏郡国诸侯立太宗庙，诏文称文帝“除诽谤，去肉刑”，“收恤孤独，以育群生”，“罪人不帑，不诛无罪”等等，这标志，当世君臣对汉文帝政绩的评价。这些记载也表明了司马迁的政治理想和评之为“仁”的标准，为后世人君树楷模，这是值得肯定的。

明主外料其敌之强弱，内度其士卒贤不肖，不待两军相当而胜败存亡之机固已形于胸中矣，岂掩于众人之言而以冥冥决事哉！（卷六九《苏秦列传》/2247～2248页）

【译文】 一个贤明的君主，对外能够估量敌国的强弱，对内能够估计士兵素质的优劣，这样用不着双方军队交战，胜败存亡的关键所在早就了然于胸中了，岂能被众人的议论所蒙蔽而糊里糊涂地决断国家大事吗?

【评点】 苏秦游说赵肃侯之言，说明国君要亲自了解内外形势，知敌知己，才能有主见决断大事而不被迷惑。掩，通淹，淹没，引申为蒙蔽。

雄主第十七

【引言】 雄主篇，凡15条。雄主，没有人下过确切定义，一般来说，他们是指或武功卓著，或治绩辉煌，或锐意开拓，或宅心高远，抱大有作为之志，怀利国济世之心，其业绩至今犹为人们所称道的君主。简言之，叫雄才大略。在中国历史上，秦始皇统一中国于纷乱之际，明太祖创基业于草莱之中，汉武、康熙开拓疆界，平定“四夷”，唐太宗任贤纳谏，创贞观盛世，这五位雄才大略之君，堪称雄主，大概是不会有争议的。司马迁以如椽大笔在《史记》写了两位雄主，即秦始皇和汉武帝。汉武帝本纪不传，实际只有一位雄主。本篇采录具有雄主之行的帝王、国君言行，有楚庄王、齐威王、赵武灵王、秦孝公、秦始皇、汉高祖、汉武帝，共七人。大凡雄主均兼有明主与昏暴之主的双重性格，他创业时是明主，守成时是暴君，晚年多为昏君。诸如好大喜功，迷信权力，任用亲信，猜忌贤能，果于杀戮，这些恶行，往昔雄主施之于前，后世雄主步尘于后。无论个人怎么努力，都免不了堕入这一窠臼。一再重演的历史就是规律。雄主晚而昏暴，似乎这也是一条规律，至少是一个启人深思的问题。当然雄主与昏暴之主、亡国之君有本质的不同，他们立有盖世之功，主观上也想勤政爱民，他们的晚年昏暴只是权势把他们异化了。因此，本篇所采精言妙事，仍以正面为主，以供鉴赏。

【一飞冲天】【一鸣惊人】三年不蜚，蜚将冲天；三年不鸣，鸣将惊人。（卷四〇《楚世家》/1700 页；卷一二六《滑稽列传》/3197 页）

【译文】　三年不飞，一飞就会冲天；三年不鸣，一鸣就会惊人。

【评点】　这是一组古代谚语，“一飞冲天”与“一鸣惊人”两个成语出此。春秋时楚庄王即位，三年不出号令，日夜为乐，下令国中，敢谏者死。伍举以隐语，即用猜谜语的方式进谏，以大鸟比楚庄王，说它三年不飞不鸣是何鸟也。楚庄王回答说：“三年不蜚，蜚将冲天；三年不鸣，鸣将惊人。”蜚，同飞。楚庄王于是亲贤远佞，举贤者数百人，杀佞者数百人，称霸诸侯。战国时，齐威王好为长夜之饮，淫乐不治政事，淳于髡以大鸟比齐威王，亦以隐语谏，齐威王说：“不飞则已，一飞冲天；不鸣则已，一鸣惊人。”从此亲理政事，奖赏忠于国事的即墨大夫，诛杀阿谀诈伪的阿大夫，奋兵出击，诸侯震惊，一一退还所侵齐国之地。春秋时楚庄王，五霸之一，战国时齐威王，强王之一，两人都是雄略之主。他们初即位，故为淫乐之举，暗中察访群臣的忠奸，然后励精图治，一鸣惊人，国家富强。

【威王治齐】威王初即位以来，不治，委政卿大夫，九年之间，诸侯并伐，国人不治。于是威王召即墨大夫而语之曰：“自子之居即墨也，毁言日至。然吾使人视即墨，田野辟，民人给，官无留事，东方以宁。是子不事吾左右以求誉也。”封之万家。召阿大夫语曰：“自子之守阿，誉言日闻。然使使视阿，田野不辟，民贫苦。昔日赵攻甄，子弗能救。卫取薛陵，子弗知。是子以币

厚吾左右以求誉也。”是日，烹阿大夫，及左右尝誉者皆并烹之。遂起兵西击赵、卫，败魏于浊泽而围惠王。惠王请献观以和解，赵人归我长城。于是齐国震惧，人人不敢饰非，务尽其诚。齐国大治。诸侯闻之，莫敢致兵于齐二十余年。

（卷四六《田敬仲完世家》/1888～1889页）

【译文】 齐威王即位之初，不治理国事，把大政交给卿大夫办理，九年之间，各国都来进攻齐国，内政也治理不好。于是齐威王召来即墨大夫，对他说：“自从先生治理即墨以来，每天都传来诽谤的谣言。然而我派人视察即墨，田野垦辟，人民富足，公务没有积压，齐国东部的社会安稳。这是先生不讨好我左右的人求取名誉的缘故。”封赏给即墨大夫一万家的食邑。接着召来阿邑大夫，对他说：“自从先生治理阿邑以来，每天都听到赞誉你的话。然而派使者视察阿邑，田野荒芜，人民困苦。早先赵国攻打甄城，你无力解救。卫国夺走了薛陵，你还蒙在鼓里。这是你用厚礼收买我左右的人替你说话的缘故。”当天，齐威王烹杀阿大夫，以及身边经常称誉阿大夫的人一起遭受烹刑。于是起兵西进，攻击赵国、卫国，在浊泽地方打败魏军，并包围了魏惠王。魏惠王请求割让观邑与齐和解，赵国退还了齐国的长城。这一举动，齐国上下震惊，人人都不敢说假话，一心竭尽忠诚。齐国治理得很好。诸侯各国重新认识了齐国，有二十多年没有人敢进犯齐国。

【评点】 《田敬仲完世家》记述了齐威王发奋治齐，一举复仇成功，一鸣惊人的故事。齐威王为雄主，他初即位，故意荒淫，对国事装糊涂，而暗中在调查研究，掌握了忠奸，然后以出人意料的大动作解决，内修政治，外示威力，齐国大治。参阅典故“一飞冲天”，即“一鸣惊人”条。

今中山在我腹心，北有燕，东有胡，西有林胡、楼烦、秦、韩之边，而无强兵之救，是亡社稷，

奈何？夫有高世之名，必有遗俗之累。吾欲胡服。（卷四三《赵世家》/1806 页）

【译文】　现在中山国在我们腹心，北边有燕国，东边有东胡，西边有林胡、楼烦，还与秦、韩接壤，可是没有强大的军队四处救援，这样下去国家免不了灭亡，怎么办呢？凡有盖世功业的人，就要留下背弃习俗的骂名。我想变革穿胡人服装。

【评点】　赵武灵王胡服骑射之言。赵武灵王，赵肃侯之子，名雍，战国时赵国第六君。赵国全境东北与东胡和燕接界，东与中山及齐国接界，南与魏、韩、卫三国交错接界，北与楼烦、林胡接界，西与韩、魏、秦三国交错接界。赵国若不发奋图强，那末胡人南下，或秦军东进，齐、魏犯边，赵国都可能发生危难。赵武灵王十九年（前 307），亲自主持了分析天下大事的会议，君臣讨论了五天。然后带领群臣巡视边界，东边到了中山国的地界，又去代地，北边到无穷，西边到黄河，登上黄华山顶，与亲近大臣楼缓商议改革方略，提出了胡服骑射的主张。赵人原来穿的衣服，袖长，腰肥，领口宽，下摆大，这种长袍大褂，战斗时行动非常不便。胡服为短装，束皮带，用带钩，穿皮靴，便于骑马拉弓。赵武灵王主张胡服，就是要改革习俗，发展武备，练习骑射。虽然改革侧重于军事，而穿胡服就带动整个习俗的变革。可见赵武灵王只是选择军事改革作突破口。先开会，后巡视，让朝臣们头脑清醒。然后才下令改革，自己带头穿胡服。赵武灵王决心大，方法对头，以身作则，改革顺利进行，国势富强。赵军连年出征，攻灭了中山，攻破了林胡、楼烦，成为战国中期的强国。

主父欲令子主治国，而身胡服将士大夫西北略胡地，而欲从云中、九原直南袭秦，于是诈自为使者入秦。秦昭王不知，已而怪其状甚伟，非人臣之度，使人逐之，而主父驰已脱关矣。审问之，

乃主父也。秦人大惊。主父所以入秦者，欲自略地形，因观秦王之为人也。（卷四三《赵世家》/1812～1813页）

【译文】 主父想让儿子自主治国，而自己亲自带兵穿胡服向西北扩张领土，占领胡人的地方，想要迂回从云中、九原直向南下袭击秦国，于是亲自乔装成使者入秦侦察。秦昭王不知是主父，面见后惊怪他的形貌特别魁伟，不像人臣的气度。这时主父已离开秦国，秦昭王立即派人追赶。可是主父早已骑马飞奔出了秦国的关口。仔细了解，才知道是主父。秦人非常惊恐。主父亲自入秦的原因，是想自己对秦国地理形势作一番调查，同时趁此行观看秦昭王的为人。

【评点】 赵武灵王让位次子赵何，自号主父。他亲自入秦调查，并制定了迂回袭击秦国的战略，表现了他的雄才大略。赵兵向西北略地，因为胡人当时尚未成为统一的强国，容易得手。赵兵攻胡，又可掩盖袭秦的战略意图。从云中、九原南下，又是居高临下，绕出秦人之背，可以出其不意。为此，他让出了君位，让儿子赵何在自己生前亲政，取得经验，又让自己腾出手来专力对外。主父对内对外的安排，都显示了他的非凡之识。可惜，主父处理家事却惑于女宠，安排不周，造成了内乱。主父传位赵何，是因为宠爱其母吴娃。太子章无辜被废，主父又生怜爱之心，让他分王代地，造成国分为二，大臣各有彼此。赵惠文王四年（前295），主父和惠文王到沙丘游览，分住不同宫室。公子章趁机作乱袭击赵惠文王，大臣李兑带兵攻公子章，公子章兵败逃到主父宫中避祸，李兑因此兵围主父，主父饿死于宫中。有雄主之行的赵武灵王，晚年而有沙丘之祸，读史者至此，不能不掩卷慨叹！

秦孝公据殽函之固，拥雍州之地，君臣固守而窥周室，有席卷天下，包举宇内，囊括四海之意，并吞八荒之心。当是时，商君佐之，内立法度，

务耕织，修守战之备，外连衡而斗诸侯，于是秦人拱手而取西河之外。（卷六《秦始皇本纪》/278～279页）

【译文】 秦孝公占据了殽山和函谷关的险固地势，拥有雍州的土地，君臣牢固地防守而窥伺着周朝政权，有席卷天下，统一全国的意图，有囊括四海，并吞八方的雄心。那时候，商君辅佐他，对内建立法令制度，致力于农耕纺织，整治攻防的军事装备，对外实行连衡，挑起诸侯的争斗，这样一来，秦人拱手取得了西河以外的土地。

【评点】 《秦始皇本纪》所引贾谊《过秦论》上篇之言。指出秦孝公励精图治，战略上志小天下，而战术上谨慎行事，连衡而斗诸侯，不费力气就夺取了魏国占有的河西之地。

长信侯毐作乱而觉……王知之，令相国昌平君、昌文君发卒攻毐……毐等败走。即令国中：有生得毐，赐钱百万；杀之，五十万。尽得毐等。卫尉竭、内史肆、佐弋竭、中大夫令齐等二十人皆枭首。车裂以徇，灭其宗。及其舍人，轻者为鬼薪。及夺爵迁蜀四千余家，家房陵。是月寒冻，有死者。（卷六《秦始皇本纪》/227页）

【译文】 长信侯嫪毐作乱的事被发觉，秦王得知消息，命令相国昌平君、昌文君发兵攻击嫪毐。嫪毐等战败逃跑。秦王下令通缉嫪毐，有人活捉嫪毐，赏钱一百万；杀死嫪毐，赏钱五十万。嫪毐及党徒被一网打尽。卫尉竭、内史肆、佐弋竭、中大夫令齐等首要分子二十余人全都斩首示众。对嫪毐处以车裂分尸的极刑，并诛灭了他的全家。至于嫪毐的家臣，罪轻的处以三年苦役之刑，即为宗庙打柴，称鬼薪之刑。罪重的剥夺官爵流放到蜀郡，安置在房陵县集中管制的，有四千多家。这一月遇上寒潮，被流放之家，有的冻死在秦岭山路中。

【评点】 这是秦王政九年（前238），粉碎嫪毐集团政变而亲政的一场斗争。秦王政年十三即位，年少，委国政于丞相吕不韦。嫪毐为吕不韦死党，是吕不韦推荐给秦王政母亲庄襄王后的男宠，宫中之事决于嫪毐。秦王政处于内外夹攻之中。秦王政九年，年二十二，行加冠礼，按礼法，国王成人，丞相应归政于王。太后、嫪毐、吕不韦合谋发动政变，却被秦王政坚决、果断地粉碎，并施以严厉镇压，表现了这位青年英主的雄略。

缭曰："秦王为人，蜂准，长目，挚鸟膺，豺声，少恩而虎狼心，居约易出人下，得志亦轻食人。我布衣，然见我常身自下我。诚使秦王得志于天下，天下皆为虏矣。不可与久游。"乃亡去。秦王觉，固止，以为秦国尉，卒用其计策。（卷六《秦始皇本纪》/230页）

【译文】 尉缭说："秦王这个人，高鼻梁，长眼睛，像老鹰一样的胸脯，豺狼一样的声音，缺乏仁德，而有虎狼之心，穷困的时候礼贤下士，得志的时候可以随便吃人。我是一个普通平民，可是他见我的时候总是那样的谦恭。如果秦王夺天下的心愿得以实现，天下的人都要成为他的奴隶。我不能与他长久往来。"于是逃走，秦王发觉，坚决挽留，用尉缭当了秦国的最高军事长官国尉，终于采用了他的计谋。

【评点】 此为尉缭论秦王雄杰。秦王一脸凶相，使人望而生畏。古人相信面相术，从面貌推断人的品性，从理论上说是唯心的；从实践上说，言为心声，善于察颜观色的人，可以从言行面部表情推断内心世界，则包含了经验总结的内容，就不能说是唯心的妄说了。尉缭通过秦王言行推断他的性格残忍，可共患难不可共安乐，恰好秦王又一脸凶相，这是暗合，并借貌言心，便于表述罢了。秦王为了统一天下，却也降心屈志，尊礼尉缭，并用其策。大凡雄略之主，均能屈能伸。打天下的秦王，与统一天下后治国的秦始皇形似两人，实质恰是雄略人物双重性的生动表现。

秦初并天下，令丞相、御史曰：“……寡人以眇眇之身，兴兵诛暴乱，赖宗庙之灵，六王咸伏其辜，天下大定。今名号不更，无以称成功，传后世。其议帝号。”丞相绾、御史大夫劫、廷尉斯等皆曰：“……臣等昧死上尊号，王为‘泰皇’。命为‘制’，令为‘诏’，天子自称曰‘朕’。”王曰：“去‘泰’，著‘皇’，采上古‘帝’位号，号曰‘皇帝’。”制曰：“……朕为始皇帝，后世以计数，二世三世至于万世，传之无穷。”（卷六《秦始皇本纪》/235～236 页）

【译文】 秦王刚统一天下，就命令丞相、御史大夫说：“我以渺小的身躯，兴兵诛讨暴乱，靠的是祖宗神灵保佑，六国君王都俯首伏罪，天下安定了。现在如果不更改名号，就无法显示成功，流传后世。希望大家议定帝号。”丞相王绾、御史大夫冯劫、廷尉李斯等都说：“我等臣僚冒死献上尊号，请王改称为‘泰皇’，发布教令称为‘制’，发布命令称为‘诏’，天子自称叫‘朕’。”秦王说：“去掉‘泰’字，留下‘皇’字，再采用上古‘帝’的称号加起来，称为‘皇帝’。”接着发布制书说：“朕为始皇帝，后代以数目来排列，称为二世皇帝、三世皇帝，直到万世，永远相传，没有穷尽。”

【评点】 这段文字记载秦王称“始皇帝”的意义和过程，秦王自鸣得意之情态，跃然纸上。

【焚书议】丞相臣斯昧死言：“古者天下散乱，莫之能一，是以诸侯并作，语皆道古以害今，饰虚言以乱实，人善其所私学，以非上之所建立。今皇帝并有天下，别黑白而定一尊。私学而相与非法教，人闻令下，则各以其学议之，入则心非，出则巷议，夸主以为名，异取以为高，率群下以造谤。如此弗禁，则主势降乎上，党与成乎下。禁之便。臣请史官非秦记皆烧之。非博士官所职，天下敢有藏《诗》、《书》、百家语者，悉诣守、尉杂烧之。有敢偶语《诗》、《书》者弃市。以古非今者族。吏见知不举者与同罪。令下三十日不烧，黥为城旦。所不去者，医药卜筮种树之书。若欲有学法令，以吏为师。”制曰：“可。”（卷六《秦始皇本纪》/255 页）

【译文】 丞相臣李斯冒着死罪进言：“古代天下散乱，没有人能够统一，所以诸侯蜂起，说话都称道古人，非难当今，粉饰虚言，扰乱名实，人人赞赏各自私下所学的知识，用以指责朝廷所建立的制度。当今皇帝已统一了天下，分辨是非黑白，一切决定于至尊皇帝一人。可是私人讲学相通一气反对法制教化，一听政令下达，就各自根据自己所学来评议，入朝时就在心里嘀咕，出朝后肆无忌惮地街谈巷议，在君主面前夸夸其谈捞取声名，在背后标新立异以抬高自己，在民众当中带头制造谤言。到这地步还不禁止，那就会使君主威势降低，朋党在下边形成。我以为及时禁止才是合宜的。我请求让史官把不是秦国的典籍全部烧掉。除博士官署所管理的以外，天下敢有收藏《诗》、《书》、诸子百家之言的，全部就地送往官府烧掉。有敢于在一块议论《诗》、《书》的处以死刑示众。借古非今的满门抄斩。官吏知道而不举报的同罪论处。命令下达过了 30 天仍不烧书的，在脸上刺字，判处筑城苦役四年徒刑。所不烧的书，是医药、占卜、种植一类的书。如果有人想要学习法令，以官吏为师。”秦始皇发布制书批准说：“可以。”

【评点】 李斯上“焚书议”，从而制造了中国历史上第一次大规模的焚书运动。商鞅变法已下焚书令，那时范围较小，这次焚书在统一的全国范围内进行，影响巨大。周王室及六国王室的国家藏书皆被烧去，尤其是各国的史官所记，因只藏于王室，烧灭即断绝。《诗》、《书》等典籍由于民间有所藏，到了西汉废挟书令，才又残缺不等地出现。秦始皇为了巩固政权，统一思想，钳制舆论，焚毁书籍，是对上千年文化积累的沉重打击，而且这样的高压手段只能激起人民的更大反抗，达不到巩固政权的目的，所以是一次失败的政治运动。秦末陈胜起义，孔子第八世孙孔甲参加起义，鲁地诸生也随同投奔陈涉，为什么秦末知识分子也敢于奋起，“以秦焚其业，积怨而发愤于陈王也。”（《史记·儒林列传》）焚书事件发生在秦始皇三十四年（前 213）。

【坑儒令】侯生、卢生相与谋曰：“始皇为人，天性刚戾自用，起诸侯，并天下，意得欲从，以为自古莫及己。专任狱吏，狱吏得亲幸。博士虽七十人，特备员弗用。丞相诸大臣皆受成事，倚辨于上。上乐以刑杀为威，天下畏罪持禄，莫敢尽忠。上不闻过而日骄，下慑伏谩欺以取容。秦法，不得兼方，不验，辄死。然候星气者至三百人，皆良士，畏忌讳谀，不敢端言其过。天下之事无小大皆决于上，上至以衡石量书，日夜有呈，不中呈不得休息。贪于权势至如此，未可为求仙药。”于是乃亡去。始皇闻亡，乃大怒……于是使御史悉案问诸生，诸生传相告引，乃自除犯禁者四百六十余人，皆坑之咸阳，使天下知之，以惩后。（卷六《秦始皇本纪》/258 页）

【译文】　侯生与卢生两人商量说：“秦始皇为人，天性刚愎暴戾，自以为是，起身诸侯，统一天下，称心得意，为所欲为，认为从古到今没有人比得上他。他专门任用狱吏，狱吏得到亲幸、宠爱。虽然设置了博士七十人，但只不过是备员的摆设品。

丞相和大臣们都只接受成命，仰仗皇上意志办事。皇上喜欢用重刑和杀戮来树立威信，官员们都害怕犯罪，又要保持禄位，没有人敢于献上忠言。皇上听不到过失因而一天天更加骄横，臣下提心吊胆，专事欺骗，屈从讨好。秦法规定，一个方士的方术，不能经过两次以上试验，仍不应验，就要处死。可是观察星相云气的方士多达三百人，他们都是优秀人才，只是畏罪怕事，忌讳奉迎，不敢直说皇上的过失。天下的事无论大小都由皇上决定，皇上每天批阅的文书要用秤来称量，日夜都有定额，以石为单位，批阅不达定额就不休息。他贪恋权势到如此地步，我们不能替他去找仙药。”于是他们两人就逃亡了。秦始皇听说他们逃亡，大发雷霆，派御史全部审讯方士诸生，他们互相告发，于是秦始皇亲自判处这些人的死刑，犯法的人有四百六十余人，全部在咸阳活埋，使天下的人都知道，以惩戒后人。

【评点】 秦始皇三十五年（前 212），为始皇求长生药的方士侯生、卢生逃亡，他们还批评秦始皇的暴虐、贪权，于是引发了坑儒事件。去年焚书，本年坑儒，历史上合称“焚书坑儒”，省说为“焚坑”“秦坑”，用以指摧残文化和迫害知识分子。

【始皇陵】葬始皇郦山。始皇初即位，穿治郦山，及并天下，天下徒送诣七十余万人，穿三泉，下铜而致椁，宫观百官奇器珍怪徙臧满之。令匠作机弩矢，有所穿近者辄射之。以水银为百川江河大海，机相灌输，上具天文，下具地理。以人鱼膏为烛，度不灭者久之。二世曰：“先帝后宫非有子者，出焉不宜。”皆令从死，死者甚众。葬既已下，或言工匠为机，臧皆知之，臧重即泄。大事毕，已臧，闭中羡，下外羡门，尽闭工匠臧者，无复出者。树草木以象山。（卷六《秦始皇本纪》/265 页）

【译文】 秦始皇帝被安葬在郦山坟冢。始皇刚即位时，穿凿修治郦山坟，等到统一全国，从各地送来的徒役有七十万人，凿地三重泉水那么深，灌注铜水，填塞缝隙，然后放置外棺。又修造宫观，设置百官位次，放置奇珍异物，装满了整个墓坑。命令工匠制作机动弓箭，如有人挖墓靠近将被自动发射的箭矢射杀。用水银做成百川江河大海，用机械装置灌注输送，顶壁装有天文图象，下面置有地理图形。用娃娃鱼的油脂做成火炬，预计能长久不熄灭。秦二世说："先帝后宫没有生过子女的，放他们出宫不合适。"就下令全部从殉，因此殉葬而死的人很多。下葬完毕，有人说是工匠制造了机械，墓中所藏宝物他们都知道，埋藏的宝物多而贵重，就会被泄露出去。葬礼完毕，封好藏物，就封闭了墓道上中间一道藏门，又放下了外层的一道门，安置机械藏物的工匠全被封闭在墓道中，没有一个再出来的人。墓上栽种草木，好像一座山。

【评点】 秦始皇陵在今西安市东郦山脚下，坟墓高五十余丈，周五里余，掘地极深，灌入铜液。墓中有宫殿及百官位次，珠宝不可胜计。1974 年，在陵墓东四里发现三个规模巨大的兵马俑坑，这仅仅是墓前的警卫布置，战阵排列，规模宏大，震惊世界，被誉为世界人工第八大工程。据考古专家估计，始皇陵及其陪葬区总面积竟达 255 平方里。项羽入关，火烧始皇陵地面建筑及咸阳宫三月不灭。秦朝并灭六国，征天下徒役七十万人修始皇陵，直到二世末年秦朝灭亡，工程还未建完。如此奢靡而轻百姓力，秦朝不亡何待！

【汉王夺韩信军】汉王出成皋，东渡河，独与滕公俱，从张耳军修武。至，宿传舍。晨自称汉使，驰入赵壁。张耳、韩信未起，即其卧内上夺其印符，以麾召诸将，易置之。信、耳起，乃知汉王来，大惊。汉王夺两人军，即令张耳备守赵地，拜韩信为相国，收赵兵未发者击齐。（卷九二《淮阴侯列传》/2619 页）

【译文】　汉王逃出成皋，向东渡过黄河，只有滕公夏侯婴相随，直奔张耳军驻地修武。到达后，住宿在客馆里。第二天早晨，汉王自称是汉王的使者，骑马奔入赵军的营垒。张耳、韩信两人还没有起床，汉王就在他们的卧室内取走他们的将印和兵符，用军旗召集众将，更换了他们的职务。韩信、张耳两人起床后，才知道是汉王来了，大为震惊。汉王夺了两人的军队，当即任命张耳防守赵地，任命韩信为相国，调集赵国没有开往荥阳的部队，去攻打齐国。

【评点】　汉王刘邦在主战场失利，担心韩信不听指挥，于是以诈术夺军，其举动带有冒险性，而胆气足以震慑臣下之心，刘邦亦雄主也。韩信为齐王后，再次被刘邦轻而易举夺军。由此可见，韩信慑服汉王，并无反叛之心，否则岂能一夺再夺，玩大将于掌中。要之，韩信尽管智勇双全，而气质无王霸之胆识，刘邦了如指掌，才敢于玩之于掌中矣！

吾以布衣提三尺剑取天下，此非天命乎？命乃在天，虽扁鹊何益！（卷八《高祖本纪》/391 页）

【译文】　我一个普通人手提三尺宝剑取得了天下，这难道不是天的意志吗？命运决定在上天，即使是扁鹊转世，又有什么用处呢。

【评点】　高帝临终前的豪壮之言。高帝征讨英布，被流矢射中，伤势沉重，已不可医治。高帝没有怪罪医生，赐金五十斤，停止医药，安排后事，显示了这位雄主的明彻豁达，难能可贵。

盛哉！天子之德，一人有庆，天下赖之。（卷二一《建元以来王子侯者年表序》/1071 页）

【译文】　伟大啊！崇高德义的皇上！你一人发善心，普天下的人都得到便利。

【评点】　司马迁评论汉武帝推恩令之言。庆，庆贺，引申为善。赖，依恃。末二句引自《尚书·吕刑》，原文作“一人有庆，兆民赖之。”孔颖达疏：“天子一人有善事，则亿兆之民蒙赖之，若能如此，其乃安宁惟久长之道也。”武帝欲削弱诸侯，主父偃献策说：“古者诸侯不过百里，强弱之形易制，今诸侯或连城数十，地方千里，缓则骄奢易为淫乱，急则阻其强而合从以逆京师。今以法割削之，则逆节萌起，前日晁错是也。今诸侯子弟或十数，而嫡嗣代立，余虽骨肉，无尺寸地封，则仁孝之道不宣。愿陛下令诸侯得推恩分子弟，以地侯之。彼人人喜得所愿，上以德施，实分其国，不削而稍弱矣。”（《史记·平津侯主父列传》）汉武帝采纳其计，史称推恩令。司马迁认为推恩分削诸侯，符合古制亲亲之义，强本弱枝，有利于封建大一统的巩固，故司马迁引《尚书》之文，极力称赞，谓“一人有庆，天下赖之”，颂扬汉武帝做了一件好事。

世必有非常之人，然后有非常之事；有非常之事，然后有非常之功。（卷一一七《司马相如列传》/3050页）

【译文】　世上必须有不平凡的人出现，然后才能做出不平凡的事业；有不平凡的事业，然后才能建立不平凡的功业。

【评点】　司马相如《难蜀父老》文中之言。原是告喻巴蜀之民，汉通西南夷是一桩非常功业，只有汉武帝这样的雄主在世才能创立，是千载难逢的机遇，大家应当踊跃支持，建功立业。后世泛指特殊的功业，需要特殊的人物来建立，用以称扬人物。

良臣第十八

【引言】 良臣篇，凡 20 条。《太史公自序》云：“国有贤相良将，民之师表也。”殷周之际，纣王昏乱，诸侯多叛纣而往归西伯。王子比干谏，不听。商容贤者，百姓爱之，纣废之。于是西伯乘机灭饥国。其后，武王观兵孟津，不期而会者八百诸侯。诸侯都说：“纣可伐矣。”武王说：“女未知天命，未可也。”（《周本纪》）又过了两年，纣王杀王子比干，囚箕子，太师、少师乃持其祭乐器奔周。于是武王遍告诸侯说：“殷有重罪，不可以不毕伐。”（同上）一战而灭纣。由此可见，没有贤臣良辅，国破家亡；反之，治平天下，要靠贤相良将。这是司马迁的政治观点之一，贤相良将，为民之师表，也就是说，贤相良将爱民如子。司马迁笔下的循吏，无轰轰烈烈的功业，而爱民之心却无与伦比，这可以说是《史记》人民性的成分之一，突现出鲜明的特色。

君国子民，为善者皆在王官。（卷三《殷本纪》/93 页）

【译文】 国君要爱民如子，把为善的人都应安排在朝廷中做官。

【评点】 伊尹之言，讲用人之道，贵在举贤。君国，治国之君，即国君。子民，视民如子，即爱民。王官，王朝的官职，即职位。

【一狐之腋】吾闻千羊之皮不如一狐之腋。诸大夫朝，徒闻唯唯，不闻周舍之鄂鄂，是以忧也。(卷四三《赵世家》/1792 页)

【译文】　我听说一千张羊皮，也抵不上一张狐腋皮。各位大夫参加朝会，我只听到唯唯诺诺的声音，听不到周舍那样鄂鄂的争辩声，所以忧虑。

【评点】　“一狐之腋”，指每只狐狸只取腋下的那一块皮，用腋皮制成的皮裘，价值千金，比喻直谏的人才极其珍贵。周舍，赵简子的家臣，好直谏。周舍死后，赵简子每次主持朝会，处理政事，很不高兴，发出叹惜声，诸大夫请罪，赵简子说了上面的话。赵简子，春秋时晋国执政大臣，奠定了赵国的基业。

家贫思良妻，国乱思良相。(卷四四《魏世家》/1840 页)

【译文】　家境贫穷时就想有一位好妻子，国家动乱时就想有一位能干的宰辅。

【评点】　魏国大夫李克劝谏魏文侯慎择宰辅的良言。魏文侯选相，他的弟弟魏成子和上卿翟璜两个人都很能干，选哪一位做宰相，他拿不定主意。魏文侯咨询大臣李克的意见，于是用这两句话提问，因为这恰恰是李克经常劝谏魏文侯的话。李克是上卿翟璜推荐而得到重用的人，一边是国君宗室，一边是自己的恩人，李克夹在当间难以说话。魏文侯用这两句话表达了自己思贤若渴，打消李克的顾虑，对待国家利益就像对待个人的家庭利益一样，认真地推荐贤者。一个贴切的比喻胜过长篇大论，精彩之极。

宰相者，上佐天子理阴阳，顺四时，下育万物之宜；外镇抚四夷诸侯，内亲附百姓，使卿大夫各得任其职焉。(卷五六《陈丞相世家》/2061～2062 页)

【译文】　宰相这一职位，对上辅佐天子调理阴阳，顺应四时，对下养育万物适时生长；对外镇抚四夷和诸侯，对内团结百姓使之亲附朝廷，让卿大夫各级官员充分履行他们的职责。

【评点】 陈平对文帝之言。平定诸吕，陈平用计，周勃主兵，周勃功劳大于陈平，陈平主动让出右丞相之职给周勃，陈平担任左丞相。周勃缺少文化，没有宰相才。有一次上朝汉文帝询问周勃全国判案、钱谷收入，周勃回答不上来，汗流浃背。再问陈平，陈平机智地说了宰相的职能，是协调天子日理万机，不主管具体事务。周勃自知不及陈平，辞去右丞相之职，从此，两丞相合为一丞相，陈平全面掌权。这个故事说明了在政治斗争中武不敌文，也表现出陈平的老谋深算。

天下昏乱，忠臣乃见。（卷九〇《魏豹彭越列传》/2589页）

【译文】 国家政治昏乱，忠臣才能显现出来。

【评点】 周市之言，从《老子》曰“国家昏乱有忠臣”一语化出。周市，陈胜王派出攻略魏地的战将。魏人要拥立周市为魏王，周市以此言辞谢，改立六国魏王室之后魏咎为魏王。天下混乱，在血与火的考验中，一个人的品德方能充分显现，所以说，“天下昏乱，忠臣乃见”。见，读现。

社稷臣，主在与在，主亡与亡。（卷一〇一《袁盎晁错列传》/2737页）

【译文】 国家重臣与皇上生死与共，皇上生时与死后，他都一个样。

【评点】 袁盎谏文帝之言。社稷臣，国家兴亡所寄的重臣。太尉周勃诛除诸吕，迎立文帝，挽救了西汉的危亡，说周勃是社稷臣当之无愧，因此文帝很敬重他，升为丞相。周勃粗重少文，他见文帝谦恭，自己却骄傲起来，长此下去，君臣离心，会产生新的动乱。袁盎谏说文帝，周勃是功臣，不是社稷臣，提出社稷臣谦恭待主，人主不在，事奉如生时，不改其政，而周勃在高帝死后，诸吕擅权之时，他身为太尉，手握军权却不敢纠正，只是吕太后死后立了功罢了。一个功臣，就骄傲自大，失了臣子礼节。从此，文帝对周勃严肃起来，周勃畏惧皇上而日益谦恭。周勃对袁盎很不高兴。后来周勃有罪，袁盎出面救护，周勃才知道袁盎说话是符合道义的，两人成了好朋友。

【非熊非罴】西伯将出猎，卜之，曰："所获非龙非螭，非虎非罴；所获霸王之辅。"（卷三二《齐太公世家》/1477～1478页）

【译文】　西伯准备出去打猎，占问吉凶，卦辞说："得到的不是龙不是螭，不是虎不是罴；得到的是霸王的辅佐。"

【评点】　"非熊非罴"，指猎获物不是熊不是罴，喻圣王得贤人之辅。贤人吕尚，垂钓于渭滨，得遇文王。文王在出猎时占卦将得到贤辅。螭（chī），无角的龙。罴，熊的一种。这段卜辞演化为"非熊非罴"。《宋书·符瑞志上》："将大获，非熊非罴，天遗汝师以佐昌。"

召公之治西方，甚得兆民和。召公巡行乡邑，有棠树，决狱政事其下，自侯伯至庶人各得其所，无失职者。召公卒，而民人思召公之政，怀棠树不敢伐，哥咏之，作《甘棠》之诗。（卷三四《燕召公世家》/1550页）

【译文】　召公奭治理周朝的西部国土，受到广大民众的拥戴。召公经常巡察乡邑，常在一颗棠梨树下断案和处理政务，上自侯爵伯爵，下至普通百姓，各得其所，没有失职和失业的人。召公死后，民众怀念他的政绩，十分爱护那棵棠梨树，没人砍伐，还作了一首《甘棠》之诗来歌颂它。

【评点】　召公奭，西周开国大臣之一，他与周公共同辅佐，分治陕邑以西之地，深入民众，简易办事，死后人们深深怀念他。颂扬他的《甘棠》之诗，见《诗经·国风·召南》。

方晏子伏庄公尸哭之，成礼然后去，岂所谓“见义不为无勇”者邪？至其谏说，犯君之颜，此所谓“进思尽忠，退思补过”者哉！假令晏子而在，余虽为之执鞭，所忻慕焉。（卷六二《管晏列传》/2136～2137页）

【译文】 当晏子伏在庄公尸体上痛哭，尽了臣礼后才离去的时候，难道是针对“见义不为就不能叫做勇”这话而行事的人吗？至于他直率的劝谏，敢于冒犯君主的威严，这就是所说的“在朝廷上要竭尽忠诚，下朝则反省补过”那样的人吗！假如晏子至今还活着，我就是替他执鞭赶车，也是我乐意和向往的啊。

【评点】 司马迁论赞之言。“成礼然后去”，据《左传》襄公二十五年载，齐大夫崔杼弑庄公，晏婴抱着庄公的尸体痛哭，尽了君臣之礼，然后才离去。“见义不为无勇”句，引自《论语·为政》孔子之言。“进思尽忠”句，引自《孝经·事君章》。晏婴，字平仲，春秋时齐名臣，事齐灵公、庄公、景公三朝为相，使齐中兴。他以齐相国之尊，引囚犯越石父为知己，把他解救出来待为上宾，又以车夫贤能，荐为大夫。当权臣弑君，他能不顾个人安危，尽君臣之礼。司马迁认为晏子不畏权奸，荐宠下辈，真是符合孔子及《孝经》所论述的贤臣，见义有勇，尽忠补过。司马迁以愿为晏子执鞭来抒发自己内心深处的感慨，叹知己之难遇，有着深刻的寄托。

公仪休者，鲁博士也。以高弟为鲁相……客有遗相鱼者，相不受。客曰：“闻君嗜鱼，遗君鱼，何故不受也？”相曰：“以嗜鱼，故不受也。今为相，能自给鱼，今受鱼而免，谁复给我鱼者？吾故不受也。”（卷一一九《循吏列传》/3101～3102页）

【译文】 公仪休是鲁国的博士。由于才学优秀做了鲁国的相。有一个客人送鱼给相，公仪休相不肯接受。客人说：“听说您喜欢吃鱼，这才给您送鱼，为什么不收下呢?”公仪休相说：“正因为喜欢吃鱼，所以不接受。现在做相，有能力自己买鱼，如果接受你送的鱼而被免相，那时谁给我送鱼呢？我所以才不接受呢。”

【评点】　这个故事风趣地再现了一个清廉宰相的形象，令人敬佩。

石奢者，楚昭王相也。坚直廉正，无所阿避。行县，道有杀人者，相追之，乃其父也。纵其父而还自系焉。使人言之王曰：“杀人者，臣之父也。夫以父立政，不孝也；废法纵罪，非忠也；臣罪当死。”王曰：“追而不及，不当伏罪，子其治事矣。”石奢曰：“不私其父，非孝子也；不奉主法，非忠臣也。王赦其罪，上惠也；伏诛而死，臣职也。”遂不受令，自刎而死。（卷一一九《循吏列传》/3102 页）

【译文】　石奢是楚昭王的宰相。他刚毅爽直，廉洁公正，不迎逢上司，也不回避权贵。有一次巡行县邑，路上碰到杀人犯，石奢宰相追上他，原来是自己的父亲。他放走了父亲，回来自缚请罪，派人对楚昭王说：“杀人的罪犯是我的父亲。我如果依法惩治父亲，就是不孝；放纵罪犯又损害了法律的尊严，是不忠。臣罪该万死。”楚昭王说：“追捕罪犯，没有追上，不应当判罪，你还是照常处理公务。”石奢说：“不偏袒父亲，不是孝子；不执行国法，不是忠臣。大王您赦免了我的罪过，是主上的恩德；我受刑而死，是臣子的职分。”他终于不接受赦令，自杀死了。

【评点】　石奢代父受法律制裁，自判死罪。他不接受楚昭王的赦免，自杀而死，维护了法律的尊严。

李离者，晋文公之理也。过听杀人，自拘当死。文公曰："官有贵贱，罚有轻重。下吏有过，非子之罪也。"李离曰："臣居官为长，不与吏让位；受禄为多，不与下分利。今过听杀人，傅其罪下吏，非所闻也。"辞不受令。文公曰："子则自以为有罪，寡人亦有罪邪？"李离曰："理有法，失刑则刑，失死则死。公以臣能听微决疑，故使为理。今过听杀人，当死。"遂不受令，伏剑而死。
（卷一一九《循吏列传》/3102～3103 页）

【译文】 李离是晋文公的法官。由于自己失察杀错了人，自己把自己拘禁起来，并自己判处死刑。晋文公说："官职有贵有贱，刑罚有轻有重。这是你的下属官有错，不是你的罪过。"李离说："我担任最高法官，并没让位给下属；我得的俸禄最多，没有分给下属。如今失察杀错了人，却把罪过推给了下属，我没听说过这个道理。"晋文公说："您因官大自认为有罪，岂不是我也有罪吗？"李离说："判案依据法律，因失察误断使人受刑，断案人就要自己受刑，错判杀了人，断察人自己就要偿命。您认为我能够明察秋毫，判决疑案，所以派我担任法官。现我失察杀人，罪当偿命。"于是不接受晋文公的赦令，用剑自杀而死。

【评点】 李离误判致人死罪，自杀偿命，表示法律公正无私，神圣不可侵犯，即使误犯也不行。晋文公因此整肃了国家法纪。

君高台深池，赋敛如弗得，刑罚恐弗胜，茀星将出，彗星何惧乎？（卷三二《齐太公世家》/1504 页）

【译文】 您筑高台凿深池，加重赋税惟恐收得少，滥施刑罚惟恐不严苛，这样下去还会出现孛星，彗星还值得害怕吗？

【评点】 齐大夫晏婴谏景公之言。春秋齐景公当政时，齐国公室已经衰落，田成子势力日益增大。齐景公不知恤民，生活豪侈，重税苛法。齐景公三十二年（前 516），出现彗星，君臣恐惧，认为是上天示警，群臣大哭，晏子大笑。晏子借机谏说景公勤政爱民。如果不修明政治，还会出现孛星，彗星又算得什么呢？孛星是不常见的彗星，古人称为妖星，认为它的出现会比彗星带来更大的祸害。晏婴不从俗议，不迎逢国君，直言敢谏，是春秋之世的齐国名臣。

昌为人强力，敢直言，自萧、曹等皆卑下之。昌尝燕时入奏事，高帝方拥戚姬，昌还走，高帝逐得，骑周昌项，问曰："我何如主也？"昌仰曰："陛下即桀纣之主也。"于是上笑之，然尤惮周昌。及帝欲废太子，而立戚姬子如意为太子，大臣固争之，莫能得；上以留侯策即止。而周昌廷争之强，上问其说，昌为人吃，又盛怒，曰："臣口不能言，然臣期期知其不可。陛下虽欲废太子，臣期期不奉诏。"上欣然而笑。既罢，吕后侧耳于东箱听，见周昌，为跪谢曰："微君，太子几废。"(卷九六《张丞相列传》/2677 页)

【译文】　周昌为人性格刚强，敢说真话，即使萧何、曹参都赶不上他。周昌曾经在高帝闲暇时入宫奏事，高帝正拥抱着戚夫人玩耍，周昌转身就跑，高帝追上抓住他，骑在周昌脖子上问道："我是哪一类君王？"周昌昂起头来说："陛下是桀纣一样的君主。"皇上听了这话却笑了起来，然而特别敬畏周昌。等到高帝想要废掉太子，改立戚姬所生儿子刘如意为太子时，大臣们坚决反对，谁也没能改变皇上主意。由于留侯张良定下计策，才没有废太子。但是周昌在朝廷上争辩最坚决。高帝问他什么理由，周昌本来口吃，又在气头上，说："我嘴上不会讲，可我期……期……知道这不行。陛下虽然想废太子，我期……期……不奉诏。"逗得高帝快活地笑起来。散朝以后，吕后因在东厢房侧耳听了这话，她见到周昌，特地跪谢说："没有您，太子险些被废。"

【评点】 这段文字记载周昌骂皇帝和廷谏废太子两件遗事，刻画了周昌的刚强为人。《张丞相列传》是一篇汉初宰辅合传，周昌为御史大夫，本传人物之一。传中事迹紧紧围绕周昌谏废太子、保护赵王如意等政治遗事，突出他敢言的忠正品德。“期期”，是描写周昌口吃的声音。成语“期期艾艾”一半出此。《世说新语·言语》载三国时魏大将邓艾为人口吃，“语称艾艾。晋文王戏之曰：‘卿云艾艾，定是几艾?’”周昌口吃言“期期”，邓艾口吃曰“艾艾”，合称“期期艾艾”，用以形容说话吐字不清，语句重复。

【申嘉拒谒】嘉为人廉直，门不受私谒。是时，太中大夫邓通方隆爱幸，赏赐累巨万。文帝尝燕饮通家，其宠如是。是时丞相入朝，而通居上傍，有怠慢之礼。丞相奏事毕，因言曰：“陛下爱幸臣，则富贵之；至于朝廷之礼，不可以不肃！”上曰：“君勿言，吾私之。”罢朝坐府中，嘉为檄召邓通诣丞相府，不来，且斩通。通恐，入言文帝。文帝曰：“汝第往，吾今使人召若。”通至丞相府，免冠，徒跣，顿首谢。嘉坐自如，故不为礼，责曰：“夫朝廷者，高皇帝之朝廷也。通小臣，戏殿上，大不敬，当斩。吏今行斩之！”通顿首，首尽出血，不解。文帝度丞相已困通，使使者持节召通，而谢丞相曰：“此吾弄臣，君释之。”邓通既至，为文帝泣曰：“丞相几杀臣。”(卷九六《张丞相列传》/2683～2684 页)

【译文】 申屠嘉为人廉洁正直，在家里不接受私人拜访。当时，太中大夫邓通受到文帝的特别宠爱，赏赐他的钱财有上万万。文帝曾经到他家赴宴饮酒，由此可见皇帝对他的宠爱程度。在邓通红得发紫的时候，丞相申屠嘉上朝奏事，而邓通站在皇帝身边，礼节有些简慢。申屠嘉奏完事后，接着说：“皇上宠爱臣下，可以让他富贵；至于朝廷上的礼节，却不可不严肃。”皇上说：“您不要说了，我偏爱他。”申屠嘉退朝回到丞相府中，下了一道手令召邓通到相府来，如果不来，就要将邓通斩首。邓通非常害怕，进宫报告了文帝。文帝说：“你只管去，我随后派人召你进宫。”邓通到了丞相府，摘下帽，脱掉鞋子，叩头请罪。申屠嘉很随便地坐在座位上，故意不以礼相待，斥责邓通说：“那朝廷是高皇帝的朝廷，你邓通只不过是一个小臣，随随便便在朝殿之上，犯了大不敬之罪，应当斩首。来人哪，现在就执行。”邓通叩头，碰得鲜血直流，但申屠嘉仍不饶他。文帝估计丞相已经让邓通吃够了苦头，派使者拿着节旌去召邓通进宫，并向丞相道歉说：“这是我的弄臣，请您饶了他。”邓通回到宫中后，哭着对文帝说：“我差点被丞相杀了。”

【评点】　申屠嘉行伍出身，追随高帝经受创业艰难的锤炼，正直无私。他敢于惩治文帝的宠臣，文帝也能含容他的冲撞，反映了文景时期政治的开明。成语“申嘉拒谒”出此，喻廉洁耿正。谒，私人拜访，请托。

臣愚，以为陛下法太明，赏太轻，罚太重。且云中守魏尚坐上功首虏差六级，陛下下之吏，削其爵，罚作之。由此言之，陛下虽得廉颇、李牧，弗能用也。（卷一〇二《张释之冯唐列传》/2759 页）

【译文】　我这人愚笨不明事理，因此认为皇上的法令太严明，奖赏太轻，惩罚太重。何况云中郡郡守魏尚杀敌报功，犯了多报六个首级的过错，皇上就把他交给法官治罪，削夺了他的爵位，判处一年苦刑。由此说来，皇上即使得到廉颇、李牧，也是不能重用的。

【评点】　冯唐在汉文帝前论将之言。当时匈奴犯边，文帝思念良将，感叹廉颇、李牧不生于此时。冯唐当面谏说汉文帝，即使有了廉颇、李牧也不能用。冯唐说，云中郡郡守魏尚，爱护士兵，拿出个人的钱来奖励士兵，作战英勇，匈奴不敢犯边。可是一次报功差了六个首级就罢了魏尚的官，还判了刑。不见赏赐，只见重罚，这样苛刻，世上就没有良将了。汉文帝听后消除了怒气，立即派冯唐去宣布赦令，使魏尚官复原职，还提拔冯唐为车骑都尉。

天子置公卿辅弼之臣，宁令从谀承意，陷主于不义乎？且已在其位，纵爱身，奈辱朝廷何！（卷一二〇《汲郑列传》/3106页）

【译文】 天子设置公卿等辅佐大臣，难道只是让他们阿谀奉承、领会意图，使皇上陷入不义吗？况且我既然充位公卿，尽管爱惜自身，对损害朝廷利益的大事，又怎么能不管呢？

【评点】 汲黯回答同僚论臣下职责之言。汲黯直言，有时当面顶撞汉武帝，许多爱护汲黯的同僚责备他，汲黯说了这番话。汲黯公而忘私，受命之日就把生死置之度外，一心为了国家，无愧社稷之臣的赞誉。有一次汉武帝问庄助，汲黯是什么样的人，庄助回答，汲黯办事没有特殊才能，但他捍卫国家无人可比。汉武帝称赞说："汲黯可以说得上是一个社稷之臣啊！"

大将军青侍中，上踞厕而视之。丞相弘燕见，上或时不冠。至如黯见，上不冠不见也。上尝坐武帐中，黯前奏事，上不冠，望见黯，避帐中，使人可其奏。其见敬礼如此。（卷一二〇《汲郑列传》/3107页）

【译文】 大将军卫青入侍宫中，皇上蹲在厕所里接见他。丞相公孙弘平常因事求见，皇上有时不戴帽子。至于汲黯进见，皇上不戴帽子就不接见。有一次皇上曾经坐在武帐中，汲黯前来奏事，皇上没有戴帽子，老远看见了汲黯，立即避入帷帐中，派近侍的人传言代准他奏请的事。他使皇上敬畏礼遇到了这个程度。

【评点】 汲黯一身正气，不苟言笑，遇事敢言，敢廷争论是非，大义凛然不可侵犯，赢得了汉武帝的尊敬。

大将军青既益尊，姊为皇后，然黯与亢礼。人或说黯曰："自天子欲群臣下大将军，大将军尊重益贵，君不可以不拜。"黯曰："夫以大将军有揖客，反不重邪？"大将军闻，愈贤黯，数请问国家朝廷所疑，遇黯过于平生。（卷一二〇《汲郑列传》/3108 页）

【译文】 大将军卫青已经越发地尊贵了，他的姐姐卫子夫做了皇后，但汲黯见了卫青只是行平等的礼节。有人劝汲黯说："从天子那里就想让群臣谦恭在大将军之下，大将军很受皇上尊敬和器重，你见了不可以不拜。"汲黯说："让大将军有行拱手平等礼的客人，反倒不是尊重他吗？"大将军听到了，更加认为汲黯贤良，多次向他请教国家大事和朝廷上的疑难事，对待汲黯超过平时交往的一切人。

【评点】 表现了汲黯对待大将军不卑不亢的风采。

好直谏，守节死义，难惑以非。（卷一二〇《汲郑列传》/3109 页）

【译文】 喜欢直言进谏，坚守节操，为大义敢于奉献生命，很难用不正当的言行来迷惑他。

【评点】 淮南王刘安评论汲黯之言。刘安想谋反，想用计谋来迷惑朝中大臣。刘安说，"游说丞相公孙弘，就像揭开一个盖子，摇落树上枯叶一样容易"，可是，对汲黯难以迷惑他。在诸侯王心中，汲黯比丞相还受人尊重。

任贤第十九

【引言】 任贤篇，凡20条。司马迁通古今之变，探治乱之源，十分注意贤才的作用。他认为国家兴旺的标志是君子用而小人退；国家将亡的征兆就是贤人隐，乱臣贵，“安危在出令，存亡在所任”。三代的兴亡如此，春秋列国的争战如此，楚亡汉兴尤其如此。司马迁批评汉武帝用人不当，主观决策，“是以建功不深”。他十分感慨地说：“尧虽贤，兴事业不成，得禹而九州宁。且欲兴圣统，唯在择任将相哉！唯在择任将相哉！”（《匈奴列传赞》）由此可见，司马迁对于贤相良将治平天下的作用有着深刻的认识。他把用人得失强调到关系国家兴亡的高度。国君任贤，首先自身修养要有贤德，讷谏，虚心求贤，用人不疑，才能得贤才的死力。

安危在出令，存亡在所任。（卷五〇《楚元王世家》/1990页）

【译文】 国家的安全与危险，在于发出什么样的政令；国家的生存与灭亡，在于所任用的是什么样的人才。

【评点】 司马迁论赞引《逸周书·王佩解》之言，原文作：“存亡在所用，离合在出命。”强调国家的治乱与兴衰，统一与分裂，关键在于政治方针是否正确，人才是否被埋没。在神意史观弥漫的时代，这种重视人才的观点无疑是进步的。

贤人乎，贤人乎！非质有其内，恶能用之哉？（卷五〇《楚元王世家》/1990页）

【译文】 贤人啊，贤人啊，如果王侯本身没有内才，怎么能够使用贤才呢！

【评点】 司马迁论赞之言。楚王刘戊凶顽愚蠢，他甚至惩罚起老师申公，后来参与吴楚七国之乱身死国亡。申公是西汉著名的诗学大儒。司马迁由此发出深深的感叹。俗语说："武大郎开店，身高的莫要进来。"没有内才的人做不了伯乐。愚人统治智者，任人惟贤就是一句空话。

卫多君子，未有患也。（卷三一《吴太伯世家》/1458页）

【译文】 卫国执政的贤人很多，没有祸患。

【评点】 吴公子延陵季子之言。卫国是一个小国，但朝中多君子，有蘧瑗、史狗、史鳍、公子荆、公叔发、公子朝等为政，政局稳定，强邻晋国不敢欺侮。这说明，人才是国家之宝。

【捉发吐哺】我一沐三捉发，一饭三吐哺，起以待士，犹恐失天下之贤人。（卷三三《鲁周公世家》/1518页）

【译文】 我洗一次头要三次握住头发，吃一顿饭要三次放下饭碗，立即起身接待贤士，这样还担心失掉天下的贤人。

【评点】 周公劝诫伯禽之言，告诫伯禽礼贤下士要真心诚意，切不可倨傲怠慢。凝缩成语为"捉发吐哺"，用以形容延揽人才而操心忙碌的样子。沐，《说文》："濯发也。"捉发，指拢住头发停止洗濯。哺，《广韵》："食在口中。"吐哺，指吐出正在口中咀嚼的食物，形容客人来访立即放下饭碗的样子。伯禽，周公旦长子，受封于鲁。伯禽向周公辞行，周公告诫他这番话，要求伯禽到鲁国封地上要礼用贤士。

【燕昭筑宫】郭隗曰："王必欲致士，先从隗始。况贤于隗者，岂远千里哉！"于是昭王为隗改筑宫而师事之。(卷三四《燕召公世家》/1558页)

【译文】 郭隗说："大王一定要招致贤士，那就从我郭隗开始。至于那些比我郭隗更贤能的人，难道还会因路途千里之远而不来吗?"于是燕昭王重新替郭隗修建了住宅，把他尊为老师。

【评点】 燕大臣郭隗之言。燕昭王即位，发奋图强，思得贤士，请郭隗推荐人才，郭隗毛遂自荐，让燕昭王作出榜样。燕昭王采纳了郭隗意见，尊他为老师，让他搬进富丽堂皇的住宅，表现了思贤若渴的决心。果然，乐毅从魏国到来，邹衍从齐国到来，剧辛从赵国到来，贤士们争相来燕。燕昭王进一步吊祭死者，慰问孤寡，与臣民同甘共苦，燕国很快兴盛起来。

君不察故也。居视其所亲，富视其所与，达视其所举，穷视其所不为，贫视其所不取，五者足以定之矣，何待克哉！(卷四四《魏世家》/1840页)

【译文】 君王你没有考察的缘故。平常时看他亲近些什么人，富裕时看他交往些什么人，显达时看他提拔些什么人，失意时看他所不做的事，贫穷时看他所不取的东西，从这五个方面考察足可以确定贤相了，用得着我说吗?

【评点】 魏国大夫李克巧妙地荐贤之言。魏文侯要大夫李克为他从魏成子和翟璜二人中推荐一位做国相。魏成子是魏文侯之弟，翟璜是上卿，一个亲，一个尊。李克有些为难就推辞说："卑不谋尊，疏不谋戚，臣在阙门之外，不敢当命。"在下位的人不去参与尊贵者的事，疏远的人不去参与亲近者的事，这是人之常情。李克当时辅助魏太子击长久在中山，所以又说在阙门之外，即在国都之外，不了解朝内的事情，不敢承命。魏文侯坚持让他说话，"先生临事勿让"，即国家有事怎能考虑个人推辞责任呢?李克是故作姿态，以试魏文侯的选贤决心。于是说了上面的五句话，从平居、富贵、显达、失意、贫穷五个方面考察人才，也就是认识人的五条道德标准，十分全面而有启发意义。李克说完，魏文侯说："先生休息去吧，我知道谁应该当国相了。"

秦，国虽小，其志大；处虽辟，行中正。身举五羖，爵之大夫，起累绁之中，与语三日，授之以政。以此取之，虽王可也，其霸小矣。（卷四七《孔子世家》/1910页）

【译文】 秦国虽小，志向却很大；所处的地方虽然偏僻，但施政却中和正直。秦穆公亲自提拔百里奚，授给他大夫的爵位，把他从囚犯中解救出来，与他一连谈了三天的话，委以政务。用这种精神治理国家，就是统治天下也是可以的，他当个霸主还是小的呢！

【评点】 孔子答齐景公之言。当时孔子三十五岁，齐景公访问鲁国，向孔子提了一个问题，秦穆公国小偏远，为什么能称霸。孔子的回答，指出秦穆公举贤任能，所以称霸。五羖，五张黑色的公羊皮，秦穆公用以赎免百里奚，因号百里奚为五羖大夫。

诛杀忠臣而立无节行之人，是内使群臣不相信，而外使斗士之意离也。（卷八八《蒙恬列传》/2568页）

【译文】 诛杀忠良臣子而任用没有品行节操的人，那将是对内使大臣们不能互相信任，对外使战斗的将士们涣散斗志。

【评点】 子婴劝谏秦二世之言。这是子婴针对秦二世诛杀三世为秦将的蒙毅说的。诸葛亮说："亲贤臣，远小人，此先汉所以兴隆也；亲小人，远贤臣，此后汉所以倾颓也。"（《前出师表》）可与比相辅发明。

【八元八恺】昔高阳氏有才子八人，世得其利，谓之“八恺”。高辛氏有才子八人，世谓之“八元”。此十六族者，世济其美，不陨其名。至于尧，尧未能举。舜举八恺，使主后土，以揆百事，莫不时序。举八元，使布五教于四方，父义，母慈，兄友，弟恭，子孝，内平外成。（卷一《五帝本纪》/35 页）

【译文】 从前高阳氏出了八个有才能的子孙，世人都得好处，称他们为八恺。高辛氏出了八个有才能的子孙，世人称他们为八元。这十六个家族的人，世世代代继承先人的美德，没有败坏他们先祖的名声。在尧的时候，尧没有举荐他们。舜举用了八恺的后代，让他们主管水土，处理各种事务，办得井井有条而不违农时。舜又举用了八元，让他们在四面八方传播五种教化，使得做父亲的有威严，做母亲的慈爱，做兄长的友善，做弟弟的恭谨，做儿子的孝顺，国内太平，四夷向往。

【评点】 “八元八恺”，典出《五帝本纪》。元，善良。恺，和善。八元、八恺，传说的五帝时代并世齐名的十六个贤人，用作高贤有德的典故。高阳氏，五帝之一，即帝颛顼。高辛氏，五帝之一，即帝喾。他们任用贤人，政治修明。八元八恺，又见《左传》文公十八年，为《史记》所本。八元为：伯奋、仲堪、叔献、季仲、伯虎、仲熊、叔豹、季狸。八恺为：苍舒、隤敳、梼戭（yīn）、大临、尨（máng）降、庭坚、仲容、叔达。

【五羖大夫】 五年，晋献公灭虞、虢，虏虞君与其大夫百里傒，以璧马赂于虞故也。既虏百里傒，以为秦缪公夫人媵于秦。百里傒亡秦走宛，楚鄙人执之。缪公闻百里傒贤，欲重赎之，恐楚人不与，乃使人谓楚曰：“吾媵臣百里傒在焉，请以五羖羊皮赎之。”楚人遂许与之。当是时，百里傒年已七十余。缪公释其囚，与语国事。谢曰："臣亡国之臣，何足问！"缪公曰："虞君不用子，故亡，非子罪也。"固问，语三日，缪公大悦，授之国政，号曰五羖大夫。百里奚让曰："臣不及臣友蹇叔，蹇叔贤而世莫知。臣常游困于齐而乞食铚人，蹇叔收臣。臣因而欲事齐君无知，蹇叔止臣，臣得脱齐难，遂之周。周王子颓好牛，臣以养牛干之。及颓欲用臣，蹇叔止臣，臣去，得不诛。事虞君，蹇叔止臣。臣知虞君不用臣，臣诚私利禄爵，且留。再用其言，得脱，一不用，及虞君难：是以知其贤。"于是缪公使人厚币迎蹇叔，以为上大夫。(卷五《秦本纪》/186 页)

【译文】 秦穆公五年（前 655），晋献公灭了虞国和虢国，俘虏了虞君和他的大夫百里奚，原来晋献公曾用白玉和良马贿赂虞君，借道伐虢，遂并灭二国。晋献公俘虏了百里奚之后，把他作为秦穆公夫人的陪嫁奴仆送到秦国。百里奚逃离秦国跑到宛地，楚国边境上的人抓住了他。秦穆公听说百里奚有才能，想用重金赎买他，担心楚国人反而不卖，于是派人对楚人说："我家的陪嫁奴仆百里奚逃亡到这里，请让我用五张黑色公羊皮赎回他。"楚人同意把百里奚给了秦国。当时，百里奚已经七十多岁了。秦穆公释放了他，并与他商谈国家大事。百里奚推辞说："我是亡国之臣，哪里值得您来询问？"秦穆公说："虞国国君不任用您，所以亡国，不是您的罪过。"穆公坚持询问，谈了三天，穆公非常高兴，把国家政事交给了他，称之为五羖大夫。百里奚谦让说："我比不上我的朋友蹇叔，蹇叔很有才干而世人没有知道的。我曾出外求官，在齐国遭受困境，向铚地人讨饭，蹇叔收留了我。我又想去侍奉齐国国君无知，蹇叔劝阻了我，我躲过了齐国的那场内乱，于是到了周国。周王子颓爱好牛，我以善养牛的技术去求见子颓。等到子颓真要用我时，蹇叔又劝阻了我，我离开了周王室，才没有跟子颓一起被诛杀。我侍奉虞国国君，蹇叔又劝阻我。我也知道虞君不会重用我，但我贪图利禄爵位，终于留在虞国做事。两次听了蹇叔的话，两次脱离了灾难，一次没有听蹇叔的话，就赶上了虞君的灾难：由此我知道蹇叔很有才干。”于是秦穆公派人带着厚礼迎请蹇叔，用为上大夫。

【评点】 “五羖大夫”，秦穆公时大夫百里奚之号，后世用作礼贤下士的典故。羖（gǔ），黑色公羊皮。秦穆公不以百里奚为亡虏，不以蹇叔为老，尊礼二人，思贤若渴，所以成为春秋五霸之一，使偏远的秦国富强。原文“傒”，“译文”与“评点”统作奚。

昔我缪公自岐雍之间，修德行武，东平晋乱，以河为界，西霸戎翟，广地千里，天子致伯，诸侯毕贺，为后世开业，甚光美。会往者厉、躁、简公、出子之不宁，国家内忧，未遑外事，三晋攻夺我先君河西地，诸侯卑秦，丑莫大焉。献公即位，镇抚边境，徙治栎阳，且欲东伐，复缪公之故地，修缪公之政令。寡人思念先君之意，常痛于心。宾客群臣有能出奇计强秦者，吾且尊官，与之分土。（卷五《秦本纪》/202页）

【译文】 从前，我们穆公在岐山、雍邑之间经营，修治德政，振兴武功，东边平定了晋乱，疆域达到黄河岸边，西边称霸戎翟，拓地千里，周天子赐给了霸主称号，诸侯都来朝贺，给后世开创基业，盛大辉煌。正当秦国发展的时候，接连出现了厉公、躁公、简公、出子几世不安宁，国家内有忧患，没有空暇顾及外事，三晋攻占了我国先代君王开拓的河西地区，诸侯小视秦国，这是莫大的耻辱。献公即位，安定边境，迁都栎阳，准备东征，恢复穆公时的故土，重振穆公时的政治。我一想到先君的这一遗愿，心里非常悲痛。宾客和群臣中有谁能献出高明的奇策，使秦国强盛起来，我要让他做高官，分封给他土地。

【评点】　秦孝公求贤令之言。秦穆公称霸西方，秦国境土到达黄河岸边。后来由于内乱，国势一度衰落，秦国河西之地落在晋国之手。三家分晋，河西地属魏。魏文侯变法图强，战国初年魏国强大，直接威胁秦国的安全。秦孝公即位，锐意改革，于元年（前 361）下求贤令，孝公三年（前 359），于是有商鞅入秦变法。求贤令，即公开招聘人才，中国历史上由秦孝公开了这个先例，大批东方人才西流，秦国日益强大起来，最后统一了中国。

君将治齐，即高傒与叔牙足也。君且欲霸王，非管夷吾不可。夷吾所居国国重，不可失也。（卷三二《齐太公世家》/1486 页）

【译文】　您如果只想治理好齐国，那么高傒与我鲍叔牙两人就够了。您如果想称霸天下，非得管夷吾不可。管夷吾在哪个国家执政，那个国家就必然强大，切不可失去啊。

【评点】　鲍叔牙举荐管仲之言。管仲字夷吾，辅助齐桓公称霸的古代贤臣。管仲出身寒微，又因侍奉公子纠而得罪齐桓公。他因鲍叔牙的推荐才得以施展才能。管仲十分感慨地说："生我者父母，知我者鲍子也。"（《管晏列传》）鲍叔牙知人让贤的故事成为千古美谈。

"管仲既用，任政于齐，齐桓公以霸，九合诸侯，一匡天下，管仲之谋也"；"管仲卒，齐国遵其政，常强于诸侯。"（卷六二《管晏列传》/2131；2134 页）

【译文】　管仲被任用，在齐国当政，辅佐齐桓公称霸天下，九次会盟诸侯，一度扶正王室，这都是管仲的谋划。管仲死后，齐国循行他的遗策，经常称雄于诸侯。

【评点】　管仲出身寒微，又因侍奉公子纠而得罪桓公。由于鲍叔牙的举荐，他做了齐桓公的相，利用齐国靠海的鱼盐之利，流通货物，积累资财，使齐国富强。管仲施政，能够分别事物的轻重缓急，权衡事物的利弊得失，推行改革，工商兵农全面发展，颁布政令，顺应民心，齐国大治，称雄于诸侯。

管仲，世所谓贤臣，然孔子小之。岂以为周道衰微，桓公既贤，而不勉之至王，乃称霸哉？语曰“将顺其美，匡救其恶，故上下能相亲也”。岂管仲之谓乎？（卷六二《管晏列传》/2136页）

【译文】 世人都说管仲是贤臣，但孔子却说，他器量狭小。是不是因为周室衰微，桓公又贤，管仲却不勉励他去实现王道，而只是完成霸业就为止了呢？《孝经》上说：“顺从君上的美德，纠正他的过错，所以上下就能互相亲近。”这话难道不是正符合管仲吗？

【评点】 司马迁论赞之言。“孔子小之”，引自《论语·八佾》孔子对管仲的批评，说：“管仲之器小哉！”小，指器量狭小。司马迁批评管仲只是顺适齐桓公，而不能匡君之恶，失在于器量狭小。齐桓公任用易牙、刁竖等邪臣，晚年昏聩，管仲既不能去奸，又不能荐贤，所以齐桓公只能至霸而不能达于王天下的境界。但管仲有大才，辅佐小国而至于霸，受到了司马迁的肯定。贤如管仲，仍有不如，贤臣良才也不是十全十美的。

夫运筹策帷帐之中，决胜于千里之外，吾不如子房。镇国家，抚百姓，给馈饷，不绝粮道，吾不如萧何。连百万之军，战必胜，攻必取，吾不如韩信。此三者，皆人杰也。吾能用之，此吾所以取天下也。项羽有一范增而不能用，此其所以为我擒也。（卷八《高祖本纪》/381页）

【译文】 至于在军营中定计决策，就可以在千里之外取胜，我比不上张良。镇守后方，安抚百姓，供应粮饷，使运输线从不断绝，我比不上萧何。统率百万大军，决战必定胜利，攻城必定取得，我比不上韩信。这三个人，都是超凡的英雄豪杰，我都能够任用他们，这就是我取得天下的原因。项羽只有一个谋臣范增，但不能够始终任用，这就是他被我擒灭的原因。

【评点】　刘邦论楚亡汉兴之言。楚汉相争，在公元前202年以楚灭汉兴结束。汉高祖在洛阳南宫宴会群臣，庆祝胜利，汉高祖分析汉胜楚败的原因时说了上引的一段话。张良字子房，他和萧何、韩信是辅佐刘邦成帝业的三位功劳最大的开国功臣，史称汉初三杰。范增是项羽的谋臣。在楚汉相争中，项羽中了刘邦的反间计，逐走了范增，成了一个孤家寡人而败亡。这里，实际是司马迁通过刘邦之口，论楚亡汉兴，强调了善于使用人才的巨大作用，及其对社会的深远影响，体现了他得人才者得天下的思想。

【独当一面】汉王之将独韩信可属大事，当一面。

（卷五五《留侯世家》/2039页）

【译文】　汉王手下的大将，只有韩信可以托付大事，独自担当一面。

【评点】　“独当一面”喻某人能够担当某一方面的重任。张良论将之言。汉王刘邦采纳了张良建议，委派韩信独立开辟第二战场。韩信果真不负所托，灭魏、破赵、取齐，完成对项羽的战略包围，替汉王打下了半壁河山。属，通嘱，托付。

绛侯、灌婴等咸谗陈平曰：“平虽美丈夫，如冠玉耳，其中未必有也。臣闻平居家时，盗其嫂；事魏不容，亡归楚；归楚不中，又亡归汉。今日大王尊官之，令护军。臣闻平受诸将金，金多者得善处，金少者得恶处。平，反覆乱臣也，愿王察之。”汉王疑之，召让魏无知。无知曰：“臣所言者，能也；陛下所问者，行也。今有尾生、孝己之行而无益处于胜负之数，陛下何暇用之乎？楚汉相距，臣进奇谋之士，顾其计诚足以利国家不耳。且盗嫂受金又何足疑乎？”汉王召让平曰：“先生事魏不中，遂事楚而去，今又从吾游，信者固多心乎？”平曰：“臣事魏王，魏王不能用臣说，故去事项王。项王不能信人，其所任爱，非诸项即妻之昆弟，虽有奇士不能用，平乃去楚。闻汉王之能用人，故归大王。臣裸身来，不受金无以为资。诚臣计画有可采者，愿大王用之；使无可用者，金具在，请封输官，得请骸骨。”汉王乃谢，厚赐，拜为护军中尉，尽护诸将。诸将乃不敢复言。（卷五六《陈丞相世家》/2054 页）

【译文】 周勃、灌婴等都诋毁陈平说：“陈平长得很帅，是个美男子，只不过像帽子上的美玉罢了，他其实未必有真本领。我们听说陈平在家时，与他嫂嫂私通，事奉魏王不能容身，逃出来归附楚王，归附楚王仍不合拍，又逃出来归顺汉王。现在大王十分器重他，让他做高官，成为监督诸军的护军。我们听说陈平接受将领们的钱财，钱给得多的待遇就好，钱给得少的待遇就不好。陈平是一个反复无常的奸乱之臣，希望大王审察他。”汉王产生了怀疑，就召来魏无知责问批评。魏无知说：“我推荐陈平是说他的才能；陛下所问的是品行。现在有尾生、孝己那样的品行，但对于决定胜负没有益处，陛下顾得上用他们吗？楚汉相争，我推荐有奇谋善计的人，只考虑他的计谋是否真能对国家有利还是不利罢了。至于私通嫂嫂，接受钱财，值得怀疑吗？”汉王又召来陈平责备说：“先生在魏王那做事不合拍，便去楚王那里做事又半道走开，现在和我交朋友，讲信用的人本来就是这样三心二意的吗？”陈平说：“我事奉魏王，魏王不采用我的计谋，所以离开魏王去事奉项王。项王不信任人，他所信任、宠爱的，除了项氏宗族，就是妻家兄弟，即使有奇才也不重用，我陈平这才离开了楚国。我听说汉王能够用人，所以才来归附大王。我光着身子来，不接受钱财就没有办事费用。如果我的计谋有可以采用的，希望大王采用它；如果没有值得采用的，钱财都还在，请允许我清点封好交回官府，我要求辞职还家。”汉王于是向陈平道歉，重重地赏赐了他，加升他为护军中尉，监督全体将领。从此，各位将领不敢再说他的坏话。

【评点】 人逢乱世，君择人，臣亦择君。以陈平之智，先事魏王，继事项王，最后事汉王，几经选择才得以发挥才能。这个故事生动地说明了乱世纷争，人各投主，在混战时期，形势不明，大多常有盲目性。一开始，君能让人，臣善择君，这就是英主和贤臣了。这个故事也说明了刘邦识人用人高人一筹，所以他最终取得了胜利。这故事通过魏无知的话还说明了金无足赤，人无完人，在于用其长而已。魏无知可以说是善识人的伯乐。

【萧何追韩信】信数与萧何语，何奇之。至南郑，诸将行道亡者数十人。信度何等已数言上，上不我用，即亡。何闻信亡，不及以闻，自追之。人有言上曰：“丞相何亡。”上大怒，如失左右手。居一二日，何来谒上，上且怒且喜，骂何曰：“若亡，何也?”何曰：“臣不敢亡也，臣追亡者。”上曰：“若所追者谁何?”曰：“韩信也。”上复骂曰：“诸将亡者以十数，公无所追；追信，诈也。”何曰：“诸将易得耳。至如信者，国士无双。王必欲长王汉中，无所事信；必欲争天下，非信无所与计事者。顾王策安所决耳。”王曰：“吾亦欲东耳，安能郁郁久居此乎?”何曰：“王计必欲东，能用信，信即留；不能用，信终亡耳。”

王曰："吾为公以为将。"何曰："虽为将，信必不留。"王曰："以为大将。"何曰："幸甚。"于是王欲召信拜之。何曰："王素慢无礼，今拜大将如呼小儿耳，此乃信所以去也。王必欲拜之，择良日，斋戒，设坛场，具礼，乃可耳。"王许之。诸将皆喜，人人各自以为得大将。至拜大将，乃韩信也，一军皆惊。（卷九二《淮阴侯列传》/2611页）

【译文】 韩信多次与萧何谈话，萧何认准他是一位奇才。他们随汉王到了南郑，各路将领在半路上逃跑的有几十人。韩信估计萧何等人已多次向汉王推荐过，既然汉王不任用我，也就逃走了。萧何听说韩信逃跑了，来不及向汉王报告，亲自去追韩信。有人向汉王报告说："丞相萧何逃跑了。"汉王大怒，好像失去了左右手。过了一两天，萧何来拜见汉王，汉王又是恼怒又是高兴。骂萧何说："你不是逃跑了吗？为什么？"萧何说："我不敢逃跑，而是追逃跑的人。"汉王说："你追的是谁？"回答说："是韩信。"汉王又骂起来说："各路将领跑了几十人，你一个没有追，却去追韩信，是骗人。"萧何说："那些将领容易得到，说到韩信，国家栋梁之才，全天下没有第二个。汉王想长久地住在汉中，用不着韩信；一定还要争天下，除了韩信再没有可和您汉王议论大事的人。这要看大王怎么决策了。"汉王说："我也想向东发展，哪能闷闷不乐地长久呆在这里呢？"萧何说："汉王一定要向东发展，能够重用韩信，韩信就会留下来；不能够重用，韩信终究是要逃跑的啊。"汉王说："我看您的面子用他为将。"萧何说："虽然为将，韩信还是不会留下来。"汉王说："用他为大将如何？"萧何说："太好了。"于是汉王打算召韩信来委任他为大将。萧何说："汉王一向对人轻慢，不讲礼节，现在委任大将像召唤小孩子一样，这正是韩信逃跑的原因啊。汉王真想委任他为大将，选择吉日，亲自斋戒，设置高台和广场，礼仪要完备，这才像个样子。"汉王答应了。各位头脸将领都非常高兴，人人都认为自己要做大将了。等到任命大将时，竟然是韩信，全军都感到惊讶。

【评点】 这是萧何追韩信的故事。这段文字写韩信的机遇，由于萧何识才，力荐于刘邦，才得以拜大将，日后才有辉煌成绩，起初萧何推荐，刘邦不理，有追韩信、失萧何的情景触动了刘邦，才引起他的重视。萧何为刘邦左右手。刘邦失萧何而精神顿失，萧何复还又惊又喜，以骂之重而显现爱之深爱之切。此时萧何为言，汉王言听计从，设坛拜将，惊动全军。刘邦举事，也是一鸣惊人，不只是韩信惊人。一时豪杰荟萃，汉怎能不兴。“成也萧何，败也萧何”的上句，以及“追韩信”、“韩信拜将”等成语典故均出于此。

诸宿将所将士马兵亦不如骠骑，骠骑所将常选，然亦敢深入，常与壮骑先其大军，军亦有天幸，未尝困绝也。然而诸宿将常坐留落不遇。由此骠骑日以亲贵，比大将军。(卷一一一《卫将军骠骑列传》/2931页)

【译文】 汉军各位老将统领的军队，士兵、马匹、武器都不如骠骑将军，骠骑将军所统领的士兵是不断挑选出来的。但是骠骑将军也敢于深入敌境作战，经常率领精锐骑兵跑在大军前面打头阵，他的军队也有好运气，从没有过困于绝境。可是各位老将却经常因为行军迟缓落后，遇不上好的战机。由于这样，骠骑将军一天比一天受到皇帝的亲近和尊贵，地位赶上了大将军。

【评点】 司马迁寓论于叙事，评价骠骑将军霍去病。大将军卫青是皇后卫子夫的弟弟，霍去病是卫子夫姐子，卫青之甥，两将军均为外戚。汉武帝用人，亲贤并用。打仗用人才，汉武帝能够破格使用人才，但大权必由亲信掌握，所以抗匈主将卫青、霍去病、李广利等均为外戚。李广利是汉武帝李夫人之兄，是一员庸将，他征大宛、战匈奴，都使汉军付出了沉重代价，最后他投降了匈奴。这是汉武帝用人唯亲之过。但卫青、霍去病两人，虽是外戚，同时也是第一流的将才。霍去病率领的轻骑，常常奔袭匈奴，出其不意，打大胜仗。霍去病年二十三，青年从戎，为大将军先锋将，初为剽姚校尉，一年后升为骠骑将军，独当一面。“剽姚”与“骠骑”，取名之义即为轻捷迅猛。这是精选出来的壮士，打攻坚战的队伍，霍去病指挥自如。所以司马迁在《佞幸列传》中说：“卫青、霍去病亦以外戚贵幸，然颇用材能自进。”虽然他们是外戚得到了特殊照顾，他们本人也近于佞，然而毕竟是有才干的。元狩二年（前121）秋，霍去病出兵河西接应浑邪王与休屠王投降。阵前，匈奴队伍混乱，许多人不愿投降，在这千钧一发之际，霍去病单枪匹马突入匈奴阵中，这一行动震慑全军，使浑邪王感受到了汉军的诚意，他心服霍去病，坚定了投诚意志。浑邪王斩杀了起哄的八千人才稳了军心，当时惊心动魄的场面可想而知。霍去病因其有天才，所以有天幸，这绝不是偶然的。

尧虽贤，兴事业不成，得禹而九州宁。且欲兴圣统，唯在择任将相哉，唯在择任将相哉！（卷一一〇《匈奴列传》/2919页）

【译文】 尧尽管很贤明，没有好的助手却完不成治水的事业，直到得了禹的辅佐，天下才安宁了。如果想要建立太平盛世，一定要选择任用好将相，一定要选择任用好将相啊！

【评点】 司马迁论赞之言，强调任用贤才，圣君必得贤臣辅佐才能治平天下。司马迁用这几句话讽刺汉武帝不慎择将相，伐匈奴，建功不深。尤其是用李广利征大宛，伐匈奴，得不偿失，最后兵败降敌。尧，传说的上古圣王，当时洪水滔天，尧用鲧治水失败，改用大禹治水才告成功，天下安宁。尧是最高的圣君，还要有禹来辅佐，何况不如尧之君！讽刺意义十分明显。连声感叹，主题更为鲜明。

人才第二十

【引言】 人才篇，凡20条。什么样的人可称为人才，古代思想家没有下过定义。孔子在《论语》中有大器小器的说法，并批评管仲为小器，同时又称赞管仲为仁人，可见大器小器是一个不确定的比喻。然而在司马迁用语中，已经有了一个明确的概念“扶义俶傥，不令己失时，立功名于天下。”（《太史公自序》）可以说这就是司马迁对人才所下的定义。在《史记》人物传记的画廊里，除帝王将相之外，有儒墨诸子、刺客游侠、俳优商贾、医卜农工、势家食客等各色人物。《货殖列传》记述盐铁巨商之外，有货郎、贩脂、卖浆、洒削、胃脯、马医，甚至作奸犯科的掘冢、博戏之徒，都列入了人才的范围。所以，司马迁能为布衣之士以及卑贱者立传，这是非凡的进步思想。人才从哪里来？是天生，还是后天成长，这是唯心与唯物认识的分野。孔子说：“天生德于予。”（《论语·述而》）“唯上知与下愚不移。”（《论语·阳货》）孟子更进一步说：“天之生斯民也，使先知觉后知，使先觉觉后觉。予，天民之先觉者也。”（《孟子·万章下》）司马迁的认识翻了传统儒家的案，认为人才不是天生的，而是时势造成的。他借陈胜之口喊出了“王侯将相宁有种乎”的名言（《陈涉世家》）。汉初将相多布衣之士，如萧何、曹参为小吏，陈平、韩信少时都是平民。还有周勃织薄曲，樊哙是狗屠，灌婴是小贩，夏侯婴是车夫等等，他们都是秦汉之际的时势风云造成的。每一个人都应把握这种机遇，迎接挑战，所以司马迁又特别赞扬那些少小立志、百折不回而发奋成名的人。

【负鼎之才】伊尹名阿衡。阿衡欲干汤而无由，乃为有莘氏媵臣，负鼎俎，以滋味说汤，致于王道。（卷三《殷本纪》/94页）

【译文】 伊尹名叫阿衡，他想求见商汤而没有门路，就充当有莘氏的陪嫁奴仆，背着鼎俎，用烹调的美味比喻治国劝说商汤，治理国家达于王道。

【评点】 伊尹，名挚，商汤用为阿衡（相当于后世的太傅），因以为名。有莘氏，部落名。媵臣，陪嫁的奴仆。伊尹自愿充当媵臣来接近商汤，用他的烹调技术为施政搭台阶，后世遂以“负鼎”为出身微贱而有才，得遇明君的典故。鼎，烹饪的器物，三足。俎，盛肉的器具。

武丁夜梦得圣人，名曰说。以梦所见视群臣百吏，皆非也。于是乃使百工营求之野，得说于傅险中。是时说为胥靡，筑于傅险。见于武丁，武丁曰是也。得而与之语，果圣人，举以为相，殷国大治。故遂以傅险姓之，号曰傅说。（卷三《殷本纪》/102页）

【译文】 商王武丁有一天夜里梦见一位圣人，名叫说。他按照梦中所见形貌观察群臣百官，都不是。于是派出专使到四处民间寻找，终于在傅险找到了说。这时，说正在服刑役，在傅险筑路。专使把说带来让武丁看，武丁说正是这个人。武丁与他谈，发现真是梦中的圣人，就提拔他作宰相，殷国得到大治。因此用傅险这个地名作为说的姓，称他为傅说。

【评点】 古代尊卑等级有严格的界限。商王武丁想起用沦落为奴隶的贤人傅说，故托梦谓神的启示，树立傅说权威。说，读悦。这个故事说明，社会底层卑贱者中也有藏龙卧虎之才。

【齐魏夸宝】 威王二十四年，与魏王会田于郊。魏王问曰："王亦有宝乎？"威王曰："无有。"梁王曰："若寡人国小也，尚有径寸之珠照车前后各十二乘者十枚，奈何以万乘之国而无宝乎？"威王曰："寡人之所以为宝与王异。吾臣有檀子者，使守南城，则楚人不敢为寇东取，泗上十二诸侯皆来朝。吾臣有肦子者，使守高唐，则赵人不敢东渔于河。吾使有黔夫者，使守徐州，则燕人祭北门，赵人祭西门，徙而从者七千余家。吾臣有种首者，使备盗贼，则道不拾遗。将以照千里，岂特十二乘哉！"梁惠王惭，不怿而去。（卷四六《田敬仲完世家》/1891页）

【译文】 齐威王二十四年（前333），与魏王会猎于郊外。魏王问齐威王，说："大王有宝物吗？"齐威王说："没有。"魏王说："像我这样的小国，还有直径一寸的大明珠装饰在车前车后照耀，这样的车有十二辆，每辆车有十枚大明珠。齐国这样的万乘大国怎能没有宝物呢？"齐威王说："我眼中的宝物，和大王的不一样。我有一个叫檀子的大臣，他守卫齐国南疆，那楚国人不敢来侵犯，向东发展，泗水一带的十二个诸侯小国都归附齐国。我又有一个叫肦子的大臣，他守卫高唐，那么赵国人不敢向东在黄河上打鱼。我又委派一个叫黔夫的大臣，守卫徐州，那燕国人就向徐州北门祭祀，赵国就向徐州西门祭祀，祈求神灵保佑，追随黔夫而迁来的人民有七千多家。我还有一个叫种首的大臣，让他治安防盗，做到了道不拾遗。这些人的才华，光焰照耀千里之远，何止是十二乘车上的宝珠！”梁惠王听了十分惭愧，扫兴而去。

【评点】 齐威王与梁惠王都是战国前期有作为国君。梁惠王伐韩攻赵，有统一三晋的野心，遭到秦、齐的东西夹击，韩、赵的南北反攻，衰落下去，把魏国都城从河东安邑东迁到大梁，以避秦国之逼。所以魏王又称梁王。齐王、魏王夸宝，梁惠王以物为重，齐威王以人才为宝，显然齐王的识见气质超越了魏王，在外交上占了上风，魏王气馁。这个故事也从侧面说明了齐威王称霸诸侯，是因他重视人才而取得的。

【功人功狗】【发踪指示】 汉五年，既杀项羽，定天下，论功行封。群臣争功，岁余功不决。高祖以萧何功最盛，封为酂侯，所食邑多。功臣皆曰：“臣等身被坚执锐，多者百余战，少者数十合，攻城略地，大小各有差。今萧何未尝有汗马之劳，徒持文墨议论，不战，顾反居臣等上，何也？”高帝曰：“诸君知猎乎？”曰：“知之。”“知猎狗乎？”曰：“知之。”高帝曰：“夫猎，追杀兽兔者狗也，而发踪指示兽处者人也。今诸君徒能得走兽耳，功狗也。至如萧何，发踪指示，功人也。”群臣皆莫敢言。（卷五三《萧相国世家》/2015～2016页）

【译文】 汉五年（前202），已经诛杀了项羽，平定了天下，于是论功行赏。由于群臣争功，一年多了，功劳等级没能决定下来。高祖认为萧何功劳最高，封为酂侯，给予他的食邑也最多。功臣们说：“我们身披战甲，手执兵器，参加血战，打仗多的身经百战，少的也有几十战，攻占城池，夺取地盘，都立下了大小不等的战功。如今萧何没有这样的汗马功劳，只是要笔杆子，发发议论，没有参加过实战，功劳封赏反而在我们之上，什么道理？”高帝说：“各位懂得打猎吗？”大家说：“知道。”高帝说：

"知道猎狗的用处吗?"大家又说:"知道。"高帝说:"说到打猎,追咬野兽野兔的是猎狗,而发现野兽踪迹,指出野兽居住的地方是猎人。现在各位的功劳只是获得野兽罢了,立的是猎狗之功。说到萧何,发现野兽踪迹,指出猎取目标,立下了猎人之功。"群臣一听都不再吭气了。

【评点】 这段"功人功狗"论,语言极其粗俗,寓意却十分深刻。字面意义,表现了刘邦用人,知人善任,人尽其才。功狗者披坚执锐,功人者出谋划策,不论出身地位,有才皆用。叔孙通秦博士,萧何一小县吏,刘敬戍卒,陆贾辩士,尽管刘邦不喜儒生,他马背取天下,而众多有才智士仍得重用,且放在功人的地位上。当然功人功狗说的背后,隐然含有刘邦的政治目的。诸将争功,相持不下,汉高祖有意压抑他们的骄气,百思不得其人,原来想到萧何既有旧恩,而现实又为相国,镇守关中,确实有大功,因此就指出萧何来压抑诸将,这才生出功人功狗的说辞。此语也切合刘邦出身无赖市井的身份,语言极带个性。典故"发踪指示"亦出于此。猎人发现野兽踪迹,纵使猎狗追捕,喻运筹帷幄的指挥者。

吴起闻魏文侯贤,欲事之。文侯问李克曰:"吴起何如人哉?"李克曰:"起贪而好色,然用兵司马穰苴不能过也。"于是魏文侯以为将,击秦,拔五城。(卷六五《孙子吴起列传》/2166页)

【译文】 吴起听说魏文侯贤明,想前去投奔他。魏文侯问李克说:"吴起是什么样的一个人?"李克说:"吴起贪财好色,但是他用兵打仗,司马穰苴超过不过他。"于是魏文侯用吴起为将,攻击秦国,夺取了五座城邑。

【评点】 魏文侯使用人才不求全责备,用人之长,取得了成就。魏文侯是一个真正爱才而善于用人的国君。

【主少国疑】主少国疑,大臣未附,百姓不信,

方是之时，属之于子乎？属之于我乎？（卷六五《孙子吴起列传》/2167页）

【译文】 国君年轻，国内不安定，大臣不亲近，百姓不信任，在这样的时候，国相职位是交给你呢？还是交给我呢？

【评点】 “主少国疑”，指少主即位，臣民人心浮动，疑惧不安。吴起为魏西河守，立有战功，很有声威。魏武侯置相，起用大臣田文，吴起不服，与田文争长论短。吴起说他治军、亲民、守边，三个方面强于田文，田文心服。但田文说，主少国疑之时，谁能担当国家大任？吴起想了很久，心服口服地说：“应当由你来担任。”这个故事，既说明了吴起之功，又反映了吴起有自知之明，同时还说明魏武侯知人善任，能全面考虑国事。

甘罗年少，然出一奇计，声称后世。虽非笃行之君子，然亦战国之策士也。方秦之强时，天下尤趋谋诈哉。（卷七一《樗里子甘茂列传》/2321页）

【译文】 甘罗年仅十二岁，就能献奇计，留名后世。虽然他不是一个厚重君子，可也算得上是战国时代的奇谋之士。当秦国趋于强大之时，天下更是盛行谋诈之术啊！

【评点】 司马迁论赞之言。甘罗，秦武王相甘茂之孙，十二岁时事秦王（即秦始皇）相吕不韦为庶子。当时秦迫使燕与秦联合夹攻赵。甘罗出使赵国，说赵襄王割五城与秦联合攻燕，赵听其计得燕上谷三十城，分十一城与秦。秦王以甘罗为上卿。《韩非子·五蠹》篇说：“故治强易为谋，弱乱难为计。”同样一个策谋，秦国施行起来，得心应手，而弱小的燕国就行不通。秦王逼迫燕与秦联合攻赵，造成声势，然后甘罗使赵，说赵亲秦攻燕，这明明是迫使东方六国自相攻伐，秦人坐收渔人之利的诈谋，但由于秦强，燕、赵皆弱，不得不听任秦国的摆布。所以甘罗十二使赵，赵襄王亲自郊迎。甘罗的成才，说明两个问题，人才靠环境提供舞台，创造条件，这是客观因素；同时人才更要靠主观努力，奋斗拼搏，才能脱颖而出，这是主观因素。张唐，号称辩士，不敢使燕，甘罗十二却能毛遂自荐。两个因素，是成就大才不可缺一的，但客观只提供机遇，主观发奋才是成功的根本条件。

【鸡鸣狗盗】（秦昭王）囚孟尝君，谋欲杀之。孟尝君使人抵昭王幸姬求解。幸姬曰："妾愿得君狐白裘。"此时孟尝君有一狐白裘，直千金，天下无双，入秦献之昭王，更无他裘。孟尝君患之，遍问客，莫能对。最下坐有能为狗盗者，曰："臣能得狐白裘。"乃夜为狗，以入秦宫臧中，取所献狐白裘至，以献秦王幸姬。幸姬为言昭王，昭王释孟尝君。孟尝君得出，即驰去，更封传，变名姓以出关，夜半至函谷关。秦昭王后悔出孟尝君，求之已去，即使人驰传逐之。孟尝君至关，关法鸡鸣而出客，孟尝君恐追至，客之居下坐者有能为鸡鸣，而鸡齐鸣，遂发传出。出如食顷，秦追果至关，已后孟尝君出，乃还。始孟尝君列此二人于宾客，宾客尽羞之，及孟尝君有秦难，卒此二人拔之。自是之后，客皆服。（卷七五《孟尝君列传》/2354～2355 页）

【译文】 秦昭王软禁了齐国使臣孟尝君，设计要杀害他。孟尝君派人冒险地去求见秦昭王宠幸的一位妃子设法解救。幸姬说："我想得到孟尝君的白狐皮袍。"这时孟尝君确有一件白狐皮袍，价值千金，天下无双，他入秦时已献给秦昭王，再没有另一件这样的皮袍。孟尝君十分忧虑，问遍所有宾客，没有人能回答对策。最末座有一个能学狗叫偷盗的人，说："我能偷出白狐皮袍。"于是在夜间装狗叫，混进秦国宫中的储藏室，偷出所奉献的白狐皮袍，把它献给了秦王的幸姬。幸姬向秦昭王替孟尝君讲情，秦昭王释放了孟尝君。孟尝君得以脱身，立即骑马快跑离开秦国，更改通行证，改名换姓通过关卡。夜半时分到了函谷关。秦昭王后悔放出了孟尝君，派人找他，已经走了，立即派出快马去追赶。孟尝君到了函谷关，关防法令规定，鸡叫过后才能开关通行旅客。孟尝君害怕追赶的人到来，急着出关，有个位居下座的食客能学鸡叫，他带领全关城的鸡叫了起来，于是拿出通行证来出了关。出关过了一顿饭的时间，秦国追赶的人真的来到关下，已经落后于孟尝君出关的时刻，只好回去。当初孟尝君把这两个人安排在宾客中，宾客尽都感到羞耻，等到孟尝君遭受这场秦国的灾难，终于依靠这两个人拯救了他。从这以后，宾客都佩服了。

【评点】 “鸡鸣狗盗”喻雕虫小技，一般带有贬义。说明战国四公子，凡有一技之长的人都网罗为食客，往往得他们的死力。王安石《读孟尝君传》对此提出批评。他说：“鸡鸣狗盗出其门，此士之所以不至也。”

【毛遂自荐】遂闻君将合从于楚，约与食客门下二十人偕，不外索。今少一人，愿君即以遂备员而行矣。（卷七六《平原君列传》/2366 页）

【译文】 我毛遂听说先生将到楚国去订立合纵的条约，打算选取二十个门客作随行人员，不到外面去找。现在还少一个人，希望先生就把我毛遂作一个充数的随员吧。

【评点】 毛遂，战国时赵相平原君的门客。荐，推荐，介绍。他自我推荐为赵国出使楚国的使团成员。秦兵围攻赵国，平原君亲自到楚国求救，要在三千食客中挑选二十个随行助手，只挑出了十九人，还缺一人，毛遂自荐充数，其他的人都讥笑他，而在楚国的订盟谈判中，恰恰是毛遂立了大功。

【脱颖而出】臣乃今日请处囊中耳。使遂早得处囊中，乃颖脱而出，非特其末见而已。（卷七六《平原君列传》/2366 页）

【译文】 我就算是今天起放在皮套中吧。如果早把我毛遂放在皮套中，就像秀出的禾穗一样露出整个锥锋，岂止是只露出一点锋尖！

【评点】 毛遂自荐之言。颖，禾芒，此指锥头。公元前258年，秦围赵邯郸，赵国危在旦夕。赵国相国平原君亲自出使楚国，要在三千门客中挑选二十个高级助手随行，只挑出十九人，不满二十人。这时一个默默无闻的门客毛遂，自荐备员而行。平原君问："先生在我门下几年了？"毛遂说："三年了。"平原君说："贤才处世，就像锥锋处在皮套中一样，锥尖会立即显露出来，现在先生在我的门下三年，我左右的人没有人了解你，我也不知你有什么才能，你还是留下吧。"于是毛遂说了脱颖而出的话，终于成了正式随行助手。毛遂到了楚国，在谈判中充分发挥了他的才干，楚赵才得以结盟。平原君说："毛先生的三寸之舌，强于百万之师。"于是以毛遂为上客。

【一言九鼎】毛先生一至楚，而使赵重于九鼎大吕。（卷七六《平原君列传》/2368页）

【译文】 毛先生这次一到楚国，使得赵国地位如九鼎大吕之重。毛先生凭着口才，胜过一百万大军。

【评点】 "一言九鼎"，平原君赞毛遂之言，形容人有口才，出言有分量，使人信诺。战国时，秦围赵邯郸，平原君出使楚国求救，在三千食客中挑选二十个随行副手，只挑出十九人，还缺一人。毛遂为平原君下等门客，他自荐同行，受到同行人的耻笑。到了楚国，楚王害怕秦国，不敢出兵相救，随行十九人束手无策。毛遂上殿，对楚王分析利害，说服了楚王，终于使楚赵结盟，共御强秦。返国后平原君以毛遂为上客，感慨称赞他"一言九鼎"。九鼎，相传大禹所铸，古代的传国之宝。大吕，周王室的礼器大钟，镇国之宝。九鼎大吕，喻毛遂语言价重。后世反用"一言九鼎"之意，用以讽刺刚愎自用的人。

三寸之舌，强于百万之师。（卷七六《平原君列传》/2368页）

【译文】 能言善辩的人，靠三寸长的舌头，有时可以起到超过百万大军的作用。

【评点】 赵平原君称赞毛遂之言。秦围邯郸，平原君出使楚国订立同盟，搬取救兵，随行有二十个才智之士，在谈判时大都束手无策。最后，由貌不出众，平时无表现的毛遂劫持楚王，喻以合纵大义，终于订立了盟约，取得了救兵。平原君不胜感慨赞叹毛遂之才，凭三寸之舌胜于百万之师。三寸舌，指舌在口中，长三寸。成语“三寸不烂之舌”，形容能说会道，口才极佳。

【因人成事】【碌碌无为】公相与歃此血于堂下。公等录录，所谓因人成事者也。（卷七六《平原君列传》/2368页）

【译文】 你们大家就在堂下，也喝上一口订盟的血酒。你们虽然无所作为，也可以说随着别人完成了出使的差事。

【评点】 “因人成事”，依靠别人完成了事功。毛遂之言。战国时，秦围赵邯郸，赵相平原君出使楚国订盟求救。毛遂自荐随行，其余十九个高级随员都看不起毛遂。到了楚国，谈判陷于僵局，十九个随从束手无策，毛遂分析利害，成就大功。毛遂在堂上与平原君、楚王共饮订盟的血酒，也招呼十九个人在堂下饮酒，说他们是因人成事。毛遂这段话演成了两个成语，“因人成事”喻碌碌庸人，无本领独当一面。“碌碌庸人”，喻胸无大志，得过且过的人。录，通碌。碌碌，碌庸无能，随从人意的样子。

【国士无双】诸将易得耳。至如信者，国士无双。王必欲长王汉中，无所事信；必欲争天下，非信无所与计事者。顾王策安所决耳。（卷九二《淮阴侯列传》/2611页）

【译文】 众位将领容易得到，至于像韩信这样的杰出人物，天下没有第二个。大王一定要长期地只在汉中做王，没地方用韩信；一定想要争天下，除了韩信，就找不到和您商量大事的人。只是看大王怎样决策罢了。

【评点】 “国士无双”喻才能突出。韩信由楚投汉，不受重用而逃亡，萧何连夜追回，向刘邦推荐，称赞韩信奇才，“国士无双”，刘邦拜为大将。

【舌卷齐城】将军受诏击齐，而汉独发间使下齐，宁有诏止将军乎？何以得毋行也！且郦生一士，伏轼掉三寸之舌，下齐七十余城，将军将数万众，岁余乃下赵五十余城，为将数岁，反不如一竖儒之功乎？（卷九二《淮阴侯列传》/2620页）

【译文】 将军奉诏命攻打齐国，而汉王只不过派出密使去说服齐国归顺，难道有诏命制止将军进攻吗？凭什么停止向前行进呢！何况郦生不过是一介书生，伏在车子扶手上去鼓动三寸之舌，就降服了齐国七十多座城，将军率领数万将士，一年多才攻下赵国五十余城，作了几年大将，还不如一个儒生小子的功劳吗？

【评点】 蒯通劝韩信攻齐之言。楚汉相争，韩信奉命破齐，同时又派出郦食其说服齐王田广归服。郦生说词详见《史记·郦生陆贾列传》。齐王田广已经接受郦生说降，撤除了戒备。韩信谋士蒯通为了争功，又劝韩信趁齐王放松戒备之机偷袭齐国，导致郦生被齐王烹杀。蒯通的这段说辞，本意煽动韩信攻齐，夸张郦生坐着车子去游说降服了齐国七十余城。齐王听劝，说明他识大局，顺形势，韩信进攻已服之国是不义，这导致他后来要挟汉王封自己为齐王，伏下了被诛屠的祸根。这是后话。蒯通的这段说辞，被后人概括为“舌卷齐城”，“三寸之舌”，或简称“掉舌”的典故，比喻凭口舌建功的人，也指称善谈。宋·苏轼《次韵答刘泾》诗：“异义蜂起弟子争，舌翻涛澜卷齐城。”宋·苏舜卿《蜀士》诗亦有“掉舌”一词。

【多多益善】上常从容与信言诸将能不，各有差。上问曰："如我能将几何？"信曰："陛下不过能将十万。"上曰："于君何如？"曰："臣多多而益善耳。"上笑曰："多多益善，何为为我禽？"信曰："陛下不能将兵，而善将将，此乃信之所以为陛下禽也。且陛下所谓天授，非人力也。"（卷九二《淮阴侯列传》/2628 页）

【译文】 皇上汉高祖曾经大度地与韩信谈论各位将军的才能高下，认为他们各有长短。皇上问韩信："像我的才于能带多少兵？"韩信说："皇上带兵不能过十万。"皇上说："那么你呢？"韩信说："我是越多越好。"皇上笑了起来，说："多多益善的人，怎么被我活捉？"韩信说："皇上不能带兵，却长于统将，这就是我韩信被皇上捉拿的原因。再说皇上的地位是上天给的，不是人力所追求的。"

【评点】 益，更加。"多多益善"，越多越好。韩信被贬为侯，在京城被囚禁，仍然执迷不悟，由于"心常怏怏"，牢骚满腹，所以在皇上刘邦面前不由自主地现出了骄矜，蔑视皇上。尽管他机智地改口赞扬刘邦之才为天授，实际上高祖在笑声中充满了杀机。刘邦从容论将，心中城府，引诱韩信口吐真言，"多多益善"，暴露了他的"心常怏怏"，焉有不死之理。韩信悲剧，在劫难逃。司马迁批评说："假令韩信学道谦让，不伐己功，不矜其能，则庶几哉，于汉家勋可以比周、召、太公之徒，后世血食矣。"

【卧理淮阳】君薄淮阳邪？吾今召君矣。顾淮阳吏民不相得，吾徒得君之重，卧而治之。（卷一二〇《汲郑列传》/3110 页）

【译文】 您看不起淮阳郡吗？我不久就会召您回朝。只是淮阳郡官吏和百姓不相融洽，我仅仅借重您的威望，请您睡在床上治理。

【评点】 “卧理淮阳”喻治民有方，不用多事就能清平。汲黯好黄老之学，清静无为，善用贤才，抓大事不究小节，为东海郡太守，因多病常卧闺内不出而东海郡大治。后淮阳郡多奸猾群盗，社会动荡，汉武帝委任汲黯去治理，汲黯想留在朝廷，遇事谏君，又多病，不愿赴任。汉武帝开导他，要借重他卧治淮阳，汲黯于是受印，如同治东海郡，而淮阳政清。

张汤者，杜人也。其父为长安丞，出，汤为儿守舍。还而鼠盗肉，其父怒，笞汤。汤掘窟得盗鼠及余肉，劾鼠掠治，传爰书，讯鞫论报，并取鼠与肉，具狱磔堂下。其父见之，视其文辞如老狱吏，大惊，遂使书狱。（卷一二二《酷吏列传》/3137页）

【译文】 张汤是杜县人。他的父亲任长安县丞，有事外出，张汤作为小孩看家。他的父回家后发现肉没有了，不知是老鼠偷走了，大发脾气，鞭打张汤。张汤掘开鼠洞，找到了偷肉的老鼠和吃剩的肉，控告老鼠，拷打审问，传出审问记录，复审上报，并把老鼠和剩肉取来，完成审刑程序，赃证俱全，验明正身，判处死刑，立即在堂下执行，分尸处死。他的父亲看到这一切，他所写的判决文书像一个老练的法官一样，非常惊奇，就让他学习刑狱文书。

【评点】 张汤审鼠的故事。张汤是汉武帝时的一个著名酷吏，但也是一个极有才能的官吏，他完善了汉朝的法律，在汉武帝对内对外的各项事业中发挥决策作用。这个审鼠故事，表现了张汤才干的不凡，以及生性残忍，恰好照应了他一生的行事。

谈言微中，亦可以解纷。（卷一二六《滑稽列传》/3197页）

【译文】 谈笑之间，含蓄微妙地说中至理，也是可以排难解纷的。

【评点】 司马迁序论之言，指帝王身边的侏儒优伶，善于在戏言中寓含真理谏说帝王，释难解纷。滑稽，本为摇转注酒器，使酒流不已，引喻为出口成章，辩对敏捷，辞出不穷，说话机智。滑稽人物多为侏儒，俗名小丑，在乐伎中扮演丑角。他们虽然身材矮小，貌不出众，地位低下，但他们机智诙谐，善于反语讽谏，其言谈笑语使人心花怒放，给人们带来欢乐。宫中俳优中的侏儒，往往是帝王的弄臣，他们能使暴虐无常的君主在笑声中明白是非真理，接受正确意见，起到执政大臣起不到的作用。所以司马迁高度赞美这些不起眼的人物，为之立传，把滑稽与文艺相提并论。

扶义俶傥，不令己失时，立功名于天下，作七十列传。（卷一三〇《太史公自序》/3319页）

【译文】 扶持大义，风流不羁而有卓越才干的人，趁着时机立了功名，为他们作了七十列传。

【评点】 这几句话是说明立传人物的标准，也可以说是给人才所下的定义。司马谈临终遗言，要求司马迁论载“明主贤君忠臣死义之士”，所以纪传体是以帝王将相为中心的，这符合古代的国家观念。“朕即国家”，很自然地以帝王将相为主体。司马迁发展了人才的观念，用“扶义俶傥”四字概括，超出了“明主贤君忠臣死义”的范围，故七十列传中多有社会下层人物的传记，为全方位反映社会生活提供理论根据。“不令已失时，立功名于天下”，强调了个人的立志与发奋，不失时机展示才华，而且要建功立名，作出贡献。“不令已失时”之“时”，指时势，机遇，即客观环境，客观条件。人才是主客观条件结合的产物。司马迁的这一人才定义，具有辩证的观点，超越前人。

为政第二十一

【引言】 为政篇，凡25条。司马迁的政治思想，主要内容有以下三个方面：其一，崇尚德治，反对暴政；其二，主张顺民之俗，颂扬无为政治；其三，反对分裂割据，颂扬秦汉大一统。司马迁政治思想的理论基础，基本倾向是儒家的“仁政”为本，辅以道家的“无为”为表的统一体。他在《秦本纪》中借戎臣由余之口说，真正的圣人之治，既包含法自然的“纯德”，又包容“忠信”内容的仁政，就鲜明地表达了综合儒道的思想倾向。司马迁及其父司马谈，还认为百家学说皆为治，这在《六家要指》中有明晰的阐述。本篇辑录，有的论德治，有的论刑赏，有的论惩恶，有的论分封。司马迁融合儒道及百家之言而自成一家言的新思想体系，着重在总结历史经验以“自古志镜”，所以为政言论多与历史事件结合。

上含淳德以遇其下，下怀忠信以事其上，一国之政犹一身之治，不知所以治，此真圣人之治也。

（卷五《秦本纪》/193页）

【译文】 在上位的人保持着淳朴的德行来对待下面的臣民，

臣民满怀忠信来侍奉君上，整个国家的政事就像一个人支配自己的身体一样治理得很好，却又说不出治理得好的大道理，这真是圣人的治国方法。

【评点】 由余对秦穆公论治之言。戎王使由余于秦，秦穆公与之论政，由余说了这番话。由余认为，中国礼乐法度，十分完善而严密，但是上下交争，互相篡弑，灭宗覆国等等动乱事件层出不穷，不如夷狄的朴素为治。国家制度的发展，礼乐文化的兴起，是文明的发展，社会的进步。夷狄原始社会，一切简朴。这里，由余并非要把中国政治拉向夷狄，而是说明一国之政，要如一人之身，法令简明，上下一体，才能把国家治理好。秦穆公称善，千方百计把由余从戎王手中挖了过来。

毋偏毋党，王道荡荡。毋党毋偏，王道平平。毋反毋侧，王道正直。(卷三八《宋微子世家》/1614 页)

【译文】 不偏私，不结党，圣王的道路必然宽广。不结党，不偏私，圣王的道路自然平坦。不背逆，不倾斜，圣王的道路当然笔直。

【评点】 《尚书·洪范》中之语。洪范，《尔雅·释诂》："洪，大也；范，法也。"洪范，就是大法，传说武王访问箕子，箕子向武王陈述九条大法，所以称"洪范九畴"。第五条"皇极"，即建立君主的最高准则。皇，大。极，中。皇极就是大中，指王为国家之大中。极之本义为栋。王是国家的顶梁柱，最中最直，即国家是全社会的公权力机关，最高准则是大中。古代王即国家，王是顶梁柱，承重最大，又正中，所以为天下王，为民父母。用最简明的语言说：皇，君主。极，最高准则。王道，统治准则。以道路为喻，政治上轨道，应当是宽广的，平坦的，笔直的。只要做到无偏无党，那么道路自然就是宽坦平直的。

为政必以德，毋忘所以立。(卷四二《郑世家》/1774 页)

【译文】 执掌政权一定要依靠仁德，千万不要忘记所立身的根本。

【评点】 郑相子产之言。春秋末，晋国公室卑微，韩、赵、魏、范、中行、智等六卿强，成为群雄立于朝之势。郑子产出使晋国，与韩宣子友善，于是对韩宣子说了为政以德的话。失德则失天下，六卿中范、中行、智三家先后灭亡，正是如此。德，德行。《周礼·地官·师氏》："敏德以为行本。"郑玄说："德行，内外之称，在心为德，施之为行。"统治者本身内心有纯德，施政才为仁德，个人品德可以影响国家兴衰。在以人为治的政体下这有历史经验。六卿中最强的智氏，就失之于德而遭到韩、赵、魏三家分灭。

在德不在险。（卷六五《吴起列传》/2166页）

【译文】 国家富强依靠仁德而不在于地形险要。

【评点】 吴起论政之言。战国时吴起为魏国西河地区的守将。西河当今陕西东部黄河西岸韩城市一带地方。魏武侯巡察西河，与吴起坐船沿黄河顺流而下，魏武侯面对险峻河山，十分高兴地对吴起说："山河环抱，形势美极了，这真是魏国的宝地啊！"吴起却不以为然，说了"在德不在险"的话劝谏魏武侯勤政爱民。吴起还列举历史为证。他说："从前三苗氏左有洞庭湖，右有彭蠡泽，但是它没有德行，不讲信义，夏禹灭亡了它。夏桀王的驻地，左有黄河、济水，右有泰山、华山，伊阙山在它的南面，羊肠坂在它的北面，但他不施仁政，商汤放逐了他。殷纣王的国都，左有孟门山，右有太行山，常山在它的北面，黄河流经它的南面，但他不行德政，周武王杀了他。这样看来，治国在于政治修明，给人民以恩德，而不在于形势的险要。如果你不施恩德，船上的人都是你的敌人。"魏武侯深表赞同，说："真是这样的啊！"

《诗》曰："得人者兴，失人者崩。"《书》曰："恃德者昌，恃力者亡。"（卷六八《商君列传》/2235页）

【译文】 《诗经》说："能得人心的人就兴旺，失掉人心的人就垮台。"《书经》说："依仗仁德的人昌盛，依仗暴力的人灭亡。"

【评点】 赵良引《诗》、《书》以警商鞅之言。今本《诗经》和《书经》都没有这两句话，当在逸篇之中，在秦汉时相当流行。商鞅变法，刑法严厉，宗室贵戚大多怨恨商鞅，秦国隐士赵良劝导商鞅功成身退，或改弦易辙减少暴力，于是引《诗》又引《书》警谕商鞅。赵良说，秦穆公时贤相百里奚，辅政以霸，平时不坐安车，暑天不张车盖，在都城只是步行，不用随从车辆，不带防卫武器。他的功劳记于史册，德行流传后世。百里奚死时，秦人哀痛，男男女女无不流泪，小孩也都停止了欢跳和歌唱，连舂米做苦工的人都不呼喊号子，可见百里奚是多么得到人民的爱戴。而商鞅为相，严刑苛法，只讲威势，不讲德义。商鞅出门，前呼后拥，车辆数十乘，车上载有武士，让身强力壮的人全副武装夹护车辆，缺一则不敢外出。只要秦孝公一闭眼，秦国的人个个都要起来反对商君。赵良对商鞅的话不幸而言中。几个月以后，秦孝公死，商鞅遭车裂。商鞅的悲剧只是秦国悲剧的一个缩影。秦始皇统一六国获得盖世之功，因暴虐全国，二世而亡。商鞅的变法富国，秦始皇的统一建制，都是进步的，值得肯定；但这是他们用暴虐人民的代价来取得，仍是可以批判的。赵良所引逸诗、逸书的格言，数千年以后思之，仍闪射它耀眼的光芒。

太史公曰：舜之德可谓至矣！禅位于夏，而后世血食者历三代。及楚灭陈，而田常得政于齐，卒为建国，百世不绝，苗裔兹兹，有土者不乏焉。至禹，于周则杞，微甚，不足数也。楚惠王灭杞，其后越王勾践兴。（卷三六《陈杞世家》/1586页）

【译文】 太史公说：舜的功德可以说是最高尚的了！他禅位给夏禹，而享受后世的祭祀经历了夏、商、周三代。虽然楚灭了陈国，而田常又在齐国当政，终于建立了国家，传世百代，子孙昌盛，有封土的人不绝如缕。说到禹，在周代有杞国，十分弱小，在列国中排不上队，但直到楚惠王时才灭亡，其后于杞国兴起的越王勾践还一度称霸诸侯。

【评点】 司马迁论赞之言。陈，舜之后；杞，禹之后，两个小国，均西周初所封。司马迁特为两小国作世家，旨在称述舜禹之功德。陈灭而有田氏代齐的兴起，杞灭而有勾践的越国兴起。远古贤君，有德于民，泽流苗裔。有德者得民而得天下，失德者失民而失天下，由此以下四条论赞，从正反两个方面作了鲜明的对比阐述，表明了司马迁以仁德为治的政治观。

太史公曰：韩厥之感晋景公，绍赵孤之子武，以成程婴、公孙杵臼之义，此天下之阴德也。韩氏之功，于晋未睹其大者也。然与赵、魏终为诸侯十余世，宜乎哉！（卷四五《韩世家》/1878 页）

【译文】 太史公说：韩厥感动了晋景公，使赵氏孤儿赵武继承了先人基业，成就了程婴、公孙杵臼的大义，这是天下最大的阴德。韩氏对于晋国的功勋，看不出有什么特大的贡献，但终于和赵、魏三家分晋成为诸侯，传了十几代，这是应当的啊！

【评点】 司马迁论赞之言。韩厥，晋景公时大夫，因存赵氏孤儿，五世之后与赵、魏三家分晋。司马迁认为韩厥之后为诸侯，是因他积了阴德。

太史公曰：余寻曹共公之不用僖负羁，乃乘轩者三百人，知唯德之不建。（卷三五《管蔡世家》/1574 页）

【译文】 太史公说：我研究了曹共公不听僖负羁的劝谏，竟使乘坐大夫轩车的美女达到三百人，领悟到这是不树德的标志。

【评点】 司马迁论赞，谓失德者将失国。曹共公名襄，曹叔振铎之后第十二代孙，曹国第十四任国君。共公十六年，晋公子重耳流亡过曹，共公遇之无礼，又不听大夫僖负羁的劝谏，曹共公生活奢侈，滥封官职，所以乘大夫之车的美女有几百人。轩，大夫所乘之车。晋公子重耳回国即位，是为晋文公。曹共公二十一年，晋师伐曹，虏曹共公。《晋世家》载："晋师入曹，数之，以其不用僖负羁言，而用美女乘轩者三百人。"

太史公曰：楚灵王方会诸侯于申，诛齐庆封，作章华台，求周九鼎之时，志小天下；及饿死于申亥之家，为天下笑。操行之不得，悲夫！势之于人也，可不慎与？（卷四〇《楚世家》/1737页）

【译文】 太史公说：当楚灵王会诸侯于申，杀齐庆封，建章华台，求周九鼎的时候，有吞并天下的志向。后来竟饿死在申亥家里，成为天下的笑谈。一个人不修养情操品行，真是可悲！对于权势，应该谨慎啊！

【评点】 司马迁论赞之言。楚灵王熊围，公元前540至前529年在位。他曾会诸侯于申，杀齐庆封，伸张正义。庆封，齐大夫，他助崔杼弑齐庄公，后奔吴，封于朱方。楚灵王欲称霸诸侯，讨乱臣，在申杀庆封。之后骄矜，修章华宫，求周九鼎。后来众叛亲离，其弟公子比杀灵王太子自立，灵王逃奔荒野，饿死在申亥家中。申亥，楚芋尹申无宇之子。

挟天子，案图籍，此王业也。（卷七〇《张仪列传》/2299页）

【译文】 控制周天子，掌握天下的地图户籍，这是成就帝王的功业啊。

【评点】 张仪说秦武王伐韩控制周王室以取天下之言。当时周王室已十分小弱，土地、人民、军事都微不足道，但周为共主，又有丰富的图书，这是成就帝王之业的必要条件。《史记·萧相国世家》记载萧何至咸阳，"独先入收秦丞相御史律令图书藏之"，"汉王所以具知天下厄塞，户口多少，强弱之处，民所疾苦者，以何具得秦图书也”，而“项王与诸侯者烧咸阳而去”。两相对比，胜负之势已分。这里阐明了文化与治国平天下的关系，要建设强大富饶的国家，必须要有优秀的文化。“案图籍，此王业也”，也是司马迁的一种史学观。

欲富国者务广其地，欲强兵者务富其民，欲王者务博其德，三资者备而王随之矣。（卷七〇《张仪列传》/2283 页）

【译文】 想使国家富强的人，致力于开拓他的疆土；想使军队强大的人，致力于使他的百姓富裕；想使天下一统的人，致力于广施他的仁德。这三个条件具备了，帝王大业也就跟随来到。

【评点】 司马错论伐蜀之言，强调欲成霸业须有地广、民富、德厚等条件，不能急于求成。秦惠王承商鞅变法之后，国力充实，图谋发展。秦惠王后九年（前 316），司马错与张仪争论秦国向何方发展。张仪主张取中原心脏之地，威诸侯，成王业。司马错认为，当时秦国还没有足够力量问鼎中原，应向西南发展，夺取巴、蜀之地，拓土安民，增强实力，极具战略眼光。秦惠王采纳了司马错的主张，当年十月秦灭蜀，虏巴王。

【马背得之】居马上得之，宁可以马上治之乎？（卷九七《郦生陆贾列传》/2699 页）

【译文】 在战马背上取得天下，难道可以在战马背上治理天下吗？

【评点】 “马背得之”，喻以武力取天下。陆贾劝高帝刘邦兴文教之言。高帝出身于贫民，很看不起儒生。史载，刘邦起兵为沛公，不好儒，“诸客儒冠来者，沛公辄解其冠，溲溺其中，与人言，常大骂。”他初见郦生，称他为“竖儒”；初即皇帝位，见叔孙通儒服而“憎之”。陆贾以客从高帝，平定天下后他常常对高帝称说《诗》、《书》。高帝骂陆贾说：“你老子在战马背上取得天下，干嘛还用《诗》、《书》!”陆贾回答说：“在战马背上取得天下，难道可以在战马背上治理天下吗?”陆贾讲说历史，文武并用才是使国家长治久安的办法。从前吴王夫差、智伯、秦始皇都是因穷兵黩武而亡国，商汤王、周武王以武力取天下，以仁义之道治国，所以长久。如果秦始皇统一天下，施行仁义，效法先王治国，陛下怎能灭秦而有天下呢?高帝听了感到失言，就让陆贾总结秦国失天下，汉朝得天下的原因。陆贾总结秦之教训是：“事愈烦天下愈乱，法愈滋而奸愈炽，兵马益设而敌人愈多。秦非不欲为治，然失之者乃举措暴众而用刑太极故也。”(《新语·无为》)这“举措暴众”“用刑太极”八个字对秦王朝暴政的批判是一针见血的。针对秦政之失，汉王朝要做到徭役不烦，刑法不滋，兵马少设，减轻对农民的暴力镇压。陆贾的这一套不同于秦王朝的治国理论，刘邦称“善”，左右呼“万岁”，从而定下了汉初无为治国的总方针。陆贾的新书共十二篇，称为《新语》。

且兵凶器，虽克所愿，动亦耗病，谓百姓远方何?又先帝知劳民不可烦，故不以为意。(卷二五《律书》/1242页)

【译文】 况且兵器是不祥的器物，即使能够达到目的，发动起来也要疲困百姓，怎么对得起服役边陲的百姓呢?先帝高祖认识到役使百姓不可烦扰，才不致力于战争。

【评点】 汉文帝反对征讨匈奴、南越时对大臣说的话。汉初，高帝反击匈奴，兵败平城，被迫和亲。文帝时，匈奴时常扰边，大臣提议兵伐匈奴，征讨南越，混一版图。汉文帝说，他要贯彻文德来治理天下，反击匈奴的事暂不考虑。他认为匈奴时常犯边，将帅没有建树，可是边境百姓父子肩扛兵器很久了，他时时痛于心中，希望加强边防，设置哨所，提高警惕，仍然保持与匈奴和亲，使北边安宁，这比起发动战争的收获要好得多，请大臣们不要再提打匈奴的事。汉文帝时，人民生活粗安，国力仍在恢复之中，继续执行和亲以蓄聚力量，无疑是正确的。汉文帝考虑人民劳苦的慎战，治理国家切不可穷兵黩武，作出了示范，这是值得称赞的。

天下安，注意相；天下危，注意将。（卷九七《郦生陆贾列传》/2700页）

【译文】 天下安定时，留意丞相；天下危难时，留意大将。

【评点】 陆贾劝陈平与周勃同舟共济之言。吕太后临朝，诸吕擅权，丞相陈平焦虑不安。这时致仕家居的前太中大夫陆贾来访，也是为诛除诸吕之事而来，因此两人谈话十分投机。陆贾认为在和平治国与动乱时期，丞相与将的作用是不同的，现在诸吕擅权，潜伏动乱危机，作为丞相要主动团结武将太尉周勃。陆贾还解释说："将相和睦，那么士大夫就亲附；士大夫亲附，即使天下变乱，大权也不会分散。为了国家，你丞相应当和太尉周勃紧密团结，国家安危就靠你们两人了。"陈平感悟，结纳周勃，西汉王朝转危为安。将相团结，乃国家之福，任何时候都是这样。

贤圣之君不以禄私亲，其功多者赏之，其能当者处之。故察能而授官者，成功之君也。（卷八〇《乐毅列传》/2431页）

【译文】 贤明的国君不把爵禄赏赐给与自己亲近的人，而是谁的功劳多就赏赐给谁，谁的才干大谁就能得高位。所以考察才能而后授予官爵的国君，就是能够建成功业的国君。

【评点】 乐毅与燕惠王书中之言。原见《战国策·燕策二》第九章。燕昭王信任乐毅，用贤而使燕国复兴；燕惠王继位信谗而逐走了乐毅，忌贤而使燕国出现了新的危机。乐毅在信中的这番话，盛赞燕昭王之明而委婉地批评了惠王的不明，拒绝回到燕国。赏罚分明，察能而授官，说来容易，做起来却很难，是以君主有昏明之分也。

从亡贱臣壶叔曰："君三行赏，赏不及臣，敢请罪。"文公报曰："夫导我以仁义，防我以德惠，此受上赏。辅我以行，卒以成立，此受次赏。矢石之难，汗马之劳，此复受次赏……三赏之后，故且及子。"晋人闻之，皆悦。(卷三五《晋世家》/1663 页)

【译文】 随从晋文公逃亡的壶叔对晋文公说："君王多次行赏，都没有轮到我，敢问我有什么罪过。"晋文公回答说："用仁义引导我，用德惠规劝我，这应当得到上等赏赐。用行动辅助我，终于使我功成业就，应该受第二等赏赐。冒矢石的危难，立下汗马功劳的人，应该受第三等的赏赐。这三等人赏赐完了，就会轮到你了。"晋国人听了晋文公的话，十分高兴。

【评点】 晋文公行赏，先公后私。晋文公重耳，曾流亡诸侯十九年，有赵衰、狐偃、贾佗、先轸、魏武子、介子推等一大批贤士追随，他们在文公身边出谋划策，辅佐文公终于回国取得君位。晋文公行赏，首先封赏用德义劝谏的人，其次封赏建有大功的人，再次封赏勇敢作战的人。壶叔忠心耿耿，追随文公，备受艰难，但他只是在生活上照顾文公个人，对国家大政或对文化修身没有什么建树，所以封赏在最后。一般平庸之君，贵宠身边的亲信，以个人好恶行赏，没有原则，没有公道。晋文公与之相反，他超越了平庸人的举动，受到了国人的称颂。

晋文公，古所谓明君也，亡居外十九年，至困约，及即位而行赏，尚忘介子推，况骄主乎？(卷三九《晋世家》/1687～1688 页)

【译文】 晋文公称得上是古代所说的英明的国君，流亡在外十九年，备尝艰难困苦，但到他即位进行封赏时，还是忘记了介子推，何况那些骄傲的国君呢！

【评点】 司马迁论赞之言。晋文公，春秋时五霸之一，姬姓，名重耳。晋国内乱，重耳出亡诸侯 19 年。介子推，追随重耳出亡的谋士。重耳回国即位后封赏从者，却遗忘了介子推，他逃隐于绵上山中。晋文公精明强干，岂能遗忘患难者。实际是介子推个性清高，不争功，不阿谀，晋文公故意冷落以折其心气，介子推则以出逃来回答。由此可见人君因大权在握而心胸褊狭，所以司马迁发出了意味深长的感叹！

人君无愚智贤不肖，莫不欲求忠以自为，举贤以自佐，然亡国破家相随属，而圣君治国累世而不见者，其所谓忠者不忠，而所谓贤者不贤也。（卷八四《屈原贾生列传》/2485页）

【译文】 作为国君，不管他聪明还是愚笨，有才还是无才，没有哪一个不想寻求忠臣来保卫自己，选拔贤才来辅佐自己，但是亡国破家的事接连发生，而圣明之君，太平之世，却好多代人都看不见，原因就在于他们所认为的忠臣不忠，所认为的贤才并不是贤才啊！

【评点】 司马迁叙述屈原尽忠遭迫害所发的议论。国君不能分辨忠奸，颠倒贤愚，好人遭殃，坏人当道，政治就走向主观的反面，亡国破家的事件就不可避免地一桩接一桩地发生了。

治天下终不以私乱公。（卷一〇八《韩长孺列传》/2860页）

【译文】 治理天下终究不能因私情而扰乱公事。

【评点】 韩安国谏梁孝王之言。西汉景帝弟梁孝王刘武依仗窦太后撑腰，多次扰乱朝廷法度，器物用具超越侯王定制，希求皇帝宝座，派刺客杀害袁盎等大臣。这些违法事件的策划者是梁孝王亲信的两个小人公孙诡、羊胜。景帝得知后，派出十余个钦差大臣办案，搜捕公孙诡和羊胜。梁孝王把这两人窝藏起来。时为梁王内史的韩安国得知后劝谏孝王交出凶犯，不要与朝廷对抗，说了上面的话。韩安国指出，高帝打了天下，皇位却没有让给他的父亲做，只尊为太上皇；临江王刘荣是景帝长子，被立为太子而遭废弃，父子之亲尚且如此，兄弟之情哪能抗拒国法。景帝之所以没办大王的罪，因为是照顾窦太后的面子，如果太后有了三长两短，大王祸患还能避免吗？韩安国的一席话切中要害，梁孝王深深恐惧，立即向汉使交出公孙诡、羊胜两犯，两犯被迫自杀。在封建社会王侯将相，包括皇帝在内，以私乱法，以私害公的事件层出不穷，引起社会动乱，使人民蒙受祸殃，而最后制造祸殃的统治者也绝无好下场。梁孝王及时警醒，韩安国善于说辞，避免了一场大难。“治天下终不以私乱公”，值得为政者深思。

为治者不在多言，顾力行何如耳。（卷一二一《儒林列传》/3121～3122 页）

【译文】 善于治国的人不在多说话，而要看他是怎样实际行动罢了。

【评点】 汉武帝建元元年（前 140），在即位之初就大兴儒术，举贤良罢黜百家，又欲建立明堂以朝诸侯。鲁人申培，当时的《诗》学大师，被尊为申公，年已八十余岁，也接受朝命征召来京。汉武帝亲自临问治乱之事，申公回答了上面两句话。雄才大略的汉武帝，当时只有十六岁，正年轻气盛，欲大兴文治有一番作为，对于申公的回答很不满意。就当时政治形势说，汉武帝举贤良独尊儒术，罢黜百家，目的就是要转变汉初无为政治，走上大兴文治武功的多欲政治，申公的立场还停留在原地，应当说是保守的。但申公主张实干，反对说空话，这一主张无疑又是正确的。

非独羊也，治民亦犹是也。以时起居；恶者辄斥去，毋令败群。（卷三〇《平准书》/1432 页）

【译文】 不只是牧羊，治理百姓也是这一道理。让它们按时起来，按时休息；发现坏羊，立即除掉，不要让它害了一群。

【评点】 卜式之言。卜式，河南郡人，以畜牧致富，自愿输财政府以助国家讨伐匈奴。汉武帝试用卜式为郎，在上林苑牧羊，一年后，羊群肥壮，汉武帝视察大为赞赏。卜式趁机谏言，以羊为喻，指出治理国家，也应像牧羊一样，驱除奸恶，休息人民，自然民富国强。卜式反对桑弘羊等人析利秋毫的行为，主张富民政策。桑弘羊用经济办法如盐铁专卖等集中财力，打击匈奴，以供国用，是权宜之计。卜式所言为长治久安，二者因时制宜，并不是绝对的矛盾。

丞相绾等言："诸侯初破，燕、齐、荆地远，不为置王，毋以填之。请立诸子，唯上幸许。"始皇下其议于群臣，群臣皆以为便。廷尉李斯议曰："周文武所封子弟同姓甚众，然后属疏远，相攻击如仇雠，诸侯更相诛伐，周天子弗能禁止。今海内赖陛下神灵一统，皆为郡县，诸子功臣以公赋税重赏赐之，甚足易制。天下无异意，则安宁之术也。置诸侯不便。"始皇曰："天下共苦战斗不休，以有侯王。赖宗庙，天下初定，又复立国，是树兵也，而求其宁息，岂不难哉！廷尉议是。"（卷六《秦始皇本纪》/238～239页）

【译文】　丞相王绾等说："诸侯各国刚刚被打败，燕国、齐国、楚国地方偏远，不在那里建立封王，无法镇抚那些地区。请封立诸子为王，希望皇上恩准。"秦始皇把这个建议下交给群臣讨论，大家都说封王有利于国家。廷尉李斯发表不同意见说："周时文王、武王分封子弟和同姓诸侯很多，可是诸侯后代逐渐疏远了，互相攻击，就像仇人一样，诸侯之间互相征伐，周天子无法禁止。现今天下依靠皇上的神威并于一统，都为郡县，对于皇子功臣，用国库所收租税重重赏赐，这样容易控制。要让全天下的人都没有贰心，那才是安定天下的好办法。重新封立诸侯没有好处。"秦始皇帝说："全天下的人都苦于战争无止无休，就是因为诸侯王。现在我依仗祖宗的神灵，天下刚刚安定，又重新建立诸侯国，这等于是制造战争，要想求得天下安宁，岂不是困难的吗？廷尉的意见对。”

【评点】 这是秦始皇废分封的一场大辩论，秦始皇采纳李斯建议，废除了自西周以来实行上千年的分封制度，打上了句号。西汉鉴于秦亡无藩王救驾的教训，又死灰复燃，再行分封，结果在景帝三年（前154）演出了吴楚七国合纵叛逆的一场闹剧，从此这一制度才真正衰落。

【河山带砺】使河如带，泰山若厉。国以永宁，爰及苗裔。（卷一八《高祖功臣侯者年表序》/877页）

【译文】 黄河不到干枯如衣带，泰山不到陵夷如磨刀石，你们的封国永远安宁，传给子子孙孙。

【评点】 汉初封爵的誓词。宋王应麟《困学纪闻》引《楚汉春秋》云，高祖封侯，赐丹书铁券，曰：“使黄河如带，泰山如砺，汉有宗庙，尔无绝世。”誓词不同，清梁玉绳认为《史记》所载是吕后删改过的誓词。司马迁引此誓词讥刺汉封诸侯，失仁义之本。功臣侯始封过大，使其子孙骄淫犯禁；继之汉廷裁制过于严酷，使侯国子孙坐法殒命亡国。上之失，“罔亦少密焉”；下之失，“皆身无兢兢于当世之禁云”。归根到底，上下皆失仁义之本，所以汉定百年之间，功臣子孙都衰微了。现实与誓词形成了鲜明的对照。成语“河山带砺”出此，喻国运久长，基础坚实。

太史公读《列封》至便侯，曰：有以也夫！长沙王者，著《令甲》，称其忠焉。昔高祖定天下，功臣非同姓疆土而王者八国。至孝惠时，唯独长沙全，禅五世，以无嗣绝，竟无过，为藩守职，信矣。（卷一九《惠景间侯者年表序》/977页）

【译文】 太史公读列侯的封爵档案《列封》，研究了便侯的材料说：吴芮长保封国是有原因的啊！他受封长沙王的委任状编在律令的第一集《令甲》中，特别称赞他的忠诚。当初高祖平定天下时，有八个功臣异姓王。至孝惠时，只有长沙王得到保全，传延了五代，直到无后国除，始终没有过错，真是一个忠诚的藩臣。所以他的德泽恩及枝庶子孙，没有功勋也得到了封爵的有好几个人。

【评点】　司马迁序论。便侯，长沙王吴芮之子吴浅，孝惠元年（前194）封为便侯。高祖初年所封异姓王有八人：齐王韩信、韩王韩信、燕王卢绾、梁王彭越、赵王张耳、淮南王英布、临江王共敖、长沙王吴芮。至高祖十一年（前196），除长沙王外，其余七王均被消灭。禅五世，指长沙王吴芮传国五世，至文帝后元七年（前157），无后国除。泽流枝庶，封建时代宗法制度，长子称宗子，也叫嫡子，其余兄弟叫枝子。妾生之子叫庶子。吴芮以长沙王传宗子外，次子吴浅受封为便侯传至玄孙，所以说“泽流枝庶”。高帝为激励诸将对楚作战，以及边地安定，在楚汉战争及建国过程中，先后封了八个异姓王，由于封国过大，在高帝当世已渐成尾大不掉之势，因此被高帝一个一个消灭。由于长沙王界南越，为汉越之间的缓冲国，封地人口稀少，是最弱的一个异姓王，反而泽流枝庶。所以表序以长沙王起论，反复致意，以明国小而完，侯王长忠，形势相宜。

古人有言曰：“爱之欲其富，亲之欲其贵。”故王者疆土建国，建立子弟，所以褒亲亲，序骨肉，尊先祖，贵支体，广同姓于天下也。是以形势强而王室安。自古至今，所由来久矣。（卷六〇《三王世家》/2114页）

【译文】　古人有这样的话：“爱他便要使他富，亲他便要使他贵。”所以统治天下的人要划分疆土，建立封国，分封子弟，用以显扬亲属表示自己的亲爱，序列骨肉至亲的等级，尊崇祖先富贵子孙，光大同姓于天下。这是因为增强了同姓，王室才能安定。从古至今，这一传统十分悠久。

【评点】 司马迁论赞之言。三王，指汉武帝元狩六年（前117）封第二子刘闳为齐王，封第三子刘旦为燕王，封第四子刘胥为广陵王。武帝共六子，长子刘据为太子，死于巫蛊案。少子刘弗陵，后为皇太子。第五子刘髆，天汉四年立为昌邑王，因在太初以后，而《史记》断限太初，故不载，而只作《三王世家》。三王年幼，无事迹可载，故司马迁只录载封三王的策文，而在论赞中评论封王制度。司马迁认为，封立皇室诸子为王，有两大意义，第一是亲亲，第二是树屏藩，张大护卫王室的形势。这就是西周封建以来的传统观念，所以说自古及今，由来已久。《史记》贯通考察了分封制度的历史，对西周的分封制度仍留有怀念，不主张废除，而要小弱，使中央与诸侯，如同本干与枝叶一样，相辅生成。废分封，则冢子嗣位，诸公子为布衣，有失亲亲仁德之本。秦始皇推行法家政治，故能彻底废分封，汉朝尊儒，以孝治天下，从治国理论上不能允许彻底废分封。汉代以后，列朝皇室众公子在儒家亲亲理论下享受封藩厚禄，成了吞食社会的一大蠹虫。所以分封制度，自秦汉中央集权建立以后，实为国家的一大败政。西周世卿世禄，王室为共主，享受天下贡奉，当时有分封是适应那时的形势。可以说西周分封是天下万国走向统一的一种过渡形式，也可以说是必然阶段。秦始皇废分封，符合历史的进程，儒家政治保留分封尾巴，乃是旧制度影响的遗留，这也是家天下必然的遗留。

民本第二十二

【引言】 民本篇，凡20条。封建统治者仍然懂得“民惟邦本，本固邦宁”（《尚书·五子之歌》），所以儒家的忠实学者，以及信奉儒学的官僚士大夫，常为人民发出诉疾苦、呼冤抑的言论，有的不惜杀身对君主犯颜直谏，要求改善政治。孟子以帝王师的身份教导说：“得天下有道，得其民，斯得天下矣；得其民有道，得其心，斯得民矣。”（《孟子·离娄上》）司马迁在《史记》中以生动的历史记述证明了这一真理。儒家学说中的这一民本思想带有民主性和革命性，司马迁加以继承和发扬，作为述史的理论根据，贯彻在《史记》全书中。

有民立君，将以利之。今戎狄所为攻战，以吾地与民。民之在我，与其在彼，何异。民欲以我故战，杀人父子而君之，予不忍为。（卷四《周本纪》/113～114页）

【译文】 民众拥立君主，是想让君主给他们谋利益。现在戎狄前来侵犯，目的是夺取这里的土地和人民。民众属于我，还是归属戎狄，没有两样。民众为了我与戎狄作战，我不顾牺牲人家的父子兄弟却去做人家的君主，我不忍心这样做。

【评点】 古公之言。古公，名亶父，周文王之祖父，从豳地迁于岐下周原，为周贤明先公。西周建立，尊古公为太王。他避开强敌，不与戎狄争长，得到豳人爱戴，举国携老扶幼相从。

防民之口，甚于防水。水壅而溃，伤人必多，民亦如之。是故为水者决之使导，为民者宣之使言。（卷四《周本纪》/142页）

【译文】 堵住人民的嘴巴，比堵住流水还要危险。堵塞的河水冲决堤防，受伤害的人一定很多。因此，善治水的人开通河道，使水流通畅，善于治民的人放开言论，让人民讲话。

【评点】 召公谏厉王监谤之言，原文见《国语·周语上》，“水”作“川”。韦昭注：“流者曰川。言川不可防，而口又甚也。川之溃决，害于人也。”防，《说文》：“堤也。”壅，《广韵》：“塞也。”堤防用以堵塞流水，喻禁止老百姓说话。西周厉王监谤，禁止国人议论政事，召公谏止，不听，终于被国人驱逐。

农，天下之本，务莫大焉。（卷一〇《孝文本纪》/428页）

【译文】 农业是天下的本业，事务没有比这更大的了。

【评点】 汉文帝前元十三年（前167）发布劝农除田租诏中的话。农，农业，《商君书·垦令》：“民不贱农，则国安不殆。”《汉书·食货志上》：“辟土殖谷曰农。”本，本业，古代以务农为本业，称工商为末业。务，事务，治国要务。秦汉时重农抑商，奖励耕织，但由生产力的不发达和农民始终处于被盘剥的地位，重农抑商几千年，农民始终挣扎在贫困的深渊中。只有工业化、商业化、农业现代化，农民才能摆脱贫困，这是一个复杂的社会问题，不必深说。汉文帝免除农民田租十余年，这在中国古代史上是一件了不起的大事，还是值得大书的。

臣闻知天之天者，王事可成；不知天之天者，王

事不可成。王者以民为天，而民人以食为天。（卷九七（《郦生陆贾列传》/2694 页）

【译文】 我听说懂得大自然规律的人，帝王事业可以成功；不懂得大自然规律的人，帝王事业不能成功。治理天下的国君以人民为依靠，而人民以粮食为依靠。

【评点】 郦食其劝说汉王刘邦坚守荥阳，攻夺敖仓之言。敖仓，在荥阳东北敖山上，秦国修筑了大粮仓，屯聚了许多粮食。汉三年（前 204）项羽攻夺了汉军坚守的荥阳，却没有乘胜进击，暴露了只会打仗不懂战略制要的缺点。俗语说："兵马未动，粮草先行。"荥阳既有地理形胜，又有敖仓，哪一方占有，哪一方就在战略上占有优势。刘邦采纳了郦食其的建言，坚决夺回了敖仓，成了汉军由弱变强的转折点。天，此指自然之天，因天地为万物生存的依托，所以引申为依靠。

政不简不易，民不有近；平易近民，民必归之。（卷三三《鲁周公世家》/1524 页）

【译文】 为政不简约易行，人民就不会亲近；政令平易亲近民众，人民必然归附。

【评点】 周公论治国之言。周公主张为政要平和简易，不可繁苛使人民无所措手足。政，政令，政策。

制国有常，利民为本；从政有经，令行为上。明德先论于贱，而行政先信于贵。（卷四三《赵世家》/1807 页）

【译文】 治理国家有常规，替百姓谋福利这是根本；参与政事有原则，法令通行这是首要。修明政治必先为人民着想，贯彻政令必先使贵戚以身作则。

【评点】 战国中期赵武灵王胡服骑射，进行军制改革，而以叔父公子成为首的一批卿大夫表示反对。赵武灵王派王緤向公子成致意，转达了这段话，意谓礼制法度都是为了给百姓谋利而设，在上位的人为了便民利国，改变旧俗，必须以身作则。从礼义上说，一个人在家听从父亲，在国听从国君，公子成身为大臣，怎能不为国家的更法而带头呢！这段话说得有理有节，公子成终于在赵武灵王的亲自动员下改变了立场。

治国之道，富民为始；富民之要，在于节俭。（卷一一二《平津侯主父列传》/2963 页）

【译文】 要把国家治理好，首先要让老百姓富起来；而要使老百姓富起来，最关键的是要勤俭节约。

【评点】 太皇太后诏大司徒大司空之言。太皇太后，指元帝皇后王政君。此诏在平帝元始中发布，为后人附于传后。始，首先。要，关键。

太史公曰：召公奭可谓仁矣！甘棠且思之，况其人乎？燕外迫蛮貉，内措齐、晋，崎岖强国之间，最为弱小，几灭者数矣。然社稷血食者八九百岁，于姬姓独后亡，岂非召公之烈邪！（卷三四《燕召公世家》/1561～1562 页）

【译文】 太史公说：召公姬奭可以说得上是一个仁人！他听事的甘棠树尚且为人们怀念，何况他本人呢！燕国外受蛮貉侵逼，内与齐、晋交接，艰难地在各大国之间周旋，是一个最弱小的国家，多次险遭灭亡。但是，宗庙社稷却享受祭祀八九百年，在姬姓国家中独独最后灭亡，难道不正是召公留下的德业吗！

【评点】 司马迁论赞之言。召公奭，周之支族，初封于召，称召公。武王灭殷，封召公长子于燕。甘棠且思之：相传召公勤政爱民，常巡行乡邑，在甘棠树下决狱听事，办理公正，故人民歌咏之，作诗《甘棠》，见《诗经·召南》。措，错之借字，交错，交接。烈，德业。司马迁认为祖上积德累善，泽流子孙，是因为人民怀念。这一思想贯穿《史记》全书。

夏之政忠。忠之敝，小人以野，故殷人承之以

敬。敬之敝，小人以鬼，故周人承之以文。文之敝，小人以僿，故救僿莫若以忠。三王之道若循环，终而复始。周秦之间，可谓文敝矣。秦政不改，反酷刑法，岂不缪乎？故汉兴，承敝易变，使人不倦，得天统矣。（卷八《高祖本纪》/393～394 页）

【译文】 夏朝的政治纯朴。纯朴的弊病是人民粗俗少礼，所以殷朝提倡敬奉天地鬼神和祖先，用礼仪来代替纯朴。虔诚的敬奉礼仪产生了人们迷信鬼神的弊病，所以周朝用严格区分等级尊卑的礼制来代替它。严格区分等级尊卑的礼制导致了虚伪的弊病，只重形式主义，所以纠正虚伪莫过于提倡纯朴。这就是说，夏、商、周三代的政治就像转环一样周而复始。从周朝到秦朝，可以说弊病就产生在严格区分等级尊卑的礼制上，秦朝施政不但不改弦更张，反而变本加厉地实行严刑酷法，这难道不是荒谬的吗？所以汉朝建立以后，把过去的弊病加以改变，使人不至于倦怠，真正得到了天命。

【评点】 司马迁论赞之言。评说汉高祖得天统的原因。字面意义包含了循环论的色彩，但主旨却是讲“变”，历史在不断的演变和前进。论赞引夏、商、周的忠、敬、文三统之说，重在说“变”，而不是“循环”。秦承周“文”政之敝而不改，故亡国；汉兴，“承敝易变”，获得了天命。所谓“文”，《集解》引郑玄云：“尊卑之差也。”“僿”，又作“薄”，司马贞曰：“僿，犹薄之义。”周政“文”之敝，就是说周朝等级森严的礼制，繁文缛节发展过了头，官吏习文法只重形式。汉承秦之敝，救之以忠，并不是去效法夏政鲧、禹决渎，而是“承敝易变”，顺民之俗。司马迁把神秘的天命论，解释为不断演变的历史内容，将天心与民心联系起来，发扬了儒家孟子学派的民本学说。在当时，无疑是进步的历史观。

昔虞、夏之兴，积善累功数十年，德洽百姓，摄行政事，考之于天，然后在位。汤、武之王，乃由契、后稷修仁行义十余世，不期而会孟津八百诸侯，犹以为未可，其后乃放弑。秦起襄公，章于文、缪，献、孝之后，稍以蚕食六国，百有余载，至始皇乃能并冠带之伦。以德若彼，用力如此，盖一统若斯之难也。（卷一六《秦楚之际月表序》/759 页）

【译文】 从前虞舜、夏禹的兴起，都是积累了好几十年的善行功德，把恩惠施给百姓，先代理天子试行办理政事，接受上天的考验，然后即位。商汤和周武王之所以得到天下，那是由于自契和后稷以来十几代施行仁义的结果。周武王一发号令，不约而同到孟津会合的有八百个诸侯，但他还认为讨伐殷纣王的时机没有成熟。汤放桀、武王杀纣都是经过长期的艰苦的奋斗才告成功。秦国的兴起，始于襄公，文公、穆公继续发展，献公、孝公之后，逐渐蚕食六国，经历了一百多年，到了秦始皇手里，才统一了六国。德义的积累是那样久远，武力的征讨是这样的艰难，一统天下是多么的不易啊。

【评点】 司马迁对秦汉大一统历史原因及发展的探索。秦汉之际，五年之间，号令三嬗，历史发生了剧烈变动。司马迁在这剧烈变动之中看到了历史走向一统的方向。他为了探索这一历史的发展原因，追溯到了古代，写成了一部贯通的历史书。清代学者钱大昕指出，《史记》的微旨有三：“一曰抑秦，二曰尊汉，三曰纪实”。（《潜研堂文集》卷三十四《与梁耀北论史记书》）三者之中，“尊汉”实为《史记》撰述之大旨。所谓“尊汉”，就是宣扬汉家一统带来的天下大治，肯定秦汉中央集权制度。这一制度创立于秦，巩固于汉，这在当时还是新生事物，需要在意识形态上为它大喊大叫。司马迁追溯历史，上古五帝三代，长期积德累善，才能得天下；秦王朝经过几十代人的努力，又经过了一百多年的兼并战争才统一天下，而秦汉之际，五年之间就统一了天下，可见历史是走向统一与发展的。司马迁追溯三代以来天下一统的艰难历程，旨在分析刘邦得天下的原因，一是秦政暴虐，替兴起于民间的天子开辟了道路，二是人心归向一统，刘邦顺应了形势。归根结底，得天下与治天下，民心向背起了决定作用，具有独到的见解。

太史公曰：孝惠皇帝、高后之时，黎民得离战国之苦，君臣俱欲休息乎无为，故惠帝垂拱，高后女主称制，政不出房户，天下晏然。刑罚罕用，罪人是希。民务稼穑，衣食滋殖。（卷九《吕太后本纪》/412页）

【译文】 太史公说：孝惠皇帝和高后统治时期，老百姓得以免除了战国时代的苦难，君臣都奉行无为政治，所以尽管惠帝不管事，高后代行皇帝之权，政令决策于宫廷，仍然天下太平。刑法少用，犯罪的人极少。人人勤于耕织，家家丰衣足食。

【评点】 司马迁论赞之言。《吕太后本纪》详载诸吕乱政始末，对吕太后个性的残刻作了入木三分的揭露，但在赞中却肯定她实行无为政治、安邦治国的成功，表现了作者对开明政治的向往。此外，司马迁论载历史人物和历史事件，一般不作全盘肯定或全盘否定，而是原原本本讲清楚人物行事和客观事物的变化和发展，以穷究盛衰成败的因果。例如，司马迁反对秦朝暴政，却肯定秦朝的统一之功和制度体系；司马迁同情项羽，但并不饰过；司马迁揭露和批判刘邦的狡诈，却又肯定刘邦的政策笼络了人心，取得了天下；司马迁极其憎恶酷吏，却也肯定廉洁不枉法的酷吏；司马迁写《史记》的主旨是颂扬汉家一统的功德，却又委婉曲折地揭露了汉家帝王的一些隐私，力求做到尊重客观的历史实际，故《史记》以实录著称于世。因为只有实录的历史，才能提供真正有益的教训，使历史起到镜子的作用。吕太后佐刘邦起义，楚汉相争中被项羽俘获，备尝数年的囚徒生活，知道创业之艰难，故在政治上与民休息，励精图治不敢懈怠，而在政权角逐中表现个性的残酷。司马迁严格地加以区分，否定吕太后的为人，而肯定吕太后的政治。这说明司马迁评论历史人物，以对人民态度，治政好坏的客观实际为重要内容，这一标准，即使在今天仍有借鉴意义。

【十家之产】百金，中民十家之产，吾奉先帝宫室，常恐羞之，何以台为！（卷一〇《孝文本纪》/433页）

【译文】 一百万，相当于十户中等人家的产业，我享受着先帝遗下的宫室，时常担心有辱于先帝，还建造露台干什么！

【评点】 汉文帝之言。文帝即位二十三年，宫室、园林、狗马、服饰和御用器具等，一直没有增添什么。凡是对百姓不便的措施，就立即放弃，以有利民众。他经常穿粗丝衣服，连他所宠爱的慎夫人，穿的衣服也不准长到拖于地上，制的帏帐不得绣花，给天下人作榜样。文帝给自己修建的霸陵，装饰物全用陶器，不准用金银铜锡制作，不修高大的坟冢，节省民力，不烦扰百姓。与匈奴和亲，安宁边境。大臣直言进谏，总是宽容。亲信大臣张武等人接受贿赂，事情败露，文帝赐以金钱用以羞愧他的内心。文帝一心一意用恩德感化臣民，因此天下富足，礼义兴盛。文帝身体力行，提倡淳朴，不仅示天下以节俭，而且使与民休息的无为政治得到认真贯彻，具有极为重要的现实意义。露台，专供皇帝登高赏景的露天平台。由于要用一百万钱，相当于十户中等人家的产业，就停止了修建。千百年来，人们津津乐道。由此可以说明汉文帝确是一位有德于民的圣明之君。

汉兴七十余年之间，国家无事，非遇水旱之灾，民则人给家足，都鄙廪庾皆满，而府库余货财。京师之钱累巨万，贯朽而不可校。太仓之粟陈陈相因，充溢露积于外，至腐败不可食。众庶街巷有马，阡陌之间成群，而乘字牝者傧而不得聚会。守闾阎者食粱肉，为吏者长子孙，居官者以为姓号，故人人自爱而重犯法，先行义而后绌耻

辱焉。（卷三〇《平准书》/1420页）

【译文】 汉朝建立已七十多年，国家太平无事，如果没有水旱灾害，老百姓人人自给，家家富足，全国城邑及边地的粮仓都装满了粮食，府库中贮存很多的财物。京城库藏中的钱累积有万万，穿钱的绳子都腐朽了，无法点数。京都太仓的粮食层层都有堆积，满得溢出了仓外，甚至于腐烂不能吃。普通老百姓大街小巷有马，田野之间成群，而乘母马的人被排斥，不能参与聚会。看守里巷大门的人都吃上了细粮和肉，做官的人长期安稳，在任所把子孙养大，有的还把官名作了自己的姓氏。所以人人自爱而不轻易犯法，重视修行仁义，而厌恶耻辱行为。

【评点】 这是对西汉文景之治盛况的描写。

夫国必依山川，山崩川竭，亡国之征也。川竭必山崩，若国亡不过十年，数之纪也。天之所弃，不过其纪。（卷四《周本纪》/146页）

【译文】 一个国家的兴旺，一定要依赖于山川，高山崩塌，河川枯竭，这是亡国的征兆。河川枯竭了，高山就一定会崩塌，照此看来，用不了十年国家就要灭亡，因为十是数字的一个循环单元。被上天抛弃的，不会超出十的极限。

【评点】 周太史伯阳甫之言。周幽王二年（前780），关中发生地震，岐山崩塌，泾、渭、洛三川河水枯竭，太史伯阳甫认为是亡国之兆，不出十年必然应验。周幽王十一年（前771），果然犬戎攻杀幽王，西周亡，正好十年。古人信奉天人感应，加以附会，借天灾批评政治。周幽王无道，不恤民政，人为造成了亡国征兆，所以伯阳甫不幸而言中。

晋，季世也。公厚赋为台池而不恤政，政在私门，其可久乎！（卷三九《晋世家》/1684页）

【译文】 晋国处于末世了。平公向百姓征收重税，修建楼台深池却不务政事，政务权柄落在权臣个人手中，岂能长久维持吗？

【评点】 晋平公时正卿叔向之言。当时晋韩、赵、魏三家执政世卿，权力日隆，而晋平公却奢侈淫逸，不关心黎民生活，进一步将民众推给三家私门。叔向，姬姓，羊舌氏，名肸，字叔向。齐使晏婴使晋，与叔向论齐晋国势，叔向认为公族势衰，政在家门，有此感叹，晏婴赞同他的话。

太史公曰：商君，其天资刻薄人也。迹其欲干孝公以帝王术，挟持浮说，非其质矣。且所因由嬖臣，及得用，刑公子虔，欺魏将卬，不师赵良之言，亦足发明商君之少恩矣。余尝读商君《开塞》、《耕战》书，与其人行事相类。卒受恶名于秦，有以也夫！(卷六八《商君列传》/2237页)

【译文】 太史公曰：商鞅，他天性是一个残酷薄情的人。考察他用帝道、王道干求秦孝公，只不过是借用浮华的言论来达到目的，并不是他的本意。何况他又是靠孝公的宠臣景监引荐的，得到重用以后，惩罚公子虔，欺骗魏将公子卬，不听从赵良的劝告，这就足以证明他是一个薄情的人。我读他的《开塞》、《耕战》等文章，真是文如其人，就像他做事一样。商鞅在秦国终于蒙受了叛逆的罪名，这是有原因的啊！

【评点】 司马迁论赞之言。商鞅是我国先秦法家的杰出代表。他佐秦孝公变法，改革了秦国的旧制度，使落后的秦国一跃而为称雄诸侯的强国，为后来秦统一六国奠定了基础。《太史公自序》云："鞅去卫适秦，能明其术，强霸孝公，后世遵其法，作《商君列传》第八。"充分肯定了商鞅的变法业绩。传文全面系统地记载了商鞅变法的过程和成就，为后人正确评价商鞅提供了宝贵的资料。但司马迁认为商鞅执法过于苛酷，个人品质苛暴少恩，不爱护百姓，所以在论赞中提出了强烈的批评。

太史公曰：王翦为秦将，夷六国，当是时，翦为宿将，始皇师之，然不能辅秦建德，固其根本，偷合取容，以至圽身。及孙王离为项羽所虏，不亦宜乎！（卷七三《白起王翦列传》/2342 页）

【译文】　太史公说：王翦为秦大将，铲平六国，在这个时候，他是一个元老旧将，秦始皇把他作为老师，但他不能辅秦始皇建立德义，巩固根本，苟且偷生，求容人主，就这样直到老死。到了他的孙子王离被项羽俘虏，不也是应当的吗？

【评点】　司马迁论赞之言。王翦不谏秦始皇行仁义，其孙受殃，司马迁认为得到了报应，表现了他的反暴政思想。

【头会箕敛】【民不聊生】秦为乱政虐刑以残贼天下，数十年矣，北有长城之役，南有五岭之戍，外内骚动，百姓罢敝，头会箕敛，以供军费，财匮力尽，民不聊生。（卷八九《张耳陈馀列传》/2573 页）

【译文】　秦朝施行暴政酷刑来残害天下百姓，已有几十年了。北边有修筑万里长城的劳役，南边有防守五岭的兵役，国外国内一片混乱，百姓疲困，横征暴敛用以维持军费，财穷力尽，百姓无法生存。

【评点】　“头会箕敛”，按人头征税，一畚箕谷物都被强征作赋，形容横征暴敛，赋税苛重。“民不聊生”，人民都困苦得不愿生活。张耳、陈馀辅助赵王武臣发动河北人民反秦的宣传，同时也批判了秦朝的暴政。

【项羽困于齐】汉之二年冬，项羽遂北至城阳，田荣亦将兵会战。田荣不胜，走至平原，平原民杀之。遂北烧夷齐城郭室屋，皆阬田荣降卒，系虏其老弱妇女。徇齐至北海，多所残灭。齐人相聚而叛之。

于是田荣弟田横收齐亡卒得数万人，反城阳。项王因留，连战未能下。(卷七《项羽本纪》/321页)

【译文】 汉二年冬，项羽向北到达城阳，田荣也领兵来交战。田荣战败，退逃到平原，平原民众杀了他。项羽于是向北推进，烧平了齐国的城邑、民房，全部活埋了已投降的田荣士兵，掳掠了齐国的老弱妇女。攻占齐国城邑到达北海，所到之处，多数地方被毁灭，人民遭杀戮。齐国民众又聚集起来反叛项羽。这一来，田荣的弟弟田横收集齐国逃散的士兵有几万人，在城阳竖起反楚的大旗。项王因此停留下来，发动多次进攻，没能打下城阳。

【评点】 “项羽困于齐”，事载《项羽本纪》。项羽百战百胜，所向无敌，但用兵极其残暴，杀降屠城，无所顾忌。在反秦战争中，项羽的暴行被人民复仇情绪所掩盖，而现在用这样的手段与诸侯打兼并战争就不灵了。田荣也是一员能征惯战之将，但他不是项羽对手，一触即溃。但项羽无端迁怒于民，烧杀掳掠，结果深深陷入人民反暴的汪洋大海之中，眼睁睁看着刘邦并三秦，并一路扑向自己的大本营彭城。这里，司马迁以记事实录揭示了项羽失败的根本原因，即“以力征经营天下”，是失掉了民心而失去了天下。

太史公曰：吾闻之周生曰“舜目盖重瞳子”，又闻项羽亦重瞳子。羽岂其苗裔邪？何兴之暴也！夫秦失其政，陈涉首难，豪杰蜂起，相与并争，不可胜数。然羽非有尺寸，乘势起陇亩之中，三年，遂将五诸侯灭秦，分裂天下，而封王侯，政由羽出，号为“霸王”，位虽不终，近古以来未尝有也。及羽背关怀楚，放逐义帝而自立，怨王侯叛己，难矣。自矜功伐，奋其私智而不师古，谓霸王之业，欲以力征经营天下，五年卒亡其

国，身死东城，尚不觉寤而不自责，过矣。乃引“天亡我，非用兵之罪也”，岂不谬哉！（卷七《项羽本纪》/338～339 页）

【译文】 太史公说：我听周先生说过，“舜的眼睛有两个瞳孔”，我又听说项羽的眼睛也长了两个瞳孔，他难道是舜的后代吗？不然为什么兴起得这么快呢？秦朝施行暴政，陈涉首先发难，英雄豪杰就像蜂群一样涌起，互相争夺政权的人，多得不可计数。然而项羽并没有什么凭藉，趁势从民间起来，经过了三年的斗争，竟率领楚、赵、韩、魏、燕五国之师灭亡了秦朝，分割天下，大封诸侯，政命由他发出，称为“霸王”。项羽虽然没有守住政权，但是近代以来还没有出现过这样的人物呢。由于项羽放弃关中回到彭城，放逐了义帝自立为霸王，这就失去了人心，反而怨恨王侯们背叛自己，那就很难了。项羽自己夸耀功劳，独断专行，全不借鉴历史的经验，以为霸王的事业，只要用武力就可达到目的，所以不过五年就亡了国，自己也身死东城，但仍然不觉醒，也不责备自己的过失，真是错到底了。项羽临死竟然说：“是上天要灭亡我，不是我打仗的过错。”难道不是很荒谬的吗？

【评点】 司马迁论赞之言。作者历述项羽之失败，其因有五：第一，分裂天下，引起争斗；第二，背关怀楚，失去地利；第三，放逐义帝，诸侯叛乱；第四，自矜功伐，不行仁政；第五，专恃武力，失去民心。《太史公自序》又云：“子羽暴虐，汉行功德。”归结起来，最根本原因是项羽迷信武力，失去民心，最后成了孤家寡人。

妇女第二十三

【引言】 妇女篇，凡15条。轻视妇女，是一种社会习惯势力，它伴随父权制的形成而产生，有悠长的历史。孔子就说过："惟女子与小人为难养也，近之则不逊，远之则怨。"（《论语·阳货》）司马迁不仅没有蔑视妇女偏见，而且在他的笔下，妇女形象光彩夺目。在《史记》体例中，吕后进入了"本纪"，后妃进入了"世家"。司马迁据事实录，尽管他无情地揭露了吕后在政治斗争中的种种恶行，但并不着眼于女性祸国乱政，而恰恰指出吕后执行无为政治，带来社会的安定，给予了实事求是的高度评价。《外戚世家》起首发论，指出后妃的辅政作用，也是一正一反列举历史事实，把妇女的作用提到了影响国家兴亡的高度，说明历史的发展是离不开妇女的。当然，对谗狠的妒妇如骊姬也给予了无情的鞭挞。此外，在人物列传中附载了社会各阶层许多不同类型的妇女形象。战国时赵括母，是一个大公无私，能明辨是非的女性典型；齐国太史嬓女，在国难当头之时，不拘小节与齐湣王太子法章私自结合，协助其复国的事迹，表现了她的爱国主义精神；魏国轵人聂荣，是一个舍生为其弟聂政传播义士之名的女性典型；汉朝缇萦和卓文君，是敢于和封建礼法斗争的妇女典型；还有春秋时晋国介子推母，秦末东阳起义者陈婴之母，楚汉相争时被项羽逼杀的王陵母，这些妇女深明大义，是能够洞察历史大势的妇女典型；至于救助韩信而不望报的漂母，更是平凡而具有高尚情操的妇女典型。司马迁是中国历史上第一个重视了妇女在社会生活各个领域发挥作用而加以记载的历史家，难能可贵。

【妃匹之爱】自古受命帝王及继体守文之君，非独内德茂也，盖亦有外戚之助焉。夏之兴也以涂山，而桀之放也以末喜，殷之兴也以有娀，纣之杀也嬖妲己。周之兴也以姜原及大任，而幽王之禽也淫于褒姒。故《易》基《乾》、《坤》，《诗》始《关雎》，《书》美釐降，《春秋》讥不亲迎。夫妇之际，人道之大伦也。礼之用，唯婚姻为兢兢。夫乐调而四时和，阴阳之变，万物之统也。可不慎与？人能弘道，无如命何。甚哉，妃匹之爱，君不能得之于臣，父不能得之于子，况卑下乎！既欢合矣，或不能成子姓；能成子姓矣，或不能要其终，岂非命也哉？孔子罕称命，盖难言之也。非通幽明之变，恶能识乎性命哉？（卷四九《外戚世家》/1967 页）

【译文】　自古受天命创业的开国帝王，以及继承先帝的君位和遵守先帝成法的守业君主，不仅仅因为个人内在的德行完美，也是因为有外戚的协助。夏朝的兴起是因为娶了涂山氏的女子，而夏桀被流放则是因为宠爱妹喜。殷朝的兴起是因为娶了有娀氏的女子，商纣的兵败自杀则是因为他宠爱妲己。周朝的兴起是因为娶了姜嫄和太任，而周幽王的被擒则是因为他淫乐于褒姒。所以，《周易》的开头是分别代表男女的《乾》卦与《坤》卦，《诗经》的第一篇是描写男女情爱的《关雎》，《尚书》赞美尧亲自料理两个女儿的婚事，《春秋》则讥讽娶妻而不亲自迎接。夫妇之间的关系，是人类道义中最重要的伦理。礼的作用，唯独在婚姻上特别慎重。音乐谐调，四时的气候才能正常。阴阳的变化，是万物生长的根源，能不对此（夫妇之道）持慎重态度吗？人能发扬道义，对命运却无可奈何。夫妻之间的爱超过了一切，君主不能从臣下那里得到，父亲不能从儿子那里得到，何况更卑贱的人呢？夫妇之间既已相爱结合，有的却不能生育子女；能生儿育女的，又有的不能白头到老，这岂不是命运吗？孔子很少说到命运，大约是因为难于说清楚。不能通晓阴阳的变化，怎么能懂得人性与命运呢？

【评点】 “妃匹之爱”，即夫妻之爱。《外戚世家》序论概述汉以前后妃及夫妇之道，正传专载汉朝前期从高祖至武帝时各帝后妃的事迹，以展示宫廷中的权力角逐。名为世家，实为后妃类传。写后妃而定名《外戚世家》，其义有二。一是后妃代代不绝，如世代相继。二是后妃之家因裙带而封侯，后妃干政更要张大外戚形势，而外戚则因后妃的际遇而升降。后妃与外戚，政治上实为一体。司马迁用“外戚世家”之名写后妃传记，寓意是深刻的。序论以三代后妃为例证说明后妃、君主之德与国家兴亡的关系。宫中的权力斗争，司马迁巧妙地用“命”字画龙点睛，指出宫廷斗争变幻莫测，仿佛有冥冥的主宰在支配，其实是权力斗争的一种折射。后妃修德，远离权力，可保平安无事；若争势夺利，媚悦人主，小则丧身，大则乱国，应当谨慎。序论还引用《易》、《诗》、《书》、《春秋》及《礼》、《乐》六经论证夫妇之间的关系是人伦中最重要的关系。司马迁认为夫妻之爱，超过了君臣、父子之爱，无疑地是说这种关系是互相制约、互相依存的关系。夫妇之间应当和谐，男女要慎重对待婚姻，隐隐然含有朴素的男女平等观念。司马迁还认为维系夫妻关系的准则，除了夫妇之爱，还以礼来节制。《礼》书说：“缘人情而制礼，依人性而作仪。”礼是发扬人性的，感情受礼的节制才能使人的行为有德。本篇正传以时间为序，主要写吕太后、薄太后、窦太后、王太后、卫皇后等五后及外戚的荣辱。栗姬、陈皇后、王夫人等穿插附见。栗姬骄贵，陈皇后忌妒，王夫人弄色，都没有好下场。

太史公曰：孝惠皇帝、高后之时，黎民得离战国之苦，君臣俱欲休息乎无为，故惠帝垂拱，高后女主称制，政不出房户，天下晏然。刑罚罕用，罪人是希，民务稼穑，衣食滋殖。（卷九《吕太后本纪》/412页）

【译文】 太史公说：孝惠皇帝和高后统治时期，老百姓得以免除了战国时代的苦难，君臣都奉行无为政治，所以尽管惠帝不管事，高后代行皇帝之权，政令决策于宫廷，仍然天下太平。刑法少用，犯罪的人极少。人人勤于耕织，家家丰衣足食。

【评点】 司马迁论赞之言。《吕太后本纪》记载了西汉王朝在巩固政权过程中激烈而复杂的政治斗争。吕太后名雉，汉高祖刘邦的皇后。高祖死后，她执掌朝政15年，临朝称制8年，是我国封建社会第一个实际上的女皇帝。她为了加强吕氏统治，不惜残害高祖后代，打击开国功臣，剥夺太尉周勃兵权，罢了王陵右丞相官位，架空了陈平左丞相权力，以自己的亲信审食其为左丞相，居中用事。她还违背刘邦“非刘氏而王，天下共击之”的约规，大封吕氏宗族，酿成了诸吕之乱，几乎葬送了刘氏天下。司马迁对照吕太后个性残刻作了入木三分的揭露，指出是秦始皇一流的“刚毅戾深”人物。但吕太后执行了刘邦“无为而治”的政治方针，国家安定，在论赞中作了肯定的评价，称赞吕太后治国业绩，表现了司马迁辩证的两点论思想。

【褒姒之笑】褒姒不好笑，幽王欲其笑万方，故不笑。幽王为熢燧大鼓，有寇至则举熢火。诸侯悉至，至而无寇，褒姒乃大笑。幽王悦之，为数举熢火。其后不信，诸侯益亦不至。西夷犬戎攻幽王。幽王举熢火征兵，兵莫至。遂杀幽王骊山下，

虏褒姒，尽取周赂而去。（卷四《周本纪》/148～149页）

【译文】 褒姒不爱笑，幽王用尽各种办法想让她笑，她还是不笑。幽王建置了烽火台，设置了大鼓，有敌人侵犯就点燃烽火报警。幽王点燃烽火，四方诸侯全都赶来救驾，可是赶到一看，没有敌情，褒姒却开怀大笑起来，幽王十分高兴，因此多次燃起烽火。从此烽火失去了报警的信用，诸侯一次次减少，不来救驾。西夷犬戎趁机攻击幽王。幽王点燃烽火召集救兵，再也没有救兵来保驾。犬戎把幽王杀死在骊山脚下，俘虏了褒姒，又抢走了周朝的全部财物。

【评点】 “褒姒之笑”，喻昏庸君王因女宠失国。幽王想逗笑宠妃褒姒，不惜扰乱警报系统，没有敌寇数举烽火，从而失信于诸侯，后来犬戎真的攻击幽王，再举烽火，救兵不来，幽王被犬戎杀死。褒姒一笑倾国成为典故，后人概括为“褒姒之笑”。

【骊姬谗狠】骊姬谓太子曰：“君梦见齐姜，太子速祭曲沃，归釐于君。”太子于是祭其母齐姜于曲沃，上其荐胙于献公。献公时出猎，置胙于宫中。骊姬使人置毒药胙中。居二日，献公从猎来还，宰人上胙献公，献公欲飨之。骊姬从旁止之，曰：“胙所从来远，宜试之。”祭地，地坟；与犬，犬死；与小臣，小臣死。骊姬泣曰：“太子何忍也！其父而欲弑代之，况他人乎？且君老矣，旦暮之人，曾不能待而欲弑之！”谓献公曰：“太子所以然者，不过以妾及奚齐之故。妾愿子母辟之他国，若早自杀，毋徒使母子为太子所鱼肉也。始君欲废之，妾犹恨之，至于今，妾殊自失于此。”太子闻之，奔新城。献公怒，乃诛其傅杜原款……十二月戊申，申生自杀于新城。（卷

三九《晋世家》/1645～1646 页）

【译文】 骊姬对太子说："君王梦见齐姜，太子赶快到曲沃去祭祀，带回祭肉送给君王。"太子果真到曲沃去祭祀他的母亲齐姜，并把祭肉奉上晋献公。时逢晋献公外出打猎，太子就把祭肉放在宫中。骊姬派人将毒药放在祭肉中，过了两天，晋献公从打猎的地方回到宫中，厨师把祭肉送上献公，献公即刻想要品尝它。骊姬正在献公身旁，就劝阻他说："祭肉来的地方远，应当将它先查试一下。"于是把祭肉倒一些在地上，地皮隆了起来；再给狗吃，狗竟然死去；又给小宦官吃，小宦官也挣扎死去。这时骊姬才眼泪汪汪地自言自语说："太子真是忍心啊！连自己的父亲也想杀害取而代之，何况别人呢？再说君王已经老了，只是早晚要去的人，竟然等不住而要杀害他！"然后又对晋献公说："太子所以要这样做，不过是因为我和奚齐的缘故。我们母子俩愿意躲避到别国去，要不然就早些自杀，不能平白地让太子来糟害我们。起初君王想要废掉他，我还心疼他；看看今天，我真后悔自己办了这件大错特错的事。"太子听了这个消息，逃奔到新城。晋献公大怒，就杀了太子的师傅杜原款……十二月戊申日，申生也在新城自杀了。

【评点】 事载《晋世家》，此为春秋时晋献公宠妃骊姬谗害太子申生的故事，也是一场宫廷政变。晋献公名诡诸，他征服了许多小国，使晋国日益强大，是一位有所作为的君主。可是晚年被宠姬骊姬迷惑，废杀太子申生，逼走夷吾、重耳等诸长公子，立骊姬所生少子奚齐为晋国储君，从而导致了晋国的内乱。骊姬谗言太子，司马迁对骊姬的残忍奸巧作了细致的刻画，成为精彩的文学作品。太子申生，他的母亲是齐桓公的女儿，史称齐姜，早死，立庙在曲沃。晋献公二十年冬，晋献公出外打猎，骊姬趁这机会精心设计圈套陷害太子。她编造晋献公梦见齐姜的谎言，让太子申生去曲沃祭奠齐姜，太子必然要带回祭肉奉献给父亲。这就创造了她在祭肉上置毒做手脚的条件。晋献公回宫，她拿出祭肉，以体贴入微的妻子身份关心晋献公的安全，检查祭肉是否有毒。祭肉倒在地上，地皮立刻隆起，表现了毒性的剧烈，以衬托太子的狠毒。祭肉喂狗，狗立刻死去，让小宦官来吃，小宦官立刻毙命。可以想象晋献公面对此情此景是如何的震怒了。极为狡黠的骊姬，她用迂曲进攻的手法，没有直接数落太子的长短，而装出一副可怜的样子，在旁边呜咽抽泣，自言自语，如泣如诉，进一步煽起晋献公对儿子的仇恨。然后她窥测时机，在晋献公气头上，提出自己带着儿子远避他国，要与晋献公诀别。实际上是逼使晋献公在骊姬母子和“无情”太子之间作出选择。骊姬在如泣如诉的表演中，已把自己的善良、可怜与太子的狠毒、悖逆在晋献公面前造成强烈对比，使晋献公作出有利于自己的选择。太子闻知遭谗，不敢自辩而出逃新城，最后自杀。司马迁通过对骊姬谗害太子及其内心世界的刻画，形象地展示了谗陷者的手法和卑污狠毒的灵魂。古今多少谗陷之徒，他们是怎样迷惑人主的，看一看骊姬就够了。当读者阅读了这个故事，不能不在心底惊呼，这个女人的心，多么冷酷，多么令人可怕！宫中的谗妇妒女，不就是这样的么！

【齐相御之妻】晏子为齐相，出，其御之妻从门间而窥其夫。其夫为相御，拥大盖，策驷马，意气扬扬，甚自得也。既而归，其妻请去。夫问其故。妻曰：“晏子长不满六尺，身相齐国，名显诸侯。今者妾观其出，志念深矣，常有以自下者。今子长八尺，乃为人仆御，然子之意自以为足，妾是以求去也。”其后夫自抑损。晏子怪而问之，御以实对。晏子荐以为大夫。（卷六二《管晏列传》/2135 页）

【译文】　晏子做了齐相，有一天外出，他车夫的妻子从门缝中偷看自己的丈夫。丈夫为齐相赶车，拥着大车盖，鞭打着拉车的四马，洋洋得意，自以为了不起。等到回家，车夫的妻子请求离去。丈夫问她原因。妻子说：“晏子身高不满六尺，担任齐相，扬名于诸侯。今天我看他外出，思虑很深，时常露出谦逊的表情。现在你身高八尺，只不过替人赶车，可是你却意得志满，因此我要求和你分手。”从这以后，车夫态度非常谦逊。晏子感到奇怪，便问车夫，车夫原原本本告诉晏子。晏子举荐车夫做了大夫。

【评点】 晏子，名婴，春秋时齐景公贤相。他是一个矮子。仅身长六尺。古尺合今公尺约为 23 公分，六尺为 1.38 米。御，车夫，身高八尺合 1.84 米，是一个高大男子。这个故事是说晏子善于荐贤，车夫谦逊，提拔他为大夫。而车夫的修养来自其妻的劝谏，因此“齐相御者妻”成为颂扬妇女贤明的典故。又简作“御者妻”。这的确是一位很有识见而又善于劝谏的贤明妇女。

【窃符救赵】嬴闻晋鄙之兵符常在王卧内，而如姬最幸，出入王卧内，力能窃之。嬴闻如姬父为人所杀，如姬资之三年，自王以下欲求报其父仇，莫能得。如姬为公子泣，公子使客斩其仇头，敬进如姬。如姬之欲为公子死，无所辞，顾未有路耳。公子诚一开口请如姬，如姬必许诺，则得虎符夺晋鄙军，北救赵而西却秦，此五霸之伐也。（卷七七《魏公子列传》/2380 页）

【译文】 我听说晋鄙的兵符经常放在魏王的卧室里，而如姬最受宠爱，能在魏王的卧室出出进进，有能力偷到它。我又听说如姬的父亲被人杀死，如姬怀恨三年，从魏王以下都想替如姬报杀父之仇，没有人能找到仇人。如姬对公子哭诉，公子派门客杀了她仇人的头，恭敬地送到如姬面前。如姬想给公子出死力报答，不会有推辞，只是没有机会罢了。公子真的一开口请求如姬，如姬一定答应，那么你就可以得到虎符去夺取晋鄙之军，然后北上援救赵国，打退西边的秦国，这才是五霸一样的功业啊。

【评点】 侯嬴替魏公子无忌画计之言。魏安釐王二十年

（前 257），秦围赵邯郸已三年，赵告急于魏。魏王畏秦，虽然派大将晋鄙率军救赵，但停驻在魏国边境上观望不进。魏公子请侯嬴画计，侯嬴劝魏公子偷取虎符套取晋鄙之军以救赵。公子听了侯嬴的计谋，找如姬窃符，果然如愿以偿。这就是战国时著名的“窃符救赵”故事。郭沫若创作的历史剧《虎符》就取材于此。

【赵括母】括将行，其母上书言于王曰：“括不可使将。”王曰：“何以？”对曰：“始妾事其父，时为将，身所奉饭饮而进食者以十数，所友者以百数，大王及宗室所赏赐者尽以予军吏士大夫，受命之日，不问家事。今括一旦为将，东向而朝，军吏无敢仰视之者，王所赐金帛，归藏于家，而日视便利田宅可买者买之。王以为何如其父？父子异心，愿王勿遣。”王曰：“母置之，吾已决矣。”括母因曰：“王终遣之，即有如不称，妾得无随坐乎？”王许诺。（卷八一《廉颇蔺相如列传》/2447 页）

【译文】　赵括将要出征，他的母亲上书给赵王，说：“不能派赵括当将。”赵王说：“为什么？”回答说：“当初我服事他父亲，那时他父亲正做大将，亲自捧着饭菜酒浆招待吃喝的有几十人，结交为朋友的有几百人，大王和王族所赏赐的东西全部送给军官及部属，从接受命令的那一天起，就不再过问家事。现在赵括刚做了将军，就面向东接受部下的朝见，军官中没有敢正眼看他的人，大王所赐的金币绸缎，拿回来收藏在家中，而且天天打听便宜的田地房产可以买过来的就买过来。大王想想这哪像他父亲？父子两条心，希望大王不要委派他。”赵王说：“做母亲的放心吧，我已经决定了。”赵括母亲随即说：“大王坚持要委派他，如果不称职，我能不受到连累吗？”赵王答应了她。

【评点】　这个故事载《廉颇蔺相如列传》所附赵括传。赵括母从父子处世异同上，看到了作为良将的父亲与不称职的儿子的内在情怀，从国家利益出发揭发儿子的作为，希望赵王不要任用。真是一个顾大局识大体有远见的爱国妇女，同时能够全身而退，也是聪明的表现。

【君王后】淖齿之杀湣王也，莒人求湣王子法章，得之太史嬓之家，为人灌园。嬓女怜而善遇之。后法章私以情告女，女遂与通。及莒人共立法章为齐王，以莒距燕，而太史氏女遂为后，所谓“君王后”也。（卷八二《田单列传》/2456～2457页）

【译文】 淖齿杀了齐湣王，莒城人访求湣王的儿子法章，在太史嬓家中找到了他，他在这里灌园。太史嬓的女儿怜爱法章而待他很好。后来法章就暗暗地把实情告诉了太史嬓的女儿，太史女遂与他私通。等到莒城人民一致拥立法章为齐王，坚守莒城对抗燕人，而太史嬓的女儿也被立为王后，称“君王后”。

【评点】 司马迁论赞后附录，这是作者有意的匠心安排。论赞后还附有王蠋事迹。王蠋，齐画邑隐者，他不愿为燕将而自杀以激励齐人反抗。逃亡的齐国官吏听了后奔走相告说：“王蠋是一个老百姓，尚能守节不屈，何况我们这些有俸禄的人呢！”于是大家相约聚于莒城，访求到法章在太史嬓家，得以拥立为襄王。太史嬓女，奇女；王蠋，奇士。司马迁在赞后补入两人事迹，是以二人的爱国言行来衬托田单用奇，深化文章主题，表现了齐国人民对故国故君的思念和抗敌信心。不写入传中而补在赞后，事迹更加突出。奇女，奇士，两人行事反映了田单领导的抗燕斗争是正义的，得到了齐国人民的精诚拥护，这就是田单施展奇谋智计的基础。太史嬓女在围城之中毅然以身许法章，法章为王后亦不负情约，二人带传奇色彩的爱情故事亦佳话也。太史嬓女与卓文君，是中国古代两个自由奔放展示女子爱情的奇女。她们均冲破家庭阻力，所以为奇。

【聂政姊】政姊荣闻人有刺杀韩相者，贼不得，国不知其名姓，暴其尸而悬之千金，乃于邑曰："其是吾弟与？嗟乎，严仲子知吾弟！"立起，如韩，之市，而死者果政也，伏尸哭极哀，曰："是轵深井里所谓聂政者也。"市行者众人皆曰："此人暴虐吾国相，王悬购其名姓千金，夫人不闻与？何敢来识之也？"荣应之曰："闻之。然政所以蒙污辱自弃于市贩之间者，为老母幸无恙，妾未嫁也。亲既以天年下世，妾已嫁夫，严仲子乃察举吾弟困污之中而交之，泽厚矣，可奈何！士固为知己者死，今乃以妾尚在之故，重自刑以绝从，妾其奈何畏殁身之诛，终灭贤弟之名！"大惊韩市人。乃大呼天者三，卒于邑悲哀而死政之旁。（卷八六《刺客列传》/2525页）

【译文】 聂政的姐姐聂荣听说有人刺杀了韩国的宰相，凶手不知是谁，韩国人都不知道他的姓名，将尸首陈列，悬赏千金招认，于是呜咽着说："大概是我弟弟吧？唉呀，严仲子赏识我的弟弟。"立即动身到了韩国，来到街市，看到死者果然是聂政，就趴在尸身上痛哭，极为悲哀，说："这就是住在轵邑深井里的聂政啊。"街上的行人都说："这个人惨杀了我们韩国的国相，国王悬赏千金查他的姓名，夫人没听说吗？怎么敢来认尸啊？"聂荣回答说："我听到了。可是聂政一直蒙受污辱，混迹在屠夫小贩中间，是因为老母健在，我还没出嫁的缘故。母亲已享尽天年去世，我已嫁了丈夫，严仲子不嫌弃我弟弟处在穷困低贱的地位而和他相交，恩情深厚，我弟弟怎么办呢！勇士本来就是为知己献身的人，如今因为我还活在世上，所以狠狠地毁坏自己的面容，使人不能辨认，切断牵连别人的线索，我怎么能够害怕杀身之祸，永远埋没弟弟的名声呢！"这大大的惊动了韩国街市上的人。聂荣于是高喊"天呐"三声，终于禁不起过度的哀伤而死在聂政身旁。

【评点】 春秋战国时代的刺客，用暗杀手段来进行个人冒险，大多出于“士为知己者死”的报恩思想，为某些个人或集团利益卖命，如专诸、豫让、聂政等，在今天看来，没有多大积极意义。但刺客大都仗义除暴，好打抱不平，多数为侠客，敢为弱者伸张正义，藐视强敌，不惜牺牲一切以实践“不欺其志”的尚义精神，像荆轲刺秦王就是典型例证。聂政为严仲子打抱不平，又尽孝，爱姐，是一个深明大义的勇敢的人。他的姐姐聂荣以死显扬弟弟的声名，也是一个有侠义精神的奇女子。这一段文章就是史家专为表彰聂荣而写的悼祭文。

【漂母饭信】信钓于城下，诸母漂，有一母见信饥，饭信，竟漂数十日。信喜，谓漂母曰：“吾必有以重报母。”母怒曰：“大丈夫不能自食，吾哀王孙而进食，岂望报乎！”（卷九二《淮阴侯列传》/2609页）

【译文】 韩信在淮阴城下钓鱼，有几位妇女漂洗丝绵，有位大娘看见韩信挨饿，把饭分给韩信吃，一连几十天都是这样，直到漂洗完毕。韩信很高兴，对那位大娘说：“大娘，我一定要重重的报答你。”大娘生气地说：“一个男子汉弄得没饭吃，我是可怜你这位公子才给你饭吃，难道是指望你报答吗？”

【评点】 这是韩信青年时困窘的一段遗事。韩信落拓如此，不去为非，说明他品质较好，食人之饭而施报，所以手握重兵不忍背汉王。这个故事对了解韩信的品德、一生行为有重要意义。这个给韩信饭吃的劳苦妇女，她的善良品德，以及激励后生的言词，更使人敬佩。韩信为汉楚王后，果然以千金报恩漂母。成语“一饭千金”出此。

【陈婴母】陈婴者，故东阳令史，居县中，素信谨，称为长者。东阳少年杀其令，相聚数千人，欲置长，无适用，乃请陈婴。婴谢不能，遂强立婴为长，县中从者得二万人。少年欲立婴便为王，异军苍头特起。陈婴母谓婴曰："自我为汝家妇，未尝闻汝先古之有贵者。今暴得大名，不祥。不如有所属，事成犹得封侯，事败易以亡，非世所指名也。"婴乃不敢为王。（卷七《项羽本纪》/298页）

【译文】 陈婴这人，原来是东阳县的令史，住在县城中，一贯忠厚老实，很受人尊重。东阳县的青年人杀了县令，聚集起几千人，想推举一位首领，没有适当的人选，就相约推举陈婴。陈婴推辞说没有能力，大家强行把他奉为首领，县中追随的有两万多人。那帮年轻人索性要陈婴称王，用青巾裹头，标志自己是一支独立的起义军。陈婴的母亲对陈婴说："自从我做了陈家的媳妇，没有听说过你的祖先有显贵的人。现在突然得到称王的大名，这不是好兆头。还不如有所归属，起事成功了得以封侯，起事失败了也容易逃亡，不是世上显赫的人物。"陈婴于是不敢称王。

【评点】 这故事衬托陈涉发难、项梁起事的大勇精神。当时秦国力量尚很强大，许多支农民起义都以"群盗"方式散在民间，如黥布、彭越、刘邦等都不敢打出称王大旗。陈婴母，一般妇女，她却能认清大局形势，顾大体，劝陈婴依附项梁，形成拳头打击秦军，在当时乱世，真可以说是一位颇有见识的母亲。

【王陵母】王陵者，故沛人，始为县豪，高祖微时，兄事陵。陵少文，任气，好直言。及高祖起沛，入至咸阳，陵亦自聚党数千人，居南阳，不肯从沛公。及汉王之还攻项籍，陵乃以兵属汉。项羽取陵母置军中，陵使至，则东向坐陵母，欲以招陵。陵母既私送使者，泣曰："为老妾语陵，谨事汉王。汉王，长者也，无以老妾故，持二心。妾以死送使者。”遂伏剑而死，项王怒，烹陵母。陵卒从汉王定天下。（卷五六《陈丞相世家》/2059～2060页）

【译文】 王陵原籍沛县，当初是县里的豪绅，高祖贫贱时，像对待兄长一样事奉王陵。王陵缺少文化修养，爱意气用事，喜欢直言。等到高祖起兵沛县，直入咸阳，王陵也拉起了几千人的队伍，驻扎在南阳，不肯附从沛公。直到汉王东还进攻项羽时，王陵才带兵归顺汉王。项羽取得王陵母亲，安置在军队中，王陵的使者来时，项羽让王陵母亲坐在向东的尊位上，想用这办法招来王陵。王陵的母亲私下送走使者时，流着眼泪说：“替我转告王陵，小心事奉汉王。汉王是一个宽厚的长者，不要因为担心我而三心二意。我以一死来给你送行吧。”说罢就取剑自刎而死。项王大怒，烹煮了王陵母亲的尸体。王陵于是铁了心肠追随汉王平定天下。

【评点】 事载《陈丞相世家》所附王陵传。由于平居时王陵以大哥地位在刘邦之上，又缺乏文化修养，所以不肯追随高祖。可是王陵的母亲却能眼观大事，她见项羽暴虐，任气逞能，终究要败亡，不惜以死来劝谏儿子王陵选择明主，也断了王陵的牵挂，是一个了不起的有识见的古代妇女。有这样的母亲，必有英雄之子。王陵归汉，官至丞相。

【缇萦上书】 文帝四年中，人上书言意，以刑罪当传西之长安。意有五女，随而泣。意怒，骂曰：“生子不生男，缓急无可使者！”于是少女缇萦伤父之言，乃随父西。上书曰：“妾父为吏，齐中称其廉平，今坐法当刑。妾切痛死者不可复生而刑者不可复续，虽欲改过自新，其道莫由，终不可得。妾愿入身为官婢，以赎父刑罪，使得改行自新也。”书闻，上悲其意，此岁中亦除肉

刑法。（卷一〇五《扁鹊仓公列传》/2795 页）

【译文】 在文帝四年（前 176），有人上书控告淳于意，所犯罪行当判受肉刑，被囚车解送西行到长安。淳于意有五个女儿，跟着他哭泣。淳于意发怒骂道："生子不生男孩，到紧急关头没有指望的人！"于是小女缇萦被父亲的话深深刺痛了，就随父亲西行。她上书朝廷说："我父亲当官，齐国的人称赞他廉洁公正，现在犯法当受肉刑。我深切地痛心死了的不可复活，受刑残废的不可复原，他们即使想改过自新，也无路可走，终于得不到重新做人的机会。我愿意自身进入官府作奴婢，用来赎父亲的罪，让他有机会改过自新。"这份奏书让皇上看了，非常怜悯她的心意，因而这一年就废除了肉刑。

【评点】 典出《扁鹊仓公列传》缇萦上书。齐人淳于意，在汉文帝时当齐国的粮食总长。他身怀高明的医术，不愿为势家役使，停止行医，被人告发当解押京城受刑。古代肉刑十分残酷，轻者脸上刺字，削去鼻梁，重者砍去肢体，甚至判极刑。淳于意无罪受祸，十分伤感，他的小女儿缇萦勇敢地挺身出来解救父亲，恰好遇上开明的汉文帝，感悟缇萦上书，废除了肉刑。

【文君当垆】相如与俱之临邛，尽卖其车骑，买一酒舍酤酒，而令文君当垆。相如身自著犊鼻裈，与保庸杂作，涤器于市中。（卷一一七《司马相如列传》/3000 页）

【译文】 司马相如与卓文君一起来到临邛，把车马用具全部卖了，买了一个酒店卖起酒来，让卓文君在垆前卖酒，司马相如亲自穿上牛鼻短裤，与雇工们共同操作，在酒铺中洗涤酒器。

【评点】 "文君当垆"，典出《司马相如列传》。文君，西汉才女卓文君，与司马相如相爱而私奔。垆，与炉相通，酒店安置酒瓮的土墩。当垆，坐在垆旁卖酒。卓文君之父卓王孙是临邛县大冶铁商。卓文君私奔，卓王孙断绝父女关系，司马相如十分贫困，在成都老家无以为生，于是回到临邛开酒店，夫妻二人与佣工杂作羞辱卓王孙。卓王孙迫不得已，承认了这桩婚姻，分钱财给司马相如，使之也成了富翁。犊鼻裈，即牛鼻裤，也就是三角裤衩。后世以“文君当垆”为爱情专一的典故。也作为饮酒的借用语。唐代李商隐《杜工部蜀中离席》诗：“美酒成都堪送老，当垆仍是卓文君。”

【赵女郑姬】今夫赵女郑姬，设形容，揳鸣琴，揄长袂，蹑利屣，目挑心招，出不远千里，不择老少者，奔富厚也。（卷一二九《货殖列传》/3271页）

【译文】　如今那些赵女郑姬，梳妆打扮，弹琴奏瑟，舞动长袖，轻移舞鞋，目送秋波，用心招引，外出不远千里，不择老少找男人，这也是奔着钱财富贵啊。

【评点】　这是对不择老少远嫁或倚门卖笑妇女的描写，是封建社会最不幸的底层妇女。史公描写她们，记述她们奔走钱财富贵的心态，没有鄙视，没有评论，可以说只是实录底层人民，尤其是妇女追求富厚，正是人性“不学而俱欲”的求利本能体现。这也是一种作者平等的民主精神的体现，没有忘记这个底层妇女角落。

礼乐第二十四

【引言】 礼乐篇，凡 15 条。礼是封建国家按等级关系制定的社会制度，在汉代三纲五常是其主要内容。三纲是：君为臣纲，父为子纲，夫为妻纲。五常是：君臣有义，父子有亲，夫妇有别，长幼有序，朋友有信。贵贱尊卑都有明确的等级规定和从属关系。这种等级的区分，在日常的衣食住行中有着鲜明的标记，服饰颜色车骑冠戴均有严格规定，上下不可逾越。这种礼制是为巩固封建制度服务的。作为封建时代的制礼官员和历史家司马谈、司马迁父子，站在当时的统治阶级立场给礼赋予普遍性的人伦准则，把它说成是人性与人情的需要，这是不难理解的。礼，调节人性；乐，调节人情。礼乐相辅为治，二者密不可分，《礼》、《乐》并行为儒家的六经之一，所以司马迁列《礼书》第一，《乐书》第二。

洋洋美德乎！宰制万物，役使群众，岂人力也哉？余至大行礼官，观三代损益，乃知缘人情而制礼，依人性而作仪，其所由来尚矣。(卷二三《礼书》/1157 页)

【译文】 礼像浩茫无际的大海蕴蓄着崇高的道德，它可以主宰万物，驱使群臣众民。离开礼制，专凭人力，是不可能做到的。我曾经做大行礼官，考察夏、商、周三代怎样因时制宜地对礼仪减损和增加，才知道礼是顺应人的感情而制定的，仪是符合人的品性而兴起的，已经有着悠久的历史了。

【评点】 《礼书》篇首序言中的一段话，留下司马谈作《礼书》痕迹。至，到。大行，九卿之一，掌王朝典礼仪式。司马谈奉诏与祠官宽舒制定封禅仪，故“余至大行礼官”，为司马谈之言。礼是行为规范，仪是容仪动作。礼仪，合二为一，它按等级制度规定人际关系中道德准则，以及体现道德准则的仪表仪式，用以约束人的行为，维护社会和谐。礼仪制度是阶级文明社会的产物，它总是统治阶级意志的集中体现，但儒家宣扬它是调节人情的东西，是符合人性的。用普遍的人性爱来掩盖等级制度下的阶级压迫，这是古代思想家共同的认识。

人道经纬万端，规矩无所不贯，诱进以仁义，束缚以刑罚，故德厚者位尊，禄重者宠荣，所以总一海内而整齐万民也。(卷二三《礼书》/1157～1158 页)

【译文】 治人之道，千头万绪，而礼仪制度，无不贯通，用仁义来劝进，用刑罚来束缚，所以道德高尚的人地位尊显，俸禄厚重的人品秩荣耀，这就是礼，它是用来统一天下而使万众步调一致的基本准则。

【评点】 《礼书》篇前序文中语，它是司马迁对礼仪的产生及其作用的评论。这一段话是讲礼的作用。

礼由人起。人生有欲，欲而不得则不能无忿，忿而无度量则争，争则乱。先王恶其乱，故制礼义以养人之欲，给人之求，使欲不穷于物，物不屈于欲，二者相待而长，是礼之所起也。(卷二三《礼书》/1161 页)

【译文】　礼仪制度起源于人欲。人在生活中本来就有多种欲求，欲望得不到满足就产生忿恨，忿恨没有节制就要发生争斗，争斗就要引起社会动乱。古代圣王厌恶这种动乱，所以制定礼仪道义来调节人的欲望，供给人们合理需求，使欲望不至于完全寄托在物质享受上，物质也不至于被无穷的欲望所耗尽，也就是使欲望的需求与物质的供给二者相辅相成，协调增长，这就是礼仪制度产生的原因。

【评点】　本段《礼书》摘自《荀子·礼论》。阐明人的欲望与生俱来，欲望泛滥则为恶，需要节制而产生礼。

人苟生之为见，若者必死；苟利之为见，若者必害；怠惰之为安，若者必危；情胜之为安，若者必灭。故圣人一之于礼义，则两得之矣；一之于情性，则两失之矣。（卷二三《礼书》/1163 页）

【译文】　一个人如果只知贪生而不懂礼义，那他必定走上死路一条；如果只知贪利不懂节制，那他必定遭受祸害；如果一味追求安逸享受，那他必定招来危险；如果放纵情性，那他必定灭亡。所以圣人用礼义来统一情欲，那么两样可以兼得，如果让情欲支配一切，那么两样都将丧失。

【评点】　本段《礼书》摘自《荀子·礼论》。阐明礼义调节人欲，使二者兼存的道理。

治辨之极也，强固之本也，威行之道也，功名之总也。王公由之，所以一天下，臣诸侯也；弗由之，所以捐社稷也。故坚革利兵不足以为胜，高城深池不足以为固，严令繁刑不足以为威。由其道则行，不由其道则废。（卷二三《礼书》/1164 页）

【译文】　礼是治理国家、辨别名分的最高标准，也是强国固家的根本，维护权威的惟一途径。天子公卿遵循这一准则，就可借以统一天下，臣服诸侯；不遵循这一准则，那就要丢弃天下。所以拥有坚韧的盔甲和锋利的兵器不能取胜，据有高大的城墙和深浚的城壕不能固守，使用严厉的命令和繁苛的刑罚保不住权威。遵循礼仪就畅通，不遵循礼仪就行不通。

【评点】　本段《礼书》摘自《荀子·议兵》。讲礼义是强国固家的根本，它胜过坚甲利兵和高城深池，废弃了礼义，就保不住家国。

天地者，生之本也；先祖者，类之本也；君师者，治之本也。无天地恶生？无先祖恶出？无君师恶治？三者偏亡，则无安人。故礼，上事天，下事地，尊先祖而隆君师，是礼之三本也。（卷二三《礼书》/1167 页）

【译文】　天地是一切生命的根本，祖先是种姓的根本，国君师傅是治理社会的根本。没有天地哪有生命？没有祖先哪能降生？没有国君师傅哪来的社会安定？这三者只要丧失一件，那么人类就没有安宁日子。所以礼仪，上敬天，下敬地，尊奉祖先而崇敬国君师傅，这就是礼的三大根本。

【评点】　本段《礼书》摘自《荀子·礼论》。讲礼尊奉的对象，所以家家祀奉的牌位为“天地君亲师位”。

天者，高之极也；地者，下之极也；日月者，明之极也；无穷者，广大之极也；圣人者，道之极也。（卷二三《礼书》/1172 页）

【译文】　天是高的极点，地是低的极点，日月是光明的极点，太空是广大的极点，圣人是礼仪的极点

【评点】　本段《礼书》摘自《荀子·礼论》。阐明圣人的表率就是礼的准则。

治定功成，礼乐乃兴。（卷二四《乐书》/1175页）

【译文】　政治安定，全国一统，礼乐文化，才能兴起。

【评点】　司马迁引用《礼记·乐记》之言，原文作“王者功成作乐，治定制礼。”说明礼乐文化的兴衰与国家政治兴衰的密切关系。天下大乱，必定礼崩乐坏；天下大治，礼乐文化才能繁荣昌盛。治定，指政治安定，天下太平。功成，指完成国家统一大业。礼乐，指包括政治制度在内的典章文化。兴，《说文》：“起也。”创立，兴起。

歌者，所以发德也；舞者，所以明功也。（卷一〇《孝文本纪》/436页）

【译文】　音乐是用来颂扬德行的，舞蹈是用来表彰功业的。

【评点】　景帝元年十月诏令之言。此诏为文帝立庙，制定祭祀文帝庙的乐舞而作出的指示。这篇诏令是汉王朝继位新君及臣民对汉文帝的歌颂和肯定，也深深寄托了臣民对汉文帝的哀思，对开明君主的向往。汉文帝被尊为太宗。乐舞要充分颂扬太宗功德，汉文帝当之无愧。

《雅》、《颂》之音理而民正，嘄噭之声兴而士奋，郑卫之曲动而心淫。（卷二四《乐书》/1176页）

【译文】　演奏《雅》、《颂》这样的音乐，人民归于正道；吹响激昂的号角，可使壮士振奋；流行郑、卫的曲调，将使人心意淫乱。

【评点】　司马迁论音之言。理、兴、动，变文，均指演奏，歌唱。《雅》、《颂》，《诗经》中按音乐分类的诗篇。雅乐为朝廷的乐曲，诗为士大夫所作。颂乐是严肃的宗庙祭祀乐曲。雅与颂都是古代统治者所标榜的“正乐”。嘄噭，高亢的声音。郑卫之曲，指流行的地方乐曲。郑，指郑国，今河南新郑一带；卫，指卫国，今河南濮阳一带。这两地的乐曲靡柔婉转，被儒家认为是靡靡之音。《论语·卫灵公》篇记载孔子回答颜渊问怎样治国，其中内容之一是“放郑声，远佞人。郑声淫，佞人殆”。儒家把轻柔之音视同佞人的巧言。而一律排斥无疑是偏激的。由于音乐表达人民心声、感情，潜移默化，对社会风气有很大影响。《乐书序》把音乐提高到齐家治国的高度，认为它既可兴邦，亦可覆国，故为经国大事，与《礼书》蝉联并列，这既是儒家的传统观点，也是司马迁的“一家之言”。

礼乐刑政，其极一也，所以同民心而出治道也。

(卷二四《乐书》/1179 页)

【译文】 礼、乐、刑、政，它们的终极目的是相同的，那就要统一人们的思想，从而实现天下太平的治世啊。

【评点】 《乐书》本段摘自《礼记·乐记》乐本章之言。作者认为礼用以诱导人的意志，乐用以调和人的声音，政用来统一人的行动，刑用来防止奸乱。《太史公自序》说：“礼指导人的行动，乐发扬和气。礼义防患于未然，法律是在坏事发生之后施行。所以法律的功效显而易见，而礼教的作用一般人很难直接看出。”司马迁的议论与乐本章的作者思想相通，这是古代纯正儒家治世理论，礼乐与刑政，都是政治。

治世之音安以乐，其政和；乱世之音怨以怒，其政乖；亡国之音哀以思，其民困。声音之道，与政通矣。(卷二四《乐书》/1181 页)

【译文】 太平治世的音乐，安详而和乐，表现了政治的和谐；衰乱之世的音乐，怨恨而愤怒，反映了政治的反常；败亡国家的音乐，悲哀而忧愁，透出了人民的困苦。所以各种不同的呼喊与音乐情调，与政治的盛衰息息相通。

【评点】 本段《乐书》摘自《礼记·乐记》中之乐本章。乖，《玉篇》：“戾也，背也。”这是指政治暴虐，混乱，译作反常。声音，声指人心受外物感触而发出的声音，音指变化而有清浊高下的组成一定的节奏就是音乐，故译作“呼喊与音乐”。音乐表达人民的喜怒哀乐，所以与政治息息相关。

【濮上之音】【靡靡之乐】卫灵公之时，将之晋，至于濮水之上舍。夜半时闻鼓琴声，问左右，皆对曰："不闻。"乃召师涓曰："吾闻鼓琴音，问左右，皆不闻。其状似鬼神，为我听而写之。"师涓曰："诺。"因端坐援琴，听而写之。去之晋，见晋平公。平公置酒于施惠之台。酒酣，灵公曰："今者来，闻新声，请奏之。"平公曰："可。"即令师涓坐师旷旁，援琴鼓之。未终，师旷抚而止之曰："此亡国之声也，不可遂。"平公曰："何道出。"师旷曰："师延所作也。与纣为靡靡之乐，武王伐纣，师延东走，自投濮水之中，故闻此声必于濮水之上，先闻此声者国削。"

(卷二四《乐书》/1235页)

【译文】 卫灵公时，将要去晋国访问，走到濮水的上游住下。半夜时分，他听见了弹琴的声音，问左右的人，都回答说："没有听见。"就召来乐师涓说："吾听见了弹琴的声音，问左右的人，都说没有听见。那情形好像是鬼神在弹琴，你替我听听，把它谱写下来。"乐师涓说："好。"便端正地坐好把着琴，一边听，一边谱写它。他们离开濮水到了晋国，见了晋平公。晋平公在施惠台设酒宴招待。酒兴正浓的时候，卫灵公说："这次我来贵国，在路上听了一支新音乐，请让我们演奏出来大家欣赏。"平公说："好的。"就让乐师涓坐在乐师旷旁边，操琴弹了起来。音乐还未弹完，乐师旷按着琴制止弹奏，说："这是亡国之音啊，不可以弹完它。"平公说："何以证明?"乐师旷说："这是殷纣王时乐师延作的曲子。他给纣王制作靡靡之音，武王伐纣，乐师延向东逃跑，自己投在濮水中死了，所以这支乐曲一定是在濮水上听到的，最先听到这支乐曲的人，他的国家就要衰弱。”

【评点】 “濮上之音”与“靡靡之乐”，即“靡靡之音”，指亡国之音。师，乐师。延、涓、旷，均乐师之名。师延，纣王的乐师。师涓，卫灵公的乐师。师旷，晋平公的乐师。濮水之上，即濮水河畔，指殷纣时乐师延投水处，即今山东东明县境内。这个故事说明一国之君，切不可沉湎于享乐的靡靡之音，神魂颠倒，忘了政事，所以靡靡之音消沉人的意志，是亡国之音。靡靡，轻柔舒畅。靡靡之音，即流行的轻音乐。适当欣赏，消除人一天劳累的疲惫，若流缅不归，必然消沉意志，贻误工作。一国之君，如殷纣王一样荒淫逸乐，导致亡国之祸，那也就是正常的了。“靡靡之乐”又见《殷本纪》，《韩非子·十过》亦有记载。说明这一语词先秦已经产生。

上古明王举乐者，非以娱心自乐，快意恣欲，将欲为治也。正教者皆始于音，音正而行正。故闻宫音，使人温舒而广大；闻商音，使人方正而好义；闻角音，使人恻隐而爱人；闻徵音，使人乐善而好施；闻羽音，使人整齐而好礼。夫礼由外入，乐自内出。故君子不可须臾离礼，须臾离礼则暴慢之行穷外；不可须臾离乐，须臾离乐则奸邪之行穷内。故乐音者，君子之所养义也。夫古者，天子诸侯听钟磬未尝离于庭，卿大夫听琴瑟之音未尝离于前，所以养行义而防淫佚也。夫淫佚生于无礼，故圣王使人耳闻《雅》、《颂》之音，目视威仪之礼，足行恭敬之容，口言仁义之道。故君子终日言而邪辟无由入也。（卷二四《乐书》/1236～1237页）

【译文】 上古时代的圣明君王演奏音乐，不是为了自身心情欢娱，也不是满足感官的快意纵欲，而是为了治理天下。端正教化的人都是从音乐做起，端正了音乐，也就端正了人们的行为。这样，听了宫音，会使人心情温和而胸襟开阔；听了商音，会使人品性端方而爱好正义；听了角音，会使人恻隐慈善而仁爱；听了徵音，会使人乐于行善而爱好施舍；听了羽音，会使人端庄规矩而爱好礼节。礼仪是规范人们的外在仪表而达于内在修养；音乐是陶冶内心而影响外部行为。所以君子不能片刻离开礼，只要片刻离开了礼，那么凶暴傲慢的行为就会充分在身体外部表现出来；也不可以片刻离开音乐，只要片刻离开了音乐，那么奸诈邪恶的思想就在身心内部泛滥起来。所以音乐这东西，是君子用来修养义理的。古时候，天子诸侯必须欣赏钟磬音乐的陶冶，从不离开钟磬的厅堂；卿大夫必须欣赏琴瑟的音乐熏陶，从不让琴瑟离开身旁，就是为了修养义理，防止淫逸。淫逸就是在没有礼节的地方产生，所以圣王要让人们耳朵只听《雅》、《颂》这样的正音，眼睛只看威正严肃的礼仪，脚步行动必须保持恭敬的仪态，口中谈论的都是仁义道德。这样，君子整天与人谈论，那邪恶的东西也就无从侵入了。

【评点】 本段《乐书》摘自《礼记·乐记》乐器章。宫、商、角、徵、羽，是我国古代音乐五声音阶的五个阶名，相当于简谱中的do、re、mi、suo、la，合称五音，或五声。这段论述音乐陶冶人性的教化作用，钟磬琴瑟的正音可以正身而防邪僻，人们不可须臾离开。

三年不为礼，礼必废；三年不为乐，乐必坏。（卷二八《封禅书》/1355页）

【译文】 三年不行礼，礼仪一定会废弃；三年不举乐，乐教一定会败坏。

【评点】 司马迁序论之言。原文冠有“传曰”二字，引自《论语·阳货》篇宰我之言。宰我不赞成三年之丧，他认为守丧三年，不习礼乐，是舍本逐末。礼乐，大指国家制度，小指个人行事各种准则，故礼乐不可须臾离开，要时时演习。这里指出，天子封禅，如同礼乐，是国家重要大政，应按期举行，不可废弃。

刑法第二十五

【引言】 刑法篇，凡20条。刑法是施政的必要工具。司马迁在《律书序》中说：“教笞不可废于家，刑罚不可捐于国。”治国施政不可无刑法，但怎样看待刑法的作用与位置，则就有争论了。孔子曰：“导之以政，齐之以刑，民免而无耻；导之以德，齐之以礼，有耻且格。”（《论语·为政》）孔子把刑罚律令放在仁德礼义之后，主张施仁政，通过教化让人民不犯法，知耻而规范自身行为。法家主张严刑峻法，先刑罚律令而后德行教化。商鞅在秦变法，刑弃灰于道，主张轻罪重判使民畏法。专制帝王中的雄主，大都采用法家主张，实行酷吏专政。所谓酷吏，就是执法严酷的官吏。酷吏政治以严刑峻法为工具，惩治豪强，裁抑权贵，加强中央集权，有它积极的一面，但消极面大于积极面。在中国封建史上，暴君苛酷，则以酷吏为爪牙。所以酷吏专政，使普通老百姓更加遭受残酷的压迫。汉武帝就是执行酷吏为治的雄主，司马迁本人深受其害，所以在《史记》中立《酷吏列传》专写汉武帝一朝的酷吏，以“酷”名传，指出酷吏“以酷烈为声”，“以恶为治”，而“上以为能”，批判矛头直指汉武帝。《酷吏列传》序言引用孔子、老子的言论阐明礼义道德的重要作用，复又以暴秦的吏治与汉初对比，寓意深刻地表明了作者反暴政的观点。司马迁特别赞扬汉文帝约法省禁，废肉刑等措施，并通过汉文帝诏令之口提出了立法的实质问题，是禁暴劝善，还是约束民众？其言曰："法者，治之正也，所以禁暴而率善人也。"（《孝文本纪》）这就是司马迁的法制观。这是超越前人的认识。但是在实践中，专制政体是无法做得到的。

法者，治之正也，所以禁暴而率善人也。（卷一○《孝文本纪》/418页）

【译文】 法律是治理国家的准则，目的是用它来禁止强暴，引导人民归向善良。

【评点】 汉文帝废坐孥律诏中的话。正，《说文》："是也；是，直也。"正就是直，引申为标准，准则。率，引导。汉文帝元年（前179）下诏废除坐孥律。孥，指罪人的妻子及儿子。一人犯罪，罪人的父母、妻子、儿女，以及同胞兄弟姐妹都要连坐治罪。汉文帝认为法律是禁暴劝善，所以惩治罪人，株连无辜，使法律失去了公平，因此提出废除坐孥律。司法部门认为老百姓不能约束自己，所以制定法律管束他们，连坐亲属，使他们不敢轻易犯法。这里提出了一个严肃的立法问题：法律是禁暴劝善，还是约束民众？立场不同，因而立法轻重就不同，至今仍是一个值得深思的问题。

法正则民悫，罪当则民从。（卷一○《孝文本纪》/419页）

【译文】 法律公平无私，那么老百姓就老实安分；判罪适当不偏，那么老百姓就拥护听从。

【评点】 汉文帝元年（前179）废除了收捕犯罪人亲属连坐的法律。汉文帝认为，法律是治理国家的准则，它的作用是禁止强暴，引导人民归向善良，而一人有罪，亲属连坐的法律失去了公平，于是决定废除亲属连坐法。司法官员认为，连坐亲属在心理上对罪犯有震慑作用，行用已久，还是照旧为好。汉文帝用"法正则民悫，罪当则民从"的道理说服司法官员废除亲属连坐法。这不仅表现了汉文帝的开明，而且还表现了他以理服人的行事风格，的确是封建社会的一位“仁君”。悫（què），诚笃、忠厚。

今法有肉刑三，而奸不止，其咎安在？非乃朕德薄而教不明欤？吾甚自愧。故夫驯道不纯而愚民陷焉。《诗》曰“恺悌君子，民之父母”。今人有过，教未施而刑加焉，或欲改行为善而道毋由也。朕甚怜之。夫刑至断支体，刻肌肤，终身不息，何其楚痛而不德也，岂称为民父母之意哉！其除肉刑。（卷一〇《孝文本纪》/427～428 页）

【译文】　现行法律有三种肉刑，而违法犯罪的人仍然不断，这弊病的根源在哪里呢？难道是我的德薄而教化不明吗？我感到十分惭愧。所以教导的方法不纯正，那就会使愚昧的百姓陷入犯罪的泥坑。《诗经》说“慈祥和易的君子，才是黎民的父母”。现在人们犯了罪过，还没有施行教育就加给他们刑罚，有人即使要改过为善，也无路可走了。我很怜惜他们。使用刑罚让犯人肢体断裂，皮肉损坏，终身不能再生，那是多么令人痛苦和不道德啊！这难道与为人民父母的人的意志相称吗！应该废除肉刑。

【评点】　汉文帝前元十三年（前 167）“废除肉刑诏”中之言。古代刑法极为残酷。《秦始皇本纪》载，秦朝刑法就有笞、耐、髡、黥、斩左趾、宫、戮、磔、车裂、弃市等十几种。汉朝建立，一方面约法省禁，一方面又汉承秦制。当时对残断犯人肢体的肉刑有黥（脸上刺字）、劓（割去鼻子）、刖（断足）、宫等。在中国古代史上，凡政治清平时期，总是慎于用刑，而动乱时期则残酷用刑。汉文帝号称圣明，由于齐国太仓令淳于意被诬告当肉刑，其女缇萦上书诉冤，愿以身赎父肉刑，感动了文帝，于是下了除肉刑令。此举象征西汉盛世的来临。

不奉公则法削，法削则国弱。（卷八一《廉颇蔺相如列传》/2444 页）

【译文】　不奉公守法，国家法制就要受到损害，国法损害了，国家的力量就要受到减弱。

【评点】　赵奢劝说平原君奉公守法之言。平原君，赵公室公子，又为国相，权势显赫，他不向国家纳税。赵奢为田部吏，主管税收，他法办了平原君的管家，并说服平原君要带头奉公守法，为天下人作表率，人人才能爱护国家，国家才能盛强。有权有势而轻视法律，只会被天下人看不起。平原君深明大义，认识到法律公正与否与国家兴衰有直接的关系，他向赵王推荐赵奢，主管全国财政，赋税均平，赵国大治，民殷国富。

廷尉，天下之平也，一倾而天下用法皆为轻重，民安所措其手足？（卷一〇二《张释之冯唐列传》/2755 页）

【译文】　廷尉是天下执法的天平，如果倾斜，而天下执法的人就会任意或轻或重，老百姓将手脚放到哪里呢？

【评点】　张释之谏文帝之言。一天，汉文帝乘车路过中渭桥，一个乡下人从桥中闪出，惊动了驾车的马，差一点把汉文帝翻下车。文帝下令把这个人抓起来交给廷尉张释之法办。廷尉是汉代最高司法长官。张释之判惊马的乡下人罚款释放。汉文帝大怒，要张释之判杀头罪。张释之说："法律是皇上与天下应当共同遵守的，违犯交通只应罚款，如果加重了就不能取信于民。假如皇上当场杀了这个人，属于冒犯皇上罪，那还可以。现在既然交给我廷尉来办罪，廷尉就只能按法律治罪，希望皇上详察。"过了一会，文帝说："廷尉的判决是对的。"

法之不行，自于贵戚。（卷五《秦本纪》/205 页）

【译文】　法律不能推行，阻力来自皇亲国戚和高官显贵。

【评点】　商鞅惩治贵戚犯法之言。又载《商君列传》，作"法之不行，自上犯之"，语意更明。最初，商鞅在秦国变法，新法得不到推行，原来是秦孝公太子驷作梗，故意犯法。俗话说：“上梁不正下梁歪。”作为法律的制定者和执行者的专制政体上层统治者本身不能以身作则，就无法服众，很难推行。商鞅坚持王子犯法与庶民同罪的原则，说了上面的话，他还劝导秦孝公，要使改革成功，推行新法就从太子身上做起，要判处黥刑。黥刑就是在脸上刺字，一般罚做三年苦役。太子为国之储君，不可黥，于是黥其师傅公子虔、公孙贾。于是新法得到大力推行，秦国大治。

吾尝将百万军，然安知狱吏之贵乎！（卷五七《绛侯周勃世家》/2073页）

【译文】　我曾经统率过百万大军，然而怎能知道小小狱吏却如此威风！

【评点】　周勃感慨狱吏之言。狱吏，监狱看守。西汉开国功臣周勃，功封绛侯，又诛除诸吕，迎立文帝，官至太尉、右丞相。后免相就国。汉文帝四年（前176），有人诬告周勃谋反，被逮捕下狱，受到狱吏的凌辱。周勃为人朴讷，不善言辞，急得他不知如何是好。这时他用千金买通了狱吏，让狱吏想办法。狱吏在方版上写上“让公主为证”的话，提醒了周勃。公主，汉文帝之女，周勃长子周胜之尚公主。公主出面作证，又经文帝母亲薄太后干预，汉文帝才释放了周勃。周勃出狱后感慨万千，他做梦也不曾想到一个曾经统率百万大军，身经百战的将军，竟然向一个小小狱吏低头。这个故事有两层意义。一方面说明法律的神圣，任何人犯法，只要认真执法，法大于官，法大于权，法律就有权威。狱吏执法也神圣不可侵犯。另一方面，像周勃这样的冤案发生在开明的汉文帝时期，由此可见封建专制社会的法制是极不健全的，一个小狱吏可以索取重贿，可以翻手为云，覆手为雨。此外，周勃的感慨也说明，在一个人治为中心的社会，法律只是用来对付小民的，由于“刑不上大夫”，高官厚禄之人不知法律的厉害，他们都是法盲。法盲执法，这就是人治社会的特征。多少贪官污吏逍遥法外，而几多正人君子却无辜蒙冤。周勃就是因为功高震主，被莫须有之罪下狱。如果他不下狱身临其境，又怎知狱吏的厉害呢！

问遗无所受，请谒无所听。（卷一二二《酷吏列传》/3133 页）

【译文】 任何馈赠和礼物都不接受，任何请托谒见都不理会。

【评点】 问遗，原指亲友间的慰问馈赠，这里指贿赂。请谒，私相告求。西汉景帝时中郎将郅都，为官公正廉洁，不开启私人给他的信件。他任中尉，管理京师治安，执法不避权贵，皇亲国戚都怕他三分。司马迁用上面两句话来赞扬他恪尽职守的无私品德。

法令所以导民也，刑罚所以禁奸也。文武不备，良民惧然身修者，官未曾乱也。奉职循理，亦可以为治，何必威严哉？（卷一一九《循吏列传》/3099 页）

【译文】 法令是引导人民向善的，刑罚是禁止人民作奸犯科的。法令和刑罚虽不周密，但守法的人却谨慎小心地约束自己，这是因为当官的没有触犯过刑法。尽职守法，就可以治理好国家，为什么要严刑峻罚呢？

【评点】 司马迁序论之言，是司马迁对法律与刑罚作用发表的评论。司马迁强调有法必依，有恶必惩，当官的带头遵守，就能治好国家，不必使用严刑峻罚。因刑罚是禁奸，不是惩治人民，所以对人民是用不着严刑的。

【武断乡曲】当此之时，网疏而民富，役财骄溢，或至兼并豪党之徒，以武断于乡曲。（卷三〇《平准书》/1420 页）

【译文】 在这时候，法网宽疏，百姓富足。他们凭恃富有骄奢不法，有的人兼并土地，那些土豪劣绅，用威势武力横行于乡里。

【评点】 西汉文景之治，国殷民富，由于法律宽缓，豪绅依仗权势称霸乡里，为所欲为。武，威势。乡曲，乡里。后世指仗势欺人，或依势力行私法于一方，称为“武断乡曲”。严刑峻法，人民遭受沉重压迫；反之，如果法制不严，小民利益就要受到权势者的侵害。正如孔子所说，过犹不及。

导之以政，齐之以刑，民免而无耻。导之以德，齐之以礼，有耻且格。（卷一二二《酷吏列传》/3131页）

【译文】 用政令来引导他们，用刑法来整齐他们，人民只是暂时地免于犯罪，却不懂得廉耻；用道德来引导他们，用礼义来整齐他们，人民才能懂得廉耻，进而人心归服。

【评点】 司马迁序论所引孔子之言，见《论语·为政》。孔子主张治政以“德”和“礼”为主导，对立的意见主张以“政”和“刑”为主导，孔子对照论其优劣。司马迁赞成孔子之言，引为《酷吏列传》序言，是对汉武帝酷吏政治的批判。

法令滋章，盗贼多有。（卷一二二《酷吏列传》/3131页）

【译文】 法令越是细密，偷窥和危害他人的事情就越多。

【评点】 司马迁序论所引《老子》第五十七章之言。滋章，条文愈益繁多，指法律更加细密而严酷。司马迁认为，法令是治理国家的工具，而不是治理社会好坏的本源。不从根源杜绝犯罪的原因做起，只在法律条文上下文章，本末倒置，治标不治本，所以法令愈繁，证明偷窥和危害他人的事情愈多。陆贾总结秦亡教训也说“法愈严而贼愈滋”。汉武帝实行酷吏政治，到头来农民起义四处燃起。晚年下轮台诏，改弦更张，以力农富民为本，西汉才转危为安。

听讼，吾犹人也，必也使无讼乎！（卷一二二《酷吏列传》/3131页）

【译文】 审理案件，我和别人差不多，只是我主张一定要做到没人打官司才好。

【评点】 司马迁序论引孔子之言，见《论语·颜渊》篇。孔子不以善断案为能，而以无案可断为最高境界，从正本清源着手，修明政治是可以做到的。

【网漏吞舟】 汉兴，破觚而为圜，斲雕而为朴，网漏于吞舟之鱼，而吏治烝烝，不至于奸，黎民艾安。由是观之，在彼不在此。（卷一二二《酷吏列传》/3131页）

【译文】 汉朝建立，废除苛酷而实行宽松政令，压抑奸巧而提倡忠厚，宽缓的法网可以漏掉吞船的大鱼，可是各级行政的官员都兢兢业业，不为非作歹，老百姓太平安乐。由此看来，治理国家，要重视德教，而不是用严刑。

【评点】 司马迁序论之言。觚，方正有棱角的酒杯。圜，圆形酒杯，比喻废严苛，行宽松之法。斲雕，削去器物上雕饰的花纹。烝烝，形容淳厚的样子。这段话赞美宽松的政治，反对严刑峻法。“网漏吞舟”比喻法令宽大无边，即使罪大恶极也在宽赦之列。也用于赞美善政。《晋书·顾和传》载，顾和对东晋丞相王导说：“明公作辅，宁使网漏吞舟，何缘采听风闻，以察察为政。”王导听后感叹称好。

【网开三面】 汤出，见野张网四面，祝曰：“自天下四方皆入吾网。”汤曰：“嘻，尽之矣！”乃去其三面，祝曰：“欲左，左。欲右，右。不用命，乃入吾网。”诸侯闻之，曰：“汤德至矣，及禽兽。”（卷三《殷本纪》/95页）

【译文】 汤外出巡视游猎，看见郊野四周都张着罗网，张网的人祷告说：“从天上地下及四面来的，都得进入我的罗网。”

汤说："唉！这样就会把鸟兽全打光啊。"于是，下命撤去三面的罗网，让张网的人祷告说："想往左边走的就往左边走，想往右边走的就往右走，不听从命令的，就进我的罗网吧。"诸侯听到这件事，相互转告说："汤的恩德至高无上，施加给了禽兽。"

【评点】　商汤王施恩德于禽兽，只张一面之网捕捉那些不听教命的鸟兽。后世用以比喻法令宽大，从轻处理，常写作"一面网开"，或"网开一面"。

【弃灰之刑】故商君之法，刑弃灰于道者。夫弃灰，薄罪也，而被刑，重罚也。彼唯明主为能深督轻罪。夫罪轻且督深，而况有重罪乎？故民不敢犯也。（卷八七《李斯列传》/2555 页）

【译文】　所以商鞅颁行的刑法，对把灰倒在路上的人要判刑。倒灰本来是轻罪，而判刑却是重罚。商鞅认为只有圣明的君主才能认真督责轻罪。那轻罪且要深究重办，何况犯有重罪呢？所以百姓就不敢犯罪了。

【评点】　"弃灰之刑"喻法律苛酷。此刑执行于商鞅，李斯上书秦二世行督责之术的书中。《老子》曰："民不畏死，奈何以死惧之。"李斯劝秦二世行督责的结果，加重了对人民的压迫，也加速了秦朝的灭亡。

布帛寻常，庸人不释，铄金百镒，盗跖不搏。（卷八七《李斯列传》/2555 页）

【译文】　几尺绸布，平常人见了也要把它捡走，熔化的一百镒黄金，盗跖也不去夺取。

【评点】　李斯上书秦二世《行督责书》中之言，引自《韩非子·五蠹》。督责，督察臣民之过，治之以刑的专政办法。寻常，八尺为寻，二寻为常。这里指数量少。铄金，熔化的黄金，热不可取。镒，重量单位，二十四两。盗跖，传说春秋时的奴隶起义首领名跖，古史称为"盗跖"。搏，飞鸟取食称搏，夺取。

几尺绸布，价值无几，因没有危害，谁个见了就会拾取或顺手牵羊。一百镒黄金，因熔化烫手，即使盗跖也不会取，因为有危险。先秦法家以此为理论，主张严刑峻法，轻罪重判，使人畏法。法家的严法政治，就这样走向了立意的反面。秦二世行督责，不久亡国。

【作法自敝】嗟乎，为法之敝一至此哉！（卷六八《商君列传》/2237页）

【译文】 唉，制定严法的弊端竟到了这个地步。

【评点】 商鞅变法，轻罪重判，采用高压手段推行，带来不良后果。客店住宿要验证本人行路通行证，留宿没有证件的人，店主要被判罪。秦孝公死，秦惠王即位，公子虔等人告商鞅谋反，发吏捕商鞅。商鞅出逃，来到函谷关，他要住宿，没有证件，遭到店主拒绝，他发出了长叹。“作法自敝”出此，喻自作自受。“作茧自缚”与此义略同。

三尺安出哉？前主所是著为律，后主所是疏为令，当时为是，何古之法乎！（卷一二二《酷吏列传》/3153页）

【译文】 你知道三尺法律是怎么来的吗？前面的君主认为正确的制定成为法律，后面的君主认为正确的记录成为法令，适合当时情况就是正确的，何必要遵守过时的法令？

【评点】 酷吏杜周之言。杜周为汉武帝时廷尉，他办案量刑，任意解释法律，秉承汉武帝旨意以及个人好恶裁决，有人批评他不遵守标准法令。三尺法，指汉代书写法律条文的三尺竹简，表示法律有定规之意。杜周的话，深刻地揭示了封建法律的本质，它不仅是统治阶级意志的表现，而且是个人意志的表现。

使端无穷，而轻犯法。（卷一二三《大宛列传》/3171页）

【译文】 出使的缘由和借口循环无穷，他们也就轻率地犯法了。

【评点】　汉武帝开通西域，遥隔万里，派出使者，人们都不乐意去。于是招募使者，不问出身，夹杂许多不干净的人。而且来回路上，备极艰苦，出使的人难免不侵盗公物，或者出使交涉不称职，有外交失误。汉武帝下令查办，判以重罪，让出钱赎罪，交不出钱就戴罪立功，再使西域，这样循环无穷，没有尽头。出使的人也就豁出去了，习以为常，随意犯法，造成出使西域的使者素质下降，影响友好往来。引申来看，给人划定了范围，感不到有出路，那就破罐子破摔了。尤其是依法惩治，要给人以出路，否则惩治就是失败的。

政治第二十六

【引言】 政治篇，凡30条。封建社会，权力高度集中，国家大政以人为治，以意为法，所以政坛充满矛盾，尔虞我诈，危机四伏。《春秋》之中，“弑君三十六，亡国五十二”（《太史公自序》），尤其是礼义之邦的鲁国，内讧也甚为剧烈，礼义与现实适成强烈反差。法家倡导法、术、势，以高压与权术御下，秦始皇信而用之，结果秦朝宫廷政变，层出不穷，竟然二世而灭。孔子修《春秋》拨乱反正，欲为后王立法，光万世太平之业，而改朝换代，权利相争，无日不休，无时不息。政治之为术也，何以而宁之哉！

凡说之务，在知饰所说之所敬，而灭其所丑。彼自知其计，则毋以其失穷之；自勇其断，则毋以其敌怒之；自多其力，则毋以其难概之。规异事与同计，誉异人与同行者，则以饰之无伤也。有与同失者，则明饰其无失也。大忠无所拂悟，辞言无所击排，乃后申其辩知焉。（卷六三《老子韩非列传》/2151～2152页）

【译文】　大凡游说的诀窍，在于了解游说的对象所推崇的东西要尽心宣扬，想要遮掩的事情就闭口不提。国君自以为得计，就不要指出其不周而难为他；国君勇于决断的事，就不要说出相反的判断来使他生气；国君自认为力量强大，就不要指出困难来阻止他。国君与某人同计，与某人同行，你大肆赞扬与国君同计同行的，绝对没有坏处。国君与某人同失，你说某人无失也绝对没有坏处。经过长期适应，国君认为你是大大的忠臣，言必听，计必从，然后你才可以充分发挥你的聪明才智。

【评点】　韩非《说难》之言。由于专制政体，国君手握绝对权力，国君的话就是法律、法令，他要执行错误的政策，也没有力量阻挡他，所以明智的大臣要善顺其意，还要善饰其过。等到获得完全的信任，再运用你的聪明才智，左右国君的意志，做一些好事。但是，实际效果总是相反，揣摩上级意图办事，迎合主子说违心的话，必然形成主子与奴才的绝对顺从关系，揣摩者、迎合者只能沦为奴才，无力左右主子以意为法的滥施权力，几千年的历史就是这样写成的。韩非的这些“说难”经验恰为历代奸臣佞臣所遵行。实践效果与先秦法家的主观愿望构成了鲜明的讽刺。

太史公曰：余闻孔子称曰：“甚矣，鲁道之衰也！洙泗之间龂龂如也。”观庆父及叔牙，闵公之际，何其乱也！隐桓之事；襄仲杀嫡立庶；三家北面为臣，亲攻昭公，昭公以奔。至其揖让之礼则从矣，而行事何其戾也！（卷三三《鲁周公世家》/1548页）

【译文】　太史公说：我听说孔子说过这样的话：“真厉害啊，鲁国礼乐教化的衰落！洙泗之间的人民也斤斤计较起来。”看看鲁国的历史吧：鲁闵公时庆父和叔牙搞得鲁国多么混乱；鲁桓公谋杀鲁隐；襄仲杀太子恶而立庶子接；孟孙、叔孙、季孙三大夫是北面事君的臣子，竟然亲自攻打昭公，迫使昭公流亡。说到拱手应酬的礼节，鲁国十分讲究，可是实际干的却是那样的暴虐。

【评点】 司马迁论赞之言。鲁道，即周公之道，指礼乐教化。洙泗，鲁国境内两水名，用作鲁国的代称。龂龂（yín），争辩的样子。观庆父二句：庆父、叔牙及季友三人为鲁桓公之子，鲁庄公之弟。庄公夫人哀姜不育，故无嫡子，而欲立庶子斑。庆父与哀姜私通，叔牙党庆父，欲立庆父为君，被庄公鸩杀。庄公卒，季友立公子斑为鲁君，庆父杀之，立公子开，是为鲁闵公。闵公二年（前660），庆父杀闵公欲自立。两年之间庆父连弑二君，鲁国大乱，流言曰："庆父不死，鲁难未已。"季友与鲁大夫杀庆父，立公子申为君，即鲁僖公，政局才稳定下来。隐桓之事：指春秋之世鲁隐公、桓公时代的篡杀之事。鲁隐公息姑，为鲁国第十四代君，被其弟子允所杀，允立即为鲁桓公。襄仲杀嫡立庶：襄仲亦庄公子名遂，事僖公、文公为鲁卿。文公卒，襄仲杀太子恶及其弟视而立庶子接，是为鲁宣公。三家：鲁桓公之三子，庆父之后为孟孙氏，叔牙之后为叔孙氏，季友之后为季孙氏。三家共执鲁政，称三桓，又称三家。鲁昭公二十五年（前517），三家联合驱逐了昭公。昭公，鲁宣公之曾孙，鲁襄公之子。鲁国是周公的封国，世为礼义之邦，但春秋时不断发生内讧，兄弟相争，君臣相攻，民间风习斤斤相较，揖让之礼，流于形式。鲁国尚且如此，列国世风之变，可想而知。司马迁用鲁国的衰落来揭示时代的事势之变，以及政治斗争的残酷，具有十分典型的意义。

厉公四年，祭仲专国政。厉公患之，阴使其婿雍纠欲杀祭仲。纠妻，祭仲女也，知之，谓其母曰："父与夫孰亲？"母曰："父一而已，人尽夫也。"女乃告祭仲，祭仲反杀雍纠，戮之于市。厉公无奈祭仲何，怒纠曰："谋及妇人，死固宜哉！"（卷四二《郑世家》/1762页）

【译文】 郑厉公四年（前697），祭仲专权。厉公忧虑这事，暗中派祭仲的女婿雍纠去刺杀祭仲。雍纠的妻子是祭仲的女儿，知道这件事，问母亲说："父亲与丈夫哪一个更亲?"母亲说："父亲只有一个，男人都可选择作丈夫。"祭仲女儿就把谋刺的事告诉了祭仲，祭仲作好准备反过来杀了雍纠，并暴尸在闹市上示众。郑厉公对祭仲毫无办法，只是对雍纠之死很生气，说："这种大事与老婆商量，死就是活该的了。"

【评点】 郑大夫雍纠奉君命刺权臣，本来是利用他的翁婿关系接近祭仲，如此大事却与老婆商量，十之八九都要偾事。西汉诸吕谋乱，朱虚侯刘章也通过老婆预知其谋。本来刘章的老婆是诸吕的宗室女，诸吕指望她监视刘章，而刘章反利用这层关系探知诸吕动静。总之，谋及妇人，此胜彼败，都是十分危险的，故近世政治，以铁的纪律严守秘密，以防患于未然也。当然，党同之妇，另作他论。

窦鸣犊，舜华，晋国之贤大夫也。赵简子未得志之时，须此两人而后从政；及其已得志，杀之乃从政。丘闻之也，刳胎杀夭则麒麟不至郊，竭泽涸渔则蛟龙不合阴阳，覆巢毁卵则凤皇不翔。何则？君子讳伤其类也。夫鸟兽之于不义也尚知辟之，而况乎丘哉！（卷四七《孔子世家》/1926 页）

【译文】 窦鸣犊、舜华两个人，都是晋国的贤大夫。赵简子没有得志之时，靠这两人才得以执政；等到他得势以后，杀了这两人来巩固权势。孔丘听说过，剖腹取胎，杀害幼兽，麒麟不到郊野来；排干池水抓鱼，蛟龙不肯调和阴阳；倾覆鸟巢，毁坏鸟卵，凤凰就不愿来这里飞翔。为什么呢？君子忌讳伤害他的同类。那些鸟兽对不义的行为尚且知道回避，何况是我孔丘呢！

【评点】 孔子之言。孔子离开卫国，打算西游到晋国去见赵简子。赵简子是晋国的执政大臣。当孔子到达黄河岸边，得到赵简子杀害窦鸣犊、舜华两个贤大夫时，对着黄河感叹："壮美的黄河啊，浩浩荡荡多么伟大，可是孔丘却不能渡过黄河，这大概是命运吧!"子贡不理解，问孔子为什么不过黄河，孔子说了君子恶伤同类的话，决定不再西游干政了。赵简子既然恩将仇报，杀害贤士，就不是一个仁德的人，所以孔子不愿去见他。这个故事，一方面说明孔子周游列国，积极谋求参政，为的是实现仁德的理想。若非仁德之主，他决不放弃原则去从政；另一方面说明一个执政者杀贤害能，智者不附，仁者不来，这就叫失道寡助，值得执政者记取。

【移木之信】令既具，未布，恐民之不信，已乃立三丈之木于国都市南门，募民有能徙置北门者予十金。民怪之，莫敢徙。复曰“能徙者予五十金”。有一人徙之，辄予五十金，以明不欺。卒下令。（卷六八《商君列传》/2231页）

【译文】　法令条文已经准备就绪，还没有公布，担心老百姓不相信，于是就在国都南门外立了根三丈长的木头，招募百姓中有能力移动到北门的人赏赐十金。百姓感到奇怪，没有人敢去移动。重又下令说“能够移木的人赏赐五十金”。有一个人移动了木头，当即赏赐了五十金，用以表明令出必行，决不欺骗。接着公布了新法令。

【评点】　“移木之信”，又写作“立木取信，”喻取信于民，典出于此。商鞅重赏移木，对庶民大众是一种宣传手段，对保守的王公贵戚是立威示警，表明执法神圣不可侵犯。

奇货可居。（卷八五《吕不韦列传》/2506页）

【译文】　稀有的商品可以囤积起来。

【评点】　吕不韦之言。吕不韦是战国时大商人，他在赵国邯郸看到秦国质子名子楚的人十分贫窘，他发出感叹“此奇货可居”。在商人眼里，只要下赌注而增殖财富就是奇货。于是吕不韦进行政治投机，他用钱财打通关节，使子楚回到秦国，后来继承王位，这就是庄襄王。吕不韦因此做了秦国的国相。后世用这句话既说商人囤物赚钱，也比喻依凭某种技艺或借助某种事物为资本而营利逐名，成为流行成语。奇，珍奇稀有之物。居，积存，囤聚。

行所幸，有言其处者，罪死。始皇帝幸梁山宫，从山上见丞相车骑众，弗善也。中人或告丞相，丞相后损车骑。始皇怒曰："此中人泄吾语。"案问莫服。当是时，诏捕诸时在旁者，皆杀之。自是后莫知行之所在。（卷六《秦始皇本纪》/257 页）

【译文】　秦始皇帝所行幸的地方，如有人说出去，就判死罪。有一次，秦始皇行幸梁山宫，从山上望见丞相李斯随从的车马众多，表示了不喜欢的意见。宦官中有人把消息传给了李斯丞相，丞相以后出行减少了车骑。秦始皇帝十分震怒，说："这一定是宦官泄露了我的话。"经过审问，没有人承认。这时，秦始皇帝下令把从巡梁山宫的所有宦官抓起来，全部杀死。从这以后，再没有人知道皇帝的行踪。

【评点】　集权君主，高高在上，却也十分害怕别人的暗算，所以深居简出。秦始皇为了不让别人知道他的行踪，采用宁可错杀一千，也不要漏掉一人的残酷手段杀人，达到了无人敢泄密的目的。这就是雄主的作为。梁山宫，行宫名，在今陕西乾县东。

【鲍鱼乱臭】始皇崩于沙丘平台。丞相斯为上崩在外，恐诸公子及天下有变，乃秘之，不发丧。棺载辒凉车中，故幸宦者参乘，所至上食。百官奏事如故，宦者辄从辒凉车中可其奏事。……会暑，上辒车臭，乃诏从官令车载一石鲍鱼，以乱其臭。（卷六《秦始皇本纪》/264 页）

【译文】　秦始皇死在巡幸道上的沙丘平台。丞相李斯因为皇上死在外边，恐怕诸公子以及地方发生动乱，于是封锁始皇死亡的消息，不发丧。把棺材装在辒凉车中，仍然让始皇生前所宠幸的宦官作陪乘，所到之处，做出皇上照常进餐，百官照常奏事的样子，由在辒凉车中的宦官来批复奏章。正碰上暑天，皇上的尸体在辒凉车中发臭，就令侍从官推一车一石重的湿咸鱼，用来混淆尸臭。

【评点】 “鲍鱼乱臭”，典出《秦始皇本纪》。秦始皇三十七年（前210）巡行东南，七月返回到沙丘平台（行宫名，在今河北平乡东北）死亡，丞相李斯等怕咸阳诸公子发动政变，于是秘不发丧，赶紧回咸阳。由于正是暑天，尸体发臭，所以车载湿咸鱼，让鱼腥味来混淆尸臭。鲍鱼，盐渍鱼，受湿后即可发出浓郁的腥味。辒凉车，一种封闭严密而又有通风设备的卧车。后世即以此为丧车之名，因载始皇尸故也。

【指鹿为马】赵高欲为乱，恐群臣不听，乃先设验，持鹿献于二世，曰：“马也。”二世笑曰：“丞相误邪？谓鹿为马。”问左右，左右或默，或言马以阿顺赵高。或言鹿，高因阴中诸言鹿者以法。后群臣皆畏高。（卷六《秦始皇本纪》/273页）

【译文】 赵高想要谋反，担心群臣不听从他，于是便先设计试验，牵来一只鹿献给二世，说：“这是一匹马。”二世笑着说：“丞相错了，把鹿说成马。”问左右大臣，有的沉默，有的说是马以讨好赵高。有的说是鹿，赵高就暗中把说鹿的人加以法办。从此以后，群臣都害怕赵高。

【评点】 “指鹿为马”，秦宦官赵高谋篡帝位进行的火力侦察，故意颠倒黑白以显示自己的声威。后指混淆是非为“指鹿为马”。

丞相高杀二世望夷宫，恐群臣诛之，乃佯以义立我。我闻赵高乃与楚约，灭秦宗室而王关中。今使我斋见庙，此欲因庙中杀我。我称病不行，丞相必自来，来则杀之。(卷六《秦始皇本纪》/275 页)

【译文】 丞相赵高在望夷宫杀了秦二世，害怕群臣起来诛杀他，就假装按宗法礼义立我为秦王。我听说赵高竟然与楚国订约，他灭掉秦宗室后就可以在关中称王。现在让我斋戒，朝见宗庙，这是想趁机在宗庙中杀我。我推说生病不能前往，丞相一定会亲自来请，他来了就杀掉他。

【评点】 秦王子婴与二子谋划诛杀赵高之言。望夷宫，行宫名，在今陕西泾阳县东南。赵高诛杀秦二世于此。与楚约，指赵高与刘邦相约。公元前 206 年，刘邦兵临武关，赵高与之相通，刘邦假意许赵高为秦王，借他之手消灭秦王室，赵高则趁此机会篡夺秦二世之位。赵高杀了秦二世之后，害怕大臣不服，假意立秦宗室子婴为秦王，把子婴看管起来，让他斋戒，择日到宗庙告祭祖先即秦王位。赵高大权在握，进行紧密部署，没把子婴看在眼里。但是魔高一尺，道高一丈。子婴被软禁，找不到帮手和谋划的人，就与身边的两个儿子谋划，声言有病，即位那天不能去宗庙，制造推让的假象。赵高果然中计，他以为子婴在摆架子，亲自去请子婴，就这样，子婴父子轻而易举就除掉了赵高。政治斗争，风云莫测。秦二世在时，只是一个傀儡，赵高一手遮天，指鹿为马。他可以公然诛杀秦二世，控制了军权，由他的女婿阎乐掌禁军。但是没有德业基础的赵高，是十足的孤家寡人，所以子婴父子才敢于用计将其杀灭。于是子婴即了秦王位。从子婴计杀赵高来看，是一个智勇双全，行事果决的人。可惜大厦将倾，独木难支。不久，刘邦就攻破武关，进兵咸阳，子婴投降，前后当了六十天秦王。一个月后，项羽入关，火烧咸阳，子婴被项羽所杀。秦朝就这样在刀光剑影中灭亡了。

【项庄舞剑】范增起，出召项庄，谓曰："君王为人不忍，若入前为寿，寿毕，请以剑舞，因击沛公于坐，杀之。不者，若属皆且为所虏。”庄则入为寿。寿毕，曰：“君王与沛公饮，军中无以为乐，请以剑舞。”项王曰：“诺。”项庄拔剑起舞，项伯亦拔剑起舞，常以身翼蔽沛公，庄不得击。（卷七《项羽本纪》/312～313页）

【译文】 范增起身出去召唤项庄，对他说：“君王为人不狠心，你进去上前敬酒，敬酒完后请求舞剑助兴，趁机在宴会坐席上杀掉沛公，不这样做，你们都要成为他的俘虏。”项庄就进去敬酒，祝酒完后，说：“君王和沛公饮酒，军营中没有什么取乐，请允许我舞剑助兴。”项王说：“好。”项庄拔剑起舞，项伯也拔剑起舞，经常用自己身体像翅膀一样护着沛公，项庄无法下手击杀沛公。

【评点】 “项庄舞剑，意在沛公”，省说“项庄舞剑”。在鸿门宴上，范增安排项庄舞剑找机会击杀沛公，由于项伯的保护，接着张良离席召来樊哙救驾，刘邦才免了杀身之祸。后世称表面一套，暗中一套，或内心隐藏的杀机叫“项庄舞剑”，其典出此。

【雍齿封侯】上已封大功臣二十余人，其余日夜争功不决，未得行封。上在洛阳南宫，从复道望见诸将往往相与坐沙中语。上曰：“此何语？”留侯曰：“陛下不知乎？此谋反耳。”上曰：“天下属安定，何故反乎？”留侯曰：“陛下起布衣，以此属取天下，今陛下为天子，而所封皆萧、曹故人所亲爱，而所诛者皆生平所仇怨。今军吏计功，以天下不足遍封，此属畏陛下不能尽封，恐又见疑平生过失及诛，故即相聚谋反耳。”上乃忧曰：“为之奈何？”留侯曰：“上平生所憎，群臣所共知，谁最甚者?”上曰：“雍齿与我故，数尝窘辱我。我欲杀之，为其功多，故不忍。”留侯曰：“今急先封雍齿以示群臣，群臣见雍齿封，则人人自坚矣。”于是上乃置酒，封雍齿为什方侯，而急趣丞相、御史定功行封。群臣罢酒，皆喜曰：“雍齿尚为侯，我属无患矣。”（卷五五《留侯世家》/2042～2043页）

【译文】　皇上高祖已封赏了二十余个大功臣，其余的人日夜争功一时定不下来，没有进行封赏。高祖住在洛阳南宫，从天桥上望见许多将领三三两两，交头接耳，窃窃私语。高祖说：“这是在议论什么?”留侯张良说：“陛下不知道吗？这是在谋反啊?”高祖说：“天下刚刚安定，为什么又要谋反?”留侯说：“陛下以平民身份起兵，依靠这些人夺取了天下，现在陛下贵为天子，但是封赏的功臣都是陛下亲近的萧何、曹参这些老朋友，而杀戮的人都是陛下平时所怨恨的仇人。现在军官们计算功劳，认为天下的土地不够封赏，这些人担心陛下不能全部封赏，又害怕遭到猜疑，借口往日的过失受到杀戮，所以就聚集到一起图谋造反啊。”高祖于是忧虑地说：“该怎么办呢?”留侯说：“皇上平时最恨的人，又为群臣所共知，哪个最厉害?”高祖说：“雍齿与我有旧怨，他曾多次困辱我。我想要杀他，因为他功劳多，所以下不了狠心。”留侯说：“现今赶快封雍齿给群臣作个样板，群臣看到雍齿得封侯，那么大家就会安下心来等待封侯。”于是高祖摆下庆功宴会，宣布封雍齿为什方侯，并急速催促丞相、御史评定功劳进行封赏。君臣参加酒宴后，都高兴地说：“雍齿尚且封侯，我们不必担心了。”

【评点】　雍齿为汉高祖故友，可是他在刘邦初起兵时曾背叛了他，使刘邦失去根据地丰邑，被迫投项梁，所以怀恨在心。后来雍齿又为刘邦所用，立了许多战功，想诛杀还没找到借口。而这时刘邦已废楚王韩信为淮阴侯，引起功臣忌疑，而封赏的二十多个大功臣也是争论激烈，诸将以曹参功第一，高祖坚持萧何第一，由此可见群臣争功有白热化之势。留侯建议封雍齿为侯，消除了诸将不安，更主要是诱导刘邦厚待功臣，用意良深。从安定政局说，封雍齿为侯极具典型，显示统治天下的皇上有广阔博大胸襟，群臣自然心悦诚服，虚心仰上而天下安矣。所以“雍齿封侯”成为美谈，它告诫在上位的人要不计部属旧怨，论功行赏不带私情。也指采取措施安抚部下，消除隙嫌为“雍齿封侯”的策略。什方，县名，在今四川什邡县南。

【羽翼已成】四人为寿已毕，趋去。上目送之，召戚夫人指示四人者曰：“我欲易之，彼四人辅之，羽翼已成，难动矣。吕后真而主矣。”戚夫人泣。（卷五五《留侯世家》/2047 页）

【译文】 四位老人敬酒祝福完毕，告辞快步离去。汉高祖目送四人，一边招呼戚夫人，指着离去的四人说：“我想更换太子，那四人要辅助他，太子羽翼已成，难以动摇了。吕后日将成为你真正的主人。”戚夫人痛哭抽泣。

【评点】 高祖见吕后刚强，太子刘盈懦弱，打算更换太子，立戚夫人之子刘如意。吕后及大臣均不同意。张良献计吕后，从终南山请来四位隐逸长者，东园公、角里先生、绮里季、夏黄公护佐太子。这四位隐者称商山四皓，很有名声，刘邦请他们下山，没有请动。如今四人下山为太子宾客，朝廷为之震动。一天刘邦置酒，举行家宴，接见太子及四位老人。刘邦问四皓：“为何不辅助朕而辅佐太子?”四皓回答：“陛下轻士爱骂人，所以不来；而今太子仁孝忠义，敬爱士人，所以愿做太子客人。”刘邦认为太子已得人心，于是打消了要更换太子的想法，指示戚夫人，说“太子羽翼已成”，没有办法了。后世用这个典故形容难以动摇的势力或宗派势力。

【大喜过望】淮南王至，上方踞床洗，召布入见，布大怒，悔来，欲自杀。出就舍，帐御饮食从官

如汉王居，布又大喜过望。（卷九一《黥布列传》/2602页）

【译文】 淮南王黥布来到汉营，汉王正踞坐在床上洗脚，叫黥布进去见他。黥布出来非常恼怒，后悔投奔汉王，想要自杀，退出来住到给他安置的客馆，用的吃的以及侍从官员与汉王的居处是同一规格，黥布又出乎意料地高兴起来。

【评点】 “大喜过望”，指最终结果超过了当初的希望，因而大大高兴。过，超过。黥布，楚封九江王，投汉后封淮南王。汉王在卧内召见黥布，故意怠慢，杀其傲气，同时让他看到自己的陈设，使黥布回到下榻之处有个对比而大喜过望，这是驾驭人的政治权术，汉王可谓心计多端。

【解衣推食】臣事项王，官不过郎中，位不过执戟，言不听，画不用，故倍楚而归汉。汉王授我上将军印，予我数万众，解衣衣我，推食食我，言听计用，故吾得以至于此。夫人深亲信我，我倍之不祥，虽死不易。幸为信谢项王。（卷九二《淮阴侯列传》/2622页）

【译文】 我事奉项王，官不过郎中，位不过执戟警卫，言不听，计不用，所以我背楚归汉。汉王授予我上将军的印信，给了我数万人的军队，脱下他身上的衣服给我穿，把好的食物让给我吃，言听计从，所以我才能有今天这样的地位。人家对我亲近信赖，我背叛了是不吉利的，即使到死也不变心。希望你替我辞谢项王的盛情。

【评点】 “解衣推食”喻关怀别人，无微不至。韩信答武涉之言。汉四年（前203），韩信击破齐楚联军，杀龙且，项羽震恐，派武涉去游说韩信背离刘邦，联楚三分天下。韩信拒绝，以汉王“解衣衣我，推食食我”表示受人之恩，不忍背德。汉王刘邦驭将之权术，由此可见。后人将这两句概括成为“解衣推食”的典故赞誉爱护部属的领导。《陈书·荀朗传》：“朗更招致部曲，解衣推食，以相赈赡，众至数万。”

【功高震主】勇略震主者身危，功盖天下者不赏。

（卷九二《淮阴侯列传》/2625 页）

【译文】 勇敢、谋略使君主感到威胁的人，他自身就危险；功劳卓著冠盖天下的人，得不到赏赐。

【评点】 谋士蒯通劝韩信背汉自立为王之言。成语“功高震主”出此。蒯通认为韩信“戴震主之威，挟不赏之功；归楚，楚人不信；归汉，汉人震恐”，意谓功劳越大，就越要遭人主猜忌，而自身就越危险。开国皇帝大多要屠灭功臣，就是这个道理。这是专制制度下不可避免的政治悲剧。

【兔死狗烹】狡兔死，走狗烹；高鸟尽，良弓藏；敌国破，谋臣亡。（卷九二《淮阴侯列传》/2627 页）

【译文】 狡猾的兔子猎取完了，猎狗也就要被煮了吃掉；高空的飞鸟射杀完了，好弓也要被收藏起来；敌对国家被攻破了，谋臣也就要灭亡。

【评点】 此语为古代民谚，又凝化为成语“兔死狗烹”。楚汉相争时，蒯通曾劝齐王韩信自立为王，与刘邦、项羽鼎足而立，韩信不愿背汉。垓下之战刘邦打败项羽后，立即夺了齐王韩信的兵权，徙为楚王。汉高帝六年（前 201），刘邦指使人告楚王韩信谋反，设计逮捕了韩信，以谋反罪废为淮阴侯，数年以后，又以谋反罪杀了韩信。韩在遭逮捕时喊冤说：“果如人言，‘狡兔死，走狗烹；高鸟尽，良弓藏；敌国破，谋臣亡’。天下已定，我固当烹！”春秋时越国大夫文种，佐勾践图强，灭吴雪耻，称霸诸侯，越王勾践赐剑文种令其自裁说：“子教寡人伐吴七术，寡人用其三而败吴，其四在子，子为我从先王试之。”文种自杀。范蠡功成身退，得以自保。他曾写信给文种，劝他引退，在信中也引用了这段民谚。此外，《韩非子·内储说下·六微》、《文子·上德》、《黄石公·中略》等书中也载了这段民谚。这段民谚用形象的类比，极其通俗而又深刻地揭示了伴随家天下兴亡而产生的血淋淋的政治悲剧。旧王朝的没落与被推翻，这是一种悲剧；新兴王朝的屠功臣，这是在胜利声中演出的悲剧。

【丁公为臣】季布母弟丁公，为楚将。丁公为项羽逐窘高祖彭城西，短兵接，高祖急，顾丁公曰："两贤岂相厄哉！"于是丁公引兵而还，汉王遂解去。及项王灭，丁公谒见高祖。高祖以丁公徇军中，曰："丁公为项王臣不忠，使项王失天下者，乃丁公也。"遂斩丁公，曰："使后世为人臣者无效丁公！"（卷一〇〇《季布栾布列传》/2733 页）

【译文】　季布的舅父丁公，担任楚军将领。彭城大战时丁公替项羽追逐高祖，在彭城西郊紧紧咬上，高祖感到危急，回头对丁公说："两个好汉难道非要相拼吗！"于是丁公领兵返回，汉王终于脱身逃走。等到项王被灭，丁公进见高祖。高祖把丁公放到军营中示众，说："丁公做项王的臣子不忠诚，使项王丢了天下的。就是丁公这样的人。"于是杀了丁公，说："为的是让后代做人臣的人不要仿效丁公。"

【评点】　"丁公为臣"，喻为臣不忠，二三其德。典出《季布列传》所附丁公传。刘邦已得天下，需要臣下尽忠，为了政治原因，他恩将仇报，借丁公之头来宣扬忠义。丁公死得很冤，但为臣不忠，也是罪有应得；刘邦心狠，从政治需要而杀丁公，似也无可非议。丁公甥季布同为项羽将，英勇作战，常危困刘邦，高祖恨得咬牙切齿，汉朝建立，全国通缉。由于游侠朱家通过夏侯婴向刘邦进言，高祖念他是一个忠义英雄，赦免了他，官至河东太守。季布为是，丁公为非，丁公不免上了断头台，这一忠一叛形成鲜明对照。

于今面折廷争，臣不如君；夫全社稷，定刘氏之

后，君亦不如臣。（卷九《吕太后本纪》/400页）

【译文】　在现今形势下当面顶撞，在朝廷上谏诤，我们不如你；至于保全大汉江山，安定刘氏天下，恐怕你就不如我们了。

【评点】　陈平、周勃对王陵的一段说话。面折，当面批评他人的过失。廷争，在朝廷上向皇帝谏诤，这里指顶撞吕太后。高后元年（前187），吕太后临朝称制，打算封诸吕为王，便问右丞相王陵。王陵说："高帝曾宰杀白马，与大臣订盟：'今后凡不是刘氏子弟而称王的，全天下都可起来诛讨他。'现在如果封吕氏子弟为王，这是违背高帝盟约的。"吕太后很不高兴，就又问左丞相陈平、太尉周勃。二人同声回答说："从前高帝平定天下，封刘氏子弟为王；如今太后行使皇帝职权，封自己的兄弟吕氏为王，这也是应当的。"吕太后十分高兴，宣布退朝。王陵责备陈平、周勃不忠于誓言，辜负了高帝的期望与信任。于是二人对王陵说了上述的一段话。只看表现，王陵耿直，坚持原则无可厚非；陈平、周勃不免谄媚取容，有小人之讥。而事实证明，王陵的秉正不容于吕太后，被调职架空，随即以病策免，而陈平、周勃保住了功名职位，后来在诛除诸吕中起了决定作用，实践了他们全社稷、安刘氏的誓言与忠心。陈平、周勃若是谋私，则可说政治无诚实可言；而从全社稷、安刘氏的立场来看，陈平、周勃是用计除奸，乃是符合道义的谋略。

【郦况卖友】太尉绛侯勃不得入军中主兵。曲周侯郦商老病，其子寄与吕禄善。绛侯乃与丞相陈平谋，使人劫郦商，令其子寄往绐说吕禄曰："高帝与吕后共定天下，刘氏所立九王，吕氏所立三王，皆大臣之议，事已布告诸侯，诸侯皆以为宜。今太后崩，帝少，而足下佩赵王印，不急之国守藩，乃为上将，将兵留此，为大臣诸侯所疑。足下何不归将印，以兵属太尉？请梁王归相国印，与大臣盟而之国，齐兵必罢，大臣得安，足下高枕而王千里，此万世之利也。”吕禄信然其计，欲归将印，以兵属太尉。使人报吕产及诸吕老人，或以为便，或曰不便，计犹豫未有所决。吕禄信郦寄，时与出游猎。过其姑吕媭，媭大怒，曰：“若为将而弃军，吕氏今无处矣。”乃悉出珠玉宝器散堂下，曰：“毋为他人守也。”……太尉复令郦寄与典客刘揭先说吕禄曰：“帝使太尉守北军，欲足下之国，急归将印辞去，不然，祸且起。”吕禄以为郦况不欺己，遂解印属典客，而以兵授太尉。太尉将之入军门，行令军中曰：“为吕氏右襢，为刘氏左襢。”军中皆左襢为刘氏。太尉遂将北军。（卷九《吕太后本纪》/408～409页）

【译文】 太尉绛侯周勃不能进入军营执掌兵权。曲周侯郦商年老有病，他的儿子郦寄与吕禄交好。绛侯于是与丞相陈平商量，派人挟持郦商，让他儿子郦寄前去欺骗吕禄，说：“高帝与吕后共同平定了天下，刘氏宗室被立为王的九人，吕氏家庭被立为王的有三人，都是大臣们商议过的，此事又已通告诸侯，诸侯都认为是适宜的。现在太后逝世，皇帝年少，而您佩带赵王国印，不赶快到赵国去守卫封地，却担任上将军，带兵留在京师，让大臣和诸侯产生怀疑。您为什么不交出将军印信，把兵权还给太尉呢？也请梁王吕产归还丞相之印，与大臣订立盟约，回到封国，这样齐必然停止进兵，大臣们心里安定，你也可以在千里封国里高枕无忧地做王，这是有益于子孙万代的好事啊。”吕禄相信了郦寄的建议，打算归还将印，把兵权交给太尉。派人通报吕产及诸吕老人，有的认为可行，有的认为不可行，意见不一，迟疑未决。吕禄信任郦寄，经常与他一起外出打猎。有一天吕禄去看望姑母吕媭，吕媭大怒说："你作为将军而丢弃了军队，吕氏家族如今没有立身之地了。"立即把家中的珍珠宝玉全都扔到院子里，说："不要替别人看守这些东西了。"太尉周勃又派郦寄与典客刘揭先去劝吕禄说："皇帝派太尉来接管北军，让您回封国去，还是赶快交出将军印，及早离开，不然，大祸就要临头了。"吕禄认为郦寄不会欺骗自己，于是把将军印交给了典客刘揭，也就是把兵权交给了太尉。太尉拿着将军印进入军门，向全军发出命令："拥护吕氏的露出右臂，拥护刘氏的露出左臂。"全军都露出左臂表示拥护刘氏。太尉于是统率了北军。

【评点】 吕太后当权，大封诸吕为王，吕禄掌北军，吕产掌南军，太尉周勃被架空，不得入军门。朝中文武大臣多投向吕氏。丞相陈平多智，与周勃深相结纳，外表上迎逢吕太后，以为韬晦之计。吕太后一死，二人合谋，发动政变，诛除诸吕。"郦况卖友"，是夺取军权的一个最重要步骤，双方斗智时，表面平静，而暗里惊心动魄。军中皆左袒拥刘氏，说明人心归向汉朝，这是政变的根本原因。

君侯纵不反地上，即欲反地下耳。（卷五七《绛侯周勃世家》/2079 页）

【译文】 君侯即使不在地上造反，死后也是要在地下造反的。

【评点】 狱吏之言。君侯，汉代丞相封侯，故君侯是对丞相的尊称。西汉开国功臣周勃中子周亚夫历仕文帝、景帝两朝，在景帝时平定吴楚七国之乱，官至太尉、丞相，封条侯。景帝要封外戚和匈奴降人为侯，周亚夫认为不符合国家制度不同意，与景帝发生意见分歧，周亚夫被迫称病免相。由于周亚夫功高有才，景帝放心不下，总想找机会置之于死地。为自己百岁后的新君排除隐患。这当然是一种臆造的隐患。景帝后元元年（前143），周亚夫之子违禁购买尚方的葬器甲盾500套，被搬运的雇工告发。景帝下令廷尉审问。廷尉，即司法长官。他要周亚夫认罪谋反。周亚夫说："我购买的盔甲盾牌是殉葬物，怎能是造反的兵器?”陪审团的官员说:“你即使不在地上造反,死后也要在地下造反。”真是欲加之罪,何患无辞!在古代只要被扣上谋反罪,就是大逆不道的死罪,重者还要灭族。周亚夫被栽上莫须有的谋反罪,深深感到陷阱已成,无法摆脱,于是在狱中绝食而死。周亚夫蒙冤之死,可以看到封建专制制度下的政治黑暗与残忍性。朝为大臣,暮为囚徒,君要臣死,不能不死,没有一个人拥有自由的生存权,这就是封建的政治。

【东市朝衣】上使中尉召错,绐载行东市。错衣朝衣斩东市。(卷一〇六《吴王濞列传》/2831页)

【译文】 景帝派中尉去宣召晁错,用欺骗手段拉到东市。晁错是穿着上朝官服被斩于东市。

【评点】 东市,长安闹市,行刑示众之所。“东市朝衣”,喻在政治斗争中大臣被枉杀。晁错,汉景帝御史大夫。他画计削弱诸侯,吴楚等七国借口“清君侧”联合反汉。晁错之仇人袁盎献计景帝,杀了晁错,诸侯就会罢兵。汉景帝错误地听了袁盎之计,而又找不到诛杀晁错的理由,就以召见为名,将晁错冤杀于东市。晁错被杀,吴楚并不罢兵,为周亚夫所讨平。

【东朝廷辩】魏其之东朝,盛推灌夫之善,言其醉饱得过,乃丞相以他事诬罪之。武安又盛毁灌夫所为横恣,罪逆不道。魏其度不可奈何,因言丞相短。武安曰:“天下幸而安乐无事,蚡得为肺腑,所好音乐狗马田宅。蚡所爱倡优巧匠之属,不如魏其、灌夫日夜招聚天下豪杰壮士与论议,腹诽而心谤,不仰视天而俯画地,辟倪两宫间,幸天下有变,而欲有大功。臣乃不知魏其等所为。”于是上问朝臣:“两人孰是?”御史大夫韩安国曰："魏其言灌夫父死事，身荷戟驰入不测之吴军，身被数十创，名冠三军，此天下壮士，非有大恶，争杯酒，不足引他过以诛也。魏其言是也。丞相亦言灌夫通奸猾，侵细民，家累巨万，横恣颍川，凌轹宗室，侵犯骨肉，此所谓'枝大于本，胫大于股，不折必披'，丞相言亦是。唯明主裁之。"主爵都尉汲黯是魏其。内史郑当时是魏其，后不敢坚对，余皆莫敢对。上怒内史曰："公平生数言魏其、武安长短，今日廷论，局趣效辕下驹，吾并斩若属矣。"即罢起入，上食太后。太后亦已使人候伺，具以告太后。太后怒，不食，曰："今我在也，而人皆藉吾弟，令我百岁后，皆鱼肉之矣。且帝宁能为石人邪！此特帝在，即录录，设百岁后，是属宁有可信者乎？"上谢曰："俱宗室外家，故廷辨之。不然，此一狱吏所决耳。"是时郎中令石建为上分别言两人事。（卷一〇七《魏其武安侯列传》/2851～2852页）

【译文】 魏其侯去到东宫，极力称赞灌夫的长处，说他酗酒得罪，丞相便拿别的事来诬陷他。武安侯却大肆诽谤灌夫横行霸道，犯下大逆不道的罪。魏其侯估量没有别的办法对付田蚡，脱口说出田蚡的短处。武安侯说："天下幸好太平无事，我田蚡作为皇上心腹，所爱好的只是音乐、狗马、田宅，所喜欢的不过是歌舞乐人和能工巧匠一类人，哪比得上魏其侯、灌夫不分白天黑夜招集天下豪杰壮士与他们议论不轨之事，满肚子牢骚，不是抬头看天文，就是低头画地图，斜眼看着东西两宫之间，希望天下发生变乱，想要乘机建立大功。我倒不明白魏其侯等要想干什么。"于是汉武帝询问文武官员："两人哪一个对？"御史大夫韩安国说："魏其侯说灌夫的父亲死于国事，他本人又亲自扛着画戟冲入危险重重的吴军阵中，身上受了几十处伤，名声在全军之上，这是天下的勇士，没有极大的罪过，只因使酒，不应当找别的过失来诛杀他。魏其侯说的是实际。丞相说灌夫交结奸猾，侵害平民，家财亿万，在颍川横行霸道，欺侮皇族，侵犯皇亲国戚，这正如俗语所说'树枝比树干还大，小腿比大腿还粗，那结果不是折断，便是分裂'，丞相说的也是实际。只有圣明的皇上来裁决两人。"主爵都尉汲黯赞同魏其。内史郑当时也赞同魏其，后来又不敢坚持。其余百官没有人敢回答汉武帝的询问。汉武帝发怒斥责内史说："你平时多次说魏其、武安的长短，今天公开辩论，却畏首畏尾像套车的小马驹，我恨不得把你们全都砍了。"接着罢朝，起身进入宫中，侍候王太后进餐。王太后也派人在旁边打探，他们一五一十告诉了王太后。太后发怒，不吃饭，说："现在我还没死，别人就来践踏我的兄弟，假如我百岁以后，还不成为被宰割的鱼肉啦。再说你皇帝能做一个石人吗？这不过是你皇帝还健在，他们才随声附和，假如皇帝你也万岁之后，这群朝臣中还有可以信托的人吗？"汉武帝向太后赔礼说："窦、田两家都是皇亲，所以才在朝廷殿上讨论这件事。如果不是外家，这只是一个法官所办的事。"这时郎中令石建单独为汉武帝分别说明两人的事。

【评点】 魏其侯窦婴，是武帝祖母窦太后之侄；武安侯田蚡，是武帝母王太后同母弟。窦太后死，窦婴失势，田蚡得势。将军灌夫，坐法失官，家居长安，与窦婴同党，联合对抗田蚡。窦田矛盾，实质反映帝后之间的暗中斗争。武帝初即位，年十六，两宫皇太后干预朝政，宫内的帝后争权，反映在朝中为窦田相争。围绕窦田相争这一矛盾主线，司马迁写了一大群作为背景的陪衬人物。两个不可一世的皇太后，两个至高无上的君主，一班保官自重的朝臣，一帮苟且蝇营的宾客，纷纷登场表演。司马迁动用犀利的笔触展示了统治集团上层各色人物的内心世界，勾画出一幅绝妙的群丑图。"东朝廷辩"，就是西汉盛世下宫廷斗争的一个片段。这时，窦太后、景帝均已去世，窦婴失势，田蚡跋扈，汉武帝内心厌恶田蚡，但碍于母后之面，将窦田矛盾围绕灌夫使酒骂座的事交付廷议。导火线是，田蚡结婚，灌夫闹了宴会，田蚡借用他罪要置灌夫于死地，窦婴出面救灌夫，汉武帝让群臣评论是非。

廷辩开始，窦婴“盛推”灌夫之善，田蚡“盛毁”灌夫之恶。两个“盛”字极状廷辩之激烈。“蚡辩有口”，鼻子眉眼都会说话，巧言善对，耿直的窦婴不是他的对手。窦婴无可奈何，他仗恃武帝撑腰，话锋一转“因言丞相短”，实质揭开了帝后矛盾的面纱，使矛盾升级。但窦婴没有揭发田蚡与淮南王勾结的阴事，无非指责田蚡受贿舞弊，生活奢侈之类，留有余地，不失君子风度。阴险毒辣的田蚡信口开河，诬陷窦婴结纳灌夫谋反。田蚡敢于当着满朝文武撒下弥天大谎，逼使群臣在武帝面前表态，他依恃有王太后作后台，同时又利用武帝猜忌之心，把水搅浑。集权者多疑，田蚡的陷害造谣占了上风。这就是在封建社会下，愈是卑劣无耻之徒，在斗争中愈能占上风的根本原因。所以君子与小人斗，君子常败，小人常胜。

在家天下伴君的朝臣，大都谨小慎微。疏不间亲，这是一条做官的秘诀，所以绝大多数的朝臣都是噤若寒蝉，不发一言。敢言的汲黯、郑当时，起初以魏其侯言为“是”，后来郑当时又不敢坚持。因为论理，魏其侯是，论势则在田蚡一边。置身于这种场合的辩论，人人自危，手足无措。御史大夫韩安国最善全身，他此亦一是非，彼亦一是非，请求“明主裁之!”本来汉武帝要借朝臣舆论来抑制王太后，而韩安国圆滑地把皮球巧妙地踢给汉武帝。汉武帝大怒，骂群臣委琐如辕下驹，恨不得都杀光。武帝不欢罢朝，王太后以“绝食”逼迫武帝。武帝不得已，谢太后。就这样，窦灌两家被灭族的命运就在帝后妥协的饭桌上决定了。此后的调查和法律程序都不过是掩人耳目的把戏。窦灌蒙冤，还有一种人起了推波助澜的作用，那就是石建这号人物，专爱察言观色打小报告。他向汉武帝“分别言两人事”，传中虽未作交代，但他倾向十分明显，他之趋附武安，迎合王太后是不言而喻的。正如茅坤所说：“石建所分别，不载其详，大略右武安者。”（《史记评林》引）在这里，司马迁把封建社会温情脉脉的伦理面纱撕开了，显露出专制政治争权夺利、营私舞弊的黑暗内幕。“东朝廷辩”，是一段千古绝唱的文字。

建为郎中令，事有可言，屏人恣言，极切；至廷见，如不能言者。是以上乃亲尊礼之。（卷一〇三《万石张叔列传》/2765页）

【译文】 石建做郎中令，碰到应该他出来说话的事，他总是回避别人，尽情言说，态度十分恳切；等到在朝廷拜见，他像一个不会说话的人。因此皇上便亲近礼遇他。

【评点】 郎中令，汉代中央九卿之一，职掌皇帝警卫，统率诸郎，是皇帝身边的亲近大臣。石建为汉武帝郎中令。他经常在汉武帝面前没人时打小报告，说得头头是道，而在大庭广众中装着说不出一句话。寥寥数语，活画出石建的老奸巨猾和迎逢拍马的情态，精妙之极。石建这类人的子孙，一代接一代，到处可见。每当政治斗争紧要关头，这种人更为活跃，碰上他们，暗箭就防不胜防，那后果极为可怕。这种人如同蚊蝇，孳生在臭水坑中，只要填平臭水坑，杜绝腐败，他们自然断子绝孙。

【李广难封】初，广之从弟李蔡与广俱事孝文帝。景帝时，蔡积功劳至二千石。孝武帝时，至代相。以元朔五年为轻车将军，从大将军击右贤王，有功中率，封为乐安侯。元狩二年中，代公孙弘为丞相。蔡为人在下中，名声出广下甚远，然广不得爵邑，官不过九卿，而蔡为列侯，位至三公。诸广之军吏及士卒或取封侯。（卷一〇九《李将军列传》/2873页）

【译文】 当初，李广和堂弟李蔡一起事奉文帝。到景帝时，李蔡积累功劳做到了二千石高官。孝武帝时，升到代国的相。在元朔五年（前124）被委任为轻车将军，随从大将军卫青击右贤王，立功达到封侯标准，封为乐安侯。元狩二年（前121）间，继公孙弘做了丞相。李蔡的才能在下等中间，名声远在李广之下，然而李广得不到爵邑，官位没超过九卿，而李蔡封侯，官位达到三公。许多李广的部属军官，甚至士兵，有的都取得了封侯。

【评点】 “李广难封”，典出唐王勃《滕王阁序》。这是李广一生的遗憾。李广很不服气，他找到当时有名的星象专家王朔给他算命。李广说：“自从汉朝反击匈奴以来，我打了几十年仗，我的许多部下连中等才能都达不到，却有几十人因军功封侯，我李广并不比人差，可是得不到一寸土的封赏，难道是我的命吗?”王朔说：“将军回忆，做过后悔的事吗?”李广说：“我在陇西太守任上，杀了八百个投降的羌人，至今悔恨。”王朔说：“灾祸没有比杀降更大的了，这就是将军不得封侯的原因啊。”王朔的解释纯属遁词，似也可以安抚一下李广孤寂遗憾的心。李广热爱士卒，深入群众下层，但他连话都不会说，又天生刚直，所以在上层没有人缘，不但不会迎逢拍马，还时常和上司对抗。李广精忠卫国，敢于死拼打硬仗，由于他勇往直前迎击匈奴，所以常常碰上匈奴主力，很多场合总是以少击众，既不在主战场，而又总是打硬仗。汉军抗匈的胜利，正是有李广这样一批将才。但老实巴交，也总是吃亏，这就是不得封侯的原因。与李广同时有一个刚正的文臣汲黯，虽然为社稷重臣，官位也总是升不上去。汲黯与李广，一文一武，有大功于国而备受冷落，这在专制政体下是很平常的。

愿陛下令诸侯得推恩分子弟，以地侯之。彼人人喜得所愿，上以德施，实分其国，不削而稍弱矣。（卷一一二《平津侯主父列传》/2961页）

【译文】 希望陛下让诸侯推恩均及子弟，分封国之土地使他们都为侯。那众子弟人人都高兴实现了心愿，皇上用这办法既施加了恩德，又分割了诸侯国的土地，不用削减他们的封地，却能逐渐削弱他们的势力。

【评点】 主父偃劝谏汉武帝推行分恩令之言。汉初诸侯王连城数十，据地千里，形成尾大不掉之势。景帝时晁错建言削减封地，激起了吴楚七国的叛乱。主父偃总结了削地失败的教训，提出推恩的办法，让诸侯国自己来分割土地，名义上是皇帝推恩，实际上是分割诸侯国土地，化大国为小国。汉武帝采纳了这一建议，不用兵革，就解决了诸侯国合纵叛乱的问题，显示了人谋的正确决策对于安定天下的重要意义，主父偃也得以名垂青史。

窦太后好《老子》书，召辕固生问《老子》书。固曰："此是家人言耳。"太后怒曰："安得司空城旦书乎？"乃使固入圈刺豕。景帝知太后怒而固直言无罪，乃假固利兵，下圈刺豕，正中其心，一刺，豕应手而倒。太后默然，无以复罪，罢之。居顷之，景帝以固为廉直，拜为清河王太傅。（卷一二一《儒林列传》/3123 页）

【译文】 窦太后喜欢《老子》书，召来辕固生让他评价《老子》书。辕固生说："这是一本只配家人奴仆读的书罢了。"窦太后大怒说："那总比囚徒读的书强吧？"于是让辕固生进猪圈里去刺杀野猪。景帝明白太后只不过是生气，而辕固生直言没有罪过，就赐给辕固生一把锋利的刀，下圈刺野猪，正好一刀刺中了心脏，只一刀，野猪应手倒地。太后默不做声，没有理由再加罪，只好作罢。没有多久，景帝认为辕固生廉洁正直，任命他做清河王的太傅。

【评点】 这个故事曲折地反映了景帝时代儒道斗争在最高领导层的斗争形式。窦太后，景帝母，文帝皇后。文帝奉行无为政治，尊奉道家，所以窦太后奉黄老，喜读《老子》书。景帝已明显倾向儒家，他立诗经学博士，支持辕固生与道家黄生辩论。窦太后出来干预，欲置辕固生于死地，景帝救护，辕固生免死。但这第一场的儒道斗争以儒家失败而告终。假，借，这里作赐给解。

【西狩获麟】鲁哀公十四年春，狩大野。叔孙氏车子钽商获兽，以为不祥。仲尼视之，曰："麟也。"取之。曰："河不出图，洛不出书，吾已矣夫！"（卷四七《孔子世家》/1942 页）

【译文】 鲁哀公十四年（前 481）春正月，在大野泽打猎。叔孙氏的卒士钽商打到一只怪兽，认为是不吉利的兆头。孔子前去察看，说："这是麒麟啊。"便把它取走了。说："黄河不再出现八卦图，洛水不再出现龟书，我也快完了。"

【评点】 "西狩获麟"，指在鲁国西郊打猎获得了麒麟，原见《左传》哀公十四年，成为孔子修《春秋》绝笔于此的典故。孔子认为圣人用世，河出图，洛出书，麒麟现于郊。现在河不出图，洛不出书，天下混乱，出现麒麟，是不祥之兆，象征他的道术不行，停止写史，两年后孔子谢世。大野，泽名，在今山东巨野西部和北部。鲁哀公获麟，在今山东巨野北。

乃因史记作《春秋》，上至隐公，下讫哀公十四年，十二公。据鲁，亲周，故殷，运之三代。约其文辞而指博。故吴楚之君自称王，而《春秋》贬之曰"子"；践土之会实召周天子，而《春秋》讳之曰"天王狩于河阳"：推此类以绳当世。贬损之义，后有王者举而开之。《春秋》之义行，则天下乱臣贼子惧焉。（卷四七《孔子世家》/1943 页）

【译文】 于是依据鲁国史书作了《春秋》，上起鲁隐公元年，下至鲁哀公十四年，共记载鲁国十二个国君的历史。全书以鲁史为主体，以尊奉周王室为宗旨，追述殷朝的旧制，包容夏、殷、周三代的礼仪沿革。文辞简略而旨意深广。所以吴、楚的国君虽然自称为王，而《春秋》仍贬称为子爵；晋文公在践土会盟，实际是召周襄王与会，而《春秋》忌讳，仍写作“天王到河阳巡狩”：依此类推，以名分为标准矫正当时的不法行为。以褒贬笔法责以大义，让后代的国君加以发扬推广。使《春秋》的礼义通行天下，那么乱臣贼子就会害怕。

【评点】　司马迁对孔子修《春秋》用褒贬笔法以当王法的评论。践土，郑邑，在今河南原阳西南。河阳，晋邑。公元前632年，晋文公在城濮之战打败楚国，于是在践土召开盟会，并召周天子派代表参加，赐封晋文公为霸主。诸侯召天子，乱了礼法，孔子在《春秋》写做天子打猎进入了晋邑，维护了共主的名分。这就是《春秋》笔法中为尊者讳之例。避讳有违史实，但它维护了名分。这说明了封建时代的史学是从属于政治的。

【拨乱反正】拨乱世反之正，莫近于《春秋》。（卷一三〇《太史公自序》/3297页）

【译文】　治理乱世，使它走上正轨，没有比得上《春秋》这部书了。

【评点】　原载《公羊传》哀公十四年：“拨乱事世，反诸正，莫近于《春秋》。”乱，指乱世。反，通返，回复。平定乱世，恢复正常，使政治走上正轨。《春秋》贬恶扬善，为后王立法，具有治世的意义。

货殖第二十七

【引言】 货殖篇，凡30条。司马迁的经济思想集中表述在《平准书》和《货殖列传》中。前者概述从汉初到武帝元封元年近一个世纪的经济发展和财政政策，重点评述汉武帝的平准、均输等政策，故名《平准书》。后者载述从春秋末年到汉初以工商业致富的货殖大家的活动，以及这一历史时期工商业的发展，故以“货殖”命名。货，指财富；殖，言增长。货殖者，言如何增长财富。司马迁一反重本抑末的传统陋见，勇敢地歌颂商人的进步作用，以崭新的观点总结他们的治生致富之术，无论在政治、经济或学术上，都具有深远的历史意义。司马迁认为，出现农、工、商、虞的分工是社会经济、人口发展的必然之势，这是不可抗拒的客观规律，正是基于这一认识总结商品经济的治生之术，供世人观择。

农工商交易之路通，而龟贝金钱刀布之币兴焉。所从来久远……虞夏之币，金为三品，或黄，或白，或赤；或钱，或布，或刀，或龟贝。及至秦，中一国之币为二等，黄金以溢名，为上币；

铜钱识曰半两，重如其文，为下币。而珠玉、龟贝、银锡之属为器饰宝藏，不为币。然各随时而轻重无常。(卷三〇《平准书》/1442页)

【译文】 社会随着农、工、商的分工和交流，兴起了龟、贝、金、钱、刀、布等各种货币。这是有悠久的历史的。虞夏时代的金属货币有三种：黄金、白银、赤铜。还有钱，有布，有刀币，有龟贝。到了秦朝统一全国货币，分为两等：一是黄金货币，以镒为单位，是上币；铜钱上的文字标记半两，重量和标记相同，是下币。至于珠玉、龟贝、银锡等等作为珍贵器物的装饰品加以收藏，不作货币流通。后来，各种货币都随着时势而变动面值和轻重，高低不固定。

【评点】 司马迁论赞之言。这段话阐明了货币的兴起与发展，本是随着农工商的社会分工与交易而发展起来的。司马迁从商品交易中认识了货币的作用。它就是交易中的等价物，是为生产发展服务的。从简单的自然物龟贝作钱币，到黄金铜钱铸币，这是社会文明的发展，生产的发展必然产生的。但是货币作为等价物，它应当为适应生产发展而有稳定的价值，而轻重无常则是统治者人为制造的通货膨胀，用以搜刮人民。秦并天下，统一币制，“然各随时而轻重无常”，矛头直指汉武帝屡改钱币，轻重无常，刮尽天下之财，仍不满足。司马迁对钱币变化包含的政治内容，观察得多么深刻。

《禹贡》九州，各因其土地所宜，人民所多少而纳职焉。汤武承弊易变，使民不倦，各兢兢所以为治，而稍陵迟衰微。齐桓公用管仲之谋，通轻重之权，徼山海之业，以朝诸侯，用区区之齐显成霸名。魏用李克，尽地力，为强君。自是之后，天下争于战国，贵诈力而贱仁义，先富有而后推让。故庶人之富者或累巨万，而贫者或不厌

糟糠；有国强者或并群小以臣诸侯，而弱国或绝祀而灭世。以至于秦，卒并海内。（卷三〇《平准书》/1442页）

【译文】 《禹贡》划定九州，依照各州土地所产，人民多少定额纳贡。商汤王、周武王由于继承的是夏桀、殷纣留下的烂摊子，因此容易变革，这些变革使人民振奋，开始还各自兢兢业业治理国家，而后日益衰颓。齐桓公用管仲的谋略。运用经济的杠杆进行变革，开发山林矿产渔盐之业，使诸侯朝贡，凭借小小的齐国完成了霸业。魏国任用李克，充分开发土地的生产力，成为一个强大的国君。从此以后，天下争战成为战国，尊崇诈谋强权而鄙视仁德礼义，把金钱放在第一位，把礼让放在第二位。所以平民的财富，有的聚累亿万，而贫穷的连糟糠也吃不饱；强国兼并小国以臣服诸侯，而有的弱国则国亡祀绝。到了秦国，终于天下一统。

【评点】 司马迁论赞之言。司马迁认为经济的发展，带来社会的繁荣，国富兵强，直觉感到经济是推动历史发展的基础。司马迁还认识到，经济的发展，带来两极分化，改变人们的观念，无止境的利益追求成为时尚。秦国统一，也是因为经济实力强大。这一系列认识，可以说是当时高水平的唯物历史观，也是空前的进步历史观。

善者因之，其次利导之，其次教诲之，其次整齐之，最者与之争。（卷一二九《货殖列传》/3253页）

【译文】 治理国家最好的办法，是顺应市场，其次是引导，再次是教诲，更次是用刑罚制度来约束，最下是与人民争利。

【评点】 司马迁序论之言。“因之”、“利导之”、“教诲之”、“整齐之”、“与之争”，都是针对统治者的理财政策而说的。从战国以来，我国封建统治者就一直推行“重农抑商”的经济政策，到了汉武帝时期，为了加强中央集权的统治，“重农抑商”的政策得到全面推行和发展。盐铁官营、平准均输，算缗告缗，“于是商贾中家以上大率破”。在这样的历史背景中，司马迁研究了商人的活动，认识到商业的兴起是历史发展的必然之“势”，真是了不起的识见。“因之”就是放任商品的经济发展，他认为这是最上乘的治国方法，让百业兴旺，人民富裕。“与之争”是国家粗暴地干预经济，全面地抑制商品的流通，百业萧条，人民贫困，是最下等的治国方法。在封建自然经济为主体的社会，农业是经济的基础，而富商大贾投机牟利，兼并农人，造成社会弃农从商的风气，破坏社会的稳定，亦需有国家的调整与干预。“利导之”、“教诲之”、“整齐之”就是介于“因之”与“与之争”两个极端之间的层次。“利导之”，指“平粜齐物”一类的稳定物价的经济政策；“教诲之”，指以儒家礼义节欲的政策；“整齐之”，就是重农抑商，它的强化就是“与之争”。司马迁反对“与之争”，因此他写的《货殖列传》及《平准书》都有强烈的现实意义。

《老子》曰：“至治之极，邻国相望，鸡狗之声相闻，民各甘其食，美其服，安其俗，乐其业，至老死不相往来。”必用此为务，輓近世涂民耳目，则几无行矣。（卷一二九《货殖列传》/3253页）

【译文】 《老子》说：“把天下治理得最好的时候，即使邻近国家的人民互相望得见，鸡、狗的叫声彼此听得到，但老百姓都认为自己的饮食甘美，自己的服装漂亮，本地的风俗习惯最安适，爱好自己的事业，直到老死也不相往来。”一定要把这样的至治作为追求的目标，在后于此的近代，即使把人民的耳朵、眼睛都堵塞起来，也是行不通的。

【评点】 司马迁序论之言，所引《老子》曰，见《老子》第八十章，文略小异。司马迁以《老子》的小国寡民为批判的靶子，反对回到古朴的时代，鼓励人们向前看，投入现实的怀抱，肯定商品经济带给人们的生活富裕，这是进步的历史观。

太史公曰：夫神农以前，吾不知已。至若《诗》、

《书》所述虞夏以来，耳目欲极声色之好，口欲穷刍豢之味，身安逸乐，而心夸矜势能之荣。使俗之渐民久矣。虽户说以眇论，终不能化。（卷一二九《货殖列传》/3253页）

【译文】 太史公说：神农以前的情况，我说不上。至于像《诗经》、《尚书》里所讲的，从虞舜、夏朝以来，人们总是爱听悦耳的声音，爱看悦目的颜色，爱尝各种禽兽家畜的肉味，身体安于安乐、舒适的环境，而内心以权势显赫为荣。这样的风气影响民心已经很久了，虽然挨家挨户用《老子》的妙论去劝导，也始终不能感化。

【评点】 司马迁序论之言，讲经济发展之势，人俗变迁的理，是不可逆转的历史潮流，用形象生动的譬喻说出，引人深思，不可辩驳。

故待农而食之，虞而出之，工而成之，商而通之。此宁有政教发征期会哉？人各任其能，竭其力，以得所欲。故物贱之征贵，贵之征贱，各劝其业，乐其事，若水之趋下，日夜无休时，不召而自来，不求而民出之。岂非道之所符，而自然之验邪？（卷一二九《货殖列传》/3254页）

【译文】 所以，人们要靠农民种地吃饭，要靠虞人、猎人和渔夫开发出山林水泽中的各种物产，要靠工匠制造器物，要靠商人贸易货物，使之流通天下。这难道是官府发布命令，征发百姓，限期会集的吗？人们都凭自己的才能，竭尽自己的力量，来满足自己的欲望。所以，物价低落是上扬的征兆，物价上涨是低落的征兆。人们各自努力经营自己的本业，乐于从事自己的工作，如同水向低处流一样，日日夜夜不停息，不用招请就会自己来，不用请求百货便都生产出来。岂不是与自然无为的“道”相符合，而是“自然”的证明吗？

【评点】　生产领域中农虞工商的社会分工，流通领域中的物价波动，都不是人为的政教期会设制的，而是人欲的推动下自然形成，符合于“道”的规律而运动。恩格斯说：“自从阶级对立产生以来，正是人的恶劣的情欲——贪欲和权势欲成了历史发展的杠杆，关于这方面，例如封建制度的和资产阶级的历史就是一个独一无二的持续不断的证明”（《马克思恩格斯选集》第4卷第233页）。当然我们不能苛求两千年前的司马迁去发现人欲背后的阶级斗争，但他提出的人欲动力说已接近了真理的边缘，尽管是一种直观的理论，语言表达的“道”也朦胧不清，仍然是那个时代最卓越最有价值的认识，这是没有疑义的。

仓廪实而知礼节，衣食足而知荣辱。（卷一二九《货殖列传》/3255页）

【译文】　粮仓装满了，人们就会懂得礼节；衣食充足了，百姓才讲求荣誉和耻辱。

【评点】　司马迁序论所引《管子·牧民》篇中之言，讲礼生于有而废于无。有，指富裕，生产发达。无，指贫困，生产衰败。管仲辅佐齐桓公称霸，发展生产，推行革新，所以对安邦治国有朴素唯物主义认识的观点，看到了经济是基础，上层建筑的“礼”，是要有基础依托的。司马迁引此言，为商业经济的发展作理论，并进一步认识到商人的活动是增殖财富，为商人立传，在当时是进步的历史观。“重农抑商”，把商与农对立起来，在这种形势下，司马迁认为“商”也是一种治生之术，它不害农，而且促农发展，推动经济，社会财富增殖了，“礼”才能发展，更是高人一筹的识见。

《周书》曰：“农不出则乏其食，工不出则乏其事，商不出则三宝绝，虞不出则财匮少。”财匮少而山泽不辟矣。此四者，民所衣食之原也。原大则饶，原小则鲜。上则富国，下则富家。（卷一二

九《货殖列传》/3255 页）

【译文】 《周书》说："农民不耕种，粮食就缺乏；工匠不生产，器物就短缺；商人不做生意，吃的、用的和钱财就会断绝；虞人不开发山泽，财物就匮乏。"财物匮乏，山泽也得不到开辟。这四个方面，都是人民穿衣吃饭的源泉。源泉大就富裕，源泉小就贫乏。源泉大了，上可以富国，下可以富家。

【评点】 司马迁序论之言。引语，为《逸周书》。这里，司马迁不仅突破了重农抑商的传统观念，而且认识到了生产发展上的社会分工，强调农工商虞四业并重，缺一不可。他把商业作为人民的衣食之源放到国民生产总体结构中考察其作用，并认为国家的盛衰强弱决定于经济基础的厚薄。四业兴旺，国家富强；四业不齐，国家贫弱。战国时代的孟子曾经和农家许行辩论，肯定了社会分工的进步意义。孟子的辩论是为了引出"劳心者治人，劳力者治于人"的结论（《孟子·滕文公上》），为统治阶级的剥削辩护。司马迁发展了孟子的理论。认识到农工商虞的分工是生产发展之"势"，是富国富家的基础，这就大大地前进了一步。

巧者有余，拙者不足。（卷一二九《货殖列传》/3255 页）

【译文】 身怀技巧的聪明人的钱财总是有余，愚笨人的经济老是拮据。

【评点】 司马迁序论之言。巧者，有技巧的聪明人。巧，在这里是泛指有百工技艺之巧，有善于经商之巧，有善于读书作文之巧，有擅长权术从政之巧，有能作奸犯科之巧。《货殖列传》把各色聪明人都列在巧之中，重点指士农工商，又以商为主。拙者，笨拙的人。在商品经济发达的社会，一个人拥有财富的多少，不因勤奋，不因劳作，而因其"巧"，应该说是一个普遍现象。

积著之理，务完物，无息币。（卷一二九《货殖列传》/3256 页）

【译文】 积贮货物，应当务求完好而牢固的高质量商品，不要有资金积压。

【评点】 司马迁总结的经商理论。积著，囤积货物。著，同贮。务完物，讲的是研究商品学，提高商品竞争能力。完物，完美无缺的商品。完，指完好，牢固，质量高。无息币，就是加速资金流转，使“财币其行如流水”。为此，要研究物价涨落与市场信息，不要囤积滞销货物。

以物相贸，易腐败而食之货勿留，无敢居贵。（卷一二九《货殖列传》/3256 页）

【译文】 买卖货物，凡是容易腐败和耗损的货物不要久留，不要冒险囤积以求高价。

【评点】 司马迁总结的经商理论。食，通蚀，指损耗。贩卖易腐之物，要尽快出手，以免变质腐烂，连本亏蚀。

论其有余不足，则知贵贱。贵上极则反贱，贱下极则反贵。贵出如粪土，贱取如珠玉。财币欲其行如流水。（卷一二九《货殖列传》/3256 页）

【译文】 研究商品的滞销与紧俏情况，就知道它价钱的贵与贱。物价贵到极点就会跌价，物价贱到极点就会涨价。物价高涨时，像丢弃粪土一样赶快销出货物，物价低落时，像收藏珠玉一样大量买进。货币资金像水一样迅速流转。

【评点】 司马迁总结的经商理论。这一段对市场价值规律作了形象生动的描写。“论其有余不足，则知贵贱”，已经认识到供求关系影响商品价格。“财币欲其行如流水”，指不积压资金，流转越快利润越高。

善治生者，能择人而任时。（卷一二九《货殖列传》/3257 页）

【译文】 善于经商致富的人，一靠任用贤人，二靠把握时机。

【评点】　司马迁总结的经商理论。治生，经营生计，主要指经商。择人，选用能人。任时，信息灵通，掌握市场。范蠡居陶，就是择地，因陶为天下之中，百物集散之所，范蠡治产积居，“十九年之中三致千金”。刁间善用“桀黠奴”，使他们“逐渔盐商贾之利”，“终得其力，起富数千万”。在现代社会大都通邑，繁华闹市，寸地千金，而人才更是财富。

朱公以为陶天下之中，诸侯四通，货物所交易也。（卷一二九《货殖列传》/3257页）

【译文】　朱公认为陶邑处于天下的中心，与各地诸侯四通八达，商品交流极为便利。

【评点】　司马迁总结的经商理论，指出陶朱公致富的原因。朱公，即春秋末越国大夫范蠡，他辅佐勾践灭吴后，功成身退，变易姓名号朱公，在陶邑经商，成为天下知名大商人，人称陶朱公。陶，古邑名，在今山东定陶县，处于交通要冲。交易，交流贸易。

七十子之徒，赐最为饶益。原宪不厌糟糠，匿于穷巷。子贡结驷连骑，束帛之币以聘享诸侯，所至，国君无不分庭与之抗礼。夫使孔子名布扬于天下者，子贡先后之也。（卷一二九《货殖列传》/3258页）

【译文】　在孔子的七十多个高足弟子中，端木赐最为富有。孔子的另一位高足原宪连糟糠都吃不饱，隐居在简陋的小巷子里。而子贡却乘坐四马并辔拉的车子，带着束帛厚礼去结交诸侯，所到之处，国君无不与他平等行礼。使孔子得以扬名天下的原因，就是子贡在人前人后帮助他。

【评点】　子贡，姓端木名赐，字子贡。他是孔子高足之一，春秋时的大商人，又擅长纵横说辞。孔子周游列国的费用，结交诸侯的打点，全靠子贡提供。所以，司马迁认为孔子扬名天下，一半功劳应归子贡。原宪安贫乐道，连自己的肚子都填不饱，对孔子没有什么帮助。班固《汉书·货殖传》，大力赞扬原宪，批评子贡不安本分。司马迁与班固两位史家的义利观，恰成鲜明对比。

【人弃我取】白圭乐观时变，故人弃我取，人取我与。夫岁熟取谷，予之丝漆；茧出取帛絮，予之食。(卷一百二十九《货殖列传》/3258～3259页)

【译文】 白圭喜观调查市场的变动，所以他的经商办法是，别人抛出的他收购，别人收购的他卖出。丰收年岁，他买进粮食，出售丝、漆；蚕茧结成之时，他买进绢帛绵絮，出售粮食。

【评点】 “人弃我取”，白圭的经商之道。经商如同打仗，要求掌握灵通的信息，洞察市场变化，抓住时机取利。“人弃我取，人取我与”，正是商战中的出奇制胜。后世也用“人弃我取”这一成语来颂扬高于常人的见识，真理往往不在多数人的人云亦云中，正是这个道理。

吾治生产，犹伊尹、吕尚之谋，孙吴用兵，商鞅行法是也。是故其智不足与权变，勇不足以决断，仁不能以取予，强不能有所守，虽欲学吾术，终不告之矣。(卷一二九《货殖列传》/3259页)

【译文】 我经商赚钱，如同伊尹、吕尚策划谋略，孙子、吴起用兵，商鞅推行变法那样。因此，如果一个人的智谋不能够通权达变，勇敢不能够果敢决断，仁德不能够正确取舍，强健不能够有所坚守，虽然想学我的经商发财之术，我终究不会教给他的。

【评点】 大商人白圭之言。司马迁借此赞扬经商是一门了不起的综合艺术，大商人具有智、勇、仁、强的品德。伊尹，商朝开国宰相。吕尚，西周开国宰相。孙吴，指春秋战国时的军事家孙子、吴起。商鞅，秦孝公时国相，革新政治家。

乌氏倮畜牧，及众，斥卖，求奇绘物，间献遗戎王。戎王什倍其偿，与之畜，畜至用谷量马牛。秦始皇帝令倮比封君，以时与列臣朝请。而巴寡妇清，其先得丹穴，而擅其利数世，家亦不訾。清，寡妇也，能守其业，用财自卫，不见侵犯。秦皇帝以为贞妇而客之，为筑女怀清台。夫倮鄙人牧长，清穷乡寡妇，礼抗万乘，名显天下，岂非以富邪？(卷一二九《货殖列传》/3260 页)

【译文】 乌氏倮经营畜牧业，待到牲畜繁殖众多以后，全部卖掉，用以收购珍奇之物和丝织品，找机会进献戎王。戎王偿还他价值十倍的牲畜，所得牲畜多到用山谷为单位计量马、牛。秦始皇帝诏令乌氏倮位同封君，按规定时间与诸大臣进宫朝拜。又有巴郡寡妇名叫清的人，她的祖上开采了一个朱砂矿，专利经营了好几代，家产多得不计其数。清，不过是一个寡妇，她能守住先人的家业，利用钱财来保卫自己，不被别人侵犯。秦始皇把她当作贞妇，待她以客礼，并为她修筑了女怀清台。乌氏倮是一个边远地方的畜牧业主，清是一个穷乡僻壤的寡妇，却能与皇帝分庭抗礼，名扬天下，这难道不是他们富有吗？

【评点】 訾，通赀，资产。鄙，边邑。这两则事例说明了有钱就有社会地位。

关中之地，于天下三分之一，而人众不过什三；然量其富，什居其六。(卷一二九《货殖列传》/3262 页)

【译文】 整个关中地方只占天下三分之一，人口也不过占天下十分之三，然而集散的财富却占天下十分之六。

【评点】 司马迁总结经商的地理环境。巴蜀地区，天府之国，但四面闭塞，只有千里栈道与关中相通，巴蜀物产经过关中流散。关中又西通羌中，西北通戎狄畜牧之地。由于关中地理险要，京师在路口之上，京师成了天下货物的集散都市，所以关中的地方，人口只占天下三分之一，而财富却拥有三分之二。

贤人深谋于廊庙，论议朝廷，守信死节隐居岩穴之士设为名高者安归乎？归于富厚也。（卷一二九《货殖列传》/3271 页）

【译文】 贤能的人在朝廷上出谋划策，论辩争议，那些守信死节、隐居深山之士设法抬高自己的名声，最终的目的是什么呢？都是为了财富。

【评点】 揭示社会上层人士的各种活动，最终的目的都是为了钱财。

廉吏久，久更富，廉贾归富。（卷一二九《货殖列传》/3271 页）

【译文】 为官清廉才能长久做官，时间长了会更加富有；商人买卖公平，薄利多销，才能多赚钱而发财致富。

【评点】 司马迁总结的经商理论。俗语“三年清官府，十万雪花银”，是说无官不贪，而清官取之有道，长久做官才能有更多的钱。俗语又说“奸商不富”，为商奸诈，销售伪劣产品，哄抬物价，短斤短两，顾客唾骂，上当一次，下回不买，奸商也就赚不了更多的钱。买卖公道，童叟无欺，赢得顾客信誉，生意火暴，就能赚更多的钱。

富者，人之情性，所不学而俱欲者也。（卷一二九《货殖列传》/3271 页）

【译文】 财富这东西，是人们生性就喜欢的，用不着学习，就都会去追求。

【评点】 总结人们货殖的原因，根植于人性欲财。为此，司马迁生动地描绘了一幅社会人群的逐利图。那“陷阵却敌”的军士，“攻剽椎埋”的少年，“走死如骛”的侠士，“不择老少”的歌伎，“饰冠剑，连车骑”的游闲公子，“不避猛兽”的猎者，“博戏驰逐”的赌徒，“舞文弄法”的吏士，以及医农工商等等百工之人，无不是为了追求财富而忙忙碌碌。在司马迁笔下，凡社会之人，不分贵贱，无论千乘之君，万家之侯，百室之君，还是匹夫编户之民，统统纳入了求利的轨道，从而打破了儒家宣扬的纲常名分和君子小人的界限，追求财富就是人的共性。“此有知尽能索耳，终不遗余力而让财矣。”只有拼命去索取，没有留着气力不去争财的人。

百里不贩樵，千里不贩籴。（卷一二九《货殖列传》/3271页）

【译文】 贩柴的不出一百里，贩粮的不出一千里。

【评点】 引古代谚语总结的经商理论，指出商品价值有大小，投入的力量和经营之道也就有差别。在某地住上一年，考虑的是种植一季谷物；如果住上十年，就要栽上树木；如果住上一百年，就要重点考虑人际关系，给子孙留下仁德。

夫用贫求富，农不如工，工不如商，刺绣文不如倚市门，此言末业，贫者之资也。（卷一二九《货殖列传》/3274页）

【译文】 说到脱贫致富，务农不如做工，做工不如经商，刺绣织锦不如当街做买卖，这说明经商末业，是改变贫困地位的凭借。

【评点】 指出经商是发财的捷径。

今有无秩禄之奉，爵邑之入，而乐与之比者，命曰“素封”。千金之家比一都之君，巨万者乃与王者同乐。岂所谓“素封”者邪？非也？（卷一二九《货殖列传》/3272；3282～3283页）

【译文】 现在有些人，没有官职俸禄或爵位封地的收入，但是欢乐的富裕生活足可以和官宦王侯相比，可称之为“素封”。只要有千金财富的人家，可以比得上一个都会的封君，有亿万家财的富翁便能同国君一样的享乐。这难道不能叫做“素封”吗？难道不对吗？

【评点】 前后两段话，都讲的是“素封”。素封，就是没有爵禄的封君，即大商贾，他们财敌封君，与王者同乐，因而称为“素封”。素封论是一个大胆而崭新的观点。这一观点的战斗性作用在于不承认天生贵贱等级之分，各行各业的人都可运用自己的聪明才智发财致富，与王者同乐。司马迁的“素封论”与陈胜吴广起义时发出的口号“王侯将相宁有种乎”具有异曲同工之妙，都是战斗的朴素唯物主义认识论。《汉书》的《货殖传》转抄《史记》的《货殖列传》，全部删去“素封论”的议论，批评富商大贾“皆陷不轨奢潜之恶”，说他们的发财致富是“伤化败俗，大乱之道”。班固的这些激烈评论，恰好从反面衬托出了司马迁“素封论”的战斗意义。

无财作力，少有斗智，即饶争时，此其大经也；夫纤啬筋力，治生之正道也，而富者必用奇胜。

（卷一二九《货殖列传》/3272；3282页）

【译文】 没有资本经商，只能出卖劳力，稍有资本，便玩弄智巧，已经有了雄厚的资本，要敢于争时逐利，这就是追求财富的常规；出力干活，勤劳节俭，是发财致富的正道，而真要富起来就必须以奇术取胜。

【评点】 司马迁总结的治生之术。“力”是“力作”，人人都具有，勤力劳作是治生的正道，也是治生的基础，没有千百万人的力作生产，就没有社会分工和商业活动。“智”是“计谋”，需要有资本。“时”是“机运”，需要有大资本，大实力。力作不能致富，但可积蓄资本，运用智巧，投入市场，这就完成了“无财作力”到“少有斗智”的过渡。等到财力充裕，就要用“奇”创造机运，这就是“既饶争时”。

田农，掘业，而秦扬以盖一州。掘冢，奸事也，

而田叔以起。博戏，恶业也，而桓发用富。行贾，丈夫贱行也，而雍乐成以饶。贩脂，辱处也，而雍伯千金。卖浆，小业也，而张氏千万。洒削，薄技也，而郅氏鼎食。胃脯，简微耳，浊氏连骑。马医，浅方，张里击钟。此皆诚壹之所致。（卷一二九《货殖列传》/3282 页）

【译文】 种田务农是笨拙的行业，而秦扬却靠它成了一州的首富。盗墓是作奸犯法的勾当，而田叔却靠它起家。赌博本来是恶劣的行径，而桓发却靠它致富。行走叫卖的小贩是男子汉的卑贱行业，而雍乐成却靠它发了财。贩卖脂粉是耻辱的行为，而雍伯靠它挣到了千金。卖大碗茶是小本生意，而张氏赚了上千万。磨刀本是小手艺，而郅氏靠它富到列鼎而食。卖羊肚儿本是微不足道的事，而浊氏靠它富到车马成行。给马治病是浅薄的医术，而张里靠它发家钟鸣鼎食。这些人都是由于专心诚壹而发财的。

【评点】 总结“诚壹”为创造财富的基础。诚壹，即专一，全身心投入。“诚壹”是治生的普遍原则，一个人只要“诚壹”，无论从事什么职业都要务实和专精，就能“七十二行，行行出状元”。掘冢、博戏，这些恶业也能致富。这里，不是要人们去干恶业，这种因奸致富是可鄙的，也是危险的，举此例，目的是说任何行业都要诚壹专精，才有所作为。击钟，奏乐，富者贵者的生活之乐，奏乐助餐。鼎食，喻丰盛的饭菜。列鼎而食，指有多道菜的宴席。

本富为上，末富次之，奸富最下。（卷一二九《货殖列传》/3272 页）

【译文】 经营农业致富为上等，从事工商致富为中等，作奸犯法致富为最下等。

【评点】 对用不同手段发财致富的评论。本富指农、林、畜、牧的生产。司马迁列举了一长串本富生产的项目，遍及全国各地的物产。末富指经营商业，周流天下。古代从事工商为末业，奸富指劫人作奸，掘冢铸币，舞文弄法，刻章伪书等。在古代农业是国计民生的根本，而且经营本富，“不窥市井，不行异邑。坐而待收，身有处士之义而取给焉”，不但声誉好，而且收入稳当，故为上。末富资金周转快，“夫用贫求富，农不如工，工不如商。”但经商要有资本，又担风险，只有能者巧者才能经营，所以说次之。奸富充身取给，用生命冒险，所以最下。司马迁的这种比较，在于引导人们求富要有选择。

凡编户之民，富相什则卑下之，伯则畏惮之，千则役，万则仆，物之理也。（卷一二九《货殖列传》/3274页）

【译文】 凡是普通百姓，财富比别人相差十倍，就会卑下于人家，相差一百倍就会惧怕人家，相差一千倍就会被人家奴役，相差万倍就要给人做奴仆了，这就是常理。

【评点】 在阶级社会里，财富的差别决定人的社会地位，的确是这样。司马迁并不是一个阶级论者，但他在直观中已经认识到了阶级及阶级压迫的存在。

富无经业，则货无常主，能者辐凑，不肖者瓦解。（卷一二九《货殖列传》/3282页）

【译文】 致富没有固定的行业，而财货也没有常主，有才干的人聚集财富，不肖者只会败坏家业。

【评点】 总结经商致富的理论。“能者辐凑，不肖者瓦解”，一般规律，它只存在于公平竞争中；但在不平等的社会中，这条规律不大适用。能者之才因其受到不平等待遇而减杀，不肖者也可能因其环境条件优厚拥有一切。当然抽象来看，这两句话也是经验之谈。“巧者有余，拙者不足”，正是此理。辐凑，指财富像车辐聚于车轴一样。瓦解，财产荡尽。

策谋第二十八

【引言】　策谋篇，凡20条。谋略是举事成败的关键。国家施政，军争胜负，外交结约，个人事功，或化险为夷，都需要智慧谋略。司马迁主张任贤使能，颂扬贤相良将，特别称道他们的智慧谋略。《太史公自序》提示立篇旨意，喜欢用“嘉”字和“能”字。如“嘉仲悔过，作《管蔡世家》”，“鞅去卫适秦，能明其术，强霸孝公，后世遵其法，作《商君列传》”。三十世家序目用了二十个“嘉”字，七十列传序目用了十八个“能”字。司马迁认为历史并非帝王的个人政绩，而是包含着一大批贤臣良将、忠义之士的共同智慧，共同努力。策谋并非为帝王个人所专，它是社会所有各种贤能人才的智慧表现。司马迁颂策谋，是颂人才，因此它是人才学的内容之一。也就是从智谋角度论人才。

高祖起微细，定海内，谋计用兵，可谓尽之矣。然而刘敬脱輓辂一说，建万世之安，智岂可专邪！（卷九九《刘敬叔孙通列传》/2726页）

【译文】　高祖兴起于微细的民间，平定了天下，善于谋划，善于用兵，都可以说是达到顶点。但是刘敬一个拉车夫所说的关于定都的一席话，建立了国家万世安定的根本，可见智慧不是一个人所能专有的。

【评点】　司马迁论赞之言。刘敬，齐人，本姓娄。娄敬拉着鹿车过洛阳，往戍陇西。听说高祖在洛阳，娄敬丢下鹿车，穿着羊皮裘向高祖献建都关中之策，被赐姓刘，号奉春君。刘敬又献与匈奴和亲之策，以及徙山东豪族于关中，均被采纳。高帝刘邦及许多开国元勋都是楚地丰、沛一带的人，在洛阳之东，不愿西走，主张建都洛阳。项羽火烧咸阳东归而失败了，高帝又将重蹈覆辙，包括智谋之士陈平、张良在内，不能说服高帝。刘敬一个戍卒，从历史变迁中说明，近代人民习战，秦汉以暴力取天下，必须占有形胜，一下点醒了高帝，立即迁都关中。从这件事情，可以证明每一个人都有聪明才智，好的谋划就要集思广益，高帝善于集思，故能承运天命，成为帝王。智慧，不是一个人可以专有的，人世间没有超凡入圣的神人，但只要他能集思广益，他就是一个大圣人。司马迁论策谋立意在此，故以本条居首。

大梁人尉缭来，说秦王曰："以秦之强，诸侯譬如郡县之君，臣但恐诸侯合从，翕而出不意，此乃智伯、夫差、湣王之所以亡也。愿大王毋爱财物，赂其豪臣，以乱其谋，不过亡三十万金，则诸侯可尽。"秦王从其计。（卷六《秦始皇本纪》/230页）

【译文】　大梁人尉缭来到秦国，对秦王说："凭着秦国这样强大，东方六国诸侯就好比是郡县的长官，我担心的是他们联合起来，进行出其不意的袭击，这就是从前智伯、夫差、湣王之所以失败的原因啊。希望大王不要爱惜财物，给各国执政大臣送礼，利用他们打乱诸侯的合纵计划，不过损失三十万金，而诸侯各国就可以完全消灭了。"秦王听从了尉缭的计谋。

【评点】　尉缭向秦王献计用间，即用重金收买东方各国变节之臣为秦国内间，窃取情报，干扰政治，谗害忠良，或苛暴人民。例如，收买赵国赵王宠臣郭开，排斥良将廉颇，诛杀李牧；

收买魏国晋鄙之党，谗毁魏公子无忌；收买齐国国相后胜，使齐中立，不助五国抗秦等等。用间从各国内部瓦解国力，秦兵压境从外部打击各国。由于秦强，六国弱小，许多人眼看大势已去，争事新主，所以用间也较为容易。秦王听从了尉缭之计，加速了统一的进程。

吾宁斗智，不能斗力。（卷七《项羽本纪》/328 页）

【译文】 我宁肯和你比比智谋，不能同你比较武力。

【评点】 刘邦讥刺项羽之言。楚汉相持于广武，经年不分胜负，而项羽的优势一天天丧失，他无计可施，鲁莽地提出要与刘邦单打独斗，决一雌雄，刘邦以此言作答，表现了对项羽的蔑视，并激怒对方犯错误。这里还表现了刘邦的机智、沉着，他善于扬长避短，以长击短，不接受对方的挑逗，趁势反击对方，这本身就是一种智略。刘邦终于战胜项羽，也就顺理成章了。

汉与楚相距荥阳数岁，汉常困。愿君王出武关，项羽必引兵南走，王深壁，令荥阳、成皋间且得休。使韩信等辑河北赵地，连燕、齐，君王乃复走荥阳，未晚也。如此则楚所备者多，力分，汉得休，复与之战，破楚必矣。（卷八《高祖本纪》/373 页）

【译文】 汉与楚在荥阳相持了好几年，汉军经常处在不利的境地。希望大王从武关出兵，项羽一定率军南下，那时大王深沟高垒，坚守不出战，使荥阳、成皋一带得到休整。派韩信等去安抚河北赵地，再联合燕国、齐国，那时大王再进兵荥阳，也不算晚。这样，楚军要多处防备，力量分散，而汉军得到休整，再与楚军决战，打败楚军，那是确定无疑的。

【评点】 袁生说汉高祖之言。楚汉相争，对峙于荥阳、成皋。项羽谋士范增建言，项羽集中力量突破汉军防线，直入关中，破了刘邦的根据地，汉军自然瓦解。刘邦谋士张良建言，汉王亲自与项羽对阵，利用成皋天险，吸引楚军主力，由韩信率军北上破赵，东击齐完成对项羽的战略包围，同时在南方派随何入九江说降九江王英布归汉。这样在楚军的一北一南开辟第二、第三战场，钳形包围。正当项羽突破成皋，汉王刘邦败退之时，范增遭疑忌，气愤东归，疽发背而死。袁生建言刘邦，南下宛、叶，引诱项羽南下，让汉军重整防线。项羽无谋，果然中计，主力南下，汉王刘邦抓住战机北上重新夺回成皋，与项羽对峙广武。项羽进不得战，退又不能，眼睁睁让刘邦完成对楚军的战略包围，恰如袁生所言，项羽被动挨打，最终由强转弱而败亡。

安危之机，岂不以谋哉？（卷一一《孝景本纪》/449 页）

【译文】 安危的关键，难道不是依靠谋划吗？

【评点】 司马迁论赞之言。司马迁考察汉代削平同姓诸侯王的历史过程，认为文帝施行德治，天下安定。到了景帝时代，不再担忧异姓诸侯王造反了。但是景帝初年，晁错主张残酷地削夺诸侯，结果激起了七国之乱，合纵西向长安。根本原因还是诸侯王势力太大，而晁错的办法又实行得太急迫。等到武帝时，采用主父偃建言的推恩分封，不用干戈而削弱了诸侯，终于安定了天下，由此可见，谋划的好坏，直接关系到事业的兴衰，国家的安危。个人行事，也正是这样的啊！

今夫吴兵加齐、晋，怨深于楚、越，名高天下，实害周室，德少而功多，必淫自矜。为越计，莫若结齐，亲楚，附晋，以厚吴。吴之志广，必轻战。是我连其权，三国伐之，越承其弊，可克也。（卷四一《越王勾践世家》/1743 页）

【译文】 现在，吴国的军队正在与齐国、晋国打仗，又和楚国、越国结下仇怨，它的名声超过了所有的国家，实际已危害了周王室的利益，仁德少而武功多，一定会骄傲自大。替越国打算，不如结交齐国，亲近楚国，依附晋国，厚待吴国。吴国的野心越来越大，一定轻易发动战争。这样，我国联结了齐、楚、晋的势力，让三国共同讨伐吴国，越国趁吴国疲惫之时进攻它，完全可以打败它。

【评点】 越大夫逢同之言。他向越王勾践献韬晦合纵之计，恭维奉承吴国，引诱吴国与周边强邻结怨，越国借势乘吴之困。范雎在秦，奉行远交近攻策略，以连横破坏合纵，使强秦蚕食诸侯，统一天下，越国是以弱抗强，则以远交近附策略以收渔人之利，也取得了成功。逢同与范雎，两人奉行的外交战略，有异曲同工之妙。

【目论之见】幸也越之不亡也！吾不贵其用智之如目，见豪毛而不见其睫也。今王知晋之失计，而不自知越之过，是目论也。(卷四一《越王勾践世家》/1748 页)

【译文】 越国还没有灭亡，真是侥幸啊！我实在不佩服你们越国人用的智谋，就像眼睛一样，可以看见身外的毫毛，可是看不见自己的睫毛。现在大王只知道韩魏失算，却不知道越国自己的错误，这正是“眼目”之论。

【评点】 “目论之见”，喻识见短浅，看不到逼近眼前的祸患。齐国使臣挑动越王无强攻打楚国之言。越国攻齐，齐人害怕，派使臣去游说越王攻楚。晋，指韩、魏，与越为同盟。韩、魏与越，都把矛头指向齐国，齐使的任务要说服越王转而攻楚。齐使说，越王联合韩、魏而不攻楚，使韩、魏两国得益，楚国得安，是错误的外交。越国应带头攻楚，则韩、魏就会紧紧跟上，打败强楚，才能显示越国的强大，大者王，小者霸。越王听信了齐使的话，转而攻楚，楚大越小，楚灭越。齐使之论与越王之行事，攻效恰好相反。越王无强是一个真正的“目论”者，实在可悲。这个典故可为志大才疏或贪心不足者诫！

【鱼腹丹书】【篝火狐鸣】陈胜、吴广乃行卜。卜

者知其指意，曰："足下事皆成，有功。然足下卜之鬼乎！"陈胜、吴广喜，念鬼，曰："此教我先威众耳。"乃丹书帛曰："陈胜王。"置人所罾鱼腹中。卒买鱼烹食，得鱼腹中书，固以怪之矣。又间令吴广之次所旁丛祠中，夜篝火，狐鸣呼曰："大楚兴，陈胜王。"卒皆夜惊恐。旦日，卒中往往语，皆指目陈胜。（卷四八《陈涉世家》/1950 页）

【译文】　陈胜、吴广就去占卦。占卦的人明白陈胜、吴广的意图，说："先生们的事都能成，有大功，但是先生们不想问问鬼神吗！"陈胜、吴广很高兴，他们在心中琢磨问鬼神占卜的事，就说："这是指教我们借助鬼神在群众中树立威望啊。"于是用朱砂在帛上写了"陈胜王"三个字，偷偷塞进用网捞起的鱼腹中，让戍卒买鱼烹食，得到了鱼肚中的帛书，本来就让大伙感到奇怪。又偷偷让吴广到驻地树丛的神祠中，夜间点起火堆，装作狐狸呼叫道："大楚兴，陈胜王。"戍卒们夜半惊恐不安。次日早起，戍卒中间到处议论这件事，都指指点点瞧看陈胜。

【评点】　"鱼腹丹书"，在鱼肚子中藏下用丹砂写的帛书，内容为"陈胜王"；"篝火狐鸣"，夜半在荒冢神祠旁举起灯笼，成为闪烁的星星点点的神火，学狐狸鸣叫"大楚兴，陈胜王"。这两件事，是陈胜、吴广谋划起义利用古人迷信人为制造的鬼神事件，让人们相信陈胜是真龙天子，树立威望。后来成为两个典故，用以指谋划起义。"鱼腹丹书"，可以视为中国魔术的起源，它启发人们人工制造神奇事件，供人欣赏。

【六出奇计】凡六出奇计，辄益足，凡六益封。奇计或颇秘，世莫能闻也。（卷五六《陈丞相世家》/2058 页）

【译文】　共六次献出奇计，每次都增加了封邑，一共增封了六次。他献的奇计有的严格保密，世上的人没有谁知道它的内容。

【评点】 “六出奇计”，又简写为“六奇”。奇计，神机妙算的策谋。陈丞相，即西汉开国功臣之一陈平，善为奇谋，史称“凡六出奇计”。如高帝被匈奴困于平城，用陈平计，行贿匈奴冒顿单于阏氏，匈奴网开一面得以突围。又如用反间计挑拨项羽君臣关系，并借项羽之手逼死范增。其他种种奇计，因政府档案保密，在传中没有一一揭示内容。

忌数与齐诸公子驰逐重射。孙子见其马足不甚相远，马有上、中、下辈。于是孙子谓田忌曰：“君弟重射，臣能令君胜。”田忌信然之，与王及诸公子逐射千金。及临质，孙子曰：“今以君之下驷与彼上驷，取君上驷与彼中驷，取君中驷与彼下驷。”既驰三辈毕，而田忌一不胜而再胜，卒得王千金。于是忌进孙子于威王。威王问兵法，遂以为师。（卷六五《孙子吴起列传》/2162～2163页）

【译文】 田忌经常和齐国公室子弟比赛马，下了很大的赌注。孙膑发现马的脚力相差无几，但马分上、中、下三等。于是孙膑对田忌说：“你只管下大赌注，我保你取胜。”田忌信以为然，与齐王和公室子弟比赛，下了一千金的大赌注。等到比赛开始，孙膑对田忌说：“现在你用下等马与对手的上等马比赛，用你的上等马与对手的中等马比赛，用你的中等马与对手的下等马比赛。”三次赛马完毕，田忌输了一次，赢了两次，终于赢了齐威王的一千金赌注。于是田忌向威王推荐孙膑。威王向孙膑请教兵法，而后把孙膑当作老师。

【评点】 田忌，齐国大将。孙子，指孙膑，射，猜赌。驰逐重射，下大赌注赛马。弟重射，只管下大赌注。弟，但，只管，尽量。质，对抗，比赛。再胜，赌胜了两场。这个故事，表现了孙膑的机智，善于运筹算计。他经过观察，了解马有上、中、下三等，而每一等双方马力相当，如果上对上，中对中，下对下，双方胜利均等，而改为错等对抗，上对中、中对下有绝对胜机，只输下对上一场，胜二输一净胜一场。赛马比赛，也要知彼知己，调度有方才能胜利，正是兵法的巧妙运用。

臣闻客有远为吏而其妻私于人者，其夫将来，其私者忧之，妻曰："勿忧，吾已作药酒待之矣。"居三日，其夫果至，妻使妾举药酒进之。妾欲言酒之有药，则恐其逐主母也；欲勿言乎，则恐其杀主父也。于是乎详僵而弃酒。主父大怒，笞之五十。故妾一僵而覆酒，上存主父，下存主母，然而不免于笞，恶在乎忠信之无罪也？夫臣之过，不幸而类是乎！（卷六九《苏秦列传》/2265页）

【译文】 我听说有一个在远地做官人的妻子与别人私通，她丈夫快要回家，她的情人十分忧虑，她对情人说："不要担心，我已准备好毒酒等待他。"过了三天，她的丈夫果然回家，她让侍妾端上毒酒给丈夫喝。侍妾想说出这是一杯毒酒，害怕主人赶走主母；可是不说吧，又害怕毒酒杀害了主人。于是她假装跌倒，把酒泼在地上。主人大发雷霆，将她打了五十大板。所以侍妾一跤跌倒泼了毒酒，在上保了主人，在下保了主母，可是自己难免挨板子，怎么能说忠诚信实就无罪呢？不幸的是，我的遭遇和这个侍妾很相像啊！

【评点】 苏秦在燕易王面前自我辩解之言。有人在燕王面前打小报告，说苏秦反复无常，不是一个忠臣。苏秦讲了这个故事，把自己装扮成为一个受害者，因为忠诚才获了罪。这个故事巧妙而切合情理，把复杂曲折的人际关系说得非常深透。燕王于是恢复了苏秦的官职，重新信任了他。

义渠君朝于魏。犀首闻张仪复相秦，害之。犀首乃谓义渠君曰："道远不得复过，请谒事情。"曰：

"中国无事，秦得烧掇焚杅君之国；有事，秦将轻使重币事君之国。"其后五国伐秦。会陈轸谓秦王曰："义渠君者，蛮夷之贤君也，不如赂之以抚其志。"秦王曰："善。"乃以文绣千纯，妇女百人遗义渠君。义渠君致群臣而谋曰："此公孙衍所谓邪？"乃起兵袭秦，大败秦人李伯之下。

（卷七〇《张仪列传》/2303 页）

【译文】 义渠君到魏国朝见。犀首听说张仪又重新做了秦国的相国，妒忌他。犀首就对义渠君说："您远道而来，日后难得再见，请允许我告诉您一件大事。"说："中原各国不进攻秦国，秦国才会焚烧掠夺你的国家；中原各国联合进攻秦国，秦国就会频繁地派遣使臣，带着丰厚的礼物来奉献您的国家。"后来五国联合攻打秦国。恰好陈轸来到秦国，对秦王说："义渠君是蛮夷各国中的贤明君主，不如赠送财物来安定他的心志。"秦王说："好。"于是就把一千匹锦绣和一百个美女送给义渠君。义渠君召集群臣商议说："这不就是公孙衍告诉我的大事吗？"于是发兵攻秦，在李伯城地大败秦军。

【评点】 事载《张仪列传》所附犀首传。犀首，魏人，姓公孙名衍，与张仪不合被排挤出秦，做了魏国的国相。陈轸也是一个游说之士，被张仪排挤出秦，为楚国使臣，过魏国与犀首密谋后到了秦国。义渠，诸戎之国，在今甘肃宁县一带。李伯，地名。义渠君大败秦人于李伯，是游说之士互相倾轧演变出来的一场战争。犀首利用义渠君的豪直，巧设言辞，阴谋成功。

魏请为从。赵孝成王召虞卿谋。过平原君，平原君曰："愿卿之论从也。"虞卿入见王。王曰："魏请为从。"对曰："魏过。"王曰："寡人固未之许。"对曰："王过。"王曰："魏请从，卿曰魏过，寡人未之许，又曰寡人过，然则从终不可乎?”对曰:“臣闻小国之与大国从事也,有利则大国受其福,有败则小国受其祸。今魏以小国请其祸,而王以大国辞其福,臣故曰王过,魏亦过。窃以为从便。”王曰:“善。”乃合魏为从。(卷七六《平原君虞卿列传》/2375 页)

【译文】 魏国请求与赵合纵订盟。赵孝成王召虞卿商议这件事。虞卿先去拜访平原君。平原君说:“希望您充分论证合纵的好处。”虞卿进王宫去见赵王。赵王说:“魏国请求合纵。”虞卿回答说:“魏国错了。”赵王说:“幸好我还没有答应魏国使者。”虞卿又回答说:“大王你错了。”赵王说:“魏国请求合纵,您说魏国错了,我没有答应,又说我错了,既然如此,那合纵终归是不能谈论的了。”虞卿又回答说:“我听说小国与大国共事,有利首先是大国享有,有祸则首先是小国遭殃。现在魏国是一个小国,他来联合赵国,是情愿担当灾祸,而大王你是大国却主动让出利益,所以我说,大王错了,魏国也错了。我个人认为合纵对两国有利。”赵王说:“好。”于是与魏国订立了合纵的盟约。

【评点】 魏赵合纵,联合抗秦,对两国有利,从逻辑上不存在一对一错的事。合则两利,分则两害。强秦不愿六国合纵,常常以兵威胁,因此赵王犹豫不决。虞卿善于说辞,他说魏过,赵亦过,实际是说不合纵则两害,欲擒故纵,以抑为褒,使赵王醒悟,终于订立了合纵盟约。

【匿车下车】王稽辞魏去,过载范雎入秦。至湖,望见车骑从西来。范雎曰:“彼来者为谁?”王稽曰:“秦相穰侯东行县邑。”范雎曰:“吾闻穰侯专秦权,恶内诸侯客,此恐辱我,我宁且匿车中。”有顷,穰侯果至,劳王稽,因立车而语曰:“关东有何变?”曰:“无有。”又谓王稽曰:“谒君得无与诸侯客子俱来乎?无益,徒乱人国耳。”

王稽曰："不敢。"即别去。范雎曰："吾闻穰侯智士也，其见事迟，向者疑车中有人，忘索之。"于是范雎下车走，曰："此必悔之。"行十余里，果使骑还索车中，无客，乃已。王稽遂与范雎入咸阳。（卷七九《范雎蔡泽列传》/2403页）

【译文】 王稽告别魏国上路离去，在约定地方载上范雎进入秦境，到了湖邑时。望见一队车马从西边奔驰而来。范雎说："那边过来的是谁?"王稽回答说："那是秦国丞相穰侯去东边巡视县邑。"范雎说："我听说穰侯专擅秦国大权，他最讨厌收纳各国客士，这样碰上恐怕要欺负我，我宁愿在车里躲藏一下。"不一会，穰侯果然到来，问候王稽，便停下车询问说："关东局势有什么变化?"王稽说："没有。"穰侯又对王稽说："谒者先生，您没有带着诸侯的客人一起来吗？这种人没有什么好处，只会扰乱别人的国家罢了。"王稽说："不敢。"随即告别而去。范雎说："我还听说穰侯是一个智谋之士，处理事情稍有迟疑，刚才他怀疑车中藏有人，可是忘记搜查了。"于是范雎跳下车来快步奔走，说："这件事穰侯一定后悔没搜查车子。"大约走了十几里路，穰侯果然派骑兵追回来搜查车子，没有发现诸侯客人，这才作罢。王稽于是与范雎一起进入了咸阳。

【评点】 "匿车下车"，说明当时说客入秦是冒着风险的。范雎藏匿车中，而后下车逃离，表现了他的机智过人。这个典故用以喻极善应变和机智的人。王稽，秦谒者，出使魏国，得遇范雎。穰侯，秦昭王母弟魏冉，为秦相，在秦国发展史上立有大功，后为范雎所排挤。

【远交近攻】王不如远交而近攻，得寸则王之寸也，得尺亦王之尺也。今释此而远攻，不亦缪乎！（卷七九《范雎蔡泽列传》/2409页）

【译文】 大王不如结交隔得远的国家，进攻靠得近的邻国，得到一寸土地就是王的一寸土地，得到一尺土地就是王的一尺土地。现在放下邻近的国家而去进攻远方的国家，不是错误的吗！

【评点】　“远交近攻”，范雎说秦昭王制定的军事外交策略。秦相穰侯主张亲近韩魏攻打东方的齐国，范雎相反主张蚕食韩魏，扩大秦土，与齐交好，不让齐国援助韩魏。这是连横政策的深入发展，此策使中原韩、赵、魏承受了秦国的强大压力，齐国袖手旁观。长平之战，齐不助赵，赵国大败，就是一证。

【辖折车败】【铁笼傅车】燕师长驱平齐，而田单走安平，令其宗人尽断其车轴末而缚铁笼。已而燕军攻安平，城坏，齐人走，争涂，以辖折车败，为燕所虏，唯田单宗人以铁笼故得脱，东保即墨。（卷八二《田单列传》/2453 页）

【译文】　燕军长驱直入，平定了齐国，田单逃到安平，让他的同族人把他们的车轴两端突出的部分统统锯去而包上铁箍。不久，燕军来攻打安平，城墙被攻破，齐人逃跑，争抢道路，因为撞断了车轴，车子坏了，成了燕军的俘虏，只有田单的同族人因用铁箍包住了车轴的缘故，得以逃脱，向东退到即墨城坚守。

【评点】　“辖折车败”，喻束手无策；“铁笼傅车”，喻机见先识预为计谋，两个典故同出于《田单列传》同一段记事文中，相反相成衬托了田单的智谋。

【传檄而定】令范阳令乘朱轮华毂，使驱驰燕、赵郊。燕、赵郊见之，皆曰此范阳令，先下者也，即喜矣，燕、赵城可毋战而降也。此臣之所谓传檄而千里定者也。（卷八九《张耳陈馀列传》/2575 页）

【译文】　让范阳令乘坐朱轮华贵的使者专车，行驶在燕地、赵地的境内，燕地、赵地的人见了，都说这就是范阳令，首先投降的人，他们一定会高兴起来，燕地、赵地的城邑可以不战而降服了。这就是我说的传送教令就可以平定千里之远的计谋啊。

【评点】 蒯通说武信君之言。范阳，秦县名，在今河北徐水县北。秦末，陈胜派武信君武臣北上攻打燕、赵之地。张耳、陈馀为助理。蒯通建议张耳、陈馀不要攻打范阳，而用招降的办法优待范阳令，然后派范阳令为使者再去游说别的郡县。张、陈采纳了蒯通的建议，赵地有三十多座城池不战而降。善战者，不战而屈人之兵，这是一个生动的实例。成语“传檄而定”出此，就是指用晓喻的方法，劝敌投降。檄，用于书写公文的木牍。征召、晓喻或声讨的公文，称为檄文。

夫计之生熟成败于人也深矣！（卷九三《韩信卢绾列传》/2642页）

【译文】 那计谋的高低、成功与失败，实在是取决于人啊！

【评点】 司马迁论赞之言。韩信，指被封为韩王的韩信，六国时韩襄王孽孙，秦末起兵，追随高祖，被封为韩王，后徙王太原御匈奴，为汉将柴武所击杀。卢绾，丰人，与高祖同里同日生，两人相爱，起兵又相随，高祖封他为燕王，后与陈豨通谋反汉，亡入匈奴，死胡中。陈豨，宛朐人，事高祖，官至赵相国，监赵、代边兵御匈奴。他因招致宾客，被赵相周昌向刘邦奏了一本小报告，被疑有异心，不得已，反于代地，自称代王，高祖亲征击破之。司马迁在论赞中认为，韩信、卢绾等人，不是生长在一个一向修行积德的世家里，侥幸于一时的权谋变化，用欺诈和暴力取得成功，乘时用势造成了割据，受到朝廷猜忌，必然走上叛逆，真是使人痛心。如果韩信、卢绾等人多一点文化，随时势变化揖让谦退，也不至于走上叛逆之途。反过来，高祖不封他们为王，带重兵，也不至于受猜疑。所以结论说：“夫计之生熟成败于人也深矣！”实在就是这个道理。

袁盎常引大体慷慨。宦者赵同以数幸，常害袁盎，袁盎患之。盎兄子种为常侍骑，持节夹乘，

说盎曰："君与斗，廷辱之，使其毁不用。"孝文帝出，赵同参乘，袁盎伏车前曰："臣闻天子所与共六尺舆者，皆天下豪英。今汉虽乏人，陛下独奈何与刀锯余人载！"于是上笑，下赵同。赵同泣下车。（卷一〇一《袁盎晁错列传》/2739页）

【译文】 袁盎劝谏文帝，经常提到礼仪制度，慷慨激昂。宦官赵同多次受到文帝的宠幸，他时常暗中伤害袁盎，袁盎感到忧虑。袁盎的侄儿袁种担任侍从骑士，手持符节护卫在皇帝左右。袁种对袁盎说："你和赵同要公开相斗，在朝廷上侮辱他，使皇上不信他所毁谤的话。"有一天，汉文帝出巡，赵同陪同乘车。袁盎拜伏在车前说："我听说陪同天子坐在高大车座上的人，都是天下的英雄豪杰。如今汉朝难道就没人，单单剩下一个受过刀锯切割的人陪伴皇上吗！"于是皇上禁不住笑起来，让赵同下车。赵同哭着下了车。

【评点】 大体，国家大政，又多指礼仪制度。如皇上亲近宦官，就有失大体。毁，诽谤。刀锯余人，受过肉刑身体残缺不全的人，专指宦官，又称"刑余之人"。这个故事说的是正人君子对付小人的手法，就是以阳谋对阴谋，小人暗中伤害人，打小报告，正人君子将其揭露，公开为敌，让上司知道打小报告的人只是为了私仇，不相信他的话。所以袁盎在大庭广众中直说赵同是"刀锯余人"，话极难听，而又诙谐，使文帝大笑，觉得理正而不怒。当然以阳谋对阴谋。这只是一种策略，主上英明可用，主上昏庸则不可用。李斯公开与赵高斗，李斯阳谋，赵高阴谋，李斯败而赵高胜。此事也可说明文帝的英明。

【一至于此】楚庄王之时，有所爱马，衣以文绣，置之华屋之下，席以露床，啖以枣脯。马病肥死，使群臣丧之，欲以棺椁大夫礼葬之。左右争之，以为不可。王下令曰："有敢以马谏者，罪至死。”优孟闻之，入殿门，仰天大哭。王惊而问其故。优孟曰：“马者王之所爱也，以楚国堂堂之大，何求不得，而以大夫礼葬之，薄，请以人君礼葬之。”王曰：“何如？”对曰：“臣请以雕玉为棺，文梓为椁，楩枫豫章为题凑，发甲卒为穿圹，老弱负土，齐赵陪位于前，韩魏翼卫其后，庙食太牢，奉以万户之邑。诸侯闻之，皆知大王贱人而贵马也。”王曰：“寡人之过一至此乎！为之奈何？”优孟曰：“请为大王六畜葬之。以垅灶为椁，铜历为棺，赍以姜枣，荐以木兰，祭以粮稻，衣以火光，葬之于人腹肠。”于是王乃使以马属太官，无令天下久闻也。（卷一二六《滑稽列传》/3200 页）

【译文】 楚庄王时，他有一匹爱马，给它穿绵绣衣服，喂养在华丽的高屋之下，给它设置了没有帷帐的卧席，用蜜枣做饮食，此马得了肥胖病死了，让群臣给马治丧，想用埋葬大夫的棺椁礼仪来安葬它。楚庄王身边的近臣劝谏，认为不妥。庄王下令说：“有谁敢再来劝谏葬马的事，罪当至死。”优孟听了这件事，进入殿门，仰天大哭。楚庄王吃惊地问他哭的原因。优孟说：“这匹马是大王的心爱之物，凭着堂堂巨大的楚国，有什么办不到的，而仅仅用大夫礼埋葬这匹马，礼仪太轻，请求按国君的礼节埋葬。”楚庄王说：“怎样的礼数？”优孟回答说：“我建议用雕花的美玉做棺材，漂亮的梓木做外椁，楩、枫、豫、樟各色上等木材做护棺的题头，动用士兵挖墓坑，老弱的人民背土垒坟，齐国、赵国的来宾在前面陪祭，韩国、魏国的来宾像鸟的翅膀一样护卫在后边，盖一座马庙用牛羊豕都具备的太牢祭奠，封它一万户的封邑。让诸侯各国都知道，大王轻视人而更看重马啊。”楚庄王说：“我的过失竟到了这种地步吗？这该怎么办呢？”

优孟说：“让我替大王按照六畜的葬礼安埋它。堆一个土灶作外椁，用口铜锅当棺材，调和姜枣，再加点木兰，用稻米作祭品，用火光作衣服，把它安葬在人们的肠肚里。”于是楚庄王就把死马交给了太官，别让天下的人长久地传扬这件事。

【评点】 “一至于此”，典出《滑稽列传》优孟谏楚庄王葬马之言。这个故事借弄臣之口，以夸张的反说，让大权在握的刚愎自用的国君明白自己的过错，极具幽默讽刺艺术。优孟请以国君之礼葬马，明褒暗贬，由于言词幽默夸张，启发了楚庄王的理性，立即作了纠正。优孟，优伶名孟。楩、枫、梓、豫、章，皆木名。题凑，护棺的椁室，用厚木块垒聚而成。韩魏，楚庄王为春秋时人，当时无韩魏，此句为后人所增饰。庙食太牢，替马立庙，祭以太牢。牛、羊、豕三牲具为太牢。六畜，马、牛、羊、鸡、豕、犬。垅灶，土灶。铜历，铜锅。赍，通剂，调配。木兰，香料名，用以解腥。祭以粮稻，即用马肉下饭。衣以火光，用火炖煮。太官，主天子饭食之官。“一至于此”，后世用以形容做事过分。这里是颂扬优孟非常机智，善于进言，孤傲的国君也能纳谏改过。

兵略第二十九

【引言】 兵略篇，凡20条。本篇选辑兵学兵谋的语录。春秋战国以来兵法学的发展，已经形成了系统的理论。伴随着春秋战国及秦楚之际的战争，产生了无数杰出的军事家和常胜将军，兵法学因而大兴。《司马兵法》、《孙子兵法》、《孙膑兵法》、《吴起兵法》等等名著都出自带兵打仗的常胜将军之手，是实战经验的总结和升华，所以具有朴素唯物论观点和辩证法思想。在秦汉之际，兵法学十分普及，广为流传。司马迁祖上出了名将，在周代有程伯休甫，在秦国有司马错，在秦汉之际有司马欣、司马卬，故有着深厚的家学渊源影响。司马迁所处时代，又值西汉鼎盛。这些条件使得司马迁对兵学产生了浓厚兴趣。《史记》一书具有战争史的规模体制。《史记》五体均载有战争内容，有史有论，自成体系。单从篇目字数来看，战争史的内容就是《史记》最重要的组成部分。《史记》一百三十篇，五十二万六千五百字，载有战争内容的篇目达八十二篇，字数十余万言，约占四分之一的篇幅。把这些资料全部钩稽出来，就可以鲜明地显示出《史记》是一部有史有论的、最系统而完备的战争史。司马迁在《律书序》及兵家之传的行文议论和“太史公曰”中指出了系统理论。司马迁对战争的基本观点可以概括为以下三个方面：其一，认为战争是诛暴救危的自强工具，它既可以兴邦，也可以丧邦，应当慎重使用；其二，认为战争“行之有逆顺”，颂扬顺天而行的正义战争，反对逆理而动的非正义战争；其三，认为战争“用之有巧拙”，要兴建功业，必须详参彼己，慎择将相，认真研究用兵作战的方略。司马迁极为重视官兵一体，将军与士兵同甘苦，并在临阵时调动全军高昂士气，则无往而不胜。司马迁还把战争置于政治、经济、外交、民心等社会总体力量的较量上，而不是单纯地看作是简单的兵力角逐。总之，司马迁的战争观，立于治国平天下的政治高度，系统地总结了历史上的战争经验和兵学理论，形成了一套“志古自镜”的历史兵略学，供善为治国者览观。司马迁对兵政关系作了辩证的理论概括，认为兵与政是保国安民的两件不可缺一的工具。他借主父偃《谏伐匈奴疏》引《司马法》曰：“国虽大，好战必亡；天下虽平，忘战必危。”（《平津侯主父列传》）。这说明司马迁倡导注重战争，研究兵略，不是好战，而是自强，抗暴御侮。这些思想在今天看来，无疑也是值得肯定的。

兵者，圣人所以讨强暴，平乱世，夷险阻，救危殆。（卷二五《律书》/1240 页）

【译文】 用兵打仗，是圣人用来讨伐强暴，平定乱世，削平险阻，挽救危亡的。

【评点】 是司马迁对古代正义战争所下的定义，表现了作者战争观的进步性。按这一定义，诛暴、平乱、夷险、救危这四个方面的战争是正义的，反之是非正义的。对照先秦兵家及东汉班固给战争所下的定义，就可以清楚地看出司马迁战争观的进步性。先秦军事家孙武竟宣称战争的目的就是“掠乡分众，廓地分利”（《孙子·军争》），这就混淆了两类战争，即正义与非正义的界限。东汉班固说：“凡兵，所以存亡继绝，救乱除害也。”（《汉书·刑法志》）这是儒家的正统观点。“救乱除害”是正确的，儒家颂扬汤武革命就基于此。为司马迁所吸收。但“存亡继绝”，却是倒退的历史观。孔子倡言“兴灭国，继绝世”（《论语·尧曰》），目的是维护西周那样的封建局面。按照这一观点，远古的黄帝和近世的秦始皇所进行的统一战争就将被否定。汉儒们正是从这一观点出发，全盘否定秦朝的统一战争，被司马迁讥笑为“不察其终始”的“耳食”之儒（《六国年表序》）。其次，司马迁对历史上两类战争作了具体区分，《律书序》列举了一系列两类战争的类例来提示。综观《史记》褒贬抑扬的两类战争，可以概括为三种类型。一是颂扬平乱世的统一战争，反对分裂割据的战争。黄帝、秦始皇、汉高祖诛暴平乱，统一天下，得到司马迁的肯定。蚩尤作乱，汉初七国叛逆，均受到司马迁的批评。二是颂扬有道伐无道的革命战争，反对暴虐人民的昏乱之君。汤、武兴起，陈涉发难，就是有道伐无道的革命战争，司马迁予以高度赞扬。而桀、纣、二世败亡，则是罪有应得。三是颂扬诛暴战争，反对穷兵黩武的战争。《匈奴列传》以实录史事的手法谴责匈奴侵扰中国，故《太史公自序》云：“自三代以来，匈奴常为中国患害；欲知强弱之时，设备征讨，作《匈奴列传》第五十。”司马迁肯定了反击匈奴的战争。认为“汉兴五世，隆在建元，外攘夷狄，内修法度”，应是作《今上本纪》的主要内容。但是汉武帝由反击而走上黩武，务要臣服匈奴，从而导致了后期战争的失败，受到司马迁的讥刺。《律书序》极力赞美汉文帝偃武修文，而有意不论汉武帝用兵，就是用沉默以寓讽。司马迁的战争观具有辩证法的色彩，难能可贵。

教笞不可废于家，刑罚不可捐于国，诛伐不可偃于天下，用之有巧拙，行之有逆顺耳。（卷二五《律书》/1241 页）

【译文】 作为鞭打的家教不可废弃，作为刑罚的国法不可废除，作为平定天下的战争不可停止。只是运用战争的人，有的聪明，有的愚笨；有的战争是正义的，有的则是非正义的。

【评点】 《史记》的《律书序》是司马迁写的一篇战争论。

这一段话表明了战争不可偏废，但有正义与非正义之分，有运用的巧与拙之别，不可不辨。教笞，鞭打不遵守教导的孩子。笞（chī），打人的竹板鞭、杖，此作动词用。捐，废除。偃，停止，停息。这里指偃武，停止战争。巧拙，巧指聪明智慧，喻善战的人；拙指愚昧无知，喻不会打仗的人。逆顺，逆指违反天理，失去人心，喻非正义战争；顺指顺天而行，得到民心，喻正义战争。"行之有逆顺"，就是把战争分为正义与非正义两类，既不笼统地反对一切战争，也不盲目地支持一切战争；而是支持正义战争，反对非正义战争。司马迁对战争的这种认识态度，是值得称赞的，也超越了前人。

夏桀、殷纣手搏豺狼，足追四马，勇非微也；百战克胜，诸侯慑服，权非轻也。秦二世宿军无用之地，连兵于边陲，力非弱也；结怨匈奴，絓祸于越，势非寡也。及其威尽势极，闾巷之人为敌国。咎生穷武之不知足，甘得之心不息也。（卷二五《律书》/1241～1242页）

【译文】 夏桀王、殷纣王能赤手空拳与豺狼搏斗，奔跑起来能追上四匹马拉的快车，勇敢非同小可；他们曾百战百胜，诸侯都恐惧服从，权力也不算轻。秦二世驻军在不用武力的京师之地，在边境挑起争端，力量并不弱小；北方与匈奴结怨，南和诸越相仇，势力并不寡少。等到他们威尽势竭，乡间平民都成了敌人。过错在于无穷地用兵而不满足，贪欲之心永不停止。

【评点】 司马迁序论之言，阐明亡国之君滥用暴力，导致亡国，警告治国者，"穷兵黩武"不足恃。

臣闻兵者凶器也，战者逆德也，争者事之末也。阴谋逆德，好用凶器，试身于所末，上帝禁之，行者不利。（卷四一《越王勾践世家》/1740页）

【译文】 我听说兵器是凶器，发动战争是违背仁德的，注重战争的人是做最下等的事。暗中策划违背仁德的事，喜欢使用凶器，亲身参与下等的事，一定会遭到天帝的反对，这样做的人是不会有好下场的。

【评点】 范蠡劝谏越王勾践之言。勾践不听，发动对吴的战争，被吴王夫差打败，被包围在会稽山上。勾践及时悔悟，重用范蠡、文种等人，卑词与吴求和，发愤图强，后来终于灭了吴国，雪了会稽之耻。喜好战争，不顾国力，贸然发动战争是一定没有好下场的。

秦贵为天子，富有天下，灭世绝祀者，穷兵之祸也。（卷一一二《平津侯主父列传》/2459 页）

【译文】 秦国国君贵为天子，富有天下，但却亡国亡家，这是穷兵黩武的结果啊。

【评点】 严安上书武帝之言，用以向汉武帝敲警钟，以秦朝灭亡为诫，不要穷兵黩武，节制或停止对匈奴的战争。

“非兵不强，非德不昌。黄帝、汤、武以兴，桀、纣、二世以崩，可不慎与？”“国虽大，好战必亡；天下虽平，忘战必危。”（卷一三〇《太史公自序》/3305 页；卷一一二《平津侯主父列传》/2954 页）

【译文】 没有武力不强盛，没有仁德不繁昌。黄帝、商汤、周武王得天下，夏桀、殷纣、秦二世遭灭亡，难道还能不慎重地引为借鉴吗？国家虽然强大，喜欢发动战争一定败亡；天下虽然太平，放松武备一定危险。

【评点】 前四句出自《太史公自序》，后四句出自《平津侯主父列传》主父偃《谏伐匈奴书》所引《司马法》之言。兵，武器，借指战争、武备。这里表现了司马迁的战争观，治国平天下不能没有武备，善治国者必须注重战争，研究兵略，不是好战，而是自强，抗暴御侮。如果没有武备，国家不强，一定遭遇危险，但穷兵黩武，喜欢发动战争也一定败亡。正反两面历史上都有丰富的经验与教训，所以对于战争必须认真对待。

虑不先定，不可以应卒；兵不先辨，不可以胜敌。（卷六七《仲尼弟子列传》/2200 页）

【译文】 事先没有定下应急计划，不可能对付突然事变；战前没有进行训练军队，就不可能战胜敌人。

【评点】 子贡劝说晋君之言，指做任何事情，要事先有准备才能成功。反之就要失败。虑，思考，谋划。卒，读猝，仓促，紧急。《广韵》：“卒，急也。”辨，通辦，今简写作办，治理。《荀子·议兵》：“城郭不辨。”王先谦集解引郝懿行曰：“古无办字，荀书多以辨为办。”说明辨与办相通。

没利于前，而易患于后。（卷七八《春申君列传》/2389 页）

【译文】 贪图眼前的利益，往往遗留下无穷的后患。

【评点】 楚春申君上书秦昭王之言。秦压迫韩魏与自己联合去进攻楚国，春申君上书秦王说，秦楚都是大国，两强相斗如同两虎相斗，将会两败俱伤，能力低下的猪狗也会从中得到好处。吴国打败越国，转而攻齐，结果遭了越国的后患。智氏相信韩魏进攻赵氏，结果遭了三家瓜分的后患。用兵打仗，切不可贪图眼前利益而给自己留下后患。秦王认为春申君说得有道理，停止了进攻楚国。

敌不可假，时不可失。（卷七八《春申君列传》/2391 页）

【译文】 打击敌人，不可宽容，时机不能错过。

【评点】 楚春申君上书秦昭王之言。秦国压迫韩、魏合纵攻楚，楚春申君黄歇，为了使楚国脱摆困境，上书秦昭王不要姑息、信任韩、魏，消灭韩、魏的时机不可错过。假，宽贷，宽容。宽容敌人，就是对自己的犯罪。吴国宽容越国，结果遭越国灭亡。春申君为了转嫁祸患，用这道理转移秦国视线，把秦国进攻的矛头引向邻国。

小敌之坚，大敌之禽也。（卷一一一《卫将军骠骑列传》/2927页）

【译文】 兵力单薄的一方战斗力再强，也要被大兵团歼灭。

【评点】 引用《孙子兵法·谋攻》篇之言。元朔元年（前123），汉军六将军出击匈奴。右将军苏建、前将军赵信，两人只带领三千多战士为支路策应，恰好碰上匈奴主力，寡不敌众，赵信率八百余人降敌，苏建只身逃回。大将军卫青问军法官，怎样处置苏建。议郎周霸说，苏建弃军当斩。军法官闳和长史安两人认为，苏建是寡不敌众，已尽力苦战，引《孙子兵法》为据，不当斩。若果杀了苏建，等于是告诉汉军，打了败仗就要投敌。显然闳、安两人的意见是对的。按封建正统观念，“杀身成仁”的说法，打了败仗就要死拼，既是残酷的，也是不人道的。李陵降匈奴，全家受害，就是这样的悲剧。

【批亢捣虚】解杂乱纷纠者不控卷，救斗者不搏撠，批亢捣虚，形格势禁，则自为解耳。（卷六五《孙子吴起列传》/2163页）

【译文】 解开乱丝，不能用拳头去乱砸，劝解斗殴的人，不能参加进去帮着打。控制要害，袭击空虚，使敌人形势不利，不能不自行解围。

【评点】 孙膑论围魏救赵之言。解杂乱二句，比喻解决问题要有正确的方式方法，用兵更要讲策略。批亢捣虚，是一句古代谚语，喻击敌要害与虚弱之处。批，《说文》：“手击也。”亢，《说文》：“人颈也。”批亢，扼住人颈，打击要害，攻击敌人不能不救的要地。“形格”与“势禁”相对为文，指形势受阻，变得不利。格，受阻碍。公元前353年，魏围赵邯郸，赵求救于齐。齐军田忌为将，孙膑为军师。孙膑献计，齐军乘虚直趋魏都大梁，攻其所必救，调动魏军回师，齐军在运动中占据有利地势，抓住战机，以逸待劳打击魏军。田忌用其计，果然迫使攻赵魏军回救，齐军在桂林（今河南长垣西北）设伏击败了魏军。这就是战国时齐魏有名的桂林之战。“批亢捣虚”，演为成语“避实击虚”。这一计谋又称“围魏救赵”。

【奇正相生】兵以正合，以奇胜。善之者，出奇无穷。奇正还相生，如环之无端。夫始如处女，适人开户；后如脱兔，适不及距：其田单之谓邪！（卷八二《田单列传》/2456 页）

【译文】　用兵作战，总是用“正”兵当敌，用“奇”兵取胜。善于用“奇”的将帅，所出奇计无穷无尽。“奇”、“正”相互转化，就像圆环一样，无始无终，找不到它的端点。与敌人对阵，开始时要像处女一样怯弱，使敌人放松戒备；然后要像脱网奔逃的狡兔一样突然行动，使敌人来不及抵抗，这话正像是对田单说的。

【评点】　司马迁论赞引《孙子兵法》评论田单之言。前五句“兵以正合”，引自《孙子·兵势》篇，文字略有变化。“正”、“奇”是古代用兵的军事术语。按一般原则对阵交锋为正，依据具体情况用计破敌为奇。后四句“夫始如处女”引自《孙子·九地》篇。适，通敌，《孙子》原文正作敌。“始如处女，适人开户”，用兵之始要示敌以弱，犹如处女之卑怯，存轻视之心。开户，敞开门户，制造松弛戒备的假象，麻痹敌人。“后如脱兔，适不及距”，示敌以弱之后，抓住战机，像脱网之兔那样狂奔急驰，突击敌人，使敌人来不及防御。田单用反间计，使燕人割齐降卒之鼻，掘齐人城外之冢以示弱于敌，而实激怒齐卒奋战，然后看准时机用火牛阵冲杀燕军，既是用奇，亦是如脱兔之迅猛。距，通“拒”，抵挡。战争既是力量的抗衡，同时也是智慧的较量，善用智术，往往能出奇制胜，这是一条颠扑不破的真理。“兵以正合，以奇胜”是司马迁写《田单列传》的文眼，通篇就写了一个奇字。论赞更集中表达了用兵打仗，要慎择良将，以计取、以奇胜的兵略思想，后世简括为成语“奇正相生”。

【纪信诳楚】汉将纪信说汉王曰：“事已急矣，请为王诳楚为王，王可以间出。”于是汉王夜出女子荥阳东门被甲二千人，楚兵四面击之。纪信乘黄屋车，傅左纛，曰：“城中食尽，汉王降。”楚军皆呼万岁。汉王亦与数十骑从城西门出，走成皋。项王见纪信，问：“汉王安在？”信曰：“汉王已出矣。”项王烧杀纪信。（卷七《项羽本纪》/326 页）

【译文】 汉军将领纪信劝汉王说：“形势十分危急，请让我装扮成大王去欺骗楚军，大王可以乘机逃走。”于是汉王在夜间从荥阳东门派出武装起来的两千女子出战，引诱楚军四面围击。纪信乘坐黄屋车，在车的左边插上牦牛尾装饰的旗帜，呼喊说：“城中没有粮食了，汉王请降。”楚军都高呼万岁。这时汉王也与数十骑从荥阳西门突围，逃向成皋。项王见了纪信，问：“汉王在哪里？”纪信说：“汉王已经出走了。”项王烧死了纪信。

【评点】 汉王刘邦兵败荥阳，纪信替死，他才得以突围。后称作战用计迷惑敌人，移花接木使统帅脱险，称“纪信诳楚”。

【明烧栈道，暗度陈仓】良说项王曰：“汉王烧绝栈道，无还心矣。”项王以此无西忧汉心；八月，汉王举兵东出陈仓，定三秦。（卷五五《留侯世家》/2039 页；卷九二《淮阴侯列传》/2613 页）

【译文】 典出元杂剧，系据张良、韩信之谋，事载《留侯世家》与《淮阴侯列传》。张良对项王说：“汉王烧断栈道，没有东还的心意。”项王因此没有西顾防备汉王的忧虑。八月，汉王起兵攻下陈仓，向东进军，平定了三秦。

【评点】 公元前 205 年四月，刘邦入汉中，张良劝他烧了栈道，示意项羽他不东还而长保汉中。当年八月韩信入关中，平定了三秦王。栈道，关中通汉中的山间人工通道。人工在悬崖上凿洞打木桩，铺设木板而成的通道。陈仓，今陕西宝鸡市。汉中北出关中，西头的通道叫褒斜道，北口斜谷在陈仓之东。“明烧栈道，暗度陈仓”由两个事件组成典故，“明烧栈道”为张良设计，“暗度陈仓”为韩信出兵路线。汉中北出关中有三条通道，西边褒斜道，中路骆谷道，东路子午谷道。元代《古今杂剧·韩元帅暗度陈仓》：“着樊哙明修道，俺可暗度陈仓古道。”故又作“明修栈道，暗度陈仓”，喻用明显行动迷惑对方，暗中出其不意达到攻其不备的目的。“暗度陈仓”又可单独使用，喻秘密行动或男女私通。

千里馈粮，士有饥色；樵苏后爨，师不宿饱。（卷九二《淮阴侯列传》/2615 页）

【译文】　从千里远的地方运送军粮，士兵就会面有饥色；靠临时砍柴割草来做饭，部队就不可能经常吃饱。

【评点】　李左车之言，引自《黄石公·三略·上略》。公元前 204 年冬十月，韩信和张耳领数万汉兵攻打赵国。赵将陈馀领兵二十万扼守在井陉关（今河北井陉东北）拦击汉军。陈馀部将李左车劝说陈馀：“韩信、张耳乘着胜利（指汉军攻灭魏豹）而离开本土远征，那种锋芒是不可抵挡的。”然后李左车又分析说：“在井陉这条路上，两辆战车不能并列前进，骑兵不能排成行列；这样行军，队伍拉开八百里，粮食一定会落在大队的后面。李左车请求自己带兵三万，让他去抄汉军的辎重粮草，劝陈馀深沟高垒，坚守不战，让汉军千里行军后，进不能战，退被切断后路，守无粮草，不出十天一定会被消灭。李左车引用黄石公“千里馈粮，士有饥色，樵苏后爨，师不宿饱”来说明韩信千里冒进，犯了兵家大忌。陈馀是个书呆子，他不听从李左车的奇计，而要正面与韩信打堂堂之战。韩信侦察到陈馀不用李左车，于是长驱直入与赵军决战。又置背水阵，引陈馀出洞，遭到汉军夹击，打败赵军。井陉之战，韩信敢犯兵家之忌，示敌己无能，麻痹敌人，然后用奇，因为他知彼知己，如果对手不是书呆子，韩信将另有布置。潍水之战破齐楚联军与垓下之战破项羽，就另有战略。由此看来，井陉之战，韩信表面弄险，实际是稳操胜券。

善用兵者不以短击长，而以长击短。（卷九二《淮阴侯列传》/2618 页）

【译文】 善于打仗的人，不用自己的短处去攻打别人的长处，而是以自己的长处去制服对方的短处。

【评点】 广武君李左车劝说韩信不战而降燕之言。李左车是井陉之战韩信俘获的赵将，他有奇计，韩信虚心请教，乘胜击燕，怎么个打法？李左车分析说：汉军渡过西河，俘虏了魏王魏豹，在阏与擒灭夏说，井陉一战破赵二十万大军。胜利一个接着一个，韩信声威远播，这是汉军之长；但汉军连续作战，没有休整，已十分疲劳，千里袭燕，后勤供应困难，这是汉军的短处。汉军强攻燕国，是以短击长，燕军以逸待劳，胜负很难说。若汉军以长击短，方法是先声后实，即大造舆论进攻燕国。实际休整士众，养精蓄锐，派出使臣分析厉害，劝燕人归降。燕国绝对不敢主动挑起战争而归服汉军，还将引起连锁反应，齐国也会归服。韩信采纳李左车之计，果然不战而降燕。夏说，读夏悦。

【背水为阵】信乃使万人先行，出，背水陈。（卷九二《淮阴侯列传》/2616 页）

【译文】 韩信就派出一万人先出发，走出井陉口，背靠河水摆开决战阵势。

【评点】 汉将韩信率军伐赵，在井陉口决战，史称井陉之战。《尉缭子·天官》：“背水阵，为绝地，向坂阵，为废军。”意谓背靠水决战，走上绝路；向着山坡决战，军队要败，这两种地势不利决战，是兵家之忌。而韩信活用兵法，探知对方寡谋，置背水阵，以示无路可退，激励将士殊死作战，取得大胜。成语“背城一战”与此意近，皆为作最后的殊死拼搏。参阅“陷之死地而后生”条。

陷之死地而后生，置之亡地而后存。（卷九二《淮阴侯列传》/2617页）

【译文】 困在死地而后苦战可以得到生存，处在绝境而后可以不被消灭。

【评点】 韩信引《孙子·九地》篇之言，用此总结井陉之战得胜的原因。《孙子兵法》原文作“投之亡地然后存，陷之死地然后生”。韩信孤军深入，犯兵家之忌，背靠泜水迎战赵军。赵军主帅陈馀望见韩信置背水阵，倾巢出动压迫汉军，这正中了韩信引蛇出洞的计谋，他预先派出埋伏在赵军营垒附近的奇兵突入赵军营垒中，赵军失去了阵地，反而遭夹击，二十万大军迅速土崩瓦解。陈馀与赵王成了汉军的俘虏。韩信把汉军安置在非死战而不得生存的绝境，发挥了最大的战斗力，使汉军死中求生，取得了胜利。三国时马谡守街亭，把蜀军安置在高山上，效法“置之死地而后生”的策略，结果魏军围困蜀军，切断水源，蜀军饥渴，不战自溃，全军覆没。不看条件、地方，不知彼不知己，生搬硬套兵书，难免打败仗。韩信用奇，他知彼知己，首先了解赵军主将陈馀是个书呆子，狂妄轻敌，其次，汉军连打胜仗，有一股锐气，所以置背水阵，一战成功。参阅“井陉之战”条。

【人自为战】信非得素拊循士大夫也，此所谓“驱市人而战之”，其势非置之死地，使人人自为战；今予之生地，皆走，宁尚可得而用之乎！（卷九二《淮阴侯列传》/2617页）

【译文】 我韩信率领的不是一支平时由我严格训练而听从我指挥的将士，这正如常言所说“驱赶着街上的行人去打仗”，这一形势要求，不把他们置于拼死战斗的境地，使人人自动英勇作战，如果把他们摆在有退路的地方，全都跑光啦，怎能指挥他们作战呢！

【评点】　“人自为战”，指士气高昂，个个奋勇争先，拼死战斗。汉三年（前206），韩信在井陉之战中置背水阵大破赵军，诸将认为背水阵犯兵家之忌而取胜，是什么道理，韩信解释这正是活用兵法，置之死地，人自为战而赢得了胜利。诸将莫不佩服。

【先声后实】方今为将军计，莫如案甲休兵，镇赵抚其孤，百里之内，牛酒日至，以享士大夫释兵，北首燕路，而后遣辩士奉咫尺之书，暴其所长于燕，燕必不敢不听从。兵固有先声而后实者，此之谓也。（卷九二《淮阴侯列传》/2618页）

【译文】　现在替将军谋划，不如按兵不动，休整士兵，安定赵国，抚恤阵亡将士的遗孤，周围百里之内，每天都会有人送来牛肉美酒，犒劳将士，摆出向北进攻燕国的阵势，然后派出擅长外交的说客，带上书信，向燕国显示自己的长处，燕国一定不敢不听从。用兵本来就有先虚张声势，然后以实力进攻，这正适合今天的形势。

【评点】　李左车之言。楚汉相争，汉将韩信率兵攻下西魏，灭了赵国，接连取得重大胜利，士气高昂，声威远播，这是长处。但连续作战，没有休整，士卒疲惫，如果越千里之远而攻燕，胜负就很难说。广武君李左车以“先声后实”之策说服韩信，以长击短，不战而降燕。韩信采纳了这一建言，“发使使燕，燕从风而靡。”“先声后实”，就是要在气势上压倒敌人在先，而后决战。《南齐书·丘巨源传》：“先声后实，军国旧章。”成语“先声夺人”由此化出。

良将第三十

【引言】 良将篇，凡15条。司马迁在《史记》中给古今众多的兵家战将作传，在载有战争内容的八十二个篇目中，记载了擅长兵略战阵的帝王将相六十余人，立专传的兵家战将近三十人。司马迁高度评价姜太公、司马穰苴、孙武、孙膑、吴起等人的兵法学，“切进世，极人变”，既切合近世社会的实用，又是人类最高智慧的结晶，与儒家“善战者服上刑”（《孟子·离娄上》）的主张形成了鲜明的对照。井陉之战，赵将成安君陈馀不用广武君李左车的奇计，结果兵败身死为天下笑。司马迁以颂为讽评论说：“成安君儒者也，常称义兵，不用诈谋奇计。”《田单列传》记述田单破燕，以五千之众胜数十万燕军，全靠奇谋取胜，论赞称颂说：“兵以正合，以奇胜。善战者出奇无穷。奇正还相生，如环之无端。”奇谋是靠人来运筹的，所以司马迁主张要兴建功业，必须详参彼己，慎择将相，提出了良将的理论。首先兵锐将勇，是取胜的基本条件。兵锐，在于有严格的训练，赏罚必信，成为一支有素养的军队。将勇，如秦赵阏与之战，赵军如鹰击狡兔，迅速而又出其不意地直趋秦军，获得了全胜。巨鹿之战，项羽破釜沉舟，勇往直前，以泰山压顶之势冲击秦军，赢得了大胜。果决、死战、视死如归，譬如两鼠之斗于穴中，将勇者胜。

其次，官兵一体，主将爱士，士卒尽力，指挥全军，如臂使指。像吴起爱士，穰苴立信，魏公子选士，都是良将的治兵才略。官兵一体，纪律严明，就没有不打胜仗的。霍去病不恤士卒，“重车余弃粱肉，而士有饥者”，比古之良将已逊一筹，受到司马迁的批评。再次，良将善于临阵发挥，勒兵布阵，变化无穷。纸上谈兵的赵括，祸国败家。韩信善战，智勇兼备，井陉之战，置背水阵；潍水之战，囊沙断流；垓下之战，诱敌分割，运筹策谋，变化无穷。一鼓作气，是斗勇，多算胜少算是斗智，爱护士卒是仁德。一个良将，智勇仁德兼备，说他们是千人之英，万人之长，一点也不过分。难怪司马迁要为众多的兵家战将立传了。

将受命之日则忘其家，临军约束则忘其亲，援枹鼓之急则忘其身。（卷六四《司马穰苴列传》/2157页）

【译文】 作为将军，接受君命的那一天，就要忘掉自己的家庭；进入军营约束号令，就要忘掉自己的亲人；擂鼓进军的紧急时刻，就要忘掉自己的生命。

【评点】 田穰苴责备监军庄贾申令军纪之言。春秋时，晋国攻打齐国，占领了东阿和甄城，燕国侵入齐国境黄河之南。形势危急，齐景公任命田穰苴为将军，派宠臣庄贾为监军。穰苴慎重地与庄贾相约，日中检阅军队。庄贾素贵，亲友送行，大摆宴席，日落西山才到军营。田穰苴责备庄贾违反军令，当众斩首，全军整肃。穰苴借庄贾人头立威，严肃了军令，与孙武训练吴王宫女斩宠姬的情形，异曲同工。良将练兵，必须整肃，无纪律的军队是乌合之众。军令如山，不避权贵亲友，良将的基本素质之一。田穰苴的三忘之言，更是表达了一个军人的崇高品德。

将在军，君令有所不受。（卷六四《司马穰苴列传》/2158页）

【译文】 将军已在军中，国君的命令有的可以不执行。

【评点】 田穰苴按军法诛杀庄贾时说的话。庄贾为齐景公宠臣，他违反军令当斩，齐景公派使者传达赦免的命令，穰苴没有执行，杀了庄贾，号令军队。《魏公子列传》侯嬴劝信陵君矫取君命夺晋鄙之军以救赵，说了下面的话："将在外，主令有所不受，以便国家。"这两句话原出《孙子兵法·九变》篇，原文作"将受命于君，君命有所不受"。曹操注云："苟便于事，不拘君命。"将领统兵作战，为严肃军令，为抓住战机，可以便宜从事，前提是有利国家，有利军机，可以不拘君命。

善战者，因其势而利导之。（卷六五《孙子吴起列传》/2164页）

【译文】 善于用兵作战的人，要顺着形势引导朝有利于自己的方向发展。

【评点】 齐孙膑之言。成语"因势利导"出此。因，顺着。势，趋势，形势。利导，引导有利于我。公元前341年齐魏马陵之战，孙膑利用魏军主将庞涓轻敌，齐兵一向怯于战斗的弱点，变被动为主动，假装节节败退，示敌以弱，而在马陵（今河北大明东南）山道设伏包围魏军，一战而擒杀庞涓。凡是顺着事情发展的趋势，扬长避短，争取胜利，就叫做"因势利导"。任何事物都有自己的发展规律，因势利导就要认识规律，利用规律而不违背规律，才能收到事半功倍的效果。

四十九年正月，陵攻邯郸，少利，秦益发兵佐陵。陵兵亡五校。秦王欲使武安君代陵将。武安君言曰："邯郸实未易攻也。且诸侯救日至，彼诸侯怨秦之日久矣。今秦虽破长平军，而秦卒死者过半，国内空。远绝河山而争人国都，赵应其内，诸侯攻其外，破秦军必矣。不可。"秦王自命，不行；乃使应侯请之，武安君终辞不肯行，遂称病。（卷七三《白起王翦列传》/2336～2337页）

【译文】 秦昭王四十九年（前258）正月，王陵进攻邯郸，战果很少。秦王增派军队援助王陵，结果又损失了五个校官。秦王想派武安君白起为将更换王陵。武安君说："邯郸确实不容易攻取。何况诸侯的救兵一天天到来，他们对秦国的怨恨已经积存很久了。现今秦军虽然消灭了赵国的长平军，可是秦兵也死亡过半，国内空虚。远行千里跨过黄河太行山去争夺人家的国都。赵军在城内坚守，诸侯救兵在外面攻打，秦兵一定会被打败。这个仗不能打。"秦王亲自下令，武安君不肯赴任；就让应侯范雎去请他，但武安始终推辞不肯赴任，终于称病卧床不起。

【评点】 公元前 260 年，秦赵主力决战，秦将白起在长平之战中消灭赵军四十五万，赵国震恐。白起建言乘胜破赵都邯郸，范雎忌惮白起功高，进言秦王说，秦兵疲困，撤回国内休整。赵国也得到了喘息，加强了防御。过了一年，秦王再让白起为将去攻赵邯郸，赵国争取了魏、楚的援助，白起认为秦兵赢不了这场战争，他拒绝为将。白起能征惯战，首破楚郢都，拓地千里，从未打过败仗。白起不肯攻邯郸，最后被秦王赐死。他宁肯死去，也不作败军之将，这是一般人做不到的耿直品德。因为打败仗，是许多人的牺牲，白起不愿自己同胞作无谓牺牲，而抗君命，是值得赞扬的。

齐，霸国之余业也，地大人众，未易独攻也。王必欲伐之，莫如与赵及楚、魏。（卷八〇《乐毅列传》/2428 页）

【译文】 齐国继承了霸国的基业，土地广大，人口众多，燕国不能轻易地单独进攻。大王一定要攻打它，不如与赵、楚、魏联合起来。

【评点】 乐毅为燕昭王谋划攻齐之言。霸国，指齐国在春秋时曾首先称霸，战国时田齐继承了丰厚的基业。乐毅。战国时名将，他替弱燕谋划进攻强齐，首先争取广泛的国际联盟。公元前 284 年，他率燕、赵、楚、韩、魏五国之师，一举破齐，攻下七十二城，差点灭了齐国。乐毅的成功，说明了战争不单是军力的决斗，还是政治、外交综合力量的较量。乐毅懂得外交，争取盟友，孤立敌人，所以一战成功。

将勇者胜。（卷八一《廉颇蔺相如列传》/2445 页）

【译文】 勇敢的将领才能取得胜利。

【评点】 赵奢论救韩之言。公元前 270 年，秦伐韩，战于阏与（今山西和顺西北）。韩求救于赵。赵王问廉颇是否可救？廉颇说："道远险狭，难救。"赵王问乐乘，乐乘回答与廉颇一样。赵王再召问赵奢，赵奢说："其道远险狭，譬之犹两鼠斗于穴中，将勇者胜。"恶劣的地理环境，对双方是一样的。将勇，包含有机智巧计与必胜信心。真是强将手下无弱兵，赵奢奉命救韩，在阏与大败秦兵。"将勇者胜"成了流传后世的格言。做任何事情，"敢"字当头，先有必胜的信心、决心，才可能发挥聪明才智，最后夺取胜利。

【破釜沉舟】项羽乃悉引兵渡河，皆沉船，破釜甑，烧庐舍，持三日粮，以示士卒必死，无一还心。（卷七《项羽本纪》/307 页）

【译文】 项羽就率领全军渡过漳河，凿沉全部船只，砸毁锅甑，烧掉营垒，携带三天的干粮，借以向士兵表示一定要死战才有生路，不要有一点后退之心。

【评点】 项羽杀了观望不进的楚军统帅宋义，自任上将军，率领全军渡过漳河救赵，解巨鹿之围。"破釜沉舟"，如同韩信用兵置背水阵，将全军置之于死地而后生，赢得了巨鹿之战的大胜。韩信置背水阵，着重是用谋，韩信不是弄险，而是用智。项羽破釜沉舟，是总形势要求决一死战，故项羽冒险是生死关头用勇，取胜是因将勇者胜。两者形似而实异，调动士气则是共同点。后世用这一典故喻拼死战斗，或喻勇往直前，义无反顾。

士卒次舍井灶饮食问疾医药，身自拊循之。悉取将军之资粮享士卒，身与士卒平分粮食，最比其羸弱者。三日而后勒兵，病者皆求行，争奋出为之赴战。晋师闻之，为罢去。燕师闻之，度水而解。于是追击之，遂取所亡封内故境而引兵归。（卷六四《司马穰苴列传》/2158 页）

【译文】 行军驻屯，对于士兵安营、掘井、立灶、饮水、伙食、疾病、医药，田穰苴都要亲自过问，安抚他们。还把自己作为将军的专用物资，全部拿出来款待士兵，自己与士兵一样平等地分配一份粮食，集合全军把体弱有病的挑选出来。三天后重新整训军队出征，病弱的士兵都要求上前线，争先奋勇挺身出来为将军去战斗。晋国军队听了这消息，主动撤回去了。燕国军队听了这消息，解围而走，渡过黄河北归。于是穰苴率军追击，收复了所有丢失的领土胜利凯旋。

【评点】 春秋时晋、燕侵齐，齐景公委派田穰苴为将出征。穰苴与士卒共甘苦，全军奋勇，一举击败晋燕之军，收复了齐国的失地。

【吸疽之仁】起之为将，与士卒最下者同衣食。卧不设席，行不骑乘，亲裹赢粮，与士卒分劳苦。卒有病疽者，起为吮之。卒母闻而哭之。人曰："子卒也，而将军自吮其疽，何哭为？"母曰："非然也。往年吴公吮其父，其父战不旋踵，遂死于敌。吴公今又吮其子，妾不知死其所矣。是以哭之。"（卷六五《孙子吴起列传》/2166 页）

【译文】 吴起担任主将，与最下等的士兵同穿同食。睡觉不铺垫褥，行军不乘车骑马，亲自携带军粮，与士兵同甘共苦。有个士兵生了脓疮，吴起替他吸吮毒液。士兵的母亲听后痛哭不止。有人说："你的儿子是一个士兵，而主将亲自替他吸吮毒液，怎还哭呢?”那位母亲说：“我不是为这个来哭，往年吴将军替他父亲吸吮毒液，他的父亲在战斗中勇往直前死在战场。吴将军现在又替他的儿子吸毒疮，我不知他将死在什么地方，我才哭他啊。”

【评点】 吴起为战国时名将，他不仅善战，而且善带兵。这个吸疽的故事，生动地说明了古代良将爱护士兵的优良品德。吴起能够打胜仗，因为他得到了士兵的死力。

公子遂将晋鄙军。勒兵下令军中曰：“父子俱在军中，父归；兄弟俱在军中，兄归；独子无兄弟，归养。”得选兵八万人，进兵击秦军。秦军解去，遂救邯郸，存赵。(卷七七《魏公子列传》/2381 页)

【译文】 魏公子无忌于是代替晋鄙统帅了魏军，进行检阅整顿，向全军发布命令说：“父子都在军中，父亲回家；兄弟都在军中，兄长回家；独子无兄弟的人在军中，回去奉养父母。”这样挑选了八万精兵，进击秦军。秦军解围离去，于是挽救了赵都邯郸，保存了赵国。

【评点】 魏公子窃符救赵，夺取了军权后，进行整顿，让独子归家，父子兄弟都在军中的，只留一人在军，父兄归家。这一措施，解除了军人的后顾之忧，表现了统帅对士兵的爱护，虽然减少了军队人数，却大大提高了军队的士气，增强了战斗力。官兵一体，所向无敌。

始妾事其父，时为将，身所奉饭饮而进食者以十数，所友者以百数，大王及宗室所赏赐者尽以予军吏士大夫，受命之日，不问家事。(卷八一《廉颇蔺相如列传》/2447 页)

【译文】 当初我服事他父亲，那时他父亲正做大将，亲自捧着饭菜酒浆招待吃喝的有几十人，结交为朋友的有几百人，大王和王族所赏赐的东西全部送给军官及部属，从接受命令的那一天起就不再问家事。

【评点】 赵将赵括母之言。这里讲述了战国时名将赵奢的生活片断和为将的精神风貌。赵奢与士兵打成一片，尊礼部属，受命之日，割断家庭情爱，一心为公，向全军树立报国榜样。参见“赵括母”条。

广讷口少言，与人居则画地为军阵，射阔狭以饮。专以射为戏，竟死。（卷一〇九《李将军列传》/2872页）

【译文】 李广不善言辞，说话少，与别人在一起就在地上画军阵，然后比射箭，按射程的远近来赌酒。他专门以射为游乐，一直到死。

【评点】 李广全心投入射箭，一直到死。这段遗事刻画了李广专力投入的精神境界，也说明了他的善射是从苦练中来。活到老，射到老，这种执着精神是值得学习的。

广廉，得赏赐辄分其麾下，饮食与士共之。终广之身，为二千石四十余年，家无余财，终不言家产事。广之将兵，乏绝之处，见水，士卒不尽饮，广不近水，士卒不尽食，广不尝食。宽缓不苛，士以此爱乐为用。（卷一〇九《李将军列传》/2872页）

【译文】 李广为官清廉，得到赏赐就分给部下，饮食与士兵在一起。李广一生到死，做二千石官四十多年，家中没有多余的财物，终生都不说家产的事。李广带兵，遇到缺粮断水的时候，见到水，士兵不到最后一个喝完，他不靠近水；士兵不到最后一个吃完饭，他一口也不尝。对待士兵宽厚和缓绝不苛刻，因此士兵乐意为他所用。

【评点】 李广廉洁爱士如此，真古之良将也。

张仪西并巴蜀之地，北开西河之外，南取上庸，天下不以多张子而以贤先王。魏文侯令乐羊将而攻中山，三年而拔之。乐羊返而论功，文侯示之谤书一箧。乐羊再拜稽首曰："此非臣之功也，主君之力也。"（卷七一《樗里子甘茂列传》/2311～2312页）

【译文】 张仪替秦国在西边吞并了巴、蜀广大地区，在北边开拓了西河以外的地方，在南边夺取了楚国的上庸，天下的人并不称赞张仪先生而称扬先王。魏文侯派乐羊为将攻打中山国，经过三年才攻占下来。乐羊回国评论功劳，魏文侯拿出一箱子的毁谤文书给乐羊看。乐羊连拜两次叩头说："这不是我的功劳，而是主上英明啊。"

【评点】 秦相甘茂对秦武王论将之言。张仪、乐羊都是战国时的良臣良将，他们之所以能建立功业，全靠君主的信任。秦武王要甘茂带兵去进攻韩国宜阳，甘茂认为宜阳坚固，难以很快攻取，作战中肯定有不少人说三道四，如果秦王听信小人之言，就会中途停止打仗，前功尽弃。秦武王表示完全信任，与甘茂在息壤订下盟誓。于是甘茂带兵攻韩宜阳，打了五个月还没取胜，秦将樗里子、公孙奭果然争着说坏话。秦武王想召回甘茂，甘茂提示秦王息壤有约。秦武王醒悟，加派援兵帮助甘茂作战，一举攻下宜阳，消灭敌人六万。这个故事说明，良将还要擅长政治斗争，取得国君全力信任，不然，不仅难以建功，而且还有生命之忧。赵国廉颇、李牧就落得这样的下场。张仪，秦惠王相。先王，指秦惠王。

【冯唐论将】臣闻上古王者之遣将也，跪而推毂，曰："阃以内者，寡人制之；阃以外者，将军制之。军功爵赏皆决于外，归而奏之。"非虚言也。臣大父言，李牧为赵将居边，军市之租皆自用飨士，赏赐决于外，不从中扰也。委任而责成功，故李牧乃得尽其智能，遣选车千三百乘，彀骑万三千，百金之士十万，是以北逐单于，破东胡，灭澹林，西抑强秦，南友韩、魏。当是之时，赵几霸。其后会赵王迁立，其母倡也。王迁立，乃用郭开谗，卒诛李牧，令颜聚代之。是以兵破士北，为秦所禽灭。（卷一〇二《张释之冯唐列传》/2758页）

【译文】 我听说古时候君王派兵遣将，跪下来推着车毂说："国门以内的事，由寡人决断；国门以外的事，由将军决断。在外的军功、爵位和赏赐全由将军负责，班师之日再上奏朝廷。"这决不是空话。我祖父说，李牧为赵将防守边界，把军市上的租税收入，全部用来犒赏将士，赏赐由在外的将军决断，朝廷不从中干扰。托付重任给将军，只负责他的成功。所以李牧能够竭尽他的智慧和才能，调遣经过挑选出来合格的一千三百辆战车，善射的骑兵一万三千，精锐的步兵十万，依靠这支队伍在北边驱逐匈奴单于，打败东胡，灭掉澹林；在西边抑制强秦；在南边抗拒韩、魏。这时，赵国几乎称霸。此后正遇上赵王迁即位，他的母亲原本是个卖艺的人。赵王迁即位，听信宠臣郭开的谗言，终于杀了李牧，派颜聚代替他。因此赵军被秦兵打败逃散，赵王成了秦军俘虏，赵国灭亡。

【评点】 中郎署长冯唐在汉文帝面前论将之言。冯唐称赞李牧良将，厚遇战士，有全权指挥之权，才能发挥聪明才智打胜仗。如果君主制于内，甚至杀害良将，自毁长城，国破家亡的事就难以避免了。

战阵第三十一

【引言】 战阵篇，凡15条。中国古代春秋战国及秦楚之际，是一个发生历史巨变的长期战乱的时代，历时长达五六百年之久。《史记》中记载的古代战争五百余次，其中重大战争从黄帝涿鹿之战到汉武帝兵征大宛共七十余次，春秋战国及秦楚之际为五十八次。凡重大战争，年表载其目，纪传、世家载其事。战争随历史演进，不断发展，不仅越来越频繁，而且规模越来越大。春秋时以车战为主，大战如晋楚城濮之战，齐晋鞍之战，双方出战兵车已达一二千乘，士卒一二十万，已是相当大的规模，车战、布阵对抗，一日半日而决。战国及秦楚之际，以骑兵配合步兵为主，设垒坚守，有阵地战，有攻坚战，有运动战，有战略包围战。双方出动军队上百万，往往相斗数月乃至经年，在中外战争史上都可叹为奇观。如长平之战，爆发在秦昭王四十七年（前260），决战阶段从四月到九月，历时半年。秦国“发年十五以上悉诣长平”（《白起王翦列传》），进行了全国总动员，倾国远斗，秦胜赵败，赵军第一线损失四十五万人，秦卒多于赵卒，双方参战兵力一百余万。接着秦围赵邯郸之战，历时两年，楚、魏相救，秦才解围而去。楚汉彭城之战，项羽以精兵三万，千里回师，以少胜众，破刘邦五十六万大军。这些大战役，影响历史进程，司马迁以极其精炼的语言作了绘声绘色的记载。交兵始末，兵略战术，局势变化，序之如指掌。清代历史学家顾炎武说："秦楚之际，兵所出入之途，曲折变化，唯太史公序之如指掌，以山川郡国不易明，故曰东曰西曰南曰北，一言之下，而形势了然。盖自古史书兵事地形之详未有过此者。太史公脑中固有一天下大势，非后代书生之所能几也。"（《日知录》卷二六）这说明司马迁是一个精通兵略学的历史家。

【牧野誓师】古人有言"牝鸡无晨，牝鸡之晨，惟家之索。"今殷王纣维妇人言是用，自弃其先祖，肆祀不答，昏弃其家国，遗其王父母弟不用，乃维四方之多罪逋逃是崇是长，是信是使，俾暴于百姓，以奸轨于商国。今予发维共行天之罚。今日之事，不过六步七步，乃止齐焉，夫子勉哉！不过于四伐五伐六伐七伐，乃止齐焉，勉哉夫子！尚桓桓，如虎如罴，如豺如离，于商郊，不御克奔，以役西土，勉哉夫子！尔所不勉，其于尔身有戮。（卷四《周本纪》/122～123页）

【译文】 古人有句老话："母鸡不报晓，母鸡报晓，这个家庭就要离散。"如今殷王纣只听妇人的话，忘记了祖先，完全不供享祭祀，昏乱到不理国家大政，又抛开了同祖兄弟不予任用，却网罗四方罪大恶极的逃犯，抬高他们，尊重他们，信任他们，使用他们，纵容他们欺压百姓，在商国为非作歹。现在我姬发恭敬地执行上天的惩罚。今天的战事，每前进六七步，便注意调整一下队形，整体奋勇向前，是男儿就要努力啊！冲刺不超过四次、五次、六次、七次，也要注意调整一下队形，务必保持整体的步调一致，努力啊，各位男子汉！希望大家威风勇武，像猛虎，像熊罴，像豺狼，像蛟龙。在商都郊外，不要截杀前来投诚的殷纣士兵，让他们为我西土服役，一定要努力啊，男子汉们！

你们谁不努力，你们自身将遭到消灭。

【评点】 武王牧野誓师以大义激励士气之言，原载《尚书·牧誓》。武王历数纣王三大罪状，一是听信妇人的话；二是不祭祖先和上帝；三是任用四方逃亡的罪犯而不亲用同宗兄弟。从今天的观点来看，牧誓动员令并没有列出纣王如何昏暴的罪行，学术界甚至有一种观点认为纣王并不昏暴，他重兵经营东南，周人乘虚破朝歌，灭亡了殷朝。并把纣王任用罪徒，一律解释为任用奴隶，无论罪犯，还是奴隶，在当时人们的观念中，都是大逆之人。商人极为迷信，敬天尊祖，纣王连这一点都不顾及，可见昏暴之甚。牧誓列举的罪行，在当时观念中是极重的不道，所以武王才郑重宣布自己替天行道，讨伐纣王。战争是靠全体将士血肉拼搏取胜，良将用兵，要鼓动士气，申明大义，使师出有名。誓师，就是发布战争的动员令，宣布严明的纪律，并声讨敌方，明确作战的目的和意义。牧野誓师，一战灭殷，史称牧野之战。

【韩原之战】 秦晋战于韩地。晋君弃其军，与秦争利，还而马骜。缪公与麾下驰追之，不能得晋君，反为晋军所围。晋击缪公，缪公伤。于是岐下食善马者三百人驰冒晋军，晋军解围，遂脱缪公而反生得晋君。初，缪公亡善马，岐下野人共得而食之者三百余人，吏逐得，欲法之。缪公曰："君子不以畜产害人。吾闻食善马肉不饮酒，伤人。"乃皆赐酒而赦之。三百人者闻秦击晋，皆求从，从而见缪公窘，亦皆推锋争死，以报食马之德。于是缪公虏晋君以归。（卷五《秦本纪》/188～189页）

【译文】 秦晋两国在韩原交战。晋惠公脱离大队往前冲，与秦军争夺战利品，在返回时，驾车的战马陷到泥坑里。秦穆公与部属策马驱车追赶，没能抓到晋君，反而被晋军包围起来，晋军发起攻击，秦穆公受了伤。在这危急关头，曾在岐山下偷吃秦穆公良马的三百多个乡下人驱马冲入晋军，晋军解除包围，不仅解脱了秦穆公的危险，反而活捉了晋君。当初，秦穆公丢失了一匹良马，岐山下的三百多个乡下人共同抓住这匹良马分吃了，官吏把他们抓起来，要依法惩办。秦穆公说："有道德的人不能因为牲畜的缘故伤害人。我听说吃了良马肉不饮酒，会使人生病。"于是赐酒给吃马肉的人喝，还免除了他们的罪行，这三百人听说秦军攻打晋军，都请求参战。他们追随穆公，发现穆公被包围，全都举起兵器，拼死冲锋，用以报答吃马肉被赦免的恩德。就这样，秦穆公俘虏了晋君得胜回国。

【评点】 秦晋韩原之战，是春秋时的大战役之一。当时仍为车战，双方兵车数百乘，人马上万就是大战役。晋惠公在秦穆公支持下回国，背信食言，不但不将河西之地割与秦国，反而乘秦人饥荒而伐之，师出无名。土地，国之根基，晋君食言不割，可以理解。秦晋两国有通婚之好，晋饥，秦输之粟；反过来，秦饥，晋伐之，显然无义。秦人反击，义正堂堂，士气高昂。当时晋强秦弱，所以战场上秦人不占主动。由于秦穆公勤政爱民，不杀盗善马者三百人而赐之酒，三百人自愿组成报君恩惠的民兵团，人人殊死战，勇不可当，使秦军反败为胜。这说明得人心者得天下，韩原之战是一个很好的例证。此战奠定了秦穆公霸主的地位。

【秦晋殽之战】郑人有卖郑于秦曰："我主其城门，郑可袭也。"缪公问蹇叔、百里傒，对曰："经数国千里而袭人，希有得利者。且人卖郑，庸知我国人不有以我情告郑者乎？不可。"缪公曰："子不知也，吾已决矣。"遂发兵，使百里傒子孟明视、蹇叔子西乞术及白乙丙将兵。行日，百里傒、蹇叔二人哭之。缪公闻，怒曰："孤发兵而子沮哭吾军，何也?”二老曰：“臣非敢沮君军。军行，臣子与往；臣老，迟还恐不相见，故哭耳。”二老退，谓其子曰：“汝军即败，必于殽厄矣。”三十三年春，秦兵遂东，更晋地，过周北门。周王孙满曰：“秦师无礼，不败何待!”兵至滑，郑贩卖贾人弦高，持十二牛将卖之周，见秦兵，恐死虏，因献其牛，曰：“闻大国将诛郑，郑君谨修守御备，使臣以牛十二劳军士。”秦三将军相谓曰：“将袭郑，郑今已觉之，往无及已。”灭滑。滑，晋之边邑也。当是时，晋文公丧尚未葬。太子襄公怒曰：“秦侮我孤，因丧破我滑。”遂墨衰绖，发兵遮秦军于殽，击之，大破秦军，无一人得脱者。虏秦三将以归。(卷五《秦本纪》/191～192页)

【译文】 郑国有人向秦国出卖郑国说：“我主管郑国的城门，对郑国可以进行突然袭击。”秦穆公征询蹇叔、百里奚的意见，两人回答说：“经过几个国家到千里之外去袭击别人，得利的机会是很少的。再说，有人出卖郑国，难道就没有我国的人把情报出卖郑国的吗？不能袭击郑国。”秦穆公说：“你们不懂大体，我已下定决心了。”于是发兵，派百里奚儿子孟明视，蹇叔儿子西乞术，以及白乙丙出征。军队出征那一天，百里奚、蹇叔两人哭着送行。秦穆公知道后，发怒地说：“我发兵出征，你们哭着送行败坏士气，这是为什么？”二位老人说：“我们不敢败坏士气，因为军队出征，我们的儿子在里面，我们年岁已老，他们如果回来晚了，恐怕就见不着了，所以情不自禁流泪。”二位老人退回来对他们的儿子说：“你们的军队如果战败，一定在殽山的险要处。”秦穆公三十三年春，秦军向东进发，穿过晋国，经过周王朝国都的北门。周朝的王孙满说：“秦军骄慢不守礼仪，不打败仗才怪。”秦军行进到滑邑，恰好碰上郑国商人弦高，他带了十二头牛将到周国去贩卖，遇上秦兵，他担心被秦军杀死或被俘虏，随机献上他的牛，说：“听说伟大的秦国要去讨伐郑国，郑君已做好防守准备，还派我带十二头牛来慰劳贵国士兵。”秦国三位将军商议说：“本打算偷袭郑国，郑国现在已经觉察了，继续前进占不上便宜了。”秦军攻灭滑邑。滑邑是晋国的边境城邑。这时，晋文公死了没有安葬。晋文公太子即晋君襄公发怒说：“秦国欺侮我丧父，才敢攻破我国的滑邑。”于是染黑丧服，发兵在殽山险要地段埋伏拦击秦军。晋军发起攻击，大败秦军，没有一个人能够逃脱。晋军俘虏了秦国的三位将军得胜回军。

【评点】 这段文字写了蹇叔哭师、弦高犒师、晋人设伏三个故事，构成秦晋殽之战的内容。事又载《左传》僖公三十二、三十三年（前628、前627），秦穆公不听蹇叔劝谏，趁晋丧劳师袭远，半道被郑国爱国商人弦高发现，假借郑国之君命犒赏秦师，迫使秦师中途回军，全军覆没在殽山脚下。蹇叔以哭师形式强谏，穆公不听，表现了他的一意孤行，接着又以周王孙满的评论表现秦师的骄蹇，主骄士骄，一片狂热，中道遇弦高而气竭，秦师必败无疑。《左传》写战争，写决策，写士气，写环境，战场胜负不待交战而已决矣。史公再行浓缩，实现相关人物言行而写出一场大战始末发展，极其精彩。

【齐晋鞌之战】六年春，晋使郤克于齐，齐使夫人帷中而观之。郤克上，夫人笑之。郤克曰：“不是报，不复涉河！”十年春，齐伐鲁、卫。鲁、卫大夫如晋请师，皆因郤克。晋使郤克以车八百乘为中军将，士燮将上军，栾书将下军，以救鲁、卫，伐齐。六月壬申，与齐侯兵合靡笄下。癸酉，阵于鞌。逢丑父为齐顷公右。顷公曰：“驰之，破晋军会食。”射伤郤克，流血至履。克欲还入壁，其御曰："我始入，再伤，不敢言疾，恐惧士卒，愿子忍之。"遂复战。战，齐急，丑父恐齐侯得，乃易处，顷公为右，车絓于木而至。晋小将韩厥伏齐侯车前，曰："寡君使臣救鲁、卫。"戏之。丑父使顷公下取饮，因得亡，脱去，入其军。于是晋军追齐至马陵。（卷三二《齐太公世家》/1497页）

【译文】 齐顷公六年（前593）春，晋国派郤克出使齐国，齐顷公让他母亲坐在帐幕后偷看。郤克躬着背走上台阶，顷公母忍不住笑起来。郤克说："不报这场耻辱，我不再过黄河。"齐顷公十年（前589）春，齐国征伐鲁国、卫国。鲁、卫两国大夫到晋国请求援兵，都是通过郤克的关系。晋国派郤克率领八百乘战车为中军主将，士燮为上军主将，栾书为下军主将，用以救援鲁、卫，讨伐齐国。六月十六日，晋军与齐军在靡笄山下交战。十七日，在鞌地摆开战阵。逢丑父为齐顷公的车右警卫。顷公说："冲上去，打败晋军会餐。"齐军射伤郤克，血流到了鞋上。郤克想退回军营。他的赶车人说："我进入战斗后，已两次受伤，我不敢说疼痛，恐怕惊吓了士兵，希望你忍痛坚持战斗。"于是又投入战斗。战斗继续进行，齐军危急，逢丑父怕齐顷公被晋军俘获，就和他交换了位置，让顷公站在车右作警卫，这时战车被绊在树木上停了下来。晋军小将韩厥拜伏在齐顷公战车的前面，说："敝国国君派遣我救援鲁国、卫国。"用以嘲笑齐顷公。逢丑父让顷公下车去取水来喝，这才得到机会逃脱，回到齐军中。晋军于是追击齐军，直到马陵。

【评点】 郤克，晋国执政大臣。壬申，六月十六日。癸酉，六月十七日。车右，即骖乘。古制，一车三人，尊者在左，御者在中，警卫即车右。作战时，尊者居中。靡笄，山名，在今山东济南市东北，《左传》作华不注山。鞌，地名，在靡笄山下。马陵，应作马陉，齐地名，在今山东益都县西南。齐晋鞌之战，原载《左传》成公二年，《史记》记载文字有出入。这是齐晋间的一场争霸大战，它由一次齐顷公的外交失礼引发，郤克志在报仇，蓄谋多年，晋军士气高昂。齐顷公母子不顾国家大体，把严肃的政事、军事都当儿戏，外交礼失之于前，轻视战斗又失之于后，齐军骄傲，士气不振，一定要打败仗。据《左传》记载，齐顷公没给马披上甲胄就匆忙发起进攻，而晋中军主帅郤克及御者都受了重伤，说明主将身先士卒，全军拼死战斗，所以获得了大胜。春秋时以车战为主，决战一阵冲杀胜负就见分晓。晋军一方出战车八百乘，就是大战了。鞌之战说明了骄兵必败。齐顷公在国内以逸待劳迎战，遭到惨败，失之于骄。

【马陵之战】（一）魏伐赵。赵与韩亲，共击魏。赵不利，战于南梁。韩氏请救于齐。宣王召大臣而谋曰："早救孰与晚救？"驺忌子曰："不如勿救。"田忌曰："弗救，则韩且折而入于魏，不如早救之。"孙子曰："夫韩、魏之兵未弊而救之，是吾代韩受魏之兵，顾反听命于韩也。且魏有破国之志，韩见亡，必东面而诉于齐矣。吾因深结韩之亲而晚承魏之弊，则可重利而得尊名也。"宣王曰："善。"乃阴告韩之使者而遣之。韩因恃齐，五战不胜，而东委国于齐。齐因起兵，使田忌、田婴将，孙子为师，救韩、赵以击魏，大败之马陵，杀其将庞涓，虏魏太子申。（卷四六《田敬仲完世家》/1893～1894 页）

【译文】 魏国进攻赵国。赵国与韩国亲近，两国联合起来攻击魏国。赵国不利，在南梁相持。韩国向齐国求救。齐宣王召集大臣来商议，说："早救韩国，还是晚救韩国，哪一个方案好？"驺忌说："最好的方案是不救。"田忌说："不救韩国，那么韩国失败了就屈服于魏国，还是早救为好。"孙膑说："那韩、魏两国的军队还没有疲惫就去救援，等于是我国代替韩国承受魏国的打击，倒过来反而听从韩国的指挥。何况魏国有攻破韩国、赵国的意图，韩国见有亡国危险，一定还要向东找齐国求救。我国应趁这机会与韩国结成亲近的伙伴，又可以拖一段时间去利用魏军的疲惫，那样可以收到最大的利益而获得最高的声誉。”齐宣王说：“好。”就暗中告诉韩国使臣，齐国援助韩国，把他送走了。韩国凭恃齐国救援，奋起与魏国交战，连吃五次败仗，只好向东投靠齐国。齐国这才出兵，派田忌、田婴为将，孙膑为军师，救援韩国，赵国向魏国进攻，在马陵打败魏军，杀了魏军大将庞涓，俘虏了魏太子申。

（二）魏与赵攻韩，韩告急于齐。齐使田忌将而往，直走大梁。魏将庞涓闻之，去韩而归，齐军既已过而西矣。孙子谓田忌曰：“彼三晋之兵素悍勇而轻齐，齐号为怯，善战者因其势而利导之。兵法。百里而趣利者蹶上将，五十里而趣利者军半至。使齐军入魏地为十万灶，明日为五万灶，又明日为三万灶。”庞涓行三日，大喜，曰：“我固知齐军怯，入吾地三日，士卒亡者过半矣。”乃弃其步军，与其轻锐倍日并行逐之。孙子度其行，暮当至马陵。马陵道狭，而旁多阻隘，可伏兵，乃斫大树白而书之曰：“庞涓死于此树下。”于是令齐军善射者万弩，夹道而伏，期曰：“暮见火举而俱发。”庞涓果夜至斫木下，见白书，乃钻火烛之。读其书未毕，齐军万弩俱发，魏军大乱相失。庞涓自知智穷兵败，乃自刭，曰：“遂成竖子之名。”齐因乘胜尽破其军，虏魏公子申以归。孙膑以此名显天下，世传其兵

法。(卷六五《孙子吴起列传》/2164 页)

【译文】 魏国与赵国攻打韩国，韩国向齐国告急求救。齐国派田忌带兵前往救援，径直进军大梁。魏将庞涓听到这消息，离开韩国撤回魏国，这时齐军已经越过边界向西挺进了。孙膑对田忌说："那魏国的士兵一向强悍勇猛，看不起齐兵，称齐兵为胆小鬼，善于打仗的人要利用这一形势向有利方向发展。兵书上说：每天急行一百里去争利的军队，它的大将一定要栽跟斗；每天赶五十里路去争利的军队，只能有一半到达。传令进入魏地的齐军，筑十万人用饭的灶，第二天减为五万灶，第三天减为三万灶。"庞涓追了三天，非常高兴，说："我本来就知道齐军是胆小鬼，进入魏地才三天，开小差的士兵就超过了半数。"他于是丢下步兵，带领精锐轻装追击，一天赶两天的路程。孙膑计算庞涓的行程，晚上将赶到马陵。马陵道路狭窄，两旁多是险要地带，可以埋伏军队。就削去一段大树的外皮，在露出的白木上写了一行字，说："庞涓死在这树下。"又选派一万善射的齐军，夹道埋伏，约定说："夜里见到火光举起，就一齐放箭。"庞涓果然在夜里赶到被削皮的大树下，见白木上写了一行字，就打火照明看大树上的字。还没读完树上的字，齐军万箭齐发，魏军大乱，互相失去联系。庞涓自己明白在这死路上一点办法也没有，眼见全军覆没，就刎颈自杀，说："竟成就了这小子的声名！"齐军乘着胜利，彻底打垮魏军，俘虏了魏太子申凯旋班师。孙膑从此名扬天下，世间流传下他的兵法。

【评点】 "马陵之战"，是战国中期发生的一次大战役，《田敬仲完世家》、《魏世家》、《孙子吴起列传》从不同角度作了生动的记载。当时魏国强大，魏惠王有重新统一三晋的意图，他攻破韩、赵联盟，压服赵国，韩国处于危急之中。当时秦国经过商鞅变法，日渐强大，东方齐国也走向兴盛。齐秦都不愿三晋统一，不愿魏国强大。魏国处在四面交敌之中。齐国既不愿独挡魏国锋芒，又不愿魏国并韩，于是采取了韩魏苦斗，从中渔利的策略，即挽救韩的战略。第一段文字摘自《田敬仲完世家》，齐国君臣的破魏谋略；第二段摘自《孙子吴起列传》，写孙膑先示敌以弱，而后如狡兔奔腾，彻底歼灭魏军的战役战术。自始至终都以实力为后盾，以智谋取胜，突出了孙膑外交和军事的超人智谋。

【火牛阵】田单乃收城中得千余牛，为绛缯衣，画以五彩龙文，束兵刃于其角，而灌脂束苇于尾，烧其端。凿城数十穴，夜纵牛，壮士五千人随其后。牛尾热，怒而奔燕军，燕军夜大惊。牛尾炬火光明炫耀，燕军视之皆龙文，所触尽死伤。五千人因衔枚击之，而城中鼓噪从之，老弱皆击铜器为声，声动天地。燕军大骇，败走。齐人遂夷杀其将骑劫。燕军扰乱奔走，齐人追亡逐北，所过城邑皆叛燕而归田单，兵日益多，乘胜，燕日败亡，卒至河上，而齐七十余城皆复为齐。乃迎襄王于莒，入临菑而听政。（卷八二《田单列传》/2455页）

【译文】 田单于是从城中征集了一千多头牛，给它们披上大红绸绢制的被服，在上面画上五颜六色的蛟龙图形，又在牛角上绑好锋利的刀子，把渍满油脂的芦苇绑在牛尾上，点燃末端。在城墙上凿了几十个洞穴，趁夜间把牛从洞穴中赶出，派精壮士兵五千人跟在火牛的后面。牛尾已被烧得发热，火牛狂怒飞跑着冲向燕军，燕军在夜间惊慌失措。牛尾上的火把将夜间照得如同白昼，燕军看到它们都是龙纹，所触及的人不是死就是伤。五千士兵趁势悄然无声地杀人，城中的后援士兵击鼓呐喊，紧紧地跟在后面，甚至老弱妇孺都手持铜器，击打助威，喊杀声惊天动地。燕军大为惊骇，败溃逃跑。齐人于是击杀了燕军主将骑劫。燕军乱纷纷逃命，齐人乘胜追击，所经过的城镇都背叛燕军归服了田单。田单的兵力日益增多，不断扩大战果，燕军日益败退，终于退到黄河边上，原来齐国的七十多座城池全都收复了。于是田单到莒城迎接齐襄王，进入临淄处理政务。

【评点】 这就是历史上著名的火牛阵。田单深谋远虑，用奇计破敌，“火牛阵”达到奇谋的高潮。“兵以正合，以奇胜。”这是司马迁写《田单列传》的关节。齐人败逃，田单以铁笼车轴得脱，说明他处事之“奇”，善用智术。田单拜将，首先用反间计使燕人自毁长城，逼走良将乐毅，然后遗食米以集飞鸟，拜神师，壮我军心，用“宣言”使燕人中计，最后用火牛陷阵，出奇取胜，大破燕军于即墨，乘胜追亡逐北，光复了齐国。通篇写一“奇”字，火牛阵驱牛作战，奇中之奇，表现了司马迁的兵略思想，即用兵打仗，要慎择良将，以计取，以奇胜。

【秦赵阏与之战】秦伐韩，军于阏与。王乃令赵奢将，救之。兵去邯郸三十里，而令军中曰：“有以军事谏者死。”秦军军武安西，秦军鼓噪勒兵，武安瓦屋尽振。军中候有一人言急救武安，赵奢立斩之。坚壁，留二十八日不行，复益增垒。秦间来入，赵奢善食而遣之。间以报秦将，秦将大喜曰：“夫去国三十里而军不行，乃增垒，阏与非赵地也。”赵奢既已遣秦间，乃卷甲而趋之，二日一夜至，令善射者去阏与五十里而军。军垒成，秦人闻之，悉甲而至，军士许历请以军事谏，赵奢曰：“内之。”许历曰：“秦人不意赵师至此，其来气盛，将军必厚集其阵以待之。不然，必败。”赵奢曰：“请受令。”许历曰：“请就铁质之诛。”赵奢曰：“胥后令邯郸。”许历复请谏，曰：“先据北山上者胜，后至者败。”赵奢许诺，即发万人趋之。秦兵后至，争山不得上，赵奢纵兵击之，大破秦军。秦军解而走，遂解阏与

之围而归。(卷八一《廉颇蔺相如列传》/2445 页)

【译文】　秦国进攻韩国，军队驻扎在阏与。赵王派赵奢为将，领兵救援，赵军离开邯郸三十里，赵奢发下军令说："有谁来对军事提出建议的处以死刑。"秦军推进在武安县西，演习训练，擂鼓呐喊之声，把武安屋上的瓦片都震动了。赵军中一个侦查人员建议火速救援武安，赵奢立即把他斩杀，赵军坚守营垒，停留了二十八天不向前进发，还在加固营垒，秦军间谍潜入赵军营垒，赵奢抓获后用好饭好菜款待，放他们回去。秦军间谍向秦军将领报告了这些情况，秦军将领十分高兴，说："离开国都三十里就驻扎下来不向前走，还加固营垒，阏与不再是赵国的土地了。"赵奢打发走秦国间谍以后，就令士兵卸下铁甲，轻装快速前进，两天一夜赶到前线，派出一支善射的队伍前进到离阏与五十里的地方构筑阵地。军垒建成以后，秦军才知道这一消息，全军涌上来攻击。军士许历请求进献军事建议，赵奢说："让他进来。"许历说："秦军没有想到赵军突然来到这里，他们来势很猛，将军一定要集中兵力加强阵地等待敌军。如果力量不集中，一定失败。"赵奢说："我采纳你的建议。"许历说："请求按军令处我死刑。"赵奢说："等回到邯郸以后再处理。"许历请求再提一条建议，说："先占领北山要地的一方取胜，后到的一方要失败。"赵奢答应了，立即发兵一万抢占北山。秦兵后到了一步，争夺北山没有得逞，赵奢发令全线出击，大败秦军。秦军撤围逃走，赵奢解了阏与之围，班师回国。

【评点】　战国时秦军作战极为英勇，国策奖励耕战，国家设军功爵二十级，斩敌一首，晋爵一级，高爵者为官为将，加之秦边胡戎，关西战马肥壮，军队素质及装备优于东方各国。秦国骑兵无敌于天下，所以要取胜秦军，没有勇力不能与秦军交战，单凭勇力也不能取胜秦军。阏与，在今山西和顺县西北，地形险阻，秦军优先占据，以至于名将廉颇、乐乘都认为不好打。赵奢出战，离邯郸三十里驻停，意在麻痹敌人，赵军只取守势，保卫国都，不敢向前，以便于出其不意。赵奢下了一道奇特命令，不准人对军事提建议，侦察人员提出往救，触犯军令被杀头，可以说这是借人头以肃号令。赵奢停军于国门二十八日，让秦军屯兵在坚城之下消耗士气，赵军却养精蓄锐，以逸待劳。决战来临，赵奢急行军推进，就像脱弦的弓箭一样迅疾。这正如《孙子兵法》所说，善于用计作战的将军，先要示敌以弱，就像一个处女；决战之时要迅速行动，就像一只兔子奔逃那样快速。阏与之战，赵奢与秦将斗智斗勇，非常精彩地使用了这一军事原则。所以打得非常漂亮，因功封马服君。

【长平之战】四十七年，秦使左庶长王龁攻韩，取上党。上党民走赵。赵军长平，以按据上党民。四月，龁因攻赵。赵使廉颇将，廉颇坚壁以待秦。赵王数以为让。而秦相应侯又使人行千金于赵为反间，曰："秦之所恶，独畏马服子赵括将耳，廉颇易与，且降矣。"赵王因使赵括代廉颇将以击秦。秦闻马服子将，乃阴使武安君白起为上将军，而王龁为尉裨将，令军中有敢泄武安君将者斩。赵括至，则出兵击秦军。秦军佯败而走，张二奇兵以劫之。赵军逐胜，追造秦壁。壁坚拒不得入，而秦奇兵二万五千人绝赵军后，又一军五千骑绝赵壁间，赵军分而为二，粮道绝。而秦出轻兵击之。赵战不利，因筑壁坚守，以待救至。秦王闻赵食道绝，王自之河内，赐民爵各一级，发年十五以上悉诣长平，遮绝赵救及粮食。至九月，赵卒不得食四十六日，皆内阴相杀食。来攻秦垒，欲出。为四队，四五复之，不能出。其将军赵括出锐卒自搏战，秦军射杀赵括。括军败，卒四十万人降武安君，武安君计曰：

"前秦已拔上党，上党民不乐为秦而归赵。赵卒反复，非尽杀之，恐为乱。"乃挟诈而尽坑杀之，遗其小者二百四十人归赵。前后斩首虏四十五万人。赵人大震。（卷七三《白起王翦列传》/2334～2335 页）

【译文】　秦昭王四十七年（前 260），秦国派左庶长王龁进攻韩国，夺取了上党郡。上党的百姓纷纷逃往赵国。赵国出兵长平，用以接应安置上党百姓。四月，王龁进攻赵国。赵国派大将军廉颇领兵拒敌。廉颇固守营垒，用以抵御秦军，赵王多次责备廉颇不出战。这时秦相应侯范雎，派出间谍携带千金重资到赵国去施行反间计，煽动流言说："秦国最伤脑筋的，就是怕马服君的儿子赵括担任将领，廉颇容易对付，他就要投降了。"赵王于是派赵括代替廉颇领兵抗击秦军。秦国听到赵国派马服君的儿子为将，就暗中派武安君白起为主将，而让王龁为副将，下令军中有敢于泄漏白起为主将的人格杀无赦。赵括到任，就发兵攻击秦军。秦军假装败走，另分出两支突击部队出其不意袭击赵军。赵军乘胜追击秦军，直抵秦军驻屯的营垒。秦军营垒防守坚固，无法攻入，这时秦军的两支突击部队进入战斗，一支二万五千人绕出在赵兵的背后，切断退路，另一支五千骑兵隔断赵军营垒的后援部队，赵军被分割为两部分，粮道也被切断了。秦军完成对赵军的分割包围后，派出轻装精兵进攻赵军，赵军交战失利，只好筑垒坚守，等待援军。秦昭王听说赵军的粮道被切断，亲自前往河内坐镇，悬赏民爵一级，征发年满十五以上的男子全部开赴长平增援，拦截赵国的援军及粮饷。到了九月，赵军断粮四十六日，军内士兵暗中残杀以人肉充饥。濒临死亡的赵军主将扑向秦军营垒，打算突围。赵军组织为四层梯队，轮番冲杀了四五次，无法冲杀出去。赵军主将赵括组织最精锐的战斗队，亲自率领打肉搏战，秦军射杀了赵括。赵括军全线败退，士兵四十万人向武安君投降。武安君与部属商议说："先前秦军已经攻破上党，上党民众不乐意为秦民而归附赵国。赵国的士兵反复无常，不把他们全部杀死，恐怕要作乱。"于是使用欺骗手段把他们全部活埋了。留下未成年的二百四十人回到赵国。这场大战，秦军前后斩杀赵军四十五万人，赵国上下一片惊慌。

【评点】 “长平之战”是战国中后期一场大血战。赵国地处中原为四战之地，兵精将勇，横拦住秦人的东出，所以秦赵主力决战是不可避免的，此战爆发在秦昭王四十七年，四至九月决战阶段就长达半年之久。双方全国总动员，赵军一方第一线兵力就达四十五万，秦国十五岁以上都被征发上前线，可见战斗之酷。双方都更易了主将。赵军主帅是赵王听信谗言，中秦反间计而更换，在政治上就打了败仗；赵王派了一个纸上将军去代替一位久经沙场的良将，在军事战略上又打了败仗；赵军断粮，齐不肯救，在外交上又打了败仗。反之，秦军秘密更换主将，以良将代庸将；暗中更换，麻痹赵军；战斗紧急时刻，秦昭王亲临前线坐镇，可以说是上下一心，举国一体，所以秦胜赵败。从此，东方六国日益衰弱，而至灭亡。

【李牧破匈奴】李牧者，赵之北边良将也。常居代、雁门，备匈奴。以便宜置吏，市租皆输入莫府，为士卒费。日击数牛享士，习射骑，谨烽火，多间谍，厚遇战士。为约曰：“匈奴即入盗，急入收保，有敢捕虏者斩。”匈奴每入，烽火谨，辄入收保，不敢战。如是数岁，亦不亡失。然匈奴以李牧为怯，虽赵边兵亦以为吾将怯。边士日得赏赐而不用，皆愿一战。于是乃具选车得千三百乘，选骑得万三千匹，百金之士五万人，彀者十万人，悉勒习战。大纵畜牧，人民满野，匈奴小入，佯北不胜，以数千人委之。单于闻之，大率众来入。李牧多为奇阵，张左右翼击之，大破杀匈奴十余万骑。灭襜褴，破东胡，降林胡，单

于奔走。其后十余岁，匈奴不敢近赵边城。（卷八一《廉颇蔺相如列传》/2450 页）

【译文】 李牧是镇守赵国北疆的一员良将，经常驻防在代郡、雁门郡，抗御匈奴。他有权设置官吏，防区内城邑的市租税收全部送到将军府，作为士兵的给养。每天都要杀几条牛来犒赏士兵，训练他们骑马射箭，严密看守烽火台，多派侦察人员，优待战士。订出规章说："匈奴如果侵扰边境抢掠，就立即退入营垒坚守，有擅自战斗捕获匈奴的斩首。"匈奴多次侵犯，报警烽火不敢懈怠，全军随即收缩营中固守，不敢应战。像这样过了好几年，也没有什么伤亡和损失。可是匈奴认为李牧是一个胆小将军，即使赵国守边士兵也认为主将胆小。守边士兵每天得到赏赐而没有出战，都希望与匈奴决一死战。李牧这才结集了精选的战车一千三百辆，精选的战马一万三千匹，敢于冲锋陷阵领百金重赏的战士五万人，能拉硬弓的优秀射手十万人，全部进行集中演习。同时让大批牲畜到处放牧，让百姓布满原野。匈奴派遣小股兵力实战侦察，李牧假装败走，丢下几千人给匈奴。单于听了这情况，率领大军入侵。李牧布下许多奇兵埋伏，张开左右两翼包围匈奴，装在口袋中打击，打败匈奴，杀敌十余万骑。接着乘胜灭了襜褴，打破东胡，收降林胡，单于远远逃走。从这以后十多年间，匈奴不敢靠近赵国的城邑。

【评点】 事载《廉颇蔺相如列传》所附李牧传。李牧爱护士卒，蓄聚士气，示敌以弱，长期备战，故能一战破敌。李牧是一个常胜将军，他多次打败秦军，既以智取，亦以勇胜。李牧是斗智的良将，曾官至赵相国，文武双全。秦灭赵，大将王翦不能取胜，设反间计，让赵王信谗杀害，赵军很快瓦解。战国时大战役的规模很大，步骑联合作战。李牧守边，仅在边境保卫战中，就动员了步骑近 20 万人，斩杀匈奴 10 余万骑，双方投入三四十万大军。

【巨鹿之战】项羽已杀卿子冠军，威震楚国，名闻诸侯。乃遣当阳君、蒲将军将卒二万渡河，救钜鹿。战少利，陈馀复请兵。项羽乃悉引兵渡河，皆沉船，破釜甑，烧庐舍，持三日粮，以示士卒必死，无一还心。于是至则围王离。与秦军遇，九战，绝其甬道，大破之，杀苏角，虏王离。涉间不降楚，自烧杀。当是时，楚兵冠诸侯。诸侯军救钜鹿下者十余壁，莫敢纵兵。及楚击秦，诸侯皆从壁上观。楚战士无不一以当十，楚兵呼声动天，诸侯军无不人人惴恐。于是已破秦军，项羽召见诸侯将，入辕门，无不膝行而前，莫敢仰视。项羽由是始为诸侯上将军，诸侯皆属焉。（卷七《项羽本纪》/307 页）

【译文】 项羽杀掉卿子冠军之后，威震楚国，名声传遍诸侯。于是派遣当阳君黥布和蒲将军统兵二万渡过漳河，援救巨鹿。初战顺利，陈馀再次请求增援。项羽就统率全军渡过漳河，凿沉所有渡船，砸毁锅甑，烧掉营垒，只携带了三天的干粮，用以向士兵表示只有死战求生，决不能存留一点退还之心。这样，一到巨鹿就包围了王离，与秦军发生白刃战，多次冲杀，切断了秦兵的交通道，打败秦兵，杀秦将苏角，活捉了王离。秦将涉间不向楚投降，自己烧杀而死。那时，楚兵雄冠诸侯。在巨鹿城下，诸侯援军扎下十余座营垒，都不敢出击交战。等到楚兵攻击秦军，诸侯军的将领都在营寨壁垒上观看。楚兵战士无不以一当十，楚军杀声震天，诸侯军无不人人胆战心惊。就这样秦军被打败了，项羽召见诸侯将领，他们进入辕门时，个个跪着前进，没有人敢抬头观望。由于这一次的战功，项羽开始成为诸侯的首席将领，各路诸侯军都从属项羽指挥。

【评点】 巨鹿之战，是项羽一生中最辉煌的战功。当时秦将章邯，已破陈王，杀项梁，围赵于巨鹿，手握雄兵二十余万，驻守长城的大军三十万由王离率领南下增援。赵国被团团围困，诸侯往救，没有人敢出击秦军。赵国破在旦夕。如果秦军得逞，历史将要走一段曲折的道路，全国人民将要更加蒙受无尽的苦难。项羽破秦，彻底摧垮了秦军主力，奠定了灭秦的基础。所以司马迁用夸张的笔触写出了楚军之勇，项羽之威，成为战争描写中的千古绝唱。钜鹿，"钜"，又作"巨"。

【彭城之战】汉王部五诸侯兵，凡五十六万人，东伐楚。项王闻之，即令诸将击齐，而自以精兵三万人南从鲁出胡陵。四月，汉皆已入彭城，收其货宝美人，日置酒高会。项王乃西从萧，晨击汉军而东，至彭城，日中，大破汉军。汉军皆走，相随入穀、泗水，杀汉卒十余万人。汉卒皆南走山，楚又追击至灵壁东睢水上。汉军却，为楚所挤，多杀，汉卒十余万人皆入睢水，睢水为之不流。围汉王三匝。于是大风从西北而起，折木发屋，扬沙石，窈冥昼晦，逢迎楚军。楚军大乱，坏散，而汉王乃得与数十骑遁去。(卷七《项羽本纪》/322页)

【译文】 汉王统帅五路诸侯军，共五十六万人，东进攻打楚国。项王得知消息，立即部署诸将攻打齐国，由自己亲率三万精兵南行，从鲁县出发，直指胡陵。四月，汉兵全都进入彭城，掳掠财货、珍宝和美人，每天摆酒设宴。项王绕在彭城之后，突然在西边从萧县发起进攻，清晨战斗开始，向东攻击汉军，逼至彭城，中午时分，大败汉军。汉军全线败逃，争相拥挤落入穀水、泗水，杀汉兵十多万人。汉军转向南山奔逃，楚军又追击到灵壁东南的睢水上。汉兵退却，被楚军挤逼，死亡惨重，有十多万人掉进了睢水，睢水因此堵塞不流。楚军将汉王包围了三重。这时大风从西北刮起，吹断树木，卷起房屋，飞沙走石，天昏地暗，迎面扑向楚军。楚军阵形大乱，包围被冲散，汉王才得以带领几十名亲兵骑士，突围逃去。

【评点】 彭城之战，发生在公元前205年。部，部勒，统率。五诸侯，颜师古谓常山王张耳、河南王申阳、韩王郑昌、魏王豹、殷王卬。以实数言之，刘邦东击项羽，非只颜说五王，尚有塞王欣、翟王翳，而还有山东齐国与北方赵已与楚战。此时诸侯，泛指项羽所封十八王。“五诸侯”，则以战国之数习惯言之，山东六国，去一则五。楚为六国之一，所以“五诸侯”，等于说天下之兵。刘邦部勒统领天下之兵东伐楚，由于项羽被陷在齐地，汉兵一路乘虚直入彭城。刘邦把大军摆在彭城以东、以南，严阵以待项羽回师，以及九江王黥布北上。这时项羽见老巢已破，手提轻骑，倍道兼程，绕在彭城之后，从西边发起进攻，把汉兵打了一个措手不及，出奇用兵，大获全胜。

【刘邦荥阳突围】汉王之败彭城，诸侯皆复与楚而背汉。汉军荥阳，筑甬道属之河，以取敖仓粟。汉之三年，项王数侵夺汉甬道，汉王食乏，恐，请和，割荥阳以西为汉。项王欲听之。历阳侯范增曰：“汉易与耳，今释弗取，后必悔之。”项王乃与范增急围荥阳。汉将纪信说汉王曰：“事已急矣，请为王诳楚为王，王可以间出。”于是汉王夜出女子荥阳东门被甲二千人，楚兵四面击之。纪信乘黄屋车，傅左纛，曰：“城中食尽，汉王降。”楚军皆呼万岁。汉王亦与数十骑从城西门出，走成皋。项王见纪信，问：“汉王安在？”信曰：“汉王已出矣。”项王烧杀纪信。（卷七《项羽本纪》/325～326页）

【译文】 汉王在彭城吃了败仗，诸侯全又附楚背汉。汉军驻守荥阳，修筑甬道通到黄河，用以取得敖仓的粮食。汉三年

(前 204)，项王多次切断汉军的交通甬道，汉王粮食匮乏，心里恐慌，请求讲和，要求把荥阳以西的地方割给汉王。项王想听从。历阳侯范增说："汉军容易对付了，如果现在不消灭它，以后一定会后悔。"项王就与范增立即包围荥阳。汉将纪信对汉王说："战事已经十分危急，请让我装扮成大王去诓骗楚兵，大王可以找机会冲出去。"于是汉王武装了两千多女子，在夜间从荥阳东门杀出去，楚军四面包围攻击。纪信乘坐天子的黄屋车，在车辕横木的左方插着用牦牛尾装饰的大旗，说："城中粮尽，汉王请求投降。"楚军齐声高呼万岁。这时汉王与数十个亲随骑兵从荥阳西门逃出，奔向成皋。项王见到纪信，问："汉王在哪里?"纪信说："汉王已经逃出城了。"项王烧死了纪信。

【评点】 楚汉相争，相持于成皋，史称成皋之战，刘邦突围荥阳是战役之一。汉王战略，是依凭地势，阻挡并吸引项羽在成皋，由韩信带兵从北方开辟第二战线，灭赵入齐对楚作战略迂回包围，在南边策动九江王黥布归汉，又派出彭越扰乱楚后方，使项羽四面受敌，穷于应付。范增说项王集中兵力打破汉军成皋防线，击退刘邦，正面突破，自然全盘皆活。项羽实施范增战略，赢得了攻占荥阳的胜利。正当楚兵乘胜进击之时，项羽中刘邦、陈平所使反间计，逼走范增，范增死，项羽无谋，此后楚军节节败退，被动挨打，不亡何待！汉王突围，纪信代死，说明了刘邦能团结士众，得臣下死力，怎能不赢得最后胜利！汉王一方的君臣团结，士众一心，与项王一方的君臣猜疑，士众离心，形成了鲜明对照。

【井陉之战】信与张耳以兵数万，欲东下井陉击赵。赵王、成安君陈馀闻汉且袭之也，聚兵井陉口，号称二十万。……韩信使人间视，知其不用，还报，则大喜，乃敢引兵遂下。未至井陉口三十里，止舍。夜半传发，选轻骑二千人，人持一赤帜，从间道萆山而望赵军，诫曰："赵见我走，必空壁逐我，若疾入赵壁，拔赵帜，立汉赤帜。”会其裨将传飧，曰：“今日破赵会食!”诸将皆莫信，详应曰：“诺。”谓军吏曰：“赵已先据便地为壁，且彼未见吾大将旗鼓，未肯击前行，恐吾至阻险而还。”信乃使万人先行，出，背水阵。赵军望见而大笑。平旦，信建大将之旗鼓，鼓行出井陉口，赵开壁击之，大战良久。于是信、张耳佯弃鼓旗，走水上军。水上军开入之，复疾战。赵果空壁争汉鼓旗，逐韩信、张耳。韩信、张耳已入水上军，军皆殊死战，不可败，信所出奇兵二千骑，共候赵空壁逐利，则驰入赵壁，皆拔赵旗，立汉赤帜二千。赵军已不胜，不能得信等，欲还归壁，壁皆汉赤帜，而大惊，以为汉皆已得赵王将矣，兵遂乱，遁走，赵将虽斩之，不能禁也。于是汉兵夹击，大破虏赵军，斩成安君泜水上，禽赵王歇。（卷九二《淮阴侯列传》/2615～2616 页）

【译文】 韩信和张耳统兵数万，想要向东占领井陉，进攻赵国。赵王、成安君陈馀听说汉军将要来袭击自己，就在井陉口集结军队，号称二十万。韩信派出暗探侦察，知道成安君没有采纳广武君的计策，回营报告，韩信非常高兴，才敢径直进兵，来到离井陉口三十里的地方宿营，半夜时传出号令，挑选轻骑二千人，每人手拿一面红旗，从小道上山，利用草木隐蔽监视赵军。告诫说：“赵军见我退走，一定倾巢出动追赶我们，你们迅速进占赵军营壁，拔掉赵军旗帜，插上汉军红旗。”又命令副将传命全军吃一顿便餐，并宣布：“今天打败赵军后正式会餐。”诸将没有人相信，假装答应说：“好的。”韩信又对执法军官们说：“赵军已经抢先占据有利地势建立了军事阵地和营垒，再说，赵军在没见到我汉军大将旗鼓，就不会出击我们的先头部队，怕我们在险要的地方退回来。”韩信派出一万部队作先锋，出了井陉口，背靠河水摆开阵势。赵军望见汉兵的背水阵哈哈大笑起来。天刚蒙蒙亮，韩信摆出大将的旗号和战鼓，大张旗鼓走出井陉口，赵军打开营垒，攻击汉军，激战了很长时间。这时韩信和张耳假装丢弃旗鼓，逃回河边的阵地。河边守营汉军敞开营门让退下的汉军进入军营，然后再与赵军进行激战。赵军果然倾巢出击，争夺汉军的旗鼓，追击韩信、张耳，韩信、张耳已经进入了河边阵地，全军拼死奋战，赵军无法把他们打败。韩信预先派出去埋伏的两千轻骑兵，等着赵军倾巢出动去争夺战利品的时候，就冲进空虚的赵营，全部拔掉赵军的旗帜，竖立起两千面汉军旗帜。赵军已经不能取胜，未能捉住韩信等人，想退回营垒，营垒上插的全是汉军红旗，从而大惊，认为汉军把赵王及将领都俘获了，于是赵军大乱，四散逃走，赵将即使斩杀逃兵，也不能禁止奔逃。于是汉兵前后夹击，打败赵军，俘虏了大批人马，在泜水岸上杀了成安君，活捉了赵王歇。

【评点】 这是著名的楚汉相争中的井陉之战，韩信兵破赵王歇。韩信事先周密侦察，获得赵军主将陈馀不听广武君李左车的计谋，要打堂堂的阵地战，李左车劝陈馀避开汉军锋芒，坚守阵地不战，出一支奇兵绕在汉军背后切断粮道，这样不战可破汉军。陈馀不听，所以韩信敢于用奇。背水为阵，没有退路，只有死战，用以激发汉军士气，看起来是犯兵家之忌，实际是调动全军团结一致的用兵之法。如果对手不是一个书呆子，韩信置背水阵就是冒险。由于知彼知己，才敢于用奇。

【潍水之战】 齐王广、龙且并军与信战，未合，人或说龙且曰：“汉兵远斗穷战，其锋不可当。齐、楚自居其地战，兵易败散。不如深壁，令齐王使其信臣招所亡城，亡城闻其王在，楚来救，必反汉。汉兵二千里客居，齐城皆反之，其势无所得食，可无战而降也。”龙且曰：“吾平生知韩信为人，易与耳。且夫救齐，不战而降之，吾何功？今战而胜之，齐之半可得，何为止！”遂战，与信夹潍水陈。韩信乃夜令人为万余囊，满盛沙，壅水上流，引军半渡，击龙且，佯不胜，还走。龙且果喜曰：“固知信怯也。”遂追信渡水。信使人决壅囊，水大至，龙且军大半不得渡，即急击，杀龙且。龙且水东军散走，齐王广亡去。信遂追北至城阳，皆虏楚卒。（卷九二《淮阴侯列传》/2620～2621页）

【译文】 齐王田广、楚司马龙且两支部队合在一起与韩信作战，还没有交锋，有人劝说龙且说：“汉兵远离国土，拼死战斗，兵锋锐不可当。齐楚两军在本乡本土作战，士兵容易逃散。不如深沟高垒，坚守不出，让齐王派出他的亲信大臣去安抚已经沦陷的城邑，这些城邑的官民听说国王还在，楚兵来救，一定反抗汉兵。汉兵客居二千里之外，齐国城邑又都反抗他们，在这种形势下他们得不到食物，可以迫使他们不战而降。”龙且说：“我一向了解韩信的为人，容易对付的。再说援救齐国，不战而使对手投降，我的功劳在哪里？如今战胜了汉兵，齐国的一半可取得，为什么不战？”于是与汉兵交战，和韩信隔着潍水摆开阵势。韩信下令连夜赶制一万多条口袋，装满沙土，堵在潍水上游，带领一半军队渡过河去攻击龙且，假装战败，往回跑。龙且果然高兴地说：“本来就知道韩信是胆小鬼。”于是追击韩信，渡过潍水。韩信下令挖开堵塞潍水的沙袋，河水汹涌而来，龙且军大半没有渡过河去，韩信迅速回师猛攻，杀死了龙且。龙且留在潍水东岸的尚未渡河的部队，见势四散逃走，齐王田广也逃跑了。韩信追赶败兵直到城阳，把楚兵全部都俘虏了。

【评点】 此为楚汉潍水之战。是韩信经历的大战之一。龙且是项羽手下百战百胜的上将，他带兵打败了九江王黥布，安定了淮南地，奉命率二十万大军救齐，一战而败，楚国没有了后卫线，项羽震恐。潍水之战是楚汉战争的转折，从此，项羽处于劣势。此战韩信用水攻，以智取，以奇胜，速战速决，乘胜追击，显示了他的超人智慧。典故“韩信囊沙”出此。

【垓下之战】五年，高祖与诸侯兵共击楚军，与项羽决胜垓下，淮阴侯将三十万自当之，孔将军居左，费将军居右，皇帝在后，绛侯、柴将军在皇帝后。项羽之卒可十万。淮阴先合，不利，却。孔将军、费将军纵，楚兵不利，淮阴侯复乘之，大败垓下。（卷八《高祖本纪》/378～379 页）

【译文】 汉五年（公元前 202），高祖会合诸侯军共同进击楚军，与项羽在垓下决战。淮阴侯韩信率领三十万大军正面对战，孔将军在左翼，费将军在右翼，汉王领兵在后策应，绛侯周勃、柴将军又在汉王后面担任警卫。项羽之兵约有十万。淮阴侯首先与楚军交锋，不顺利，向后退却。孔将军、费将军从左右两翼拦腰夹击，楚军招架不住，淮阴侯乘势围攻上来，打败楚军于垓下。

【评点】 此为垓下之战的具体记述。项羽善于攻坚和打阵地战，行兵布阵，天下无敌。三年前项羽以精兵三万在彭城打败刘邦五十余万大兵，千里奔溃，势如山倒。韩信智勇双全，惯能以少击众，他在京索间设伏打败项羽，才稳住了阵脚，扭转汉军败局，使楚汉相持。三年后形势大变，汉强楚弱，垓下之战，韩信受命以三十万大军围困项羽十万之众，第一次以众击寡。韩信仍然用智，尽量用极少的代价取胜。他以孔将军、费将军张为两翼，亲自居中正面诱敌，佯装败退，拉长楚军战线，然后两翼合围，分割包围，一战败楚，把项羽逼上死路。入夜，韩信又四面楚歌，彻底瓦解项羽斗志，逼使项羽突围，自刎乌江。此战显示韩信又能指挥大兵团作战，带兵确是多多益善，创造了辉煌的战例。

昏暴第三十二

【引言】 昏暴篇，凡14条。所谓昏暴，指暴君、庸主。如果说明君、雄主是开国之君，那么暴君、庸主则大多是亡国之君。中国从远古传说的三皇五帝到清朝末代皇帝溥仪止，以及那些大大小小称王的人，据粗略统计，八百余人。《史记》上起黄帝，下讫汉武，记载各类国君诸侯四百余人。开国之君创业，亡国之君败家。开亡相承，演出改朝换代的大变革，无论是社会革命的变革，还是姓氏的改变，都是一场可歌可泣的活剧。因为改朝换代，总是社会的大动荡，置身于这一时代的千千万万的人民群众，都在大潮的席卷下升沉漂浮，人生所遇悲欢离合与苦难，无法用语言形容。众所周知，人民群众是历史的主人。然而，在专制制度下，人民总是处于被支配、被奴役的地位，除了在起义那一短暂的时间里他们能当家做主外，在其余的漫长岁月中，他们根本无法掌握自己的命运。而专制君王则享有至高无上的权力，掌握着生杀予夺大权，主宰着人民群众的命运，可以“一言以兴邦，一言以丧邦”，因而手握国家大权的君主，往往对历史的进程起着很大的作用，有时甚至起决定性的作用，而在封建统治社会，明君、雄主又是少数，而暴君、昏主是多数，他们统治的时间最长。再说雄主亦多暴，晚年又多昏。由此可以想见人民所受的苦难了。但是君主的权力尽管至高无上，却又不是无限的。任何君主在历史上的作用都要受到种种制约，而人民群众则是各种制约力中最主要的。“得民心者得天下，失民心者失天下”，昏暴之主倒行逆施，激起人民反抗，在平时显示不出制约力量的人民群众，在被逼得生路断绝而反抗时，会团结奋起，爆发出排山倒海的力量，一个个昏暴之主也免不了要上断头台了。如前所述，昏暴不限于亡国之君，故吕太后非人所为的暴虐，“人彘之祸”，予以采入。

帝桀之时，自孔甲以来而诸侯多畔夏，桀不务德而武伤百姓，百姓弗堪。乃召汤而囚之夏台，已而释之。汤修德，诸侯皆归汤，汤遂率兵以伐夏桀，桀走鸣条，遂放而死。桀谓人曰：“吾悔不遂杀汤于夏台，使至此。”汤乃践天子位，代夏朝天下。(卷二《夏本纪》/88页)

【译文】　帝桀在位时，天下诸侯自从孔甲以来已有许多背叛了夏，而桀又不修德行反用暴力伤害百官之族，百官不堪忍受。桀又把殷部族首领汤召来囚禁在夏台，不久又释放了他。汤修行德业，诸侯都归附汤，汤于是率兵讨伐夏桀。夏桀逃到鸣条，终于被流放而死。夏桀对人说：“我后悔当初没有把汤杀死在夏台，使我流落到这个地步。”汤于是登基天子之位，取代夏而使天下来朝。

【评点】　帝桀，夏朝的末代君主，不修德政而用暴力，自比于太阳，被汤放逐于鸣条。参见“是日何时丧”条。

是日何时丧，予与女皆亡。(卷三《殷本纪》/95页)

【译文】　这个太阳什么时候才灭亡，我宁愿和你一起灭亡。

【评点】　引《尚书·汤誓》之言。《汤誓》记载了汤王在“鸣条之野”发布灭夏战争动员的誓词。汤王此言，生动地表达了人们对夏桀暴政已不可忍受的愤怒心情。是，此，这个。日，夏桀自比太阳。丧，丧失，丧亡。女，通汝，你，指夏桀。

【酒林肉池】帝纣资辨捷疾，闻见甚敏，材力过人，手格猛兽；知足以距谏，言足以饰非；矜人臣以能，高天下以声，以为皆出己之下。好酒淫乐，嬖于妇人。爱妲己，妲己之言是从。于是使师涓作新淫声，北里之舞，靡靡之乐。厚赋税以实鹿台之钱，而盈钜桥之粟。益收狗马奇物，充仞宫室。益广沙丘苑台，多取野兽蜚鸟置其中。慢于鬼神。大冣乐戏于沙丘，以酒为池，悬肉为林，使男女倮相逐其间，为长夜之饮。（卷三《殷本纪》/105 页）

【译文】 殷帝纣天资聪颖，有口才，办事敏捷，理解能力很强，力气超过常人，能空手与猛兽格斗；他的智慧足够拒绝臣下的劝谏，他的言辞足够掩饰自己的过错；他向臣下夸耀自己的才干，在全国搞个人的绝对权威，认为全天下的人都不如自己。他嗜好喝酒，放荡作乐，宠爱女人。特别宠爱妲己，一切都听从妲己的。他让乐师涓不断制作新的淫逸音乐，鄙陋的舞曲，颓废的旋律。他加重赋税，充实鹿台的钱库和钜桥的粮食。多方收集狗马和新奇玩物，填满宫室。又扩建沙丘的园林楼台，大量捕捉野兽飞鸟放置在里面。对鬼神傲慢不敬。又调集戏乐在沙丘排演，用酒灌满池子，将肉悬挂成树林，让男女赤身裸体在其间追逐戏闹，饮酒寻乐，通宵达旦。

【评点】 成语“酒池肉林”出此。纣王文武双全，智足以拒谏，武力能搏猛兽，正由于此，自以为天下莫敌，荒淫昏暴之极，终于亡国。冣，读聚。

纣愈淫乱不止。微子数谏不听，乃与大师、少师谋，遂去。比干曰："为人臣者，不得不以死争。"乃强谏纣。纣怒曰："吾闻圣人心有七窍。"剖比干，观其心。箕子惧，乃详狂为奴，纣又囚之。殷之大师、少师乃持其祭乐器奔周。周武王于是遂率诸侯伐纣。纣亦发兵距之牧野。甲子日，纣兵败。纣走入，登鹿台，衣其宝玉衣，赴火而死。周武王遂斩纣头，悬之大白旗。（卷三《殷本纪》/108 页）

【译文】 殷王纣更加淫乱，没有止境。微子多次劝谏，纣都不听从，于是就与太师、少师商量，然后逃离殷王。比干说："作为君王之臣，不能不拼死谏诤。"于是极力劝谏纣王。纣王大怒说："我听说圣人的心脏有七个孔穴。"于是剖开比干的胸膛，取出他的心来观看。箕子害怕了，就装疯卖傻给人当奴仆，纣王又把他囚禁起来。殷的太师、少师拿着祭器、乐器逃到周国。周武王于是率领诸侯讨伐纣王。纣王也派出军队在牧野进行抵抗。甲子那一天，纣兵战败。纣王跑入宫中，登上鹿台，穿上他的珠宝玉衣，投火自焚而死。周武王赶到，砍下纣王的人头，悬挂在大白旗竿上示众。

【评点】 贤相良将，民之师表。纣王杀戮忠贤，人心丧尽，众叛亲离，终于亡国。武王伐纣，观兵孟津，不期而会有八百诸侯，但武王认为伐纣时机未到，因殷朝尚有贤臣。等到比干被诛，箕子装疯，微子及乐师逃走，纣王已成孤家寡人，于是武王一战而灭纣。微子名启，纣王庶兄，封国微。比干，纣王叔父，任少师之官。箕子，纣王叔父。微子、比干、箕子，纣王三位贤臣。

崇侯虎谮西伯于殷纣曰："西伯积善累德，诸侯皆向之，将不利于帝。"帝纣乃囚西伯于羑里。闳夭之徒患之，乃求有莘氏美女，骊戎之文马，有熊九驷，他奇怪物，因殷嬖臣费仲而献之纣。纣大悦，曰："此一物足以释西伯，况其多乎！"乃赦西伯，赐之弓矢斧钺，使西伯得征伐。曰："谮西伯者，崇侯虎也。"西伯乃献洛西之地，以请纣去炮格之刑。纣许之。（卷四《周本纪》/116～117页）

【译文】 崇侯虎在殷纣王面前说西伯的坏话，他说："西伯积累善事和德行，诸侯都归向他，这将对您不利啊！"殷帝纣就在羑里把西伯囚禁起来。闳夭等人十分忧虑西伯的安全，于是找来有莘氏的美女，产于骊戎的彩色骏马，以及有熊国的三十六匹良马，还有别的珍宝奇物，通过殷帝纣的宠臣费仲献给帝纣。帝纣很高兴，就说："其中一件物品足够换取释放西伯，何况宝物这么多！"于是赦免了西伯，还赐给他弓箭斧钺，让他征讨西边的诸侯，所以称西伯。纣还说："说西伯坏话的人是崇侯虎。"西伯献出洛水以西的土地，请求纣废除炮格的刑法。纣同意了。

【评点】 西伯被囚羑里，他的大臣闳夭等以奇物美女通过纣王宠臣费仲而献之纣，西伯姬昌不仅得释，还得到了主西方之政的权力。由此可见纣王的昏庸。西伯献洛西之地，请纣王除炮格之刑，则纣之暴，西伯之仁，皆示于天下。又可见纣之贪婪而愚蠢。炮格，亦称炮烙，纣王所设酷刑。

【民不堪命】"王行暴虐侈傲，国人谤王。召公谏曰：'民不堪命矣。'""殇公即位十年耳，而十一战，民苦不堪。"（卷四《周本纪》/142页；卷三八《宋微子世家》/1623页）

【译文】 周厉王实行暴虐的统治，奢侈骄傲，国都的民众纷纷议论他的过失。召公劝谏说："民众忍受不了你的政命了。"宋殇公即位不过十年罢了，却打了十一次战争，民众忍受不了这样的痛苦。

【评点】 "民不堪命"喻残暴的政令，已使民众到了不能忍受的地步。堪，忍受。命，指暴虐政令。典出《周本纪》，原载《国语·周语上》。“民苦不堪”实为“民不堪命”的演化，典出《宋微子世家》，原载《左传》桓公二年，宋大夫华督之言。

君偃十一年，自立为王。东败齐，取五城；南败楚，取地三百里；西败魏军，乃与齐、魏为敌国。盛血以韦囊，悬而射之，命曰“射天”。淫于酒妇人。群臣谏者辄射之。于是诸侯皆曰“桀宋”。“宋其复为纣所为，不可不诛。”告齐伐宋。王偃立四十七年，齐湣王与魏、楚伐宋，杀王偃，遂灭宋而三分其地。（卷三八《宋微子世家》/1632 页）

【译文】 宋君子偃十一年（公元前 318），自称为王。东面打败齐国，攻占了五座城；南面打败楚国，侵占三百里地；西面打败魏国，于是与齐、魏结下仇怨。宋君偃还用皮口袋装满血悬起来作箭靶子，称为“射天”。沉湎于酒色。凡是劝谏的大臣，都遭射杀。于是诸侯都称他为“桀宋”。说他“步纣王后尘，为所欲为，不可不杀”。诸侯通告齐国讨伐宋国。宋王偃即位四十七年（前 282），齐湣王与魏国、楚国联合起来讨伐宋国，杀了宋王偃，灭了宋国，被三家瓜分了。

【评点】 宋小国，夹在齐、魏、楚三大国之间，君偃擅自称王，与四邻大王为敌，又多桀纣之行，国灭身死，也就不足为奇。

太史公曰，吾闻冯王孙曰：“赵王迁，其母倡也，嬖于悼襄王。悼襄王废嫡子嘉而立迁。迁素无行，信谗，故诛其良将李牧，用郭开。”岂不缪哉！（卷四三《赵世家》/1833 页）

【译文】 太史公说：我听冯王孙说，“赵王迁，他的母亲是一个歌女，有宠于赵襄王。赵襄王废了嫡长子赵嘉而立了迁。迁一向行为不端，听信谗言，所以杀了良将李牧，任用郭开。”岂不是荒唐的吗！

【评点】 司马迁论赞之言。指出赵国之亡，是政治败坏，悼襄王废嫡立庶，是一个昏君，赵王迁更是一个无赖，他信谗言，杀良将。司马迁批判锋芒，甚至指向了他的母亲，表达了作者对昏君奸臣的愤恨。

【二世昏暴】赵高说二世曰：“先帝临制天下久，故群臣不敢为非，进邪说。今陛下富于春秋，初即位，奈何与公卿廷决事？事即有误，示群臣短也。天子称朕，固不闻声。”于是二世常居禁中，与高决诸事。其后公卿希得朝见，盗贼益多，而关中卒发东击盗者毋已。右丞相去疾、左丞相斯、将军冯劫进谏曰：“关东群盗并起，秦发兵诛击，所杀亡甚众，然犹不止。盗多，皆以戍漕转作事苦，赋税大也。请且止阿房宫作者，减省四边戍转。”二世曰：“吾闻之韩子曰：‘尧舜采椽不刮，茅茨不翦，饭土塯，啜土形，虽监门之养，不觳于此。禹凿龙门，通大夏，决河亭水，放之海，身自持筑臿，胫毋毛，臣虏之劳不烈于此矣。’凡所为贵有天下者，得肆意极欲，主重明法，下不敢为非，以制御海内矣。夫虞、夏之主，贵为天子，亲处穷苦之实，以徇百姓，尚何于法？朕尊万乘，毋其实，吾欲造千乘之驾，万乘之属，充吾号名。且先帝起诸侯，兼天下，天下已定，外攘四夷以安边境，作宫室以章得意，而君观先帝功业有绪。今朕即位二年之间，群盗并起，君不能禁，又欲罢先帝之所为，是上毋以报先帝，次不为朕尽忠力，何以在位？”下去疾、斯、劫吏，案责他罪。去疾、劫曰：“将相不辱。”自杀。斯卒囚，就死刑。（卷六《秦始皇本纪》/271～272页）

【译文】　赵高劝说二世皇帝：“先帝登基统治天下很久，所以群臣不敢做坏事，出坏主意。现在陛下正年轻，刚登基做皇帝，怎能与公卿大臣在朝廷上议决大事？议事如果有错，等于是向大臣暴露了短处。天子自称朕，本意就是征兆，不能让别人听到他的声音。”从此，二世经常住在深宫中与赵高决定各种大事。以后公卿大臣很少能够朝见皇上。“盗贼”日益增多，而关中士兵不断被征调到东边去打仗。右丞相冯去疾、左丞相李斯、将军冯劫进谏说：“关东各路‘盗贼’纷纷起事，朝廷发兵诛讨，杀死的人很多，但是还不能平息。‘盗贼’多的原因，都是戍边、运输、劳作太苦，赋税太重造成的。我们请求暂停阿房宫的修建，减轻四方的兵役与运输。”二世说：“我听韩非子说过这样的话：‘尧、舜用柞木做椽子，不刮削加工，茅屋不加修饰，吃饭用陶碗，喝水用瓦罐，即使是看门人的供养，也不会比这更差了。大禹开凿龙门，疏通大夏，疏导黄河淤积之水，引入大海，亲自扛着杵和锹参加劳作。小腿上的毛都被磨光了，即使是奴隶的劳苦，也不会比这更厉害了。’总之，人们之所以看重享有天下，就是因为能够放纵行为，尽情享受。君主最重要的就是修明法度，臣民不敢做坏事，就能稳稳地统治天下。提起虞、夏的君主，地位尊贵，名为天子，实际却处于穷苦之中，替百姓作牺牲，有什么值得效法的？朕身为万乘天子，却没有实际表现，我正要建造千乘的仪仗车驾，设立万乘的兵众，让实际与我的名号相符。何况先帝起身诸侯，统一天下，现在全国安定，对外抵御四夷使国境安宁，对内建造宫室显示成功的得意，你们都看到了先帝留下的这份功业。现今朕即位才两年，群盗纷起，你们不能禁止，又想停止先帝想要做的事，这样做，对上不能报答先帝，其次对朕没有尽忠，要你们在职位干什么？”于是把冯去疾、李斯、冯劫三人打入牢狱，追究其他罪过。冯去疾、冯劫说：“将相不能受到侮辱。”两人自杀了。李斯终于被囚禁，遭受了死刑。

【评点】 二世拒谏昏君，诛杀丞相冯去疾、李斯及将军冯劫。诛李斯始末，又见《李斯列传》。贾谊《过秦论》有言，“向使二世有庸主之行，而任忠贤，臣主一心而忧海内之患，缟秦而正先帝之过”，则“天下集矣”。如果秦二世在服丧期间就立即纠正始皇的过错，有平庸之才，也能守住天下。不料他昏暴愚甚，坚持始皇帝的错误，甚至变本加厉暴虐人民，拒绝李斯等人约法省禁、停止土木的谏言，加速了秦朝的灭亡。仍如贾谊所言：“秦王足已不问，遂过而不变。二世受之，因而不改，暴虐以重祸。子婴孤立无亲，危弱无辅。三主惑而终身不悟，亡，不亦宜乎？”

【二世被诛】乐将吏卒千余人至望夷宫殿门，缚卫令仆射，曰：“贼入此，何不止？”卫令曰：“周庐设卒甚谨，安得贼敢入宫？”乐遂斩卫令，直将吏入，行射，郎宦者大惊，或走或格，格者辄死，死者数十人。郎中令与乐俱入，射上幄坐帏。二世怒，召左右，左右皆惶扰不斗。旁有宦者一人，侍不敢去。二世入内，谓曰：“公何不早告我？乃至于此！”宦者曰：“臣不敢言，故得全。使臣早言，皆已诛，安得至今？”（卷六《秦始皇本纪》/274页）

【译文】 阎乐带领官兵一千多人来到望夷宫殿门前，将卫令长官抓起来责问说：“奸贼进宫，为什么不制止？”卫令回答说：“宫殿周围安置了卫兵，防守十分严密，怎会有奸贼进宫？”阎乐于是杀了卫令，带了官兵径直进宫，边走边放箭，值班的郎官、宦官大为震惊，有的逃跑，有的格斗，格斗的都被杀死，死了好几十人。郎中令陪着阎乐一同进入内宫，用箭射中秦二世坐殿的帷帐。秦二世大怒，召唤近卫侍从，近卫侍从都惶恐慌乱不敢格斗，四散逃走。秦二世身旁只有一个宦官，侍候一旁不敢离开。秦二世进入内室，对宦官说："你为什么不早来报告，竟然到了这样的地步！"宦官回答说："我不敢说话，所以才活到今天。如果我早说真话，早就被杀，哪能活到今天留在你身边！"

【评点】　秦二世昏庸残暴，用严刑峻法惩治臣民，他行督责之术，让臣民互相监督揭发，又用特务手段监视臣民，使得没有人敢讲真话，大权旁落于赵高手中。西汉成帝永始二年（前15），凉州刺史谷永上奏中有这样一段话："臣闻王天下、有国家者，患在上有危亡之事而危亡之言不得上闻，如使危亡之言辄上闻，则商、周不易姓而迭兴，三正不变改而更用。"国家最大的祸患是出现了危机而听不到挽救危机的言论，如果能使挽救危机的言论上达天子，那么夏、商、周三代就不会改朝换姓了。这道理，专制帝王没一个不清楚的，但理论认识是一套，躬身实践又是另一回事。人的理智往往被感情战胜，尤其是专制帝王，为所欲为成了习惯，如果没有制度约束，哪能听得进逆耳忠言，更何况是危亡之言？秦二世拒谏最为顽劣。他不但要臣下报喜不报忧，而且用重法和死刑对待说真话的臣民，谁要说山东起义如火如荼，谁就甭想活命。他只愿听赵高一个人的奉承假话，即使指鹿为马他也信以为真，甚至丞相李斯说了几句真话也遭杀头。就这样，他成了十足的孤家寡人。秦二世三年（前207），赵高发动政变，他诱骗秦二世离开京师咸阳，住到偏远的泾阳望夷宫，然后派女婿咸阳令阎乐带兵去围杀二世。秦二世在临死前与宦官的对话十分精彩。宦官的回答，说明了这样一个真理：统治者用死亡对待臣民，他永远也听不到真话，不是救亡之言不上达，而是上面不听救亡之言，那怎能不改朝换代呢！

【人头畜鸣】始皇既殁，胡亥极愚，郦山未毕，复作阿房，以遂前策。云"凡所为贵有天下者，肆意极欲，大臣至欲罢先君所为"。诛斯、去疾，

任用赵高。痛哉言乎！人头畜鸣。（卷六《秦始皇本纪》/292页）

【译文】 秦始皇死了以后，秦二世胡亥极其愚蠢，骊山陵还没修好，又大建阿房宫，以实现先帝的规划。他还说“凡占有天下贵为天子的人，就应该随心所欲干事，尽情享受，大臣们竟然想停止先帝想要干的事”。他杀了丞相李斯、冯去疾，重用宦官赵高。多么痛心啊，秦二世竟然这样讲话，简直是长着个人头，说话就像牲畜一样鸣叫。

【评点】 “人头畜鸣”，对暴虐之君的极度轻蔑，典出《秦始皇本纪》篇末衍文中语，读史者所发评论附入《史记》中。批评像秦二世这样的既昏又暴之君，简直是牲口。

嗟乎，悲夫！不道之君，何可为计哉！昔者桀杀关龙逢，纣杀王子比干，吴王夫差杀伍子胥：此三臣者，岂不忠哉？然而不免于死。身死而所忠者非也。今吾智不及三子，而二世之无道过于桀、纣、夫差，吾以忠死，宜矣。且二世之治，岂不乱哉！日者夷其兄弟而自立也，杀忠臣而贵贱人，作为阿房之宫，赋敛天下。吾非不谏也，而不吾听也。凡古圣王，饮食有节，车器有数，宫室有度；出令造事，加费而无益于民利者禁，故能长久治安。今行逆于昆弟，不顾其咎；侵杀忠臣，不思其殃；大为宫室，厚赋天下，不爱其费：三者已行，天下不听。今反者已有天下之半矣，而心尚未寤也，而以赵高为佐，吾必见寇至咸阳，麋鹿游于朝也。（卷八七《李斯列传》/2560～2561页）

【译文】 唉，可悲啊！无道的昏君，怎么能为他谋划呢！从前，夏桀杀关龙逢，纣王杀王子比干，吴王夫差杀伍子胥，这三位臣子，难道不是忠臣吗？但是都不免被害死。他们尽忠而死，因为忠非其人。现今我的智慧比不上三位尽忠的前贤，而二世皇帝的暴虐无道又超过了桀、纣、夫差三个暴君，我以尽忠而死，也就确定无疑了。何况二世治国，简直是胡来。不久前杀死了自己的兄弟而自立为皇帝，杀害忠良，尊贵贱人，修建阿房宫，对天下横征暴敛。我不是不谏，而是不听我的话呀。大凡古代圣明的帝王，饮食都有节制，车服器物有一定的数量，宫室有一定的限度；发布命令和兴办事情，增加费用而不利于百姓的一概禁止，所以能够长治久安。现在二世对兄弟都施加残暴，从不考虑后果；冤杀忠臣，也不考虑祸殃；大修宫殿，加重全国税收，不爱惜钱财；害亲、杀良、重税，这三件措施实行以来，天下百姓并不服从。现在造反的人已占了天下人的一半，而二世的思想还不觉悟，居然用赵高为辅佐，我一定会看到盗贼杀进咸阳，朝廷变成麋鹿嬉戏的地方。

【评点】　李斯在狱中自我反省并责备二世之言。李斯是秦二世的合谋者，等到自己受诬下狱时，才认识到秦二世是一个不可救药的昏暴之君，为时已晚。害亲、杀良、重税，这是秦二世的三大恶行，李斯的揭露，可谓反戈一击，切中要害。而秦二世却是李斯亲手扶上去的，二世为恶，李斯不可逃其责，他却把自己说成是忠臣，也可以说是至死不悟。

【咸阳一炬】项羽引兵西屠咸阳，杀秦降王子婴，烧秦宫室，火三月不灭，收其货宝妇女而东。（卷七《项羽本纪》/315 页）

【译文】　项羽领兵西进，洗劫咸阳，杀了秦降王子婴，烧毁了秦宫室，大火延续了三个月不灭，席卷了秦朝的财宝妇女向东而去。

【评点】　“咸阳一炬”喻王朝的覆灭和改朝换代的残酷。项羽灭秦二十七岁。血气方刚，加上家国之恨，十分残暴。又由于刘邦先入关，按楚怀王约，刘邦应做关中王，鸿门宴刘项和解，项羽迁怒秦人，掘始皇陵，烧咸阳，杀降王，大肆屠虐，把关中弄得极其残破，自己与秦民极端对立，只好掳掠而去。此举兆示项羽的失败不可避免。

【人彘之祸】太后遂断戚夫人手足，去眼，煇耳，饮喑药，使居厕中，命曰“人彘”。（卷九《吕太后本纪》/397 页）

【译文】 吕太后竟然砍断戚夫人的手脚，挖去眼睛，熏聋耳朵，灌了哑药，扔到猪圈里，称作“人彘”。

【评点】 彘，猪。人彘，把人变成猪。指权力之争，惨无人道。吕太后最恨汉高祖刘邦宠爱的戚夫人。刘邦死后，吕太后首先毒死了她所生儿子赵王刘如意，然后又制造“人彘”。吕太后儿子汉惠帝刘盈看后，受惊生病，再不理朝政，把政权交给了母亲吕太后。汉惠帝自戕身体，数年以后死了。吕太后得到了权力，失去了儿子。

奸佞第三十三

【引言】 奸佞篇，凡15条。奸佞，泛指奸险诈伪之臣，也包括人皮虎狼之性的贪官酷吏。司马迁认为孔子修《春秋》“以制义法，王道备，人事浃”（《十二诸侯年表》），又说“夫《春秋》上明三王之道，下辨人事之纪，别嫌疑，明是非，定犹豫，善善恶恶，贤贤贱不肖”（《太史公自序》），即惩恶劝善为后王立法，为人伦立准则。唐刘知几曰：“夫善人少而恶人多，其书名竹帛者，盖唯记善而已。至如四凶列于《尚书》，三叛见于《春秋》，西汉之记江充、石显，东京之载梁冀、董卓，此皆干纪乱常，存灭兴亡所系，既有关时政，故不可阙书。”（《史通·人物》）司马迁除附载各色奸佞之外，还专立了《佞幸》与《酷吏》之篇。可见司马迁对于反面人物提供的历史借鉴也是极为重视的。

昔帝鸿氏有不才子，掩义隐贼，好行凶慝，天下谓之浑沌。少皞氏有不才子，毁信恶忠，崇饰恶言，天下谓之穷奇。颛顼氏有不才子，不可教训，不知话言，天下谓之梼杌。此三族世忧之。

至于尧，尧未能去。缙云氏有不才子，贪于饮食，冒于货贿，天下谓之饕餮。天下恶之，比之三凶。舜宾于四门，乃流四凶族，迁于四裔，以御螭魅，于是四门辟，言毋凶人也。（卷一《五帝本纪》/36～37页）

【译文】 从前帝鸿氏有个不成才的后代，掩蔽仁义，内心残忍，好行凶作恶，天下人称他为浑沌。少皞氏也有个不成才的后代，毁弃信义，厌恶忠直，花言巧语，天下人称他为穷奇。颛顼氏也有一个不成才的后代，不可调教，不懂得好话坏话，天下人称他为梼杌。这三个家族，世人都害怕忧虑。在尧的时候，尧没能除掉他们。缙云氏也有一个不成才的后代，沉溺酒食，贪图财物，天下人叫他饕餮，十分憎恨他，与三凶并列。舜在都城四门接待宾客，公开流放了这四个凶恶的家族，把他们迁到遥远的四方边境，用以抵御像妖魔一样的边境恶人。从此，开放四门，大家都说，再也没有恶人了。

【评点】 打击奸恶才能伸张正义。善于治国的人，不只是树德，还应惩恶。舜能惩恶，又能任贤，所以“天下明德自虞舜始”。

夫利，百物之所生也，天地之所载也，而有专之，其害多矣。天地百物皆将取焉，何可专也？今王学专利，其可乎？匹夫专利，犹谓之盗，王而行之，其归鲜矣。荣公若用，周必败也。（卷四《周本纪》/141页）

【译文】 说到财利，它从天地万物中生出，是自然之物。如果有人独占了它，祸患就会多起来。自然界的财物人人都可享有一份，怎么能独占呢？现在大王要独占财利，这怎么可能呢？普通人独占财利，就要被称作强盗，大王独占财利，那归附的人就很少了。如果任用好利的荣公，周朝一定会衰败。

【评点】　语出大夫芮良夫谏周厉王专利之言，原载《国语·周语上》。周厉王信用小人荣夷公，赋敛于民，芮良夫谏，厉王不听，用荣夷公为卿士，果然祸乱京师。

【曹社之谋】伯阳三年，国人有梦众君子立于社宫，谋欲亡曹；曹叔振铎止之，请待公孙强，许之。旦，求之曹，无此人。梦者戒其子曰："我亡，尔闻公孙强为政，必去曹，无离曹祸。"及伯阳即位，好田弋之事。六年，曹野人公孙强亦好田弋，获白雁而献之，且言田弋之说，因访政事。伯阳大说之，有宠，使为司城以听政。梦者之子乃亡去。十五年，宋灭曹，执曹伯阳及公孙强以归而杀之。曹遂绝其祀。(卷三五《管蔡世家》/1573页)

【译文】　伯阳三年（前499），曹国有一个人梦见许多达官贵人站在土地神庙里，商量要灭亡曹国；曹叔振铎劝阻他们，请求等待公孙强，达官贵人们同意了。天亮以后，这个做梦的人在曹国城中寻找，没有公孙强这个人。做梦的人告诫他的儿子说："我死了以后，你听到有公孙强这个人当政，一定要离开曹国。不要遭遇曹国灭亡的灾祸。"等到伯阳登位，他爱好打猎。伯阳六年（前496），曹国有个乡下人叫公孙强，也十分爱好打猎，他猎获了一只白雁献给了伯阳，大讲射猎的乐趣，借以过问政事。伯阳高兴之极，非常宠爱公孙强，让他做司城来处理政务。做梦人的儿子于是逃离曹国。伯阳十五年（前487），宋灭掉曹，抓曹伯阳和公孙强回宋杀掉。曹国就灭亡了。

【评点】　"曹社之谋"喻国家灭亡，也省作"曹社"，典出《管蔡世家》所附《曹世家》。这个故事以托梦预见的寓言形式说明信用奸臣，荒于政事，国家必然灭亡。曹叔振铎，周武王之弟，封于曹，为曹国始祖。伯阳，曹国末代之主。众君子，诸达官贵人。

平王二年，使费无忌如秦为太子建取妇。妇好，来，未至，无忌先归，说平王曰："秦女好，可自娶，为太子更求。"平王听之，卒自娶秦女，生熊珍。更为太子娶。是时伍奢为太子太傅，无忌为少傅。无忌无宠于太子，常谗恶太子建。建时年十五矣，其母蔡女也，无宠于王，王稍益疏外建也。(卷四〇《楚世家》/1712 页)

【译文】 楚平王二年（前 527），委派费无忌到秦国为太子熊建娶妻。这个女子很美，前来楚国，还未到达楚都，费无忌赶在前头先回都，劝楚平王说："秦国女子非常漂亮，大王自己娶他，替太子另外找一个。"平王听从了，终于自己娶了秦国女子，生下熊珍。另外也给太子娶了妻子。这时伍奢为太子的太傅，费无忌是太子的少傅。费无忌不被太子爱宠，经常说太子熊建的坏话。此时熊建已长到十五岁，他的母亲是蔡国女子，不被平王宠爱，因此平王一天天疏远熊建。

【评点】 太傅，官名，太子的大师傅。少傅，太傅的副手。费无忌，本是太子熊建的师傅，他见楚平王不喜欢太子建的母亲，又妒嫉太傅伍奢的贤能，于是生出恶计，他利用到秦国为太子熊建娶妻的机会，怂恿楚平王夺儿子之妻，达到既有宠于平王，又铲除太子建及伍奢的目的，真是一箭三雕。楚平王好色，这一弱点被费无忌掌握。楚平王一步陷入，步步被无忌牵着走。杀伍奢，逐太子建，制造了楚国的政治动乱。伍奢之子伍子胥奔楚，二十年后，伍子胥借吴兵报仇，攻入楚都，鞭平王之尸，楚国差点灭亡。费无忌机关算尽，也自食恶果。他还没有等到伍子胥报仇，早在平王死后，昭王即位的元年就被楚国令尹子常杀死了。费无忌离间楚平王父子，谗害大臣，心狠手毒，计谋卑劣，而楚平王竟然信任他，皆因费无忌投其所好故也。

德施人之所欲，君其行之；刑罚人之所恶，臣请

行之。（卷四六《田敬仲完世家》/1884 页）

【译文】 施行恩德是大家所想往的，由您国君来发布；刑法制裁是大家都厌恶的，请让臣去执行。

【评点】 田常对齐平公说的话。田常为齐相，他杀了齐简公，立了平公，专齐之政。平公只是一个傀儡。他又让平公来发布徒有其名的施惠政令，让自己名正言顺执掌生杀之权，表面上代国君受过，实际上是夺姜齐的实权。行之五年，田常完全控制了姜齐政权，诛杀了政敌鲍氏、晏氏、监止以及公族中的强者。还割取大于平公的采邑之地为自己的封邑。姜齐已名存实亡，田常之孙终于代姜齐而为田齐。

公叔为相，尚魏公主，而害吴起。公叔之仆曰："起易去也。"公叔曰："奈何？"其仆曰："吴起为人节廉而自喜名也。君因先与试侯言曰：'夫吴起贤人也，而侯之国小，又与强秦壤界，臣窃恐起之无留心也。'武侯即曰：'奈何？'君因谓武侯曰：'试延以公主，起有留心则必受之，无留心则必辞矣。以此卜之。'君因召吴起而与归，即令公主怒而轻君。吴起见公主之贱君也，则必辞。"于是吴起见公主之贱魏相，果辞魏武侯。武侯疑之而弗信也。吴起惧得罪，遂去。（卷六五《孙子吴起列传》/2167～2168 页）

【译文】 公叔为魏国国相，娶了魏君的公主，然而心中仍然畏忌吴起。公叔的仆人说："赶走吴起很容易。"公叔说："怎么做？"他的仆人说："吴起为人高傲而且喜欢名誉。您找机会事先对魏武侯进言说：'吴起是一个有才能的人，而君侯的国家小，又和强秦接界，我个人认为吴起不会长久留在魏国。'武侯必定会说：'怎么办呢？'您就趁机对武侯说：'就用嫁公主的话试探他，如果吴起有心留在魏国，一定会答应娶公主，他没有心思留在魏国，一定要推辞。就用这办法可以试度他的真心。’完成了这一步，你再找机会邀请吴起一同退朝作客，就故意让公主生气怠慢您。吴起亲眼看到公主在客人面前轻视你，那么他一定会谢绝娶公主。”就这样，吴起亲眼看到了公主轻视国相，果然谢绝了魏武侯。魏武侯从此怀疑吴起，不再信任他。吴起害怕蒙罪，就离开了魏国。

【评点】 公叔及其仆，不顾国家安危，巧设奸谋让吴起和魏武侯都中入圈套，达到了排挤吴起的目的。俗话说："明枪易躲，暗箭难防。"有的暗箭是谗害中伤，有的却是甜言蜜语让你上当。"君子可以欺其方"，正直的人更容易上当。魏武侯与吴起，君臣皆称贤明，结果双双被公叔之仆俘获，小人之为言，快于利刃，这就是一个生动的例证。

秦二世尤以为娱。丞相李斯进谏曰："放弃《诗》《书》，极意声色，祖伊所以惧也；轻积细过，恣心长夜，纣所以亡也。"赵高曰："五帝、三王乐各殊名，示不相袭。上自朝廷，下至人民，得以接欢喜，合殷勤，非此和说不通，解泽不流，亦各一世之化，度时之乐，何必华山之騄耳而后行远乎？"二世然之。（卷二四《乐书》/1177页）

【译文】 秦二世沉迷娱乐达到顶点。丞相李斯劝谏说："不读《诗》、《书》，放纵声色，祖伊担忧的就是这个啊；不重视积小过可以铸成大错的道理，恣意地长夜乐舞，就是纣王灭亡的原因啊。"赵高说："五帝三王各有不同的乐曲，表示不相因袭。上至朝廷君臣，下至万民百姓，都用音乐来交流感情，表示友谊淳厚。若不凭藉音乐调和人的娱乐感情，皇上散布的恩泽就得不到流通。各个时代有各自的风气、各自的流行音乐，为什么一定要华山的千里马才远行呢？"秦二世十分赞赏这一番议论。

【评点】 司马迁记述赵高怂恿秦二世纵乐之言。李斯劝谏二世节欲，不要放纵声色，要以国事为重；赵高引导秦二世极乐恣意，以便窃取政权。正反意见，对照鲜明，而理智的语言与纵情的语言相较，显得贫乏而软弱，这不仅是赵高大奸似忠，将正言曲说，而且主要的内因是秦二世极乐尽欢。

严法而刻刑，令有罪者相坐诛，至收族，灭大臣而远骨肉；贫者富之，贱者贵之。尽除去先帝之故臣，更置陛下之所亲信者近之。此则阴德归陛下，害除而奸谋塞，群臣莫不被润泽，蒙厚德，陛下则高枕肆宠乐矣。计莫出于此。（卷八七《李斯列传》/2552页）

【译文】 实行严厉的法律和残酷的刑罚，让有罪的人互相株连，直到灭族，诛杀大臣而疏远你的骨肉兄弟，让原来贫困的人富起来，让原来卑贱的人尊贵起来。全部铲除先帝的旧臣，重新安置陛下亲信的人在身边任职。这样，他们会在内心深处感谢陛下的恩德，祸害自然根除，奸谋自然杜绝，群臣中没有哪个不蒙受陛下的恩泽，得到陛下的厚德，陛下您就可以高枕无忧，尽情享乐了。没有比这更好的主意了。

【评点】 赵高欺骗秦二世深居宫中，自除爪牙的奸谋。这套办法搞得秦廷人人自危，秦二世成了一个被赵高玩于股掌的傀儡，昏聩至极。赵高阴谋得逞，因为他大奸似忠，处处在替秦二世考虑，其实处处在为自己的奸谋开道，古代奸臣，莫不如此。由于人都喜欢听奉承话，大权在握的昏暴之主更听不进半句逆耳之言，这就是一代又一代昏主不能借鉴历史教训的原因。也就是昏主是集权政治的必然产物。雄略之主，晚年多昏，也是这样的。

【兴丞相叹】【观鼠兴汉】李斯者，楚上蔡人也。年少时，为郡小吏，见吏舍厕中鼠食不洁，近人犬，数惊恐之。斯入仓，观仓中鼠，食积粟，居大庑之下，不见人犬之忧。于是李斯乃叹曰："人之贤不肖譬如鼠矣，在所自处耳！"（卷八七《李斯列传》/2539页）

【译文】 李斯是楚国上蔡人。他青年时，担任郡里的小办事员，看见官衙厕所中的老鼠吃粪便，又接近人和狗，经常受到惊吓。李斯进粮仓察看，见到仓中的老鼠，吃着储存的粮食，住在大屋子里面，见不到人和狗的惊扰。于是李斯深有感触地叹息说："一个人有出息与没出息，用老鼠作比喻，就看你处在什么样的环境罢了。"

【评点】 李斯有大功于秦，辅佐秦始皇平定六国，但因他贪恋禄位，与赵高合谋篡改始皇遗诏，发动沙丘政变，拥立秦二世。反过来，赵高与秦二世忌李斯功高，以叛国罪诛灭了李斯全家。《李斯列传》写李斯一生活动。穿插四叹：见厕中鼠与仓中鼠一叹；贵为丞相担心物禁太盛，"喟然而叹"；与赵高合谋"仰天而叹"；临赴刑场，顾谓中子而叹。四叹活画了李斯患得患失的小人之叹，所以他死得很惨，而不足为惜。四叹以观厕中鼠与仓中鼠一叹最为典型，启动了他追逐名利地位要处仓中鼠而不择手段的心情，为他一身行事伏笔。后人以李斯故事概括为"兴丞相叹"，又作"观鼠兴叹"，作为咏鼠或逐利的典故。

夫贤主者，必且能全道而行督责之术者也。督责之，则臣不敢不竭能以徇其主矣。此臣主之分定，上下之义明，则天下贤不肖莫敢不尽力竭任以徇其君矣。是故主独制于天下而无所制也。能穷乐之极矣，贤明之主也，可不察焉！（卷八七《李斯列传》/2554页）

【译文】 贤明的君主，一定是能够全面地掌握为君之道，而又能对臣下实行督责统治的君主。实行督责，臣子就不敢不竭尽所能来效忠君主。这样，君尊臣卑的职分确定，上主下从的准则鲜明，那么天下的人，无论才能高低，都不敢不竭心尽力为君主效命了。这样，君主才能独断专行而不受任何约束，享受无穷的乐趣。贤明的君主怎么可以不懂得这样做呢？

【评点】 李斯上奏行督责之言。督责之术，督察臣子之过，治以严刑。也就是用特务监视和高压手段维护君主绝对权威。李斯为了迎合秦二世，不仅是助纣为虐，而且是教唆为虐。秦二世十分高兴，推行督责，全国恐怖，不久李斯本人被督责，全家被诛灭，真是搬起石头砸自己的脚，实在可悲。

且夫俭节仁义之人立于朝，则荒肆之乐辍矣；谏说论理之臣间于测，则流漫之志诎矣；烈士死节之行显于世，则淫康之虞废矣。故明主能外此三者，而独操主术以制听从之臣，而修其明法，故身尊而势重也。（卷八七《李斯列传》/2557页）

【译文】 再说让那些节俭仁义的人在朝中任职，那随心所欲的享乐就得停止；让敢于规谏而又有理论的人留在身旁，那放荡的心思就要受到压抑；让有节烈忠义品德的人在社会上显扬，那安逸享乐的思虑就得根除。所以圣明的君主排斥节俭、直言、烈士这三种人，独揽统治大权，控制驯服的臣子，建立严明的法制，那么他自己就更尊贵，权势就更威严。

【评点】 李斯上书秦二世《行督责书》中之言。李斯为了迎合二世，巩固自己的权势地位，上书二世独揽大权，排斥节俭、直言、忠烈之士，一味用严刑统治，他已不知不觉堕落成为一个奸佞之臣，一个助纣为虐的帮凶。而且二世只是赵高的傀儡，二世权力愈重，旁落给赵高则赵高愈尊，结果行督责，李斯自己投入了自己设置的督责法网，真是可悲。李斯式的人物，李斯式的悲剧，历代都有。只要有督责的政治存在，李斯的子子孙孙就会绵延不绝。

太史公曰：李斯以闾阎历诸侯，入事秦，因以瑕衅，以辅始皇，卒成帝业，斯为三公，可谓尊用矣。斯知六艺之归，不务明政以补主上之缺，持爵禄之重，阿顺苟合，严威酷刑，听高邪说，废嫡立庶。诸侯已畔，斯乃欲谏争，不亦末乎！人皆以斯极忠而被五刑死，察其本，乃与俗议之异。不然，斯之功且与周、召列矣。（卷八七《李斯列传》/2563 页）

【译文】 太史公说：李斯以一个平民身份游历诸侯，最后到了秦国，趁着秦统一六国的机会，辅佐秦始皇，终于成就了帝业，官至三公，可以说是受到了最尊贵的重用。李斯懂得六经的旨趣，但他不致力于修明政治，用以补救秦始皇的过失，却依恃尊贵的地位，曲意逢迎，推行严刑峻法，听信赵高的邪说，废了太子扶苏，奉立庶子胡亥。诸侯已经反叛，李斯才想起了劝谏，不是太晚了吗！人们都认为李斯竭尽忠诚而遭受五刑，考察前因后果，原来与流传的世俗说法很不一样。不然，李斯的功勋将和周朝的周公、召公相提并论。

【评点】 司马迁论赞之言。李斯，楚上蔡人，从荀卿学治国之术，精通申、韩法家学说，入秦事秦王，在秦的统一战争和建立中央集权制中做出了贡献。秦王称帝，号始皇，李斯为丞相。始皇帝死，李斯受赵高蛊惑，发动沙丘政变，篡改始皇遗诏，拥立秦二世。二世二年，李斯被诬以叛国罪受五刑而死。五刑，黥、刖、笞、斩首、碎尸。秦法，谋反大逆罪，被族灭者主犯要遍受五刑。李斯是一个悲剧人物，他有大功于秦，却受五刑而死，遭夷三族，真是悲惨。故世俗为李斯之死鸣不平，称他极忠而死。司马迁不赞同这种论调。他认为李斯之功固然可与周、召并列，但李斯无行。他逢迎秦始皇焚书坑儒，又与赵高合谋废嫡立庶，又阿谀二世行督责，把秦朝推向灭亡的深渊，自己也走上了毁灭的道路，是咎由自取，罪有应得，其死虽惨，固不足惜也！

【宁成乳虎】宁见乳虎，无值宁成之怒。（卷一二二《酷吏列传》/3145页）

【译文】 宁可看见母老虎，也不要碰上宁成发怒。

【评点】 宁成，汉武帝时酷吏。乳虎，产子的母虎，凶暴甚于平时。此典形容酷吏之残虐，甚于母虎。宁成为济南都尉，“其治如狼牧羊”。后来做函谷关都尉，盘查过往行人，十分苛酷，人们编了一联顺口溜来形容，就是“宁见乳虎，无值宁成之怒。”酷吏总是伴随雄才大略之君而出现，是集权政治的一种折射。所以司马迁在《酷吏列传》中往往用“上以为能”来点示，鲜明地揭露了酷吏的背后就是皇帝。《酷吏列传》集中写汉武帝一朝的酷吏，也就不难理解了。明写酷吏之暴，暗喻汉武帝之虐。这里选录三条以见一斑。

【不寒而栗】义纵为定襄太守。纵至，掩定襄狱中重罪轻系二百余人，及宾客昆弟私入相视亦二百余人。纵一捕鞫，曰“为死罪解脱”。是日皆报杀四百余人。其后郡中不寒而栗。（卷一二二《酷吏列传》/3146页）

【译文】 义纵被调任为定襄太守。义纵到任，掩捕定襄狱中身犯重罪而未下死囚牢的二百多人，以及私自探望他们的宾客、兄弟也有二百多人。义纵一律拘捕逼讯，说“替死囚犯解脱痛苦”。这一天全部判处杀头的四百多人。从这以后郡里的人不寒而栗。

【评点】 “不寒而栗”，指高度的政治压迫和恐怖统治，形容人们心理极度恐惧。汉武帝时酷吏义纵，在一个郡中一天杀灭四百余人。后世用典，对某种危险经历而心有余悸，也可说“不寒而栗”。

嗟乎，令冬月益展一月，足吾事矣！（卷一二二《酷吏列传》/3148页）

【译文】 唉，如果冬季再延长一个月，我就可以办完事啦。

【评点】 广平郡守王温舒之言。汉法惯例，立春之后禁止处决死刑。王温舒九月到广平郡上任，至十二月止，捕杀郡中豪强奸猾以及连坐的有一千多家，大的杀一家，小的杀本人，家产没收。杀人流血十余里，真是一个混世魔王。王温舒希望冬季多一个月可以多杀一些人。惩治奸猾豪强没有错，但刑法惨酷，株连无辜，不爱惜百姓生命，丧尽天良。后来王温舒犯罪，被诛杀五族，人心大快。

革命第三十四

【引言】 革命篇，凡25条。所谓“革命”，即革膺天命，有道伐无道。“革命”一词起源很早，有两个出处。一是《逸周书·克殷解》，记载周武王克商的告天之词，曰：“膺受大命，革殷，受天明命。”此为《史记·周本纪》所采。再是《周易·革卦》彖辞曰：“天地革而四时成，汤武革命，顺乎天而应乎人，革之时义大矣哉。”孟子倡言民贵君轻，肯定汤武革命诛杀桀纣是铲除独夫民贼。汉景帝时还有辕固生与黄生辩论汤武革命。其后汉武帝独尊儒术，董仲舒提出的三纲五常为人们行为的规范，臣民对君只是归服，民贵君轻已被束之高阁。在这种背景下，司马迁颂扬反暴，继承和发扬原始儒家民主性的精华，论述了系统的革命思想，为陈涉作世家，为遭受镇压的游侠翻案，肯定伍子胥的叛逆，称他为烈丈夫，都是超越了前人的新思想。本篇第一至第七条指出革膺天命的理论，人民有权抗暴。第八至第十一条，讲变革政治。第十二至第十四条，以伍子胥为例证，肯定臣下反抗暴虐国君的行为。第十五至第二十五条，以陈涉发难为重心，颂扬人民抗暴。

膺更大命，革殷，受天明命。（卷四《周本纪》/126页）

【译文】 我肩负改朝换代的重大天命，革除殷朝政权，完全接受上天的英明旨命。

【评点】 原载《逸周书·克殷解》。革命就是推翻失去天命的暴君，拥戴获得天命的仁德之君主登基，改朝换代。武王伐纣，陈涉首难，司马迁都称之为“革命”，并给予了充分的肯定和崇高评价。武王破朝歌，革命成功，亲自到纣王自焚之处，射箭三矢，而后又以剑破其头，悬首示众。武王还箭射纣王宠妾妲己等二人之尸，也是箭三发，断其头悬于小白旗上。司马迁津津记载，不以武王为暴，表现了对暴虐的忿恨，不处以极刑不足以平民愤。真可以说是一种彻底的革命思想。

告女，维天不享殷，自发未生于今六十年，麋鹿在牧，蜚鸿满野。天不享殷，乃今有成。（卷四《周本纪》/129 页）

【译文】 告诉你，上天不享用殷人的祭品，从我还没降生时起到现在已经六十年了，郊外野兽奔驰，田园上空全是飞鸟。上天不保佑殷朝，才有我们今天的成功。

【评点】 武王告诫周公之言。武王灭纣，革命成功。但是，夺取了政权，还不等于革命目的已经达到，安天下，乐太平才是终极目的。这段话是周武王对纣之所以失天下，周之所以得天下的反思，战战兢兢，不能入睡，生动地表现了武王、周公君臣励精图治的情怀。

或曰“东方物所始生，西方物之成孰”。夫作事者必于东南，收功实者常于西北。故禹兴于西羌，汤起于亳，周之王也以丰镐伐殷，秦之帝用雍州兴，汉之兴自蜀汉。（卷一五《六国年表序》/686 页）

【译文】 有人说：“东方与春季相配象征万物始生，西方与秋季相配象征万物成熟。”那就是说，起事的时候一定要在东南，获得成功的人则占有西北。所以夏禹从西羌兴起，商汤从亳兴起，周朝以丰镐作根据地灭了殷朝，秦朝据有雍州因而成了帝业，汉朝的建立，则是从更西的蜀汉兴起来的。

【评点】 司马迁评论历史变迁的观点。“或曰”是一种天命观。天在古人头脑中是一个既神秘而又复杂的哲学概念，没有人能够确切地把它说清楚。《史记》中的天，也有多种意义。单就《天官书》所论就有三种含义。一，指自然之天，如日月星辰，“三光”“五气”之“天变”。二，指命运之天，即运数周期，如“三十岁一小变，百年中变，五百载大变”。三，指意志之天，如天人感应之“形见应随”。司马迁对意志之天既相信，又怀疑，不完全肯定，也不完全否定。“东方物之所生，西方物之成孰”，司马迁引录以备其说，冠以“或曰”云云，表示了司马迁的疑问。《殷本纪》批评纣王倚恃“天命”而亡国，《项羽本纪》批评项羽引“天亡我”为“谬”，《伯夷列传》质问惩恶佐善的天道为虚无等等，都表明了司马迁在论人事变迁时对天命持怀疑态度。“夫作事者必于东南，收功实者常于西北”，这确是历史发展的轨迹。古代创业帝王，无不兴于西北。如禹兴于西羌，汤起于亳，周以丰镐而王，秦起雍州而帝，汉之兴自蜀汉，这是司马迁总括的上古历史。司马迁之后，有晋灭三国，先定西北之蜀，后灭吴；隋唐赵宋，兴于西北；蒙古兴起，先取西北；明清战略，偏重西北；抗战胜利，保有西北；共产党领导的革命，亦收功于西北。反之，项羽失败，弃守关中；南朝南宋，偏安江左，社稷不守；李自成南走，洪秀全顺流东下，轻视西北，终为亡虏。北方战胜南方，乃事之常；南方战胜北方，乃事之奇，如朱明北伐，民国勃兴。文化渊源，源于西北，故虞夏商周，重心在西北。蒙古高原，游牧南侵，华夏御边，战略重心在西北。内乱纷争，居高临下，西北处于有利形势。近代、现代，以至于未来，西北天地广袤，矿产丰富，提供开发舞台，生存空间，不容轻视。总之，“东方物之所生，西方物之成孰”，只不过是古人对中华民族发展的人文地理作了经验的唯心的解释罢了。司马迁补充了历史内容，发人深思，提供探索，则意味无穷。

王者易姓受命，必慎始初，改正朔，易服色，推本天元，顺承厥意。（卷二十六《历书》/1256页）

【译文】 改朝换代的帝王，十分重视初始，所以要更改历法，变易服色，推步历元，表示顺从天命。

【评点】 司马迁序论之言。由于历法与农业生产有密切关系，而古代农业又是国民经济的支柱，所以历代帝王十分重视历法的制定工作。改历，易服色，被视为天命所在，所以改朝换代就要重新制定新历法，用以表示新朝、新君得到了天命，从而附会上浓重的迷信色彩。古代历书，详细规定吉日凶日，敬礼天地百神等内容，原因正在于此。司马迁在《历书序》中，只对古代三正历法的理论及其发展，作纪实性的陈述，对五德终始和天道运数，略而不载，表现了他的科学精神。

夫桀纣虐乱，天下之心皆归汤武，汤武与天下之心而诛桀纣，桀纣之民不为之使而归汤武，汤武不得已而立，非受命为何？（卷一二一《儒林列传》/3122～3123页）

【译文】 那夏桀王、商纣王暴虐淫乱，天下百姓的心都归向商汤王、周武王，商汤王、周武王是顺应民心而诛除夏桀王、商纣王。夏桀王、商纣王的百姓不听从两王的使唤而归向商汤王、周武王，因而商汤王、周武王是不得已而登位，不是承受天命又是什么呢？

【评点】 汉代诗学博士辕固生之言。辕固生与道学博士黄生，两人在汉景帝面前辩论汤武革命。辕固生说汤武顺应民心诛除了暴乱之君桀纣符合天心，是承运革命。黄生反对汤武革命说，认为汤武是以臣弑君，他以冠履作喻，认为即使新鞋也不能代替破帽加在头顶上，所以臣不能犯君。关于二人辩论参阅本书《为政》篇“冠虽敝，必加于首”条。辕固生坚持了先秦早期儒家孟子学派的观点。孟子有民贵君轻说，认为暴君是独夫民贼，臣民革命，可以诛伐。齐宣王问孟子说，汤放桀，武王伐纣，是臣弑君，可乎？孟子回答说："闻诛一夫纣矣，未闻弑君也。"（《孟子·梁惠王下》）从孟子到辕固生，说明"革命"是先秦至汉初儒家的一个进步观点。司马迁发扬了这一进步思想，主张人民有革命的权利。司马迁热情讴歌陈涉的发难，在《太史公自序》中说："桀、纣失其道而汤、武作，周失其道而《春秋》作，秦失其政而陈涉发迹。诸侯作难，风起云蒸，卒亡秦族。天下之端，自涉发难。"

韩子曰："儒以文乱法，而侠以武犯禁。"二者皆讥，而学士多称于世云……今拘学或抱咫尺之义，久孤于世，岂若卑论侪俗，与世沉浮而取荣名哉！而布衣之徒，设取予然诺，千里诵义，为死不倾世，此亦有所长，非苟而已也。故士穷窘而得委命，此岂非人之所谓贤豪间者邪？（卷一二四《游侠列传》/3181；3182～3183 页）

【译文】 韩非子说："儒生用文辞来扰乱国家的法度，而游侠用暴力来违犯国家的禁令。"这两者都受到韩非的批评，但儒生往往为世人所称赞。其实当今的那些迂阔儒生，死抱着褊狭的一点点道义，长久地孤立于世俗之外，哪里比得上不唱高调，附合流俗，与世沉浮去猎取功名的人呢？而那些平民出身的游侠，却十分重视财物的取舍和答应承办的事。千里之外都在称赞他们的义气，为此而拼命，全不管世俗的议论，这也是他们的长处，而不是随意轻浮的行为。所以士人到了穷困受难的时候，就把性命交给游侠，这样的游侠难道不正是人们称颂的天地间的英雄豪杰吗？

【评点】 司马迁序论之言。韩非子在《五蠹》篇中，将儒与侠并论，认为二者的行为都违反国家禁令，应当加以管制。历史的发展，到了汉代，儒家学士很吃香，汉武帝罢黜百家，独尊儒术，对游侠却加以大力镇压。司马迁仍以儒侠并论，他不同于韩非子认为二者皆诛；也不同于现实政治，重儒而轻游侠。司马迁对二者均作了两点论分析，儒有正儒俗儒之分，侠有乡曲之侠与豪暴之徒之别。司马迁肯定传学的正儒，否定俗儒；肯定重然诺，受到乡曲人民爱护的游侠，而批判豪暴之徒。司马迁尤其赞扬游侠的扶危救难，言行必果的崇高品德，《太史公自序》说得最明确："救人于厄，振人不赡，仁者有乎；不既信，不倍言，义者有取焉。"游侠既仁且义，他们为受压迫、受冤屈的下层人民伸张正义，而不惜牺牲性命，难道不是英雄豪杰吗？司马迁对于游侠的歌颂越出了传统儒家思想，是在颂扬反暴精神。游侠正是封建社会法制瓦解下的产物，广大人民受屈受冤，呼告无门，转而寻求或寄希望于游侠的保护。司马迁颂游侠，是同情被压迫人民，鼓励和颂扬反暴，这正是《史记》人民性思想的表现之一。

周道衰废，孔子为鲁司寇，诸侯害之，大夫壅之。孔子知言之不用，道之不行也，是非二百四十二年之中，以为天下仪表，贬天子，退诸侯，讨大夫，以达王事而已矣。（卷一三〇《太史公自序》/3297页）

【译文】 周室的王道衰微了，孔子做了鲁国的司寇想振兴它，诸侯就陷害他，大夫就阻隔他。孔子知道自己的主张不被采用，王道不能推行，于是作《春秋》，在二百四十二年的记事中表明是非，作为天下的法则。他批评无道的天子，贬斥僭礼的诸侯，声讨犯上的大夫，用口诛笔伐来执行王道罢了。

【评点】 司马迁转述董仲舒之言，断章取义，实为司马迁之思想。司马迁认为，孔子怀抱济世之志，周游列国而不遇，于是退而修《春秋》，运用对历史的褒贬来为后王立法，达到在道德舆论上执行王道。"贬天子，退诸侯，讨大夫"，这三句是思想的核心。班固在《汉书·司马迁传》中，转录时删去"天子退"三字，成为"贬诸侯，讨大夫"，班固认为天子不可贬，无疑这更接近董仲舒思想原则，但不符司马迁思想。司马迁认为天子有过亦可贬，这正是作者革命性的思想内容。这里反映了两个史学家思想境界的差异。

“乡异而用变，事异而礼易。是以圣人果可以利其国，不一其用；果可以便其事，不同其礼。”“先王不同俗，何古之法？帝王不相袭，何礼之循？虙戏、神农教而不诛，黄帝、尧、舜诛而不怒。及至三王，随时制法，因事制礼。法度制令各顺其宜，衣服器物各便其用。故礼也不必一道，而便国不必法古。”（卷四十三《赵世家》/1808；1810页）

【译文】 “地方不同衣服器械就有变化，事势变化而礼俗随之更改。因此，圣人对于有利于国家的事，他的措施不必专一；如果可以便于行事，他的礼制不必相同。”“古代圣王礼俗不同，哪有现成的古法可以仿效？帝王们不互相沿袭，哪有现成的古礼可以遵循？伏羲、神农重视教化而不用刑罚，黄帝、尧、舜使用刑罚而不暴虐。到了夏禹、商汤、周武王，随着时代的变化而制定法度，根据事情的具体情况而制定礼仪。法度礼仪诏令各自顺应当时情况，衣服器械各自便于使用。所以礼制不必专守一个模式，便于国家就不必仿效古法。”

【评点】 以上两段语录原见《战国策·赵策二》第四章。它记叙赵武灵王胡服骑射与公子成、赵文、赵造反复辩论，说明制度要随时代变化，不可拘守古礼。前一段是武灵王与公子成辩论说的话，后一段是武灵王与赵文、赵造辩论说的话。司马迁采入《赵世家》，系年为赵武灵王十九年（前307）。当时赵国全境东北与东胡和燕国接界，东与中山及齐国接界，南与魏、韩、卫三国交错接界，北与楼烦、林胡接界，西与韩、魏两国交错接界。也就是赵国处四战之地，赵国如不发愤图强，那么胡人南下，或秦军东进，赵国都可能发生危险。春秋时作战以兵车为主力。战国时战争规模扩大，兵车昂贵，步兵成了主要兵种。步兵行动迟缓，快速机动和出其不意，莫过于骑兵。而赵人原来的长袍服装为长袖、肥腰、宽领口，不适于骑射。赵武灵王改胡服短装，束皮带，用带钩，穿皮靴，发展骑兵。这场军服的变革引发了一场移风易俗的政治变革。贵族公子成、赵文、赵造等人反对。公子成认为“胡服骑射”是“变古之教，易古之道，逆人之心。”赵文认为“衣服有常，礼之制也。”赵造认为“圣人不易民而教，智者不变俗而动”。赵武灵王坚持以理服人，耐心说服了公子成等人转变立场，支持变法，以成胡服之功。公元前306年，胡服骑射的第二年，赵国就西攻林胡，接着又并灭中山，成了战国中期的强国。

治世不一道，便国不法古。（卷六八《商君列传》/2229页）

【译文】 治理天下不能只用一种方法，有利于国家就不去效法古代。

【评点】 商鞅批驳保守分子杜挚之言。杜挚说：“没有百倍的利益，不变更旧法度；没有十倍的功用，不更换旧器物。”商鞅反对因循守旧，用历史事实驳斥了这种保守观点。商汤王、周武王不沿袭旧法度而统治了全天下，夏桀王、殷纣王不变更旧礼制而遭灭亡。夏商周三代礼制各不相同，都成就了王业；春秋五霸法度各不相同，却都成就了霸业。由此可见，反对古法的人不应受责难，拘守旧礼的人不应受称赞。秦孝公说，“好”，用商鞅做左庶长，推行了新法。

常人安于故俗，学者溺于所闻。以此两者居官守法可也，非所与论于法之外也……智者作法，愚者制焉；贤者更礼，不肖者拘焉。（卷六八《商君列传》/2229页）

【译文】 平常人安于旧的习惯，学究们拘泥于自己的见闻。这两种人奉公守法是无可非议的，但却不能跟他们谈论现成法律以外的事情……聪明的人创立法度，愚笨的人受它制约；能干的人变更礼制，无才的人受它的拘束。

【评点】 商鞅驳斥甘龙之言。甘龙，秦大臣，他以“圣人不易民而教，知者不变法而治”为由反对变法。商鞅认为，安于故俗者是平庸之人与书呆子，而不是智者，创立法度的人才是智者，有力地驳斥了甘龙。知，通“智”。智者，聪明智慧的人。

夫世异时移，事业不必同。（卷一三〇《太史公自序》/3291 页）

【译文】 不同的风俗习惯，随着时代在转移，事业也就必然不同。

【评点】 语出司马谈《论六家要指》之言。原意批评墨家过分节俭，在战国时代还提倡古朴的生活。墨家弟子许行曾经和孟子辩论，许行主张衣食住行都要亲自劳作，孟子用士农工商社会分工是时代的进步驳斥了许行。一个时代有一个时代的风俗习惯，生活节奏，一味效法古代是行不通的。跟上时代的推移，不断革新，才是正确的人生。

树吾墓上以梓，令可为器。抉吾眼置之吴东门，以观越之灭吴也。（卷三一《吴太伯世家》/1472 页）

【译文】 在我的坟旁栽种梓树，等到生长成材可以作器具的时候，就是吴国灭亡之日。挖出我的眼睛挂在吴都东门上，让我看到怎样灭掉吴国。

【评点】 吴大夫伍子胥临终之言。吴王夫差不听伍子胥劝谏，与齐晋争霸，国力削弱，坐视世仇越国强大。夫差还听信谗言赐死伍子胥。伍子胥临终时遗言树墓以梓，抉眼东门以观越兵之入，表现他对昏暴之君的叛逆精神。梓，是一种生长很快的树，表示吴国灭亡不须多久。抉眼挂东门，表现了伍子胥对冤死的不甘，死后也要报复。君王如此昏暴，敌人赶快打来好了。

吴兵入郢，伍子胥求昭王。既不得，乃掘楚平王墓，出其尸，鞭之三百，然后已。（卷六九《伍子胥列

传》/2176 页）

【译文】 吴兵攻入了楚国郢都，伍子胥四处寻找楚昭王。他没能抓到楚昭王，就挖开楚平王墓，拖出他的尸体，鞭打了三百下，这才平息了心头之愤。

【评点】 伍子胥名员，字子胥，楚大夫伍奢之子，伍尚之弟。楚平王信谗，无辜杀害伍奢、伍尚。伍子胥逃到吴国，借兵报仇。吴兵攻破楚都，这时楚平王已死，楚平王子熊珍即位，是为楚昭王。楚昭王出逃在外。伍子胥就挖开楚平王之坟，鞭尸报仇。伍子胥的朋友申包胥批评他："以臣犯君，不符大义，鞭打死人，更有违天道。"伍子胥回答说："我日暮途远，就是要倒行逆施。"意思是以暴抗暴，顾不了那许多。伍子胥的行为是一种自觉的抗暴叛逆精神。

太史公曰：怨毒之于人甚矣哉！王者尚不能行之于臣下，况同列乎！向令伍子胥从奢俱死，何异蝼蚁。弃小义，雪大耻，名垂于后世，悲夫！伍子胥窘于江上，道乞食，志岂尝须臾忘郢邪？故隐忍就功名，非烈丈夫孰能致此哉？（卷六六《伍子胥列传》/2183 页）

【译文】 太史公说：对人结下仇恨是十分危险的啊！为王的人尚且不能与臣下结仇，何况同等的人呢？假使伍子胥追随父兄一块死难，与蝼蚁没有什么差别。他不顾小节，终于为父报仇，洗刷了羞辱，留名后世，可叹啊！当伍子胥在江上受困，路上乞食的时候，他难道有片刻时间忘记郢都吗？所以他暗暗地忍耐着仇恨，终于成就了功名，若不是一个刚正的男子，又谁能做到这一步呢？

【评点】 司马迁论赞之言。怨毒，结下仇怨，指楚平王杀害伍子胥父兄。况同列乎，指楚令尹子西结怨于白公胜。白公胜为楚平王太子建之子。太子建无辜受谗被废，白公胜亦为其父报仇，杀楚令尹子西。故白公胜与伍子胥同传，司马迁附论及之。

窘于江上，道乞食：伍子胥奔吴，从昭关（今安徽含山北）往东过长江，差点被追上，幸亏一个渔夫把他送过江。又在路上生了病，乞食而行。烈丈夫，性情刚正的男子汉。伍子胥为报父兄之仇，而反抗君王，这是不符忠臣义士之行的。封建道德伦理认为，忠孝不能两全时，首先要尽忠。伍子胥尽孝而犯君按腐儒之见，大节有亏。司马迁认为是“弃小义，雪大耻”。原因是，伍子胥父兄贤明无罪，楚平王荒淫无道，故伍子胥雪父兄之耻，不仅仅是报个人之仇，而是反暴。暴君可诛，这是革命叛逆精神，这就是司马迁赞扬伍子胥的原因。

三十六年，荧惑守心。有坠星下东郡，至地为石，黔首或刻其石曰：“始皇帝死而地分。”始皇闻之，遣御史逐问，莫服，尽取石旁居人诛之，因燔销其石。（卷六《秦始皇本纪》/259页）

【译文】　秦始皇三十六年，火星行人心宿星空。有流星下坠到东郡，落在地上是一块大陨石，老百姓有人在上面刻了一行字说：“始皇帝死而地分。”秦始皇听说后，派遣御史抓人审问，没有人承认，于是把在陨石周围居住的人全部杀光，并焚毁了那块陨石。

【评点】　秦始皇三十一年（前216），始皇在京都咸阳微服出行遇盗，关中大索十日。三十六年（前211），东郡公开在陨石上刻“始皇帝死而地分”，说明人民反对暴秦，秦朝大厦将倾，在秦始皇身在之日，已经显出征兆。东郡，治所濮阳，在今河南濮阳西。

秦王既没，余威振于殊俗。陈涉，瓮牖绳枢之子，甿隶之人，而迁徙之徒，才能不及中人，非有仲尼、墨翟之贤，陶朱、猗顿之富，蹑足行伍之间，而倔起什伯之中，率疲散之卒，将数百之众，而转攻秦。斩木为兵，揭竿为旗，天下云集响应，赢粮而景从，山东豪俊遂并起而亡秦族矣。（卷六《秦始皇本纪》/281～282页）

【译文】 秦始皇死后，他遗留的声威还震慑着风俗各异的边远地区。陈涉不过是一个用破瓮作窗户、用草绳捆门枢的贫民儿子，是一个庄稼汉，被征发守边的戍卒，才能赶不上中等的人，没有仲尼、墨翟的才能，没有陶朱、猗顿的财富，跻身在行伍之中，起事于田野之间，率领疲劳涣散的士兵，指挥几百个民众，转过身来攻打秦朝。砍下树枝做武器，举起竹竿当旗帜，天下的人像云朵一样聚集起来，像回声一样响应起义，背负干粮，像影子不离身一样跟随着他，山东地区的英雄豪杰蜂拥而起，于是灭亡了秦朝。

【评点】 贾谊《过秦论》上篇之言。指出秦朝政苛民困，下怨而上不闻，土崩瓦解之势形成，一个普通的戍卒陈涉一声号召，就抛起了地动山摇的形势，灭亡了秦朝。这段文字描写了风起云涌的革命大潮，极为生动。“什伯”，两解。一，十人之长、百人之长，即陈涉起兴于戍卒之中。二，“什伯”，通“阡陌”，则言陈涉起于陇亩之中，即出身农民，译文从之。

且夫天下非小弱也，雍州之地，殽函之固自若也。陈涉之位，非尊于齐、楚、燕、赵、韩、魏、宋、卫、中山之君；鉏耰棘矜，非铦于句戟长铩也；适戍之众，非抗于九国之师；深谋远虑，行军用兵之道，非及向时之士也。然而成败异变，功业相反也。试使山东之国与陈涉度长絜大，比权量力，则不可同年而语矣。然秦以区区之地，千乘之权，招八州而朝同列，百有余年矣。然后以六合为家，殽函为宫。一夫作难而七

庙堕，身死人手，为天下笑者，何也？仁义不施而攻守之势异也。（卷六《秦始皇本纪》/282 页）

【译文】 再说秦朝的天下并没有变小削弱，雍州的土地，殽山和函谷关的坚固，依然如故。陈涉的地位，比不上齐、楚、燕、赵、韩、魏、宋、卫、中山各国的君主尊贵；锄把和木棍，不比钩戟、长矛锋利；流放守边的徒众，比不上九国的军队；深谋远虑、行军用兵的方略，也比不上六国时的谋士。但是成功与失败大不相同，功业成就完全相反。假使将山东六国与陈涉比一下长短大小，量一下权势实力，那简直是不可同日而语了。然而秦国凭着雍州那块小小的地盘，拥有仅仅一千辆兵车的权势，控制了八州而使与自己一样的六国诸侯来朝拜称臣，经历了一百多年。然后统一天下为一家，以殽山和函谷关为宫殿，没想到一个普通老百姓发难，就使秦国的七庙被毁掉，国亡身死让天下人耻笑，这是什么原因呢？这就是不实行仁义，不懂得夺取天下与守住天下的形势不同啊！

【评点】 贾谊《过秦论》上篇之言，讲仁义不施，攻守相异的道理。秦始皇统一天下，要传之万世，结果二世而亡。西汉王朝继承秦制，能否巩固政权，是当时理论上迫切需要回答的问题。贾谊向汉文帝上奏《过秦论》上、中、下三篇，就是回答这一问题的。《过秦论》通过总结秦王朝盛衰兴亡的历史经验教训，肯定了中央集权制度的进步性，同时又否定了个人过度集权的暴虐政治。贾谊指出：“今秦南面而王天下，是上有天子也。即元元之民冀得安其性命，莫不虚心而仰上。”中央集权制度，符合历史潮流，人心所向。那么秦朝为什么灭亡了呢？贾谊总结了三点原因，即《过秦论》上、中、下三篇。上篇，“仁义不施，攻守之势异也”；中篇，“危民易与为非”；下篇，“壅蔽之伤国也”。贾谊认为“并兼者高诈力，安危者贵顺权”，“取与守不同术也”。秦始皇用暴力统一天下，但不懂得用仁义治天下，而且变本加厉实行暴虐专政，秦二世因之不改，把全国人民推入火坑。所以陈涉起义，“而天下响应者，其民危也”。又由于秦朝“多忌讳之禁”，皇帝拒谏，没有人出来尽忠，秦朝也就不可避免地灭亡了。《过秦论》是西汉时人们评价秦朝政治得失的一篇定论之作，叙事论理堪称妙绝。其文气势磅礴，兴亡之理，对比强烈，分析透彻，论断明快，具有不可辩驳的逻辑力量，使人深信不疑。司马迁引下篇为《秦始皇本纪》赞语，后人又附上、中二篇于后。司马迁十分赞赏贾谊的观点。直到唐朝柳宗元作《封建论》，总结秦之亡，“失在于政，不在于制”，正是贾谊思想的阐发，也是古代理论家给秦亡原因打上的一个句号。

安民可与行义，而危民易与为非。（卷六《秦始皇本纪》引《过秦论》/284 页）

【译文】 生活安定的人民才可共同行仁义，处于危难之中的人民容易一起做坏事。

【评点】 贾谊《过秦论》中篇之言，讲“危民易与为非”的道理。安民，指生活在和平安宁社会中的人们。危民，指生活在社会动荡之时的人民。这两句话一正一反，说明了两个方面的意义。一方面是说，社会环境的好坏，直接影响人们的品德；另一方面说明，要想社会安定，必须使人民丰衣足食。孟子主张要让社会每一个公民都有一份生产资料，都能过上温饱的生活。他又说，如果人民没有一份保证生活的产业，人民就没有安定的心理，不能保持爱心。也说的正是这一道理。

【三户亡秦】楚虽三户，亡秦必楚。（卷七《项羽本纪》/300 页）

【译文】 楚国虽然只剩下三户人家，而灭亡秦国的一定是楚人。

【评点】 此为范增劝说项梁拥立楚国以反秦时说的话，假托为楚南公之言。公，是尊称，楚南公，即楚国南方的老人。三户，虚数，极言其少。战国时秦昭王与楚和亲，用骗术引诱楚怀王入秦，要挟割地，楚怀王不答应，客死于秦。秦军攻破楚都，屈原投江而死。楚国君臣的爱国行为，激发了楚国人民对虎狼之秦的仇恨。陈胜、吴广都是楚国人，秦末农民大起义在南方楚国地区爆发，楚南公之言正表达了当时人民的心声。后世用这两句话表明被压迫者不甘屈服，坚持反抗的决心和勇气，并必能战胜压迫者的信心。

【博浪飞椎】良尝学礼淮阳。东见仓海君。得力士，为铁椎重百二十斤。秦皇帝东游，良与客狙击秦皇帝博浪沙中，误中副车。秦皇帝大怒，大索天下，求贼甚急，为张良故也。良乃更名姓，亡匿下邳。（卷五五《留侯世家》/2034 页）

【译文】　张良曾经在淮阳学习礼仪，在东方结识了仓海君，聘得一个大力士，造了一个一百二十斤重的大铁锤。秦始皇巡游东方，张良和这个大力士暗中埋伏，在博浪沙地方袭击秦始皇帝，结果误中了一辆随从坐车。秦始皇大怒，下令全国大搜查，捉拿刺客十分紧急，这全是张良引起的事件。张良原姓姬，于是改名换姓叫张良，逃亡到下邳躲藏起来。

【评点】　"博浪飞椎"，喻敢于抗暴，用刺杀手段向强敌挑战，报仇雪恨。这是张良组织的一次刺杀秦始皇事件的浓缩，在当时震动全国。刺杀失败，株连无辜，张良重新思考，认真学习兵法，后来成为汉高帝谋士。失败的教训使张良政治上走向成熟。

民困而主不恤，下怨而上不知，俗已乱而政不修，此三者陈涉之所以为资也。（卷一一二《平津侯主父列传》/2956 页）

【译文】　人民贫困而国君不知体恤，下民怨恨而在上位的人不闻不问，社会秩序已经败坏而国家政治也不修明，这三项就是陈涉凭借的资本。

【评点】 徐乐上奏武帝《言世务书》之言。徐乐把人民大起义比做土崩，把诸侯叛乱比做瓦解，他认为天下之患在土崩，不在瓦解。秦朝末年，陈涉一个匹夫，既无尊贵的地位，又无一尺一寸的封地，既没有孔子、墨子、曾子的才智，又没有陶朱、猗顿的富有，他从贫困的乡间起事，挥舞着戟矛，光着胳膊一声呐喊，天下的人就闻风响应，这是什么原因？这就是瓦解，是人心思乱，是民困、下怨、俗乱，这些就是陈涉的资本。徐乐为此言，要求汉武帝不要穷兵黩武，不要过分使用民力，让老百姓的生活安定，否则一旦土崩之势形成，那就没法挽救了。

臣闻天下之患在于土崩，不在于瓦解，古今一也。何谓土崩？秦之末世是也。何谓瓦解？吴、楚、齐、赵之兵是也。此二体者，安危之明要也，贤主所留意而深察也。(卷一一二《平津侯主父列传》/2956～2957 页)

【译文】 我听说国家的忧患在于土崩，而不在于瓦解，古今是一个道理。什么叫土崩？秦末的社会就是土崩。什么叫瓦解？景帝时吴、楚、齐、赵等七国叛乱就是瓦解。把握这两种动乱的关系，是国家安危的根本所在，贤明的君主对此都是留意深察的。

【评点】 徐乐上奏武帝《言世务书》中之言。土崩，指全国人民大起义，好比房屋的基础墙壁坍塌，大厦必将倾覆。天下出现了土崩形势，人心思乱，只要有一个穷困的平民或者犯罪分子振臂一呼，就足以动摇天下，秦末农民起义就是例证。瓦解，指诸侯叛乱，好比是房屋瓦坏，虽然漏雨而不至坍塌。景帝时吴楚七国叛乱，百姓安稳，尽管诸侯叛军声势浩大，但只能令行境内，在境外得不到响应，皇帝照样可以高枕无忧。徐乐此论，对人民群众力量有清醒的认识，在当时是了不起的识见。

及至秦之季世，焚《诗》《书》，坑术士，《六艺》

从此缺焉。陈涉之王也，而鲁诸儒持孔氏之礼器往归陈王。于是孔甲为陈涉博士，卒与涉俱死。陈涉起匹夫，驱瓦合适戍，旬月以王楚，不满半岁竟灭亡，其事至微浅，然而缙绅先生之徒负孔子礼器往委质为臣者，何也？以秦焚其业，积怨而发愤于陈王也。（卷一二一《儒林列传》/3116～3117 页）

【译文】 到了秦朝末年，焚灭《诗》、《书》，坑杀儒生，《六艺》从此残缺。陈涉称王，鲁地的儒生带着孔子礼器去投奔他。于是孔甲做了陈王的博士，最后与陈王一起死难。陈涉从一个普通老百姓兴起，驱使着一群戍边的乌合之众，一个月之间就在楚地称王，但不到半年竟灭亡了，他的事业是微不足道的，然而士大夫们却带着孔子礼器归附他为臣，是什么原因呢？因为秦朝毁灭了他们的事业，积怨于秦朝因而下决心投靠陈王。

【评点】 秦始皇焚书坑儒，高压统治，死后人民大起义，白面书生也参加了起义队伍。孔甲，孔子的嫡传后代，他带领秀才造反，起了榜样作用。

陈胜虽已死，其所置遣侯王将相竟亡秦，由涉首事也。（卷四八《陈涉世家》/1961 页）

【译文】 陈胜虽然已经死了，但他所封立派遣的侯王将相终于灭掉了秦王朝，这是由于陈涉首先发动起义的结果。

【评点】 司马迁对陈涉首事的评价。首事，第一个发动起义。司马迁反复申说陈涉的首难之功。《秦楚之际月表序》云：“初作难，发于陈涉。”《太史公自序》：“天下之端，自涉发难。”陈涉起义，不到半年而亡，尽管“其事至微浅”，但“首事”之功不可没，司马迁特为之作“世家”，这确是伟大的识见。西汉政论家贾山在《至言》中说：“秦皇帝身在之时，天下已坏矣。”但没有人敢于发难。张良组织了刺杀活动，不敢公开反秦。项梁、项羽蓄志反秦，而起事却是借陈涉之势，不但晚了两个月，而且接受陈王的封号。刘邦、彭越、黥布等人也只是草泽为盗的形式反抗，不敢公开竖起大旗。相形之下，陈涉首事的大勇精神，可谓惊天地，泣鬼神，是值得歌颂的。

形势第三十五

【引言】　形势篇，凡20条。孟子有言："天时不如地利，地利不如人和。"（《孟子·公孙丑下》）古代政治家、历史家作形势分析，就掌握天时、地利、人和三个要素。例如诸葛亮"隆中对策"分析天下大势，就从天时、地利、人和三个方面分析敌我友，决定政治方针。天时包括政治总形势，历史发展趋势，时势机遇、机会等内容，也含有冥冥的天意与命运的内容。地利，指地理形势，包括山川险阻与物产、人文。人和，包括贤杰与人民归向，由逐鹿者或治国者用政治、政策导向。本篇第1至6条论天时，第7至第14条论地利，第16至第20条论人和。

说者皆曰魏以不用信陵君，故国削弱至于亡，余以为不然。天方令秦平海内，其业未成，魏虽得阿衡之佐，曷益乎？（卷四四《魏世家》/1864页）

【译文】　人们都说，由于魏王不用信陵君，所以国家一天天衰落至于灭亡。我认为不是这样的。正当天命由秦来统一中国的时候，魏国即使有伊尹那样的贤臣辅佐，又有什么益处呢？

【评点】　司马迁论赞之言。"天方令秦平海内"有两层含意：一指形势，即历史发展的趋势；二指天意。形势是人为，天意是宿命，这两层思想，司马迁兼而有之。他在《魏公子列传》中塑造了信陵君以一人之身系魏之安危的高大形象，带有强烈的主观色彩，文学重于史学。这里特地指出魏之存亡非魏公子个人之力所能挽回。秦人灌大梁，魏人坚持斗争三个月，说明力量不敌。这是司马迁实地考察获得的认识，并上升为理论，历史进程，形势已成，个人之力是无能为力的。朦胧地触到客观规律不以人的主观意志为转移，故暴戾之秦并灭天下。阿衡，商朝称国相为阿衡，这里是开国名相伊尹的代称。

论秦之德义不如鲁卫之暴戾者，量秦之兵不如三晋之强也，然卒并天下，非必险固便形势利也，盖若天所助焉。（卷一五《六国年表序》/685页）

【译文】 论理秦国的德义还比不上鲁国、卫国最横蛮的人，秦国的军队也不如韩、赵、魏三国强大，但是它终于统一了天下，这不仅是它依靠了地势的险要和时机的便利，而且好像是天在帮助它似的。

【评点】 这是司马迁对秦并六国所发表的评论。秦据关中，居高临下与六国争衡，进可攻，退可守，这是秦取得胜利的原因之一。但司马迁认为，地利形势，并不是秦并天下的主要原因，所以说“非必”也。秦是依靠暴力手段统一天下的，这与三代之君积德累善得天下完全迥异。秦取天下多暴而能得所欲，好像是天要这样做似的，所以说“盖若天所助焉”。秦得天之助，司马迁反复言之。《魏世家赞》云：“天方令秦平海内，其业未成，魏虽得阿衡之佐，曷益乎？”这里的“天”与“盖若天所助焉”之“天”为同一含义，是指天下形势之变，非个人之力所能挽回。秦国虽非“德义”之邦，但东方各国礼坏乐崩，兼并征伐不已，秦国却在献公之后“常雄诸侯”，东方贤人竟奔走于秦。战国之世，司马迁写了二十一传，秦国人物九传，差不多占了一半，而多数贤才非秦所产，岂非是天之所助？可见秦灭六国是一种必然趋势，即历史之变的事势，它是一种客观存在的运动力量。这种力量是长期历史的积累所形成的物质的和人为的力量总和。用今日科学的语言说就是“阶级斗争总形势”或“政治、军事、文化总力量的对比”。古代司马迁不可能具有这样的科学观点，故用一“天”字来说明，当然带有神秘的色彩。

【耳食之儒】秦取天下多暴，然世异变，成功大。传曰“法后王”，何也？以其近己而俗变相类，议卑而易行也。学者牵于所闻，见秦在帝位日浅，不察其终始，因举而笑之，不敢道，此与以耳食无异。悲夫。（卷一五《六国年表序》/686 页）

【译文】 秦朝统一天下虽然依靠暴力手段，但是时代不同，形势变了，却获得了成功。书传上说：“要效法后代的王”，为什么呢？因为它接近现代，礼法习俗有许多共通的东西，议论平易较易施行。现今的博士先生们局限在先王仁义的旧说里，只看到秦朝统治的时间短，而不考察它兴起失败的前因后果，就全盘否定当作笑料，不敢谈论秦朝的法制，这和用耳朵吃饭有什么两样呢？可悲啊！

【评点】 司马迁评论秦朝历史地位的议论。“传曰法后王”，本之于《荀子》之《儒效篇》：“法后王，一制度。”又《非相篇》：“欲观圣王之迹，则于其粲然者，后王是也。”孔孟主张宪章尧舜，而荀子主张法后代贤王是一大进步。但荀子主张的“法后王”又有所保留，只是法三代。《王制篇》说：“王者之制，道不过三代，法不贰后王，道过三代谓之荡，法贰后王谓之不雅。”司马迁引此是强调重视近现代史，要对秦朝作出正确的评价。汉代学者拘于耳食之见。诋毁秦朝是“余朝闰位”，说什么汉朝是“上继周统”，这都是违反历史事势之变的狂惑之言。司马迁反对暴政，批判了秦朝的焚书坑儒和严刑酷法，但对秦朝“法后王”，革新政治而富强，终于统一天下的历史功绩却作了高度的评价和肯定，颇具辩证的目光。司马迁认识到，在“强国相王”、“务在强兵并敌”的形势下，“秦取天下多暴”是必然的事势。司马迁的这一认识，在当时既是卓绝的，也是进步的。成语“耳食之儒”出此，用耳朵吃饭的书呆子，喻没有定见的庸人。

项羽王诸将之有功者，而王独居南郑，是迁也。军吏士卒皆山东之人也，日夜跂而望归，及其锋而用之，可以有大功。天下已定，人皆自宁，不可复用。不如决策东向，争权天下。（卷八《高祖本纪》/367页）

【译文】 项羽封赏有功的将领为王，单单将大王封在偏僻的南郑，这简直是流放。部队将士都是崤山以东的人，他们日夜踮起脚跟盼望东归，趁着这股锐气加以利用，可以建立大功。如果等到天下平定以后，人们都安居乐业了，就不好再利用了。不如立即决策向东进取，争夺天下。

【评点】 韩信说高祖回师关中，东向争天下之言。刘邦采纳其言，暗度陈仓，拉开了楚汉相争的序幕。这段话说明，争天下要抓住时机，机不可失，时不再来。干任何事业都是这样。

太史公读秦楚之际，曰：初作难，发于陈涉；虐戾灭秦，自项氏；拨乱诛暴，平定海内，卒践帝祚，成于汉家。五年之间，号令三嬗，自生民以来，未始有受命若斯之亟也。（卷一六《秦楚之际月表序》/759页）

【译文】 太史公研读秦楚之际的历史记载说：首先发难的是陈涉，用暴虐手段灭亡秦朝的是项羽，铲除祸乱，诛杀残暴，平定天下，终于登上帝位的是汉朝的刘邦。五年之间，发号施令的人更换了三次，自从有了人类社会以来，天命的变换从来没有像这样的剧烈啊。

【评点】 司马迁对秦汉之际历史剧烈变化的评论。“初作难，发于陈涉”，肯定了陈涉的反暴作难。“虐戾灭秦，自项氏”，虽然肯定了项羽的灭秦之功，但其手段“虐戾”，违反历史事势，败亡是必然的。“拨乱诛暴，平定海内，卒践帝祚，成于汉家”，这是对刘邦的肯定。“拨乱”是扫灭群雄。“诛暴”则是指灭项羽。“天下三嬗”，表象是“易”，实质是历史变化之“剧”，故云“自生民以来，未始有受命若斯之亟也”。历史剧烈变化，则反映的是斗争之“酷”，秦朝暴虐天下“驱除”于前，项氏“虐戾”于后，才有刘邦“愤发”之得以成功。

秦既称帝，患兵革不休，以有诸侯也，于是无尺土之封，堕坏名城，销锋镝，鉏豪桀，维万世之安。然王迹之兴，起于闾巷，合从讨伐，轶于三代，乡秦之禁，适足以资贤者为驱除难耳。故愤发其所为天下雄，安在无土不王，此乃传之所谓大圣乎？岂非天哉，岂非天哉！非大圣孰能当此受命而帝者乎？（卷一六《秦楚之际月表序》/760页）

【译文】 秦朝称帝以后，害怕有诸侯又会发生战乱，因此，对宗室、功臣连一尺土地都没有分封，毁坏了名城大都，销毁了戈矛箭头，铲除各地豪强迁徙关中，企图传世万代、长治久安。但是帝王却从民间产生出来，天下英雄豪杰联合起来讨伐秦朝，那声势和成功都超过了三代，先前秦朝所施行的那些禁令，反倒替贤能的人驱除了得天下的种种困难。所以高祖发愤自强，成了天下的主宰，怎么能说没有封地就做不了王呢？这大概就是书传所说的“大圣”吧？难道不是天的意志吗！难道不是天的意志吗！如果刘邦不是伟大的人物，怎么能在乱世担当得起天命而作帝王呢？

【评点】 司马迁慨叹刘邦取得天下，既非积“德”，亦非用“力”，五年之间，卒践帝祚，这是怎么回事呢？以今天的唯物主义观点来看，秦楚之际阶级斗争的急剧变化，突破了积“德”与用“力”的固有格局，创造了布衣登极的奇迹，使得刘邦这样一个泗上亭长扮演了英雄的角色。古代司马迁自然不会有阶级斗争论的认识水平和分析方法，所以对“无土而王”的现象用一个“天”字作结，保留了天命论的地盘，这是不必讳言的。但表序的基调是惊奇感叹秦楚之际历史事势变化的剧烈，肯定刘邦顺应时势，诛暴而成帝业的统一之功，所讲的“天”，包含人心所向的形势、时势。刘邦把握了这一机遇，称为“大圣”，当之无愧。司马迁的论述，具有不凡的识见。

秦地被山带河以为固，四塞之国也。自缪公以来，至于秦王，二十余君，常为诸侯雄。岂世世贤哉？其势居然也。且天下尝同心并力而攻秦矣。当此之世，贤智并列，良将行其师，贤相通其谋，然困于阻险而不能进，秦乃延入战而为之开关，百万之徒逃北而遂坏。岂勇力智慧不足哉？形不利，势不便也。秦小邑并大城，守险塞而军，高垒毋战，闭关据扼，荷戟而守之。诸侯起于匹夫，以利合，非有素王之行也。其交未亲，其下未附，名为亡秦，其实利之也。彼见秦阻之难犯也，必退师。安土息民，以待其敝，收弱扶罢，以令大国之君，不患不得意于海内。贵为天子，富有天下，而身为禽者，其救败非也。（卷六《秦始皇本纪》/277 页）

【译文】 秦国地势，背靠高山，前有大河，形成坚固的防御，是一个四面都有险要关塞的国家。从秦穆公以来，直到秦始皇，相传了二十多个国君，一直在诸侯中称雄。难道一代一代都是贤明之君吗？这是地理形势造成的啊。再说天下各国曾经同心合力进攻秦国。这时，贤人智士会聚，有良将指挥各国的军队，有贤相沟通各国的计谋，然而险阻困住不能前进，秦军就诱敌深入，为敌军打开关口，结果百万联军败逃崩溃。难道是勇气、力量和智慧不够吗？是地形不利，地势不便啊。秦国把小邑并成大城，在险要关塞驻军防守，高筑壁垒不出战，紧闭关塞，扼守要冲，肩扛武器，严密防守。诸侯之君，起身平民，为了利益而联合，没有素王孔子那样的德行。他们交往不亲密，下属不团结，名义上是灭亡秦朝，实际上各自谋私利。他们看到秦国地势险阻难以进犯，一定遇难退兵。然后安定本土，休息人民，等待各国疲弊，攻取弱小，扶助疲困的人，用以号令大国的诸侯，不必担心不能在天下称心如意。可是，秦王做了尊贵的天子，拥有天下，反而身遭擒戮，原因是挽救危局的策略错了。

【评点】 贾谊《过秦论》下篇之言。秦国地处关中形胜，政治修明，不可抗拒，六国之师困于阻险而不能进，秦国利用居高临下之势，统一中国。但是政治败坏，险阻不可恃，统一的秦国却望风瓦解。由此可见，为政之道，“在德不在险”。

【百二之势】【高屋建瓴】秦，形胜之国，带河山之险，悬隔千里，持戟百万，秦得百二焉。地势便利，其以下兵于诸侯，譬犹居高屋之上建瓴水也。（卷八《高祖本纪》/382 页）

【译文】 秦国关中是形势险要的地方，周围有山河环绕，与诸侯有上千里长的国境线都被山河阻隔。如果关东诸侯动员了一百万军队，那么秦地只需二万兵力就足可以抵挡。凭着这样有利的地理形势，居高临下对诸侯用兵，就譬如从高屋顶上向瓦沟倒水一样，哗哗下流势不可挡。

【评点】 “百二之势”，用两万军队驻守，就能挡住百万军队的进攻，喻地形险要，易守难攻。原指关中形胜，典出《高祖本纪》田肯称赞高祖定都关中之言。“高屋建瓴”，形容居高临下，势不可挡。这一典故亦出于田肯之言。

夫齐，东有琅邪、即墨之饶，南有泰山之固，西

有浊河之限，北有勃海之利。地方二千里，持戟百万，县隔千里之外，齐得十二焉。（卷八《高祖本纪》/382～383页）

【译文】　说到齐国，东边有富饶的琅邪、即墨，南边有险固的泰山，西边有黄河的阻隔，北边有渤海的地利。土地方圆两千里，与诸侯的疆界也有上千里之长，被险固的河山所阻隔。如果诸侯动员了一百万军队，那么齐地只须二十万人就可抵挡了。

【评点】　田肯论山东齐地形胜之言。楚汉战争中，韩信被封齐王，垓下之战，汉王夺齐王韩信军，徙为楚王。因齐地形胜，近海有渔盐之利而富饶，不可封为异姓。田肯说高祖，京师建都关中，亲王子弟镇齐，国家才能坚如磐石。高帝纳其言，将自己长庶子刘肥封为齐王。

【天府之国】夫关中左殽函，右陇蜀，沃野千里，南有巴蜀之饶，北有胡苑之利，阻三面而守，独以一面东制诸侯。诸侯安定，河渭漕輓天下，西给京师；诸侯有变，顺流而下，足以委输。此所谓金城千里，天府之国也。（卷五五《留侯世家》/2044页）

【天府】秦地被山带河，四塞以为固，卒然有急，百万之众可具也。因秦之故，资甚美膏腴之地，此所谓天府者也。（卷九九《刘敬叔孙通列传》/2716页）

【译文】　关中东面有殽山和函谷关，西面有陇山和岷山，肥沃的土地方圆千里，南面有富饶的巴郡、蜀郡，北面有利于放牧的草原，西、南、北三面有险阻可防守，独有东面用来控制诸侯。如果诸侯安定，通过黄河、渭河调运天下物资，往西供给京师；如果诸侯发生变故，沿着渭河、黄河顺流而下，有充足的后勤供应。这就是常说的“金城千里，天府之国”啊。

关中秦地靠着殽山，临着黄河，四面都有关隘作为屏障，如果突然有紧急情况，上百万的军队可以动员起来。依靠秦地的深厚基础，凭藉那富饶肥沃的土地，这可以说是天然的府库啊。

【评点】　“天府之国”，又作“天府”，典出《留侯世家》与《刘敬叔孙通列传》，为留侯张良与刘敬两人劝谏高祖定都关中之言。关中为四关之中，东函谷，西散关，南武关，北萧关。秦川（渭河）流贯其间，称八百里秦川，土地肥沃，物产丰富。后以“天府之国”指巴蜀地区，因巴蜀比关中更广大富饶。《三国志·诸葛亮传》载诸葛亮《隆中对》之言曰：“益州险塞，沃野千里，天府之土，高帝因之以成帝业。”

愿足下急复进兵，收取荥阳，据敖仓之粟，塞成皋之险，杜大行之道，距蜚狐之口，守白马之津，以示诸侯效实形制之势，则天下知所归矣。

（卷九七《郦生陆贾列传》/2694 页）

【译文】　希望您立即再次进兵，重新夺回荥阳，占有敖仓的粮食，堵塞成皋的险要，切断太行的通道，扼制蜚狐关口，把守白马渡口，向诸侯显示足以控制天下形势的地理险要，那么天下人民就知道自己的归宿了。

【评点】　郦食其劝说刘邦攻取有利的中原地理形势之言。汉三年（前 204）项羽攻取了汉军坚守的荥阳，汉王刘邦打算丢弃成皋以东地方，退守巩县、洛阳。项羽攻下荥阳后没有乘胜进击，扩大战果，而脱离主战场分兵去攻打彭越，因为彭越深入到了楚后方。郦食其建议刘邦抓住机会，进军收复荥阳，占领敖仓，据有粮食，堵塞成皋的险要，切断太行的通道，扼住蜚狐的要隘，把守白马渡口，摆出一副向天下诸侯显示实力的态势，不能后退示弱，才能使天下人懂得倒向哪一边。刘邦采纳了郦食其建议，南下宛叶而又北上成皋，调动项羽东奔西走，抓不住主战场。刘邦看准机会，重新夺回荥阳，实现了控制要害的战略，从此项羽一蹶不振。郦食其在外交上配合刘邦的军事攻势，正是用这一套形势理论说服了齐王田广归附汉王。

【肝脑涂地】今陛下起丰沛，收卒三千人，以之径往而卷蜀汉，定三秦，与项羽战荥阳，争成皋之口，大战七十，小战四十，使天下之民肝脑涂地，父子暴骨中野，不可胜数，哭泣之声未绝，伤痍者未起，而欲比隆于成康之时，臣窃以为不侔也。（卷九九《刘敬叔孙通列传》/2716 页）

【译文】 当今陛下从沛县丰邑起兵，聚集了三千多人，率领他们径直向前，席卷了巴蜀、汉中，平定了三秦关中之地，与项羽合战荥阳，争夺成皋的险关，大战七十次，小战四十次，使得天下的人民惨遭牺牲，肝和脑涂洒在地上，父子尸骨暴露在原野，不计其数，哭泣的声音还没有断绝，伤残的人还没有康复，而想要与周朝成康时代比美，我个人认为是不相称的。

【评点】 刘敬劝汉高祖定都关中之言。刘敬认为西周经营洛邑，因洛邑为天下之中，四方纳贡，道里均平，西周以德化民，不依恃险阻。自战国以来，以强制弱，汉朝靠武力取天下，不能与西周成康相比，故不宜在洛阳建都，而应在关中定都，以形势制天下。文中“肝脑涂地”，本指人民死得很惨，形容战争的残酷，后世用为典故，表示效忠，即使肝脑涂地，惨烈而死也在所不辞。《汉书·苏武传》：“武曰：武父子无功德，皆为陛下所成就，位列将，爵通侯，兄弟亲近，常愿肝脑涂地。”

【四战之国】赵，四战之国也，其民习兵，伐之不可。（卷八〇《乐毅列传》/2435 页）

【译文】 赵国是四面受敌、经常作战的国家，那里的百姓都会打仗，不能去攻打它。

【评点】 “四战之国”，又作“四战之地”，指四面受敌，后世用于指四面可攻为兵家必争之要地。秦赵长平之战，赵国大败，元气大伤。燕王喜听其奸相栗腹之言，想趁机攻打赵国，而大将昌国君乐间认为，赵国四面受敌，人民习兵，不可攻打。燕王不听，进攻赵国，大败而还。赵围燕，燕割地求和，赵军才解围而去。

周封五等：公、侯、伯、子、男。武王、成、康所封数百，而同姓五十五，地上不过百里，下三十里，以辅卫王室。厉、幽之后，王室缺，侯伯强国兴焉，天子微，弗能正。非德不纯，形势弱也。（卷一七《汉兴以来诸侯王年表》/801 页）

【译文】 周代封爵为五等：公、侯、伯、子、男。周武王、成王、康王所封诸侯有好几百个，而姬姓诸侯有五十五个，大国的封地最多不超过方百里，小国的封地才方三十里，用以辅卫周天子。周厉王、周幽王以后，王室衰微，侯伯一级的封国强盛起来，周天子势力弱小，无力征伐纠正。这并不是德义不纯厚，而是形势变化导致王室削弱了。

【评点】 司马迁对分封制度的评论。这篇表序以“形势”二字为纲，论述汉初以来百年之间封建、分削，而后加强中央集权的经过，总结当世政治得失的经验。这是表序的第一段，追溯周代分封诸侯发起议论，说明封建诸侯之义，封同姓以褒德，封异姓以尊劳，众建诸侯屏卫王室，厉、幽之后，侯伯强国兴起，形势颠倒，天子受制于王侯。这是用历史证明强本干弱枝叶的必然形势，表明作者肯定景武之世众建诸侯而少其力的削藩政策，拥护加强中央集权。

形势虽强，要之以仁义为本。（卷一七《汉兴以来诸侯王年表序》/803 页）

【译文】 皇帝控制的中央政府固然要保持强大的形势，但还是要以施行仁义作根本。

【评点】 此为司马迁总结汉代分削诸侯提出的历史教训。汉初分封同姓王，因当时形势天下初定，所以广封众子宗室，增强他们的力量，用以镇抚四方，屏卫皇室。但这些同姓王，既无功，又为大国，全国三分之二土地为诸侯王，这一分封形势，颠倒本末，故吴楚七国，虽为宗亲而敢结盟为逆；长沙异姓，势单力弱，竟得以忠勤汉室。所以文帝时贾谊建言众建诸侯以少其力，景帝时晁错削藩，由于当时形势在诸侯，均未奏效。武帝时下推恩令，齐分为七，赵分为六，梁分为五，淮南分为三，又天子支庶、王子支庶为侯一百有余，王国支郡山海咸纳于汉，诸侯于是削弱，“尊卑明而万事各得其所矣”。由此可见，分封建国，安上全下，不在亲疏，而在形势。形势颠倒，本弱枝盛，则仁义不立；诸侯只有小弱，才能奉职效忠。但要上下和谐，还须仁义为根本。形势为力，仁义为德，国泰民安，力与德均不可偏废。本，指为里为实。形势，力为表；仁义，德为实。尽管司马迁说“仁义为本”，而表序主旨却在强调形势。这说明他肯定景武之世的削藩政策，拥护秦汉以来的中央集权制度。

【犬牙相临】汉郡八九十，形错诸侯间，犬牙相临。（卷一七《汉兴以来诸侯王年表》/803 页）

【译文】 汉朝中央控制的郡有八九十个，错杂在诸侯国之间，就像犬牙一样相互交错衔接。

【评点】 “犬牙相临”，指汉武帝推恩分削诸侯，汉朝中央控制的地区，交错在诸侯封国之间，控制了政治形势，也比喻互相牵制。又作“犬牙相制”，见《孝文本纪》，代王中尉宋昌劝代王刘恒入主京师之言。宋昌说：“高帝封王子弟，地犬牙相制，此所谓盘石之宗也。”《索隐》注云：“言封子弟境土交接，若犬牙不正相当，而相衔入也。”后世成语通作“犬牙交错”。

【强本弱末】今陛下虽都关中，实少人。北近胡寇，东有六国之族，宗强，一日有变，陛下亦未得高枕而卧也。臣愿陛下徙齐诸田，楚昭、屈、景，燕、赵、韩、魏后，及豪杰名家居关中。无

事，可以备胡；诸侯有变，亦足率以东伐。此强本弱末之术也。（卷九九《刘敬叔孙通列传》/2720 页）

【译文】　现在陛下虽然定都关中，其实缺少人力。北边接近匈奴，东边有六国的王族后裔，宗族强大，一旦有变故，陛下也不可能高枕无忧吧。我希望陛下迁移齐国的各支田姓，楚国的昭、屈、景三姓，以及燕、赵、韩、魏的王族后裔，还有地方上的豪杰大姓，到关中定居。国内没有事变，可以防备匈奴；诸侯有变乱，也足以率领他们去东征。这是加强中央根本，削弱地方势力的策略。

【评点】　"强本弱末"，又作"强本弱枝"，见《汉兴以来诸侯王年表》。两个典故，实为一义。本，树干；末、枝，均为树的枝叶末梢。树干粗大，枝叶适中，树木生长茂盛。如果末大于干，枝繁重于干，则树将折断，用以比喻中央要强大，地方要小弱，这样中央才能控制地方，地方屏卫京师。"强本弱末"为刘敬建言，迁移全国豪强于京师；"强干弱枝"为汉武帝采纳主父偃之言实行推恩分封，削弱诸侯国势力。移豪强，分诸侯，是西汉一朝强本弱枝的两项基本国策。

吾闻两雄不俱立，两贤不并世。皇帝，贤天子也。自今以后，去帝制黄屋左纛。（卷一一三《南越列传》/2970 页）

【译文】　我听说两个英雄不同时而立，两个贤者不并世而存。当今汉皇帝，是贤明的天子。从今以后，南越废去称帝和黄屋左纛。

【评点】　赵佗去帝号令中之语。黄屋左纛，是皇帝乘坐的车辆。黄屋，指黄色车盖。左纛，在车左竖立天子大旗。秦末真定（秦县名，在今河北石家庄东北）人赵佗据有南海诸郡，在番禺（今广州）自称南越王。高后末年，赵佗乘黄屋左纛，称皇帝，欲与中国汉皇帝并驾齐驱。汉文帝即位后派太中大夫陆贾出使南越，喻以大义，令其入贡称臣。赵佗审时度势，接受陆贾传达的诏旨，废去帝号，下令国中说明理由，上引即是令中的一段话。“两雄不俱立”，是说同一民族文化，在同一时期内不能有两个称王称帝的人，俗语所言“天无二日，人无二主”，又说“一山难容二虎”，既讲形势，又讲礼制。“两贤不并世”，则指道德才能，在同一时代，也是不能并存的，必须互相谦让，只能有一个贤者在政治上或学问上为首，社会局面才能安定。这两句话告诉人们，无论从事政治，还是从事其他事业，要审时度势，力不敌则退出争斗，不要形成“两虎相斗，必有一伤”的悲剧局面。赵佗乘时而起，称王称帝，又度势而去帝号，归服中原，不失为一个俊杰人物。

今削之亦反，不削之亦反。削之，其反亟，祸小；不削，反迟，祸大。（卷一〇六《吴王濞列传》/2825 页）

【译文】　现在削减吴王的地也是造反，不削减他也是造反。削减他，反得快，灾祸小；不削减他，反得迟，灾祸大。

【评点】　晁错劝谏景帝削弱诸侯土地之言。高祖平定天下，大封同姓王屏卫京师，由于违反古制，封国过大，几代以后形成尾大不掉之势。齐王辖地七十余县，楚王辖地四十多县，吴王辖地五十多县，这三个诸侯国就占天下之半。其中吴王刘濞是高祖的侄儿，辖地当今江西、江苏、浙江广大地区，开铜山造钱，煮海水为盐，召聚天下亡命，在诸侯中最为富强。文帝时吴王就不进京朝见。景帝立，晁错提出削割土地的办法抑制诸侯。晁错向景帝分析形势，尤其是桀骜不驯的吴王，削他的地也是反，不削也是反，迟削不如早削，因为早削灾祸小，迟削灾祸大。晁错的父亲责备儿子说：“你侵夺诸侯，疏远人家骨肉，刘氏的天下安定了，晁氏家族却危险了，我还是回家去罢。”晁错父亲回家自杀。十几天后，吴王刘濞等七个诸侯国联合反叛，打着诛贼臣晁错清君侧的口号造反，景帝果然杀了晁错。司马迁批评景帝说：“晁错为国远虑，祸反近身。”

民族第三十六

【引言】　民族篇，凡15条。自古以来，中国就是一个由多民族组成的国家。中华民族的历史，是包括汉民族及各个少数民族人民的历史。但是儒家的正统思想却一再宣扬“夷夏之辨”。以中原华夏民族为冠带之国，贬称周边少数民族为夷狄之邦，以区分种族贵贱。因此，四方各民族被贬称为东夷、西戎、南蛮、北狄，视为荒服之地。孔子修《春秋》，内诸夏而外夷狄。西汉大儒董仲舒还把纲常伦理学说推广到民族关系上来，主张各民族大小分成不同等级，认为“大小不逾等，贵贱如其伦，义之正也”（《春秋繁露·精华》）。司马迁在这大汉族主义形成的时代，却独步史坛，在《史记》中首创民族史传。司马迁一共写了五篇民族史传，即《匈奴列传》、《南越列传》、《东越列传》、《朝鲜列传》、《西南夷列传》。这五个列传独立成篇，与人物列传交错编列，表现了司马迁把周边民族等列天子臣民的思想。西域大宛等国，另立专传编入类传中，俨然划分中外。民族史传，详今略古，着重叙述汉武帝时期周边少数民族与中原王朝的关系。总之，司马迁首创民族史传，等列各民族均为天子臣民；认为各个民族都是客观存在的实体，而详究各民族的历史，分别立传；赞颂民族一统，并从心理要素（各民族皆为黄帝子孙）和经济文化等方面的联系，论证各民族的历史发展走向一统。这些构成了司马迁进步的民族一统思想，远远地超出了同时代的思想家而独步当时。

【勾吴与中国之虞为兄弟】太史公曰：余读《春秋》古文，乃知中国之虞与荆蛮勾吴兄弟也。（卷三一《吴太伯世家》/1475页）

【楚之先祖出自帝颛顼】楚之先祖出自帝颛顼高阳。高阳者，黄帝之孙，昌意之子也。（卷四〇《楚世家》/1689页）

【越王勾践禹之苗裔】越王勾践，其先禹之苗裔，而夏后帝少康之庶子也。封于会稽，以奉守禹之祀，文身断发，披草莱而邑焉。（卷四一《越王勾践世家》/1739页）

【东越勾践之后】闽越王无诸及越东海王摇者，其先皆越王勾践之后也，姓驺氏。（卷一一四《东越列传》/2979页）

【匈奴夏后氏之苗裔】匈奴，其先祖夏后氏之苗裔也，曰淳维。唐虞以上有山戎、猃狁、荤粥，居于北蛮，随畜牧而转移。（卷一一〇《匈奴列传》/2879页）

【译文】 太史公说：我读《春秋》古文，才知道中原的虞国与荆蛮的勾吴，他们的始祖是同胞兄弟。

楚国的祖先是帝颛顼高阳氏的后代。高阳氏，是黄帝的孙子，昌意的儿子。

越王勾践，他的祖先是大禹的后代，是夏朝少康帝的庶子。封在会稽，掌管对夏禹的祭祀。依照当地居民的风俗，身上刺花纹，剪短头发，开辟荒野成田园，建设起村落来。

闽越王无诸和东海王摇，他们的先人都是越王勾践的后代，姓驺氏。

说到匈奴，他们的祖先也是夏帝的后代，叫做淳维。唐尧、虞舜以前有山戎、猃狁、荤粥，生活在北方蛮荒之地，依随畜牧而转移。

【评点】　勾吴与中国之虞为兄弟，语出《吴太伯世家》司马迁论赞之言。勾吴始祖吴太伯，本是周太王古公亶父的长子。周太王欲传位少子季历，以便季历传子姬昌。因为太王认为姬昌是一个贤人，于是太伯与二弟仲雍避位逃奔到荆蛮，太伯被荆蛮拥立为主，自号勾吴。太伯死，无子，弟仲雍继立，三传至周章，时值武王灭殷，求太伯、仲雍之后，因周章已为勾吴王，于是武王封周章之弟虞仲于虞。虞国在夏故墟，当今山西平陆东北，中原国家。这就是中国之虞与荆蛮勾吴的兄弟关系。楚之先祖出自帝颛顼高阳，语见《楚世家》；越王勾践为禹之苗裔，语见《越王勾践世家》；闽越王为勾践之后，语见《东越列传》；匈奴祖为夏后氏之苗裔，语见《匈奴列传》。司马迁的这些叙述是有意识采自传说，用以表述他的民族一统思想的历史依据和理论。不仅中原诸侯列国，而且周边各民族始祖，都可溯源为黄帝子孙。郭沫若在《中国古代社会研究》中指出，“五帝三王是一家，都是黄帝的子孙，那便完全是人为”，目的是“为消除各种氏族的畛域起见所生出的大一统的要求”。郭老的论述极为中肯，符合司马迁民族一统观的原本意义。北齐魏收作《魏书》，在《序纪》中说：“黄帝以土德王，北俗谓土为托，谓后为跋，故以为氏。”附会拓跋为黄帝子孙，为胡人入主中原制造正统的舆论。由此可见，司马迁的大一统的历史观与民族一统历史观，在中华民族大融合的历史上起了巨大的进步作用。

夫匈奴无城郭之居，委积之守，迁徙鸟举，难得而制也。轻兵深入，粮食必绝；踵粮以行，重不及事。得其地不足以为利也，遇其民不可役而守也。胜必杀之，非民父母也。靡弊中国，快心匈

奴，非长策也。（卷一一二《平津侯主父列传》/2954 页）

【译文】 那匈奴没有城邑居住，也无堆积的财物可守，流动迁徙，飘忽如鸟，难以控制他们。轻兵深入，粮食一定供应不上；运粮紧紧跟随，沉重难运，无济于事。得到匈奴的土地也无利可图，对待匈奴的人民也不能役使他们守土。战胜他们就必然要杀死他们，这不是为民父母的君王所宜做的事。使中国疲惫，达到打击匈奴的目的而心快，恐怕这不是长久之计。

【评点】 主父偃上奏武帝《谏伐匈奴书》中所引李斯之言。李斯谏秦始皇伐匈奴，理由充足地分析描写了当时的形势。在古代，以农耕为主的国家，要越过大漠千里奔袭游牧的匈奴，实非易事。秦李斯谏秦始皇，汉主父偃谏汉武帝，他们的分析是十分精当的。指出决战难打。但结论停伐，也不无可商之处，不伐匈奴，国境不安，所以秦始皇、汉武帝都是不能容忍的。

"其攻战，斩首虏赐一卮酒，而所得卤获因以予之，得人以为奴婢。故其战，人人自为趣利，善为诱兵以冒敌。故其见敌则逐利，如鸟之集；其困败，则瓦解云散矣。战而扶舆死者，尽得死者家财。""利则进，不利则退，不羞遁走。苟利所在，不知礼义。"（卷一一〇《匈奴列传》/2892；2879 页）

【译文】 匈奴人进攻作战，斩杀或俘虏一个敌人，就赏赐一杯酒，所得的战利品就归他，抓到的人便是他的奴婢。因此他们作战时，每个人自觉逐利，善于引诱敌人中计而后勇猛冲击。所以他们见到敌人就去追逐利益，就像鸟儿群聚抢食物一样；他们受到挫折，就土崩瓦解烟消云散。战斗中谁能将战死的同伴尸体搬回来，就可以得到死者的全部家产。形势有利就进攻，不利就后退，不以逃跑为羞耻。只要有利可图，不顾什么礼义。

【评点】 两段文字生动地记述了古代游牧人匈奴的打仗习俗及方法。凡引弓之民皆为战士，又善骑马奔驰，所以很难对付。卤，与虏通。

汉使或言曰："匈奴俗贱老。"中行说穷汉使曰："而汉俗屯戍从军当发者，其老亲岂有不自脱温厚肥美以赍送饮食行戍乎?"汉使曰："然。"中行说曰："匈奴明以战攻为事，其老弱不能斗，故以其肥美饮食壮健者，盖以自为守卫，如此，父子各得之相保，何以言匈奴轻老也?"汉使曰："匈奴父子乃同穹庐而卧。父死，妻其后母；兄弟死，尽取其妻妻之。无冠带之饰，阙庭之礼。"中行说曰："匈奴之俗，人食畜肉，饮其汁，衣其皮；畜食草饮水，随时转移。故其急则人习骑射，宽则人乐无事，其约束轻，易行也。君臣简易，一国之政犹一身也。父子兄弟死，取其妻妻之，恶种姓之失也。故匈奴虽乱，必立宗种。今中国虽详不取其父兄之妻，亲属益疏则相杀，至乃易姓，皆从此类。且礼义之敝，上下交怨望，而室屋之极，生力必屈。夫力耕桑以求衣食，筑城郭以自备，故其民急则不习战功，缓则疲于作业。嗟土室之人，顾无多辞令，喋喋而佔佔，冠固何当?"(卷一一〇《匈奴列传》/2899～2900页)

【译文】　汉使中有人说："匈奴风俗不尊重老人。"中行悦反驳说："你们汉朝风俗，对正要从军去戍守边疆的人，他们的老年父母难道不是节省下暖和的衣服和肥美的食物供给外出当兵的吗?"汉使说："是这样的。"中行悦说："匈奴人都明白打仗是头等大事，那年老体弱的人不能打仗，所以把那些肥美的食品让给壮健的人吃喝，这也是为了保卫自己，这样，父亲儿子才能长久地互相保护，怎能说匈奴人不尊重老人呢?”汉使又说：“匈奴父子竟然同在一个毡房包里睡觉。父亲死了，儿子把后母作妻子；兄弟死了，活着的把死者的妻子全都作为自己的妻子。没有帽子腰带等服饰，缺少朝廷礼节。”中行悦说：“匈奴的风俗，人人吃牲畜的肉，喝它们的乳汁，用它们的皮做衣服穿；牲畜吃草喝水，随着时令转移。所以他们打仗时人人都会骑马射箭，在形势宽松时人人欢乐无事。他们受到的约束很少，容易做到。君臣礼节简易，一国的政务就像一个人的生活一样。父子弟兄死了，活着的娶死者的老婆做妻子，这是担心种族的消失。所以匈奴虽然伦常混乱，一定要立本族子孙。现在，中国虽然假装不娶父兄死者的妻子，亲属疏远以后就要互相杀戮，甚至改朝换代，都是这个缘故。再说礼义的弊端，导致君臣上下互相怨恨，又大力修造宫室房屋穷奢极欲，一定耗尽民力。努力种田植桑以求得衣食满足，修筑城郭以保卫自己，所以你们的百姓在战争时不会打仗，和平时被劳作搞得很疲惫。唉，生活在土石房屋里的汉人啊，不要再多说了，枉费口舌，你们喋喋不休，沾沾自喜，不就是穿戴衣帽吗，这有什么了不起?”

【评点】 这段匈奴中行悦与汉使关于匈奴民族习性的辩论，甚为精采。中行悦，本是汉朝宦官，文帝时与匈奴和亲，中行悦被派为出嫁匈奴单于的公主师傅，于是投降匈奴，成为单于谋臣，唆使单于扰汉。中行悦为匈奴风俗辩护，这是司马迁通过他的口来叙述一个民族的历史文化。先进与落后，文明与野蛮，各民族因其地理环境与历史渊源自有习俗，这正是民族实体的表现，不能强求一律。司马迁言此，表现了他的卓越史识。按：古代人名“说”，读“悦”，故“中行说”，译文作“中行悦”。

汉与匈奴约为兄弟，所以遗单于甚厚。倍约离兄弟之亲者，常在匈奴。(卷一一〇《匈奴列传》/2897 页)

【译文】 汉与匈奴结约为兄弟之国，汉朝皇帝馈赠了丰厚的礼物给单于。可是背叛和约，离开兄弟之亲的，总是在匈奴一方。

【评点】　汉文帝前元六年（前 174）致匈奴书中之语。匈奴，北方游牧民族，从殷周以来，一向是侵扰中原的北方强敌。西汉时代，也恰是匈奴一统兴盛之世，时常犯边。汉初用和亲之策，但不能约束匈奴，史称匈奴“百约百叛”。故《太史公自序》云：“自三代以来，匈奴常为中国患害，欲知强弱之时，设备征讨，作《匈奴列传》”，表明征讨匈奴不可避免。汉武帝即位以武力反击，从公元前 133 年至公元前 119 年，经过多次主力决战，打败了匈奴，基本上解除了北方的边患。直到宣帝三年（前 51 年），匈奴呼韩邪单于来朝，汉匈两族才结束了战争状态。司马迁作《匈奴列传》总结汉匈民族关系发展历史，有和亲，有战争。民族走向一统与融合，大规模的斗争是必经的阶段。司马迁讥刺汉武帝用人不当，丧失有利和谈时机，一味穷兵黩武，认为建功不深。他没有来得及看到宣帝时的汉匈和亲。但司马迁并未否定汉武帝伐匈奴，他认为汉朝反击匈奴侵扰是正义的，上引《太史公自序》中的篇旨提示得极为明白。

单于留志，天下大安。和亲之后，汉过不先。（卷一一〇《匈奴列传》/2903 页）

【译文】　只要单于遵守盟约，天下就会太平安宁。和亲以后，汉朝不会首先负约。

【评点】　此为文帝后元二年（前 162）汉文帝致书匈奴单于信中之言。汉文帝前元六年（前 174），文帝在致匈奴单于书中就有这样的话：“汉与匈奴约为兄弟，所以遗单于甚厚。倍约离兄弟之亲者，常在匈奴。”可以看出匈奴和亲后多背约，史称“百约百叛”。汉文帝坚持执行和亲政策，安境息民，从致单于书中流露了真诚的感情。但匈奴仍然时常制造边界纠纷。所以汉武帝后来的反击就振振有词了。

高皇帝遗朕平城之忧，高后时单于书绝悖逆。昔齐襄公复九世之仇，《春秋》大之。（卷一一〇《匈奴列

传》/2917 页）

【译文】 高皇帝给朕留下了平城的耻辱，高后时匈奴单于来信又极为荒谬绝伦。从前齐襄公报了九世以前的仇怨，受到《春秋》高度的赞美。

【评点】 此为太初四年（前 101）汉武帝诏中之语。平城之忧，指汉高祖公元前 200 年平城被困之事。单于书绝悖逆，指高后时匈奴冒顿单于遗高后书，极为狂妄无理。辞曰："孤偾之君，生于沮泽之中，长于平野牛马之域，数至边境，愿游中国。陛下独立，孤偾独居，两主不乐，无以自娱，愿以所有，易其所无。"高后大怒，但无力抗击匈奴，回书委曲求全。辞曰："单于不忘弊邑，赐之以书，弊邑恐惧，退日自图，年老气衰，发齿堕落，行步失度，单于过听，不足以自污。弊邑无罪，宜在见赦。窃有御车二乘，马二驷，以奉常驾。"（《汉书·匈奴列传》）单于要娶高后为妻，高后答以年老气衰。由此可见匈奴之气盛与当时汉廷之谦卑，耻莫大焉。春秋时齐襄公灭纪，襄公九世祖曾被纪侯诬陷，被杀于周室，襄公报了九世之仇。《公羊传》庄公四年传曰："九世犹可以复仇乎？虽百世可也。"大，高度评价。汉武帝此诏表达了汉朝反击匈奴的决心和正义性。在当时极大地振奋了国民。

世俗之言匈奴者，患其徼一时之权，而务谄纳其说，以便偏指，不参彼己；将率席中国广大，气奋，人主因以决策，是以建功不深。（卷一一〇《匈奴列传》/2919 页）

【译文】 用世俗观点谈论对付匈奴的谋臣，只想求得一时的天子宠幸，而醉心于趋奉高谈阔论，以达到有利于自己片面意见的目的，不去验核双方的形势；而征伐匈奴的将帅们又凭藉中国广大，意气奋发；皇上就依靠这些人来决定对匈奴的政策，因此建立的功业不深厚。

【评点】 司马迁论赞之言。批评汉武帝征匈奴用人不当，决策不全面，只是一味武力征讨，所以建功不深。用人不当，着重指外戚贰师李广利，征大宛、伐匈奴，都使汉朝付出了沉重代价。最后一战，李广利全军覆没，他投降了匈奴。

太史公曰：越虽蛮夷，其先岂尝有大功德于民哉，何其久也！历数代常为君王，勾践一称伯。然余善至大逆，灭国迁众，其先苗裔繇王居股等犹尚封为万户侯，由此知越世世为公侯矣。盖禹之余烈也。(卷一一四《东越列传》/2984 页)

【译文】 太史公说：东越虽然是蛮族，难道是他们的祖先曾经有大功德施于人民吗？为什么传世是那样的久远！经历了好几个朝代都为君王，勾践还一度称霸。尽管余善犯了大逆之罪，使他的国家灭亡，人民被迁徙，但先王无诸的后代繇王居股等仍然被封为万户侯。由此可见，越王世世代代为公侯，该是夏禹王留下的功德吧。

【评点】 司马迁论赞之言。数代为王：数代，指夏、商、周、秦、汉数代。传说东越王为勾践之后，勾践祖先是夏代第六代君王少康之庶子，其苗裔历数代为越夷之王。余善至大逆：余善，闽越王郢之弟。汉武帝建元六年（前 135），闽越王郢击南越，汉武帝发兵征讨，余善杀郢降汉，因得立为东越王。元鼎六年（前 111），余善反汉，自称“武帝”，被诛灭。灭国迁众：东越灭后，汉武帝迁其民于江淮间。“其先苗裔”句：指繇王居股为闽越先王无诸的后代。无诸，秦末举兵反秦，后佐刘邦灭楚，汉五年受封为闽越王。汉灭东越后，仍封繇王居股为东成侯，食邑万户，归降的东越臣僚多有受封者，故云“居股等”。东越，今闽浙地区。在《太史公自序》中，司马迁进一步点示出，南越“赵佗能集杨越以保南藩”，东越“葆守封禺为臣”，西南夷“邛笮之君请为内臣受吏”，指出民族一统是必然的趋势。司马迁还打破了董仲舒的“小夷避大夷”、“大夷避中国”等等“名伦秩序”，将民族史传与名臣将相列传并列交错，视各民族为中国版图内的天子臣民。司马迁肯定东越人民的反秦斗争和斩杀汉朝叛逆吴王濞，实质是肯定周边民族有革命权利，有权参加中原的政治斗争。班固作《汉书》，明确地宣称“西南外夷，种别域殊”（《汉书·叙传》），把民族史传侧于列传之末，排除在中原之外，总写一传，不承认各地区域民族的区别与实体。这些思想与司马迁相较，是进步民族史观的倒退。后世史家多效法班固。由此可见司马迁识见的超群。

西南夷君长以什数，夜郎最大；其西，靡莫之属以什数，滇最大；自滇以北君长以什数，邛都最大。此皆魋结，耕田，有邑聚。其外，西自同师以东，北至楪榆，名为嶲、昆明，皆编发，随畜迁徙，毋常处，毋君长，地方可数千里。自嶲以东北，君长以什数，徙、筰都最大；自筰以东北，君长以什数，冉駹最大；其俗或土著，或移徙，在蜀之西；自冉駹以东北，君长以什数，白马最大：皆氐类也。此皆巴蜀西南外蛮夷也。（卷一一六《西南夷列传》/2991页）

【译文】 西南夷的君长有几十个，其中夜郎最大；在夜郎西边靡莫族的君长，也有几十个，滇国最大；从滇往北又有几十个君长，邛都最大。这些夷国的人，都结着椎形的发髻，耕种田地，有自己的小城镇和村落。在这些夷人城邦小国之外，西面从同师往东，北到楪榆，叫做巂和昆明族，这里的夷人都把头发结成辫子，随着放牧的牲畜到处迁徙，没有固定的居所，也没有君长，他们活动的范围几千里。从巂往东北，有几十个君长，徙、筰都两国最大；从筰再往东北，又有几十个君长，冉駹最大；这里的习俗，有的定居，有的流动，在蜀郡的西边；从冉駹再往东北，又有几十个君长，白马最大：都是氐族的同类。这就是巴郡、蜀郡以外的西南夷。

【评点】　总括西南夷的情况。所谓西南夷，是以汉王朝西部边郡巴、蜀为中心，以南为南夷，以西以北为西夷。西南夷并不是作为一个整体与汉王朝发生关系的。西南夷各民族还处于部落联盟的氏族社会，各部族的社会文化发展很不平衡。南夷分为东部的僰人居住区和西部的嶲、昆明族居住区。西夷主要是氐人。司马迁连用四个“皆”字，极有层次地勾勒了各民族的经济生活和文化习俗。僰人君长以什数，大国有三：东为夜郎，西为滇国，北为邛都。僰人文化较高，“此皆魋结，耕田，有邑聚”，是以农耕为主的民族。故僰人早在春秋时代就建立了城邑邦国。夜郎邑，春秋时为古牂柯国都邑，战国时兴起为夜郎国。夜郎在今贵州西部，滇国在今云南东部。战国末期，楚国势力深入夜郎、滇国。秦统一中国，开五尺道，由四川僰中（今宜宾）往南达曲靖，东通夜郎，西至滇，置县邑。汉初，滇、夜郎复兴。西部的嶲、昆明族，居同师、楪榆一带，当今云南保山、洱海地区。这里的民族，“皆编发，随畜迁徙”，是游牧部族，“毋常处，毋君长”。说明嶲、昆明族不相统属，文化比较落后。西夷分布在徙、筰都、冉駹、白马等地，“皆氐类也”。其俗“或土著，或移徙”，是半农半牧相杂的部族。西夷南部的徙、筰都与僰人交错，北部的冉駹、白马与青海高原的羌人犬牙相临。西夷当今四川西部地区，及陕、甘一角。汉武帝开通西南夷，经营了近三十年，元封二年（前 109）纳入了大汉版图。元鼎六年（前 111），司马迁奉使西征，在西南夷地区设郡置吏，亲身调查体验，故对西南夷各部族风土人情了如指掌，因而能用极其精炼的文字，井井有条地叙述了各部族的历史，表明他注意到了各部族、民族有共同的地域、共同经济生活以及共同的文化习俗，因而将周边各民族作为单元实体加以叙述。司马迁还注意到，这些民族不断地走向进步，走向与中原华夏民族建立的王朝日益加强联系和一统的道路。

太史公曰：楚之先岂有天禄哉？在周为文王师，封楚。及周之衰，地称五千里，秦灭诸侯，唯楚苗裔尚有滇王，汉诛西南夷，国多灭矣，唯滇复为宠王。然南夷之端，见枸酱番禺，大夏杖、邛竹。西夷后揃，剽分二方，卒为七郡。（卷一一六《西南夷列传》/2997～2998 页）

【译文】 太史公说：楚国的先人难道有天赐的禄位吗？在西周时他们的先祖鬻熊为文王师父，封于楚。到了周代末年，楚国成为拥有五千方里的大国。秦统一诸侯，只有楚国的子孙还保有滇王。汉朝平定了西南夷，大小国家多被消灭，只有滇王仍为宠王。而开通西南夷的起因，是由于唐蒙在南越番禺见到了枸酱、大夏杖、邛竹。西南夷后来逐步被分割，分为南夷和西夷两部分，终于统归汉朝为七个郡。

【评点】 司马迁论赞之言。西南夷并入汉朝，设置了犍为、牂柯、越巂、益州、武都、沈犁、汶山七个郡，汉武帝不征税，以故俗治，充分尊重西南夷民族习惯。本传记述西南夷各族的民情习俗，春秋时庄蹻入滇的开发，秦汉两代的经营，反映了这一地区与中原文化经济交流的悠久历史。司马迁着重记述了汉武帝三次通西南夷的情况，赞扬唐蒙、司马相如等人的卓识远见。公元前 111 年，司马迁奉使监军征讨西南夷，负责设郡置吏，对西南夷的开发有着亲切的生活经历。所以历史记述翔实生动。

成语第三十七

【引言】 成语篇，凡110条。成语，指人们在口头或书面中经常使用的习惯套语，一般由四字组成，也有两字、三字或四字以上的成语。成语的来源有两大类，一类来自民间谚语；再一类来自古代文献，这是成语的主要来源。文献成语，又称典故。成语是某一历史事件或某句某段精言妙语的浓缩，因此它包容了丰富的历史内容或哲学理论，具有特殊的语言功能。由于《史记》语言精炼，史事生动，在流传中形成了几百条成语典故，我们还可以继续凝缩与概括。因此无法作精确统计，《史记》成语有四五百条之多，本书选辑了250条，其中有140条，重点阐发历史内容，分散在全书各篇之中，正文上已用鱼尾括标识。这里集中的110条，着重点讲成语的生成和成语意义，故单列为一篇。

【一车两马】鲁南宫敬叔言鲁君曰："请与孔子适周。"鲁君与之一乘车，两马，一竖子俱，适周问礼，盖见老子云。(卷四七《孔子世家》/1909页)

【译文】 鲁国人南宫敬叔对鲁君说："请让我陪同孔子前往

周王室。”鲁君派了一辆车，两匹马，一名童仆伺候，到周王室去学礼，于是拜访了老子。

【评点】 “一车两马”，是低于“一车四马”的标准。孔子曾为鲁司空，跻身大夫之列，当乘坐四马拉的车。他周游列国不遇，返回鲁国专心学问，去周学礼，鲁君只派两马拉的车，一个小童伺候，降低了标准。后世以“一车两马”或“一乘二马”比喻行装简陋。

【一军皆惊】至拜大将，乃韩信也，一军皆惊。（卷九二《淮阴侯列传》/2611页）

【译文】 到了举行封拜大将仪式时，原来是韩信，全军震惊。

【评点】 一军，全军。汉王刘邦择良日，斋戒，设坛场，封拜大将。那些长期在刘邦身边出生入死的将领都暗自高兴，以为自己得大将。等到仪式进行，登坛拜将，原来是刚从项王营中投诚过来的韩信，完全出乎意料之外，因而全军震惊。

【一字千金】吕不韦乃使其客人人著所闻，集论以为八览、六论、十二纪，二十余万言。以为备天地万物古今之事，号曰《吕氏春秋》。布咸阳市门，悬千金其上，延诸侯游士宾客有能增损一字者予千金。（卷八五《吕不韦列传》/2501页）

【译文】 吕不韦让他的门客把各自的见闻写出来，汇编成一部书，分为八览、六论、十二纪，共二十余万字。认为它包容了天地万物古今所有的事理，题名《吕氏春秋》。把它公布在咸阳市城门楼上，悬挂一千金在上面，遍请各国游士宾客，声称如果有人能对这部书增加或删减一个字的，就奖赏他一千金。

【评点】 《吕氏春秋》，又名《吕览》，“一字千金”出此，《汉书·艺文志》入杂家类。这是一部融会诸子百家之作，为秦统一造舆论。吕不韦用悬赏征求意见的办法，意在收取轰动的宣传效应，抬高它的权威性。后世用“一字千金”称赞好作品。南梁钟嵘《诗品》卷上：“陆机拟古十四首，惊心动魄，可谓几乎一字千金。”

【一言半辞】吾所以待侯生者备矣，天下莫不闻，今吾且死而侯生曾无一言半辞送我，我岂有所失哉？（卷七七《魏公子列传》/2380 页）

【译文】　我待侯嬴先生够周到的了，天下人没有不知道的，现在我马上就要死了，而侯嬴先生竟然没有一言送给我，难道我还有什么地方不对吗？

【评点】　“一言半辞”，一句半句话。“言”与“辞”，在此同义，作“句”解，魏公子埋怨侯生之言。魏安釐王二十年（前257），秦围赵邯郸已三年，赵告急于魏。魏王畏秦，名义上派晋鄙率军救赵，暗中指示晋鄙在边境按兵不进。魏公子无忌束手无策，便带领门客准备去与秦军拼命。他路过夷门去向侯嬴告辞，侯嬴态度冷淡，不说一句话。魏公子怏怏而退，他在怨恨中冷静下来，再次去见侯嬴，虚心求教，侯嬴这才批评魏公子去拼命的鲁莽行动毫无意义，于是帮助信陵君策划了窃符救赵的计划。魏公子依计而行，一战成功，秦军解围而去。

【一时之利】【万世之功】晋侯度河北归国。行赏，狐偃为首。或曰：“城濮之事，先轸之谋。”文公曰：“城濮之事，偃说我毋失信。先轸曰‘军事胜为右’，吾用之以胜。然此一时之说，偃言万世之功，奈何以一时之利而加万世功乎？是以先之。”（卷三九《晋世家》/1668 页）

【译文】　晋文公渡过黄河向北回国。进行封赏，狐偃第一。有一人说：“城濮战胜，是先轸的谋略。”晋文公说：“城濮战事，狐偃劝说我不要失信。先轸说‘打仗以打胜为贵’，我用它获得胜利。但这只是一时有利的说法，狐偃的话是万世的功业，怎么能让一时之利超过万世功业呢？这就是把狐偃放在前头的原因啊。”

【评点】 “一时之利”与“万世之功”是两个相对的典故。鲁僖公二十八年（前633）晋楚争霸，在城濮决战。战役谋划主要为先轸，决战时劝晋文公退避三舍为狐偃。晋文公流亡时曾到楚国，楚成王厚礼招待，对晋文公说：“你回国后用什么报答我？”晋文公说：“钱财宝物，楚国不缺，万一晋楚交战，晋军当退避三舍来报答。”三十里为一舍，退避三舍，就是后撤九十里。城濮之战，晋军退避三舍，便晋文公大信昭示于天下，故以狐偃为首功。“一时之说”，演出成语“一时之利”，指晋军城濮一战取胜，引申为眼前利益，或权宜之计；“万世之功”，与之相对，表示长远利益或深谋远虑。

【一败涂地】天下方扰，诸侯并起，今置将不善，壹败涂地。吾非敢自爱，恐能薄，不能完父兄子弟。此大事，愿更相推择可者。（卷八《高祖本纪》/350页）

【译文】 天下正当大乱，诸侯纷纷起事，如果首领选得不称职，就会一败涂地。我不是爱惜性命，恐怕能力薄弱，不能保全父老兄弟。这是一件大事，希望大家另外推选出有能力胜任的人。

【评点】 “一败涂地”，形容失败得很惨，一战失败，元气大伤。涂地，原指肝脑涂地，形容战场激烈，战死的人十分悲惨。刘邦在沛县起义时推让做首领时的说辞。同时也从侧面反映了聚众起义，敢做首领的冒险精神。

【一卒之令】【三章之法】与父老约，法三章耳：杀人者死，伤人及盗抵罪。余悉除去秦法。（卷八《高祖本纪》/362页）

【译文】 我与父老们约定，只用三条法律：杀人者处以死刑，伤人和盗窃的依法治罪。除此之外，全部废除秦朝的法律。

【评点】　汉元年（前206）沛公刘邦率军首先攻入关中，召来各县的父老和地方豪绅，向他们宣传。刘邦说："父老们受严酷的秦朝法律迫害已经很久了，议论朝政的人要灭族，聚众谈论要杀头。我和诸侯受楚怀王的约定，谁先入关就当关中王。"接着刘邦宣布约法三章的誓言，史称"三章之法"。这三章中只有一章为死刑，故又称"一卒之令"，即只有一条死刑的法令。卒，死。通称"约法三章"。

【一意孤行】禹为人廉倨，为吏以来，舍毋食客。公卿相造请禹，禹终不报谢，务在绝知友宾客之请，孤立行一意而已。（卷一二二《酷吏列传》/3138页）

【译文】　赵禹为人廉洁倨傲，自当官以来，家中没有门客。三公九卿前往拜访，赵禹始终不答谢，坚定地断绝知心朋友和宾客的请托，独立地实行自己一心要办的事。

【评点】　"一意孤行"，一心独立办事，本指按自己意志办事，不受外界干扰，后用来指独断专行。赵禹，在汉武帝时历官太中大夫、中尉、廷尉，制定法令和审案，不接受请托，拒绝公卿登门，为政苛酷，个人修养清廉。

【一肉脱粟饭】（弘）食一肉脱粟之饭，故人所善宾客，仰衣食。弘奉禄皆以给之，家无所余。（卷一一二《平津侯主父列传》/2951页）

【译文】　公孙弘只吃一个肉菜，粗米糙饭，而亲朋故旧及宾客的衣食生活，依靠公孙弘。公孙弘把俸禄全都用来供养他们，自己家中没有什么财产。

【评点】　汉武帝时丞相公孙弘，封平津侯，他提倡节俭，身体力行，分财养士，受到好评。

【人心难测】患生于多欲，而人心难测。（卷九二《淮

阴侯列传》/2624页）

【译文】　祸患产生在无止境的贪欲中，而人的思想最难测度。

【评点】　“人心难测”，指人的思想变化，即使相交知己，也往往不可推测，故不能不防。蒯通之言。蒯通劝齐王韩信背汉连楚，三分天下。韩信说，汉王待他优厚，相交很深，不忍心背汉。蒯通以张耳、陈馀二人穷困时为刎颈交，争权时反目为仇，说明朋友不可信，又以勾践诛杀大夫种，说明君臣也不可信。其原因，人性多欲，所以在权与利面前，人的思想不可推测，汉王的信任靠不住。

【人微权轻】臣素卑贱，君擢之闾伍之中，加之大夫之上，士卒未附，百姓不信，人微权轻，愿得君之宠臣，国之所尊，以监军，乃可。（卷六四《司马穰苴列传》/2157页）

【译文】　我向来地位低下，大王将我从平民中提拔起来，放在大夫之上，士兵不会亲近，百姓不会信任，我的资历浅，权威轻，希望得到国君宠爱的，国家尊重的一位大臣来监军，才能胜任。

【评点】　人微，地位低，资历浅。权轻，权力小，威望轻。后世作“人微言轻”，指地位低下，说话不受人重视。春秋齐景公时，燕国侵扰齐国。齐景公起用地位低下的田穰苴为司马，带兵出征。田穰苴说自己“人微权轻”，请求齐景公派亲信大臣监军。齐景公派宠臣庄贾监军，誓师之日，庄贾凭着地位尊贵，摆酒设宴，接受亲友庆贺，阅兵时误了时刻，迟到校场，被司马田穰苴按军法当场斩首示众。从此，号令严明，全军整肃，一举大败燕人，收复失地。

【三战三走】吾尝三战三走，鲍叔不以我为怯，知我有老母也。（卷六二《管晏列传》/2132页）

【译文】 我曾经三次上战场当了三次逃兵，鲍叔不认为我是胆小鬼，知道我有老母在堂。

【评点】 “三战三走”，喻临阵脱逃。管仲感叹鲍叔相知之言。参见“管鲍之交”条。

【三千珠履】赵平原君使人于春申君，春申君舍之于上舍。赵使欲夸楚，为玳瑁簪，刀剑室以珠玉饰之，请命春申君客。春申君客三千余人，其上客皆蹑珠履以见赵使，赵使大惭。（卷七八《春申君列传》/2395页）

【译文】 赵国平原君派人访问春申君，春申君安置在上等宾馆住宿。赵国使者想要在楚国炫耀一番，头上插着玳瑁簪子，刀剑的套子镶有珠玉，请求会见春申君的门客。春申君的门客有三千多人，其中的上等门客所穿鞋子缀有珍珠，他们会见了赵国使者，赵国使者十分羞愧。

【评点】 “三千珠履”，亦作“珠履三千”。履，鞋子。三千食客所穿鞋子都用珠玉为饰，形容主人极其富有，有华贵的宾客盈门。

【三令五申】约束既布，乃设铁钺，即三令五申之。（卷六五《孙子吴起列传》/2161页）

【译文】 约束号令已经宣布，就陈设了斧钺等刑具，随后又把刚宣布的纪律又反复交代了好几遍。

【评点】 “三令五申”，令，命令。申，申明，宣布。三、五，多次。将命令多次宣布，再三告诫，喻纪律严明，引申为反复交代，多次宣传。春秋时孙武为吴王阖庐训练宫中美女演习兵阵。孙武让他们列队站立，以吴王宠姬二人为队长，操练前后左右转动步法，约束三令五申之后，宫女们仍然嬉笑哈哈，孙武下令斩两队长，吴王请求赦免，不许。行刑后，恢复训练，全队服从号令，鸦雀无声。于是孙武向吴王报告：军纪整肃，“唯王所欲用之，虽赴水火犹可也。”

【上蔡牵黄犬】二世二年七月，具斯五刑，论腰斩咸阳市。斯出狱，与其中子俱执，顾谓其中子曰：“吾欲与若复牵黄犬俱出上蔡东门逐狡兔，岂可得乎！”遂父子相哭，而夷三族。（卷八七《李斯列传》/2562 页）

【译文】 二世二年（前 208）七月，李斯遭受五刑，判决在咸阳闹市腰斩。李斯从狱中被提出的时候，与他的次子一起被押解刑场，他回头对次子说：“我想同你再次牵着黄狗一起走出上蔡东门去追逐野兔，已经晚了！”于是父子相对而哭，满门抄斩。

【评点】 “上蔡牵黄犬”，在上蔡城郊驰逐黄犬打猎，喻早知今日，悔不当初。又简作“上蔡逐犬”、“东门黄犬”。后世也用以喻脱离官场自由的欢心。宋陆游《书文稿后》诗云：“上蔡牵黄犬，丹徒作布衣。苦言谁解听，临祸始知非。”

【千钧压卵】夫秦卒与山东之卒，犹孟贲之与怯夫；以重力相压，犹乌获之与婴儿。夫战，孟贲、乌获之士以攻不服之弱国，无异垂千钧之重于鸟卵之上，必无幸矣。（卷七〇《张仪列传》/2293 页）

【译文】 那秦国士兵与山东各国的士兵相比，正像勇将孟贲与胆小鬼相斗一样；如果用举重作比较，就像大力士乌获与小孩儿决赛一样。在战斗中，让孟贲、乌获式的勇士去攻打不服从的弱国，无异于把千钧重的东西压在鸟卵上，一定没有幸存的。

【评点】 “千钧压卵”，喻小不敌大。三十斤为一钧，千钧之重压在鸟蛋上，没有不破的。张仪说韩王与秦连横，极力夸张秦国武力，示意韩国对抗秦国如以卵击石，无法抵挡。孟贲，古代勇士。乌获，战国时秦大力士，能举千钧之鼎。重力相压，指举重，能承受重力相压。

【马齿徒增】【屈产之乘】(献公)使荀息以屈产之乘假道于虞。虞假道,遂伐虢。晋灭虢,虢公丑奔周。还,袭灭虞。荀息牵曩所遗虞屈产之乘马奉之献公,献公笑曰:“马则吾马,齿亦老矣。”(卷三九《晋世家》/1644;1647页)

【译文】 献公派荀息用屈地所产的驷马送给虞君,向虞国借道。虞国答应借道,于是晋师讨伐虢国。晋国灭了虢国以后,虢公丑逃奔到周王室。晋师返国时,袭击并灭了虞国。荀息牵着从前送给虞国的屈产之驷马归还献公,献公笑着说:“马还是我的马,牙齿可老啦。”

【评点】 “马齿徒增”与“屈产之乘”两个成语,均出自同一个故事,晋献公借道虞国伐虢国。虞国,在今山东平陆县东北。虢国在虞国之西之南。晋国伐虢要穿过虞国,所以向虞国借道,送给虞国屈地所产的名马。虞国大夫宫之奇与百里奚都劝谏虞公,认为虞虢两国唇齿相依,灭虢则虞不存。虞公贪晋献公的名马,不听劝谏,两次借道晋师,晋师灭虢后,果然在归途中顺手牵羊灭了虞国,追回了原来所送的屈地之马。乘,四匹马所拉的大战车称为一乘,这里指代四匹马,称驷马。后世以“马齿徒增”喻年岁增大而无建树的谦辞,以“屈产之乘”喻千里马。

【子虚乌有】相如以“子虚”,虚言也,为楚称;“乌有先生”者,乌有此事也,为齐难;“无是公”者,无是人也,明天子之义。故空藉此三人为辞,以推天子诸侯之苑囿。其卒章归之于节俭,因以风谏。(卷一一七《司马相如列传》/3002页)

【译文】 司马相如假托其人“子虚”,意谓空言虚语,借他之口称说楚国之美;“乌有先生”,意谓哪有这种事情,由他替齐国诘难楚国;“无是公”,意谓没有这个人,让他替天子说话。所以假托这三个人辩难写成文章,用以推想诸侯以及天子在苑囿游猎的情景。那篇文章的结尾归结到“节俭”二字，用以劝谏天子。

【评点】 司马相如作《子虚赋》，假以子虚、乌有先生、无是公三人互相问难以讽谏天子。后以“子虚乌有”指虚构的事，或不实在的传闻。

【无面见江东】 天之亡我，我何渡为！且籍与江东子弟八千人渡江而西，今无一人还，纵江东父兄怜而王我，我何面目见之？纵彼不言，籍独不愧于心乎？（卷七《项羽本纪》/336 页）

【译文】 上天要灭亡我，我渡江干什么！况且我项籍与江东八千子弟渡江西征，现在没有一个人活着回来，即使江东父兄同情我尊我做王，我哪有脸面见他们呢？即使他们不说，难道我项籍内心深处不惭愧吗？

【评点】 “无面见江东”没有脸面见江东父老，又作“无颜见江东”，或“无颜见江东父老”。项羽垓下突围，逃到乌江。乌江，津名，在今安徽和县东北四十里长江西岸渡口。乌江亭长划船请项羽渡江，项羽不肯，以无颜见江东父老而自刎。此典又演出“羞见江东”，指一个人因事业无成而不愿归故乡。

【天子无戏言】 成王与叔虞戏，削桐叶为珪以与叔虞，曰：“以此封若。”史佚因请择日立叔虞。成王曰：“吾与之戏耳。”史佚曰：“天子无戏言。言则史书之，礼成之，乐歌之。”于是遂封叔虞于唐。（卷三九《晋世家》/1635 页）

【译文】 成王跟叔虞开玩笑，把桐叶削成珪形给叔虞，说：“拿这个封你。”史佚就请求选定日期封立叔虞。成王说：“我和他开玩笑罢了。”史佚说：“天子不说玩笑话。说出话来就有史官记载，用礼仪完成它，用乐章歌唱它。”就这样，叔虞被封在唐。

【评点】 “天子无戏言”，指国君不能随便说话，说话就要算数。又作“君无戏言”，民间俗语作“金口玉言”，成王封其弟叔虞故事。叔虞，为晋国始祖。这个故事概括为“桐叶戏”，“削桐为珪”等典故。

【不名一钱】（邓通）竟不得名一钱，寄死人家。

（卷一二五《佞幸列传》/3193页）

【译文】 邓通到头来真的身无一文钱，寄食死在别人家里。

【评点】 名，占有。“不名一钱”，没有一文钱，形容贫穷到极点。汉文帝宠臣邓通，相面说他“当贫而死”。汉文帝说：“能富通者在我也，何谓贫乎？”于是赐铜山一座给邓通，让他铸钱，称“邓氏钱”，流通全国。景帝即位，厌恶邓通，以盗铸罪没收邓通家产，邓通果然身无一文，寄死人家。这个故事既表现了专权人主的威力，可以使人富，使人贫，但又体现了人主并不万能，改变不了命运。剥去迷信，可以说人主至高无上，但不能违背客观规律。这个故事至今仍有积极意义。成语“不名一钱”后世也用以喻不贪一钱。明吴应箕《忠烈杨涟传》赞扬杨涟：“莅虞一年，不名一钱。”

【不讳之变】公叔病有如不可讳，将奈社稷何？（卷六八《商君列传》/2227页）

【译文】 公叔的病万一有不测，国家将怎么办呢？

【评点】 “不讳之变”，不可隐讳的变故，指死亡。商君名鞅，入秦变法封于商，号商君。商鞅，卫人，原在魏国作魏相公叔座的中庶子，公叔知其贤，未及进荐。正好，公叔有病，魏惠王来看视，问公叔万一有不讳，国相让何人来接替。公叔座推荐商鞅，魏惠王没有采纳。后商鞅入秦变法，魏王悔之无及。事原载《战国策·魏策》，为《史记》所本。又作“不可讳”或“不讳”，都是死字的婉词。

【不胜杯杓】沛公不胜杯杓，不能辞。谨使臣良奉白璧一双，再拜献大王足下；玉斗一双，再拜大将军足下。（卷七《项羽本纪》/314 页）

【译文】 沛公经受不起杯盏，不能来告辞，谨让我张良代表沛公奉献一双白璧，再拜献大王足下；玉斗一双，再拜敬献大将军足下。

【评点】 胜，经得住。杯杓，酒杯，作酒的代称。不胜杯杓，没有酒量，经受不了劝酒，喻醉酒。张良辞谢项羽之言。鸿门宴，刘邦中途借故离席，逃回军中，留下张良辞谢，送礼。白璧，洁白的玉璧。玉斗，玉石酒杯。

【日暮途远】吾日莫途远，吾故倒行而逆施之。（卷六六《伍子胥列传》/2177 页；卷一一二《平津侯主父列传》/2961 页）

【译文】 太阳快要落山，我的道路还很遥远，这就是我倒行逆施的原因。

【评点】 “日暮途远”，喻智竭力穷，只能如此不择手段。伍子胥借吴兵攻破楚都，鞭楚平王之尸，以替父兄报仇。他的好友申包胥批评他做事太过分，伤天害理，臣不应报君之仇。伍子胥答以“吾日莫途远，吾故倒行而逆施之。”莫，借为暮。又见《平津侯主父列传》。武帝时齐人主父偃，为官贪狠，好揭人之阴私，收受贿赂，他的好友批评他太横蛮。主父偃说：“丈夫生不五鼎食，死即五鼎烹耳。吾日暮途远，故倒行逆施之。”后世化出“日暮途穷”的成语，喻穷途末路。

【公车上书】朔初入长安，至公车上书，凡用三千奏牍。（卷一二六《滑稽列传》/3205 页）

【译文】 东方朔初到长安，到公车府上奏书给汉武帝，共用了木牍三千枚。

【评点】 在旧时代上书言事或入京请愿，称“公车上书”。

典出《滑稽列传》褚少孙所补东方朔传。公车，官署名，是汉代卫尉的下属机构，掌司马门的警卫，负责接待被征召者、应举者或上书言事的人，用公车接送。长官称“公车司马令”。汉武帝时齐人东方朔，诙谐多智，博通古今。他初到长安，在公车府上奏长篇报告，共用了三千枚木牍。清末康有为联络上京应考举子上书言事，主张变法，史称“公车上书”。

【分陕之重】其在成王时，召公为三公：自陕以西，召公主之；自陕以东，周公主之。（卷三四《燕召公世家》/1549 页）

【译文】　在周成王的时候，召公位居三公：以陕邑为界，陕邑以西地区由召公掌管；陕邑以东地区由周公掌管。

【评点】　陕，古邑名，在今河南陕县。西周成王时，周公、召公辅政，以陕为界分东西两大地区，周、召二公分别主持。后以“分陕之重”为朝廷委派封疆大臣专断方面的典故。

【左右手】何闻信亡，不及以闻，自追之。人有言上曰：“丞相何亡。”上大怒，如失左右手。（卷九二《淮阴侯列传》/2611 页）

【译文】　萧何听说韩信逃跑了，来不及向汉王报告，亲自去追韩信。有人向汉王报告说：“丞相萧何逃跑了。”汉王大怒，好像失去了左右手。

【评点】　“左右手”，喻得力助手。参见本书《任贤》篇“萧何追韩信”条。

【左右袒】太尉将之入军门，行令军中曰：“为吕氏右袒，为刘氏左袒。”军中皆左袒为刘氏。太尉遂将北军。（卷九《吕太后本纪》/409 页）

【译文】　太尉周勃拿着将军印进入军门，向全军发出命令：

“拥护吕氏的露出右臂，拥护刘氏的露出左臂。”全军都露出左臂表示拥护刘氏。太尉于是统率了北军。

【评点】 左右袒，露出左臂或右臂，表示赞同某一方意见。袒，裸露。典出《吕太后本纪》，周勃平诸吕之乱将北军故事。参见本书《政治》篇“郦况卖友”条。

【左提右挈】今君乃囚赵王，此两人名为求赵王，实欲燕杀之，此两人分赵自立。夫以一赵尚易燕，况以两贤王左提右挈，而责杀王之罪，灭燕易矣。（卷八九《张耳陈馀列传》/2577页）

【译文】 现在您囚禁了赵王。这两个人名义上要求得到赵王，实际想让燕人杀掉赵王，这两个人就可以瓜分赵国自立为王。仅仅一个赵国还轻视燕国，何况两位贤王互相支持来声讨杀害赵王的罪行，灭亡燕国十分容易。

【评点】 “左提右挈”，左手提，右手帮，喻互相扶持，联合对敌。挈，同提。赵养卒之言。赵王武臣微服探敌，被燕军捉住。赵王丞相张耳，大将陈馀束手无策。这时赵军中一个养马卒自告奋勇去游说燕将，诡称张耳、陈馀想要借刀杀人，让燕将杀了赵王，他们两人趁机瓜分赵国，然后名正言顺讨伐燕国。燕将一听，立即释放了赵王。“左提右挈”，也引申为左右提携，尽力帮助。

【正襟危坐】宋忠、贾谊瞿然而悟，猎缨正襟危坐。（卷一二七《日者列传》/3216页）

【译文】 宋忠、贾谊骇然醒悟，整理好衣冠，端正地坐着。

【评点】 正襟，整理衣襟。危坐，端正地坐。形容仪态端庄严肃。西汉中大夫宋忠与博士贾谊两人在长安市中寻访隐者，见了算卦先生司马季主谈天说地很有学问，两人肃然起敬，而猎缨正襟危坐。猎缨，整理冠带，也就是戴正帽子，结好带子。

【北面称臣】天子闻君王王南越，不助天下诛暴逆，将相欲移兵而诛王，天子怜百姓新劳苦，故且休之，遣臣授君王印，剖符通使。君王宜郊迎，北面称臣。（卷九七《郦生陆贾列传》/2697页）

【译文】 汉朝天子听说大王在南越称王，不帮助天下黎民诛灭强暴的秦国，汉朝将相想发兵讨伐大王，汉天子体谅百姓刚刚经历了战乱之苦，所以暂且休养生息，派遣我来授给您封王印信，订盟通使。大王应该到郊外迎接汉使，朝向北面称臣。

【评点】 “北面称臣”，喻归服于人。陆贾出使南越，劝南越王称臣于汉之言。古时君王面南而坐，臣子则面北朝见。所以臣服于人，称“北面称臣”。

【四面楚歌】项王军壁垓下，兵少食尽，汉军及诸侯兵包围之数重。夜闻汉军四面皆楚歌，项王乃大惊曰：“汉皆已得楚乎？是何楚人之多也！”（卷七《项羽本纪》/333页）

【译文】 项王率军在垓下扎营驻守，兵少粮尽，汉军及诸侯兵包围了一层又一层。夜里听到汉军四面都唱起了楚歌，项王大惊说：“汉军已经全部占领了楚国的土地吗？为什么楚人这么多！”

【评点】 公元前202年十月，汉将韩信率三十万大军打败项羽，将其围困在垓下，夜晚四面唱起楚歌，瓦解楚军斗志，迫使项羽突围，离开阵地被一举歼灭。这故事被概括为成语“四面楚歌”，喻事业失败，走投无路。

【四分五裂】梁之地势，固战场也。梁南与楚而不与齐，则齐攻其东；东与齐而不与赵，则赵攻其北；不合于韩，则韩攻其西；不亲于楚，则楚攻其南：此所谓四分五裂之道也。（卷七〇《张仪列传》/2285页）

【译文】　魏国的地势，本来就是兵家所争的战场。如果魏国与南边的楚国亲善而不与齐国亲善，那么齐国就攻打它的东面；魏国与东边的齐国亲近而不与赵国亲近，那么赵国就攻打它的北面；魏国不与韩国合作，那么韩国就攻打它的西面；魏国不亲近楚国，那么楚国就攻打它的南面：这就是所说的四分五裂的地理形势啊。

【评点】　梁，指魏国，迁都大梁，史称梁。“四分五裂”，形容支离破碎，多指国土被瓜分或政权不统一。张仪劝说魏王与秦连横之言。原载《战国策·魏策一》，为《史记》所本。

【乐极生悲】酒极则乱，乐极则悲，万事尽然。（卷一二六《滑稽列传》/3199 页）

【译文】　酒喝得太多了就会昏乱糊涂，快乐到了极点就会发生悲哀的事情，世上所有的事都是这样的。

【评点】　淳于髡谏说齐威王之言，原意是劝齐威王节酒罢宴，勿作长夜之饮，以免荒废政务，乐极生悲，自取祸败。成语“乐极生悲”，泛指万事要有节制，要有分寸，什么事过分了，就会走向反面。

【冯唐易老】武帝立，求贤良，举冯唐。唐时年九十多，不能复为官，乃以唐子冯遂为郎。（卷一〇二《张释之冯唐列传》/2761 页）

【译文】　汉武帝即位，征求贤良，地方举荐了冯唐。那时冯唐已经九十余岁，不能再做官，就以冯唐的儿子冯遂为郎。

【评点】　“冯唐易老”，喻仕途失易，年华易逝，事载《史记·张释之冯唐列传》，典出唐王勃《滕王阁序》“冯唐易老，李广难封”。冯唐，西汉文帝时任中郎署长。他曾为云中太守魏尚鸣冤，奏使复了魏尚官爵，于是“冯唐”这一名字成了典故，表达人民对于清正官吏的向往。苏轼《江城子·密州出猎》词云：“持节云中，何日遣冯唐。”贤良，汉文帝创立的选举科目之名，敢直言极谏者为入选条件。郎，官名，宫廷警卫，皇帝出巡充仪仗。

【百步穿柳】【百发百中】楚有养由基者，善射者也。去柳叶百步而射之，百发而百中之。左右观者数千人，皆曰善射。（卷四《周本纪》/165页）

【译文】 楚国有个叫养由基的人，最擅长射箭。他在百步之外射柳树叶子，百发百中。左右观看的有几千人，齐声称赞他是一个神射手。

【评点】 “百步穿柳”，又作“百步穿杨”，与“百发百中”，都是称赞善射的人。“百步穿柳”，强调在数十丈远能射中细小目标；“百发百中”，指箭不虚发。两个成语皆同出《周本纪》苏厉讲说的故事中。这是借善射的故事，百发百中，最后一箭不中，则前功尽弃为喻，劝秦大将白起功成身退，不要再攻韩魏。参见本书《哲理》篇“左支右绌”条。

【匡畏之灾】（孔子）将适陈，过匡。……（匡人）以为鲁之阳虎。阳虎尝暴匡人，匡人于是遂止孔子。孔子状类阳虎，拘焉五日。（卷四七《孔子世家》/1919页）

【译文】 孔子将要到陈国去，经过匡邑。匡人误认为是鲁国的阳虎。阳虎曾经践踏过匡人，匡人于是包围孔子。由于孔子形貌长得像阳虎，被匡人围困了五天。

【评点】 匡，卫邑名，在今河南长垣县。孔子曾无辜遭匡人围困，后世于是用以为善人无辜受害的典故。

【同功一体】往年杀彭越，前年杀韩信，此三人者，同功一体之人也。自疑祸及身，故反耳。（卷九一《黥布列传》/2604页）

【译文】 去年杀了彭越，前年杀了韩信，这三个人是有同等大功的一类人啊。黥布自己怀疑祸患会牵连到他身上，所以就造反。

【评点】 故楚令尹薛公之言。薛公为汝阴侯夏侯婴门客。黥布造反，夏侯婴问计于薛公，薛公说了这番话。韩信、彭越、黥布三人为汉初开国大功臣，韩信初封齐王，后徙楚王，再后贬为淮阴侯，彭越封梁王，黥布封淮南王。刘邦屠功臣，三人次第被灭。“同功一体”，后世指功业相等，地位相同的人。

【肉袒面缚】周武王伐纣克殷，微子乃持其祭器造于军门，肉袒面缚，左牵羊，右把茅，膝行而前以告。于是武王乃释微子，复其位如故。（卷三八《宋微子世家》/1610 页）

【译文】 周武王讨伐纣王，灭了殷朝，微子就拿着宗庙的祭器到武王的营门去，裸露出上身，把手反捆在背后，左边的人牵着羊，右边的人拿着茅草，跪着向前走，求告武王。就这样武王释放了微子，恢复他爵位和先前一样。

【评点】 微子向武王请降的情况。微子，名启，避汉景帝刘启之讳，史称微子开，纣王的庶兄，子爵，封邑在微。“肉袒面缚”，成为后代亡国之君请降的一种仪式和典故用语。左边的人牵羊表示劳军。右边的人拿着茅草，是祭祀先祖神灵滤酒的用品。

【舟中敌国】武侯浮西河而下，中流，顾而谓吴起曰：“美哉乎山河之固，此魏国之宝也。”起对曰：“在德不在险。若君不修德，舟中之人尽为敌国也。”武侯曰：“善。”（卷六五《吴起列传》/2166～2167 页）

【译文】 魏武侯坐着船在黄河中顺流而下，行到半途，回头对吴起说："美极了，山河这般险固，这是魏国之宝啊。"吴起回答说："治国在于给人民以德惠，而不在于山川险要。如果您不施德惠，船上的人全都是您的仇敌。"武侯说："好。"

【评点】　战国时吴起为魏国西河太守。他劝谏魏武侯治国行德政，本意是说，若君不修德，同船的人都将背叛成为敌人。后世以"舟中敌国"喻众叛亲离。

【争桑之祸】楚边邑卑梁氏之处女与吴边邑之女争桑，二女家怒相灭，两国边邑长闻之，怒而相攻，灭吴之边邑。吴王怒，故遂伐楚，取两都而去。（卷三一《吴太伯世家》/1462页）

【译文】　楚国边邑卑梁氏的少女与吴国边邑女子为采桑叶发生争吵，两家发怒，互相仇杀；两国边邑的长官听了这事，也发怒互相攻打，吞灭了吴国的边邑。吴王僚发怒，于是派兵伐楚，夺取了楚国居巢、钟离两座边城才班师离去。

【评点】　由两女子争桑而发展为两国交兵，引起一系列战争。"争桑之祸"也作"蚕妇争桑"，成为后世因民事争端引起战祸的典故。陆游《书喜》诗："俗美农夫知让畔，化行蚕妇不争桑。"

【负郭田】此一人之身，富贵则亲戚畏惧之，贫贱则轻易之，况众人乎！且使我有雒阳负郭田二顷，吾岂能佩六国相印乎！（卷六九《苏秦列传》/2262页）

【译文】　同样是我这么一个人，富贵了，至亲骨肉就敬畏我；贫贱时，就简慢我，何况是其他的人呢！假如当初我在洛阳有近郊良田二百亩，我难道还能佩戴上这六国的相印吗！

【评点】　苏秦是战国时东周洛阳人。他最初游说诸侯不遇，穷愁回家，兄弟嫂妹妻妾都看不起他，讥讽嘲笑。后来他佩了六国相印，衣锦还乡，兄弟妻嫂，跪在地上迎接，于是苏秦大发感慨，说有负郭田二顷，怎能佩六国相印？意谓人不受刺激就不会发奋。郭，城郭。负郭田，近郊良田。后世成为泛指良田的典故。

【冢柏大矣】重耳谓其妻曰："待我二十五年不来，乃嫁。"其妻笑曰："犁二十五年，吾冢上柏大矣。虽然，妾待子。"（卷三九《晋世家》/1657页）

【译文】 晋公子重耳对他的妻子说："等我二十五年还不回来，就出嫁。"他的妻子笑着说："到了二十五年，我坟上的柏树都长大了。尽管这样，我还是等着你。"

【评点】 重耳，即春秋五霸之一晋文公。晋献公宠信骊姬，骊姬欲害群公子，重耳逃到狄国，住了十二年，娶妻叔隗并生子。后来晋国内乱，重耳又逃往齐国，向妻子告别时，要求他等待二十五年。"冢柏大矣"，谓早已死了，嫁不成了。古人习俗，入葬植柏。《左传》僖公二十三年作"如是而嫁，则就木焉"。成语"行将就木"出此，喻年老垂死。此改为"冢柏大矣"，喻早已死亡，等不及了。犁，比，等到。

【后来居上】陛下用群臣如积薪耳，后来者居上。（卷一二〇《汲郑列传》/3109页）

【译文】 皇上使用群臣，像堆柴草一样，后来的反倒处在上位。

【评点】 "后来居上"，汲黯对汉武帝发的牢骚话。汲黯为九卿时，公孙弘、张汤才是低级小官，等到公孙弘做了丞相，张汤做了御史大夫，汲黯在老位置没有升迁。秉正直臣，尽管受到皇上敬重，可是官位升不上去，阿谀迎逢之徒，后来居上。这一典故，后世反用其意，表示对后来的人或事物胜过先前者的称赞，颂扬一代胜过一代。

【危于累卵】秦王之国危于累卵，得臣则安。然

不可书传也。(卷七九《范雎蔡泽列传》/2403页)

【译文】 秦王的国家比垒起来的鸡蛋还要危险，得到我的辅佐就会安全，但这是不能用书写方式传达的。

【评点】 王稽向秦昭王转达的范雎之言。范雎游说秦昭王，先故作大言。表示他有经邦治国之才，但不可用书写报告来表达，只能当面陈述。“危于累卵”，后世通作“危如累卵”，形容极端危险。《正义》引《说苑》，晋灵公时晋大臣荀息用垒九层鸡蛋的表演劝谏晋灵公不要荒于国政，范雎引用成为典故。《后汉书·申屠刚传》：“国家微弱，危于累卵。”

【伍员抉目】必树吾墓上以梓，令可以为器；而抉吾眼县吴东门之上，以观越寇之入灭吴也。(卷六六《伍子胥列传》/2180页)

【译文】 一定要在我的坟上种上梓树，使它能够制作器物；挖出我的眼睛挂在吴国都城东门上，看着越寇进城灭吴。

【评点】 伍员，伍子胥，春秋时吴国贤臣，辅佐吴王夫差替父报仇打败越国，劝说夫差乘胜灭越，夫差不听。后来夫差出兵与齐晋争霸，伍员再次劝谏，越为腹心之疾，不可不备。夫差信谗，不但不听，反而赐剑伍员令自裁。伍员临死遗言抉目悬城东门上，表达他死不瞑目的抗争精神，后人解释为警告吴王夫差备越，于是以“伍员抉目”来赞扬尽忠至死不移的人。

【伍员鞭尸】吴兵入郢，伍子胥求昭王。既不得，乃掘楚平王墓，出其尸，鞭之三百，然后已。(卷六六《伍子胥列传》/2176页)

【译文】 吴兵攻入楚国郢都，伍子胥搜寻楚昭王，没有得到，就挖开楚平王的坟墓，拖出尸体，鞭打了三百下，这才罢休。

【评点】 伍员，字子胥。春秋末，楚平王荒淫无道，枉杀伍员父亲伍奢及兄伍尚。伍员逃奔吴国，发誓要为父兄报仇。伍员终于借吴兵攻破楚都。这时平王已死，其子即位为昭王，也逃离了国都。伍员于是挖墓鞭尸。“伍员鞭尸”成为报仇雪恨的典故，亦简作“鞭尸”。李白《溧阳濑水贞义女婢铭》：“吴师鞭尸于楚国，申胥泣血于秦庭。”

【优孟衣冠】（优孟）即为孙叔敖衣冠，抵掌谈语。岁余，像孙叔敖，楚王及左右不能别也。庄王置酒，优孟前为寿。庄王大惊，以为孙叔敖复生也，欲以为相。（卷一二六《滑稽列传》/3201 页）

【译文】 优孟制作穿戴起孙叔敖的衣帽，模仿孙叔敖的举止言谈。一年多以后，活像孙叔敖，楚庄王及身边的人都不能区别。楚庄王举行酒宴，优孟上前祝酒。楚庄王大吃一惊，认为孙叔敖复活了，要他作楚国的宰相。

【评点】 优孟是春秋时楚国著名的丑戏演员，服事宫中。孙叔敖是楚庄王时的著名宰相，一生清廉。孙叔敖死后，妻儿贫困，其子遵照父亲遗嘱去找优孟求救。优孟穿戴孙叔敖的衣冠，排演他的生活举止言谈，去向楚庄王祝酒，打动楚庄王思贤之心，楚庄王果然封孙叔敖子四百户。这个故事演成“优孟衣冠”的典故，称说粉墨登场的艺人，也用于形容模仿他人写成的作品。参见“优孟之歌”条。

【使羊将狼】太子将兵，有功则位不益太子；无功还，则从此受祸矣。且太子所与俱诸将，皆尝与上定天下枭将也，今使太子将之，此无异使羊将狼也，皆不肯为尽力，其无功必矣。（卷五五《留侯世家》/2405 页）

【译文】 太子领兵，如果有战功，那权位也超不过太子；如果无功而回，那么从此就要受祸了。何况随同太子出征的各位将领，都是曾经追随皇上平定天下的猛将，现在让太子去统领他们，这好比是让羊去统率狼啊，他们都不会替太子尽力啊，那一定是不能立功了。

【评点】 商山四皓之言。汉高祖宠信戚姬，想废掉太子刘盈而传位戚夫人之子赵王刘如意。张良献计吕后，请来商山四隐士东园公、绮里季、夏黄公、角里先生为太子门客护佐太子。汉十一年（前196），淮南王黥布反，正值高祖有病，便打算让太子带兵去平叛。这也是刘邦试探太子有无才能的机会，若无功而返，也好名正言顺废掉他。商山四皓商量说，他们的使命是保护太子，如果眼睁睁看着太子带兵出征，必然是后果不堪设想。于是他们对建成侯吕泽说了“使羊将狼”的话，让吕后以此话告知刘邦，让皇上带病出征，留下太子。后世凡指用弱帅去统领骄兵悍将就称“使羊将狼”。唐元稹《授牛元翼成德军节度使制》：“王庭凑山东一半卒也，一朝驱朕赤子，弄吾甲兵，是犹以羊将狼，其下必当溃其心腹。”

【决一雌雄】天下匈匈数岁者，徒以吾两人耳，愿与汉王挑战决雌雄，毋徒苦天下之民父子为也。（卷七《项羽本纪》/328页）

【译文】 天下扰攘纷乱了好几年，只是因为我们两人罢了。希望与汉王挑战决一雌雄，不要再白白地让天下的老小百姓陪着我们两人受苦。

【评点】 “雌雄”比喻战争的胜负，“决一雌雄”，单打独斗决出胜负，项羽对汉王刘邦之言。楚汉长久相持，胜负未决，年青的苦于长期作战，老弱的疲于后勤运输，项羽异想天开在广武山上与刘邦对话，提出单打独斗决胜负，受到刘邦奚落。汉王说：“吾宁斗智，不能斗力。”参见“吾宁斗智”条。

【庄舄越吟】越人庄舄仕楚执珪，有顷而病。……使人往听之，犹尚越声也。（卷七〇《张仪列传》/2301页）

【译文】 越国人庄舄在楚做高官，到了执珪的爵位，不久生了病。楚王派人到庄舄那里听他呻吟，仍然是越地的乡音。

【评点】 陈轸之言。陈轸是战国时的一个游说之士，他与张仪一起在秦国做官，遭到张仪排挤，他到了楚国。后来陈轸作为楚国使臣又到了秦国。秦惠王问陈轸到了楚国是否还怀念秦国。陈轸向秦惠王讲了庄舄在病中呻吟发出乡音的故事，说明自己“今臣虽弃逐之楚，岂能无秦声哉”！表明自己怀念秦王。“庄舄吟越”成为游子思乡的典故。三国魏王粲《登楼赋》：“钟仪幽而楚奏兮，庄舄显而越吟。”

【衣褐怀宝】 东郭先生久待诏公车，贫困饥寒，衣敝，履不完。及其拜为二千石，佩青緺出宫门，行谢主人。故所以同官待诏者，等比祖道于都门外。荣华道路，立名当世。此所谓衣褐怀宝者也。（卷一二六《滑稽列传》/3208页）

【译文】 东郭先生久等在公车府候差，贫困饥寒，衣服破旧，鞋子无底。等到他被委任为二千石的高官，佩着青纽带印信从宫门出来，去给房东告辞。原先一同等在公车府候差的人，一批接一批在京城门外为他饯行。一路光荣显耀，在当代出了名。这正如平常说的，身上穿着粗麻短衣，怀里揣着珍珠宝玉的人啊。

【评点】 褚少孙补传。东郭先生，汉武帝时齐人，他待诏公车府，长久得不到差事，十分贫困。元狩四年（前119），大将军卫青击匈奴取得漠北大战胜利，凯旋，汉武帝赏赐千金。东郭先生认为机会已到，拦路劝卫青分出一半赏金送给汉武帝宠姬王夫人的亲族，皇上一定很高兴。卫青接受了这一意见，果然得到汉武帝的召见，于是卫青推荐了东郭先生，汉武帝委派东郭先生作郡都尉。当东郭先生贫困时，没有人理睬他，等到他做了大官，人们争着巴结他，一批接一批给他送行，称赞他为“衣褐怀宝”，外表朴陋，内藏真才。后世以此称赞才智不外露的贤人。

青緺，二千石印章的青绶。緺，紫青色丝带。

【衣绣夜行】富贵不归故乡，如衣绣夜行，谁知之者。（卷七《项羽本纪》/315 页）

【译文】 富贵了不回家乡，好比穿着锦绣衣服在夜晚走路，谁能知道呢？

【评点】 项羽之言。秦末项羽入关，有人劝他定都关中，项羽却杀秦降王子婴，火烧咸阳秦宫室，说“富贵不归故乡，如衣绣夜行”。被人批评为“楚人沐猴而冠”，胸无大志。“衣绣夜行”又作“衣锦夜行”，比喻仕宦显达却不为人知。后世演变为“衣绣昼行”，流语民间为“衣锦还乡”，比喻富贵还乡，荣耀乡里。《三国志·张既传》载，曹操用雍州人张既为本州刺史，对他说：“还君本州，可谓衣绣昼行矣。”

【汗出沾背】孝文皇帝既益明习国家事，朝而问右丞相勃曰：“天下一岁决狱几何？”勃谢曰：“不知。”问：“天下一岁钱谷出入几何？”勃又谢不知，汗出沾背，愧不能对。（卷五六《陈丞相世家》/2061 页）

【译文】 汉文帝已经更加通达熟悉了国家大事。有一次朝会，文帝询问右丞相周勃，说：“全国一年之中审理判决的案件有多少？”周勃谢罪说：“不晓得。”又问：“全国一年之中收入支出的钱谷各是多少？”周勃再次谢罪说不知道。这时他身上已是汗流沾背，十分惭愧自己回答不出。

【评点】 平定诸吕之乱，周勃功大，文帝提拔他为右丞相，陈平为左丞相。周勃厚重没文化，做丞相实不称职而又沾沾自喜。文帝朝会时问他国家大事，他一件也回答不出。文帝转而问陈平，陈平说：“各有主管部门。”文帝说：“各有主管部门，那么丞相还干什么？”陈平说：“丞相管理众臣，协助皇帝调理各种关系，使外夷服从，国内安定，各部门的人专心任职。”文帝称赞陈平回答得好。周勃感到自己没有丞相之才，不久辞去右丞相之职，由陈平一人担任丞相。实质是陈平在政治斗争中巧妙地让周勃让出了相权。“汗流沾背”，后作“汗流浃背”，指大汗淋漓，使衣服都贴在了背上，形容惭愧达到极点，后世就用这一典故形容极度的惶恐和惭愧。

【异军突起】东阳少年杀其令，强立婴为长，县中从者得二万人，异军苍头特起。（卷七《项羽本纪》/298页）

【译文】　东阳县的青年杀了县令，强行推举陈婴为首领，其中追随的有二万人，用青巾裹头，标明他们是一支新起义的军队。

【评点】　东阳，秦县名，在今安徽天长县西北。陈婴为县吏。东阳青年在秦末响应陈胜起义，在东阳县杀了县令起事，头裹青巾以区别于别支起义军。特起，突起。后世作“异军突起”，形容独树一帜的新起力量。

【阴陵失道】项王渡淮，骑能属者百余人耳。项王至阴陵，迷，失道，问一田父，田父绐曰：“左。”左，乃陷大泽中。以故汉追及之。（卷七《项羽本纪》/334页）

【译文】　项王渡过淮河，追随项王的骑兵只剩下一百多人了。项王到了阴陵县，迷失了道路，向一个耕田的农夫问路，农夫骗他说：“往左。”往左前行，便陷进了大沼泽地中。因此被汉军追了上来。

【评点】　项羽半夜在垓下突围，天亮以后汉军才发觉，汉王命骑将灌婴率领五千骑兵追赶。项羽一行在阴陵迷路，农夫诱骗进入沼泽中，误了赶路被汉军追上，自刎乌江。项羽用兵暴虐无比，“阴陵失道”，说明失道寡助，得不到人民拥护。

【连城之璧】赵惠文王时，得楚和氏璧。秦昭王闻之，使人遗赵王书，愿以十五城请易璧。（卷八一《廉颇蔺相如列传》/2439页）

【译文】 赵惠文王时，得到楚国的和氏宝玉。秦昭王听到以后，派遣使者送给赵王一封信，秦国愿意用十五座城换赵国的和氏宝玉。

【评点】 秦王想用十五座城来换取赵国得到的和氏宝玉，蔺相如奉使入秦，完璧归赵，生出许多风波。“连城之璧”，意谓宝玉价值连城。这个典故，一般写作“价值连城”，用以形容极其珍贵的物品。和氏璧，楚人卞和发现的一块宝玉，在没有整治之前，一般玉匠都识别不出，价值极其珍贵。

【两虎相斗】【两败俱伤】“天下莫强于秦、楚。今闻大王欲伐楚，此犹两虎相与斗。两虎相与斗而驽犬受其弊，不如善楚。”“两虎方且食牛，食甘必争，争则必斗，斗则大者伤，小者死，从伤而刺之，一举必有双虎之名。”（卷七八《春申君列传》/2387页；卷七〇《张仪列传》/2302页）

【译文】 天下没有谁比秦国、楚国还要强大。现今听说大王想讨伐楚国，这好比是两只猛虎互相争斗。两虎互相争斗，即使能力低劣的狗也会利用他们的疲惫，不如与楚国亲善。两只老虎正在吃牛，吃到有滋味的时候，一定分争抢起来，争抢的结果就要打斗，打斗必然是大的受伤，小的斗死，趁大虎受伤再去刺杀他，一下子就可取得刺杀两只猛虎的名声。

【评点】 “两虎相斗”与“两败俱伤”比喻势均力敌的两雄相斗必然是一场悲剧，一死一伤或两败俱伤，都给第三者带来好处。前者典出《春申君列传》，楚春申君上书秦王停止进攻楚国的书中，后者典出《张仪列传》陈轸为秦王设谋坐观韩魏相斗所讲的寓言。卞庄子见两虎食牛相斗，坐收渔利，一刃刺死双虎。两个典故相通。一般称两雄相斗时为“两虎相斗”，或“两败俱伤”。

【吴市吹篪】伍子胥橐载而出昭关，夜行昼伏，至于陵水，无以糊其口，膝行蒲伏，稽首肉袒，鼓腹吹篪，乞食于吴市，卒兴吴国，阖闾为伯。(卷七九《范雎蔡泽列传》/2407 页)

【译文】 伍子胥藏身袋子里逃出昭关，夜里赶路，白天隐藏，到了陵水，没有饭吃，跪地爬行，一路磕头，脱衣露体，鼓起肚皮吹篪，在吴国都城乞讨，终于振兴吴国，辅佐阖闾成了霸主。

【评点】 范雎进谏秦昭王之言，示意自己有伍子胥之忠，有伍子胥之才，吃尽千辛万苦来秦国效劳，要佐昭王成霸业。昭关，在今安徽含山县北小岘山，为春秋楚国入吴的边关。篪，竹制的横吹乐器。吹篪，一作吹箫。“吴市吹篪”、“吴市吹箫”成为指称街头乞讨的典故。

【助桀为虐】“夫秦为无道，故沛公得至此。夫为天下除残贼，宜缟素为资。今始入秦，即安其乐，此所谓‘助桀为虐’。”“齐王不听吾谏，故退而耕于野。国既破亡，吾不能存；今又劫之以兵为君将，是助桀为暴也。”(卷五五《留侯世家》/2037 页；卷八十二《田单列传》/2457 页)

【译文】 “秦朝因为不施仁政，所以您沛公才能到这里。要替天下人铲除凶残暴虐，应当崇尚朴素为政治资本。现在才刚进入秦都，就安享快乐，这正如人们所说是助桀为虐。”“齐王不听从我的劝谏，所以隐居在乡下种田。我的祖国既然败亡，我没有力量挽救它；现在我若受武力威胁为你们的将军，这是助桀为暴啊。”

【评点】 “助桀为虐”，又作“助桀为暴”，前者出自《留侯世家》张良劝刘邦之言；后者出自齐爱国志士王蠋拒绝燕将威胁说的话。他认为替敌人做事，等于是助桀为虐祖国人民。桀，夏朝亡国之主，古代暴君。后来这个成语为“助纣为虐”所代。纣，商朝亡国之君，比夏桀更为残暴。后世人们指斥替坏人做坏事叫“助纣为虐”。

【作壁上观】当是时，楚兵冠诸侯。诸侯军救钜鹿下者十余壁，莫敢纵兵。及楚击秦，诸将皆从壁上观。（卷七《项羽本纪》/307 页）

【译文】 这时，楚军雄冠诸侯。驻扎在巨鹿城下的诸侯援军有十余座营寨，都不敢出兵。等到楚军攻击秦军时，诸侯军的将领都只在壁垒上观看。

【评点】 诸侯将援救巨鹿被秦军围困的赵军，但不敢攻击秦军，甚至不敢声援已发起进攻秦军的楚军，在旁观看，依靠营垒自保，叫“从壁上观”，成为典故，写“作壁上观”，也简作“壁上观”。后演化为“袖手旁观”。

【何见之晚】秋霜降者草花落，水摇动者万物作，此必然之效也。君何见之晚。（卷八七《李斯列传》/2550 页）

【译文】 秋霜来临花草随之凋落，冰消雪化就万物更生，这是必然的规律。你怎么认识不到呢？

【评点】 赵高怂恿李斯发动政变时之言。赵高用自然规律作比喻，要李斯认清形势，“花开堪折直须折，莫到花落空折枝”，贴切有力。赵高认为他与胡亥已达成一致，可以转变国家权力，水到渠成，不可逆转，拉上李斯一起干。降（jiàng），降落，来临。后世以“何见之晚”讽喻见识迟钝。

【沐猴而冠】人言楚人沐猴而冠，果然。（卷七《项羽本纪》/315 页）

【译文】 人们常说楚国人就像猕猴戴了人的帽子，果真是这样。

【评点】 某人批评项羽之言。项羽入关，有人建言项羽定都关中，因关中形胜，阻山带河，四面险塞，可都以霸。项羽却回答，“富贵不归故乡，如衣绣夜行”。提建议的人就批评项羽“沐猴而冠”，比喻胸无大志，项羽大怒，把提意见的人烹杀了。此人，《楚汉秦秋》、《扬子法言》作“蔡生”，《汉书·项籍传》作“韩生”。

【完璧归赵】王必无人，臣愿奉璧往使，城入赵而璧留秦；城不入，臣请完璧归赵。（卷八一《廉颇蔺相如列传》/2440 页）

【译文】 大王真的派不出人，我愿意捧着宝玉到秦国去。城邑归了赵国，宝玉就留在秦国；城邑不归赵国，我保证把宝玉完好无损地送回来。

【评点】 “完璧归赵”，喻原物送还。战国时赵惠文王得到天下无双的楚和氏璧，秦昭王得知后派使者至赵，要用十五座城换取赵王的和氏璧。璧玉珍贵，也不足以抵偿十五座城，而且秦强赵弱，明显地是秦国恃强凌赵，要占有和氏璧。因此送璧入秦，一定受欺，不送璧，又显得赵国没有气量，遭到秦国的进攻，左右为难。这时蔺相如出来说，他能完成使命，完璧归赵，事实证明，蔺相如胜任此行，终于完璧归赵。

【纸上谈兵】赵括自少时学兵法，言兵事，以天下莫能当。尝与其父奢言兵事，奢不能难，然不谓善。赵括既代廉颇，悉更约束，易置军吏。秦将白起闻之，纵奇兵，佯败走，而绝其粮道，分断其军为二，士卒离心。四十余日，军饿，赵括出锐卒自博战，秦军射杀赵括。括军败，数十万

之众遂降秦，秦悉坑之。赵前后所亡凡四十五万。（卷八一《廉颇蔺相如列传》/2447 页）

【译文】　赵括青年时学习兵法，谈论用兵打仗，认为天下没有人能抵得上他。他曾经跟父亲赵奢谈论用兵，赵奢也驳不倒他，但认为他没学到家。长平之战，赵括代替廉颇为将，他全部改变了部署和号令，撤换了各部的军官。秦将白起知道后，派出奇兵包抄埋伏，正面假装败走，奇兵切断了赵军的粮道，又把赵军分割成两部，于是军心涣散。相守四十多天，全军缺粮挨饿。赵括亲自带领精锐士兵出战，秦军射死了赵括，括军战败，几十万赵军终于投降秦军，秦军把他们全部活埋了。赵军前后死亡总计四十五万人。

【评点】　"纸上谈兵"见《廉颇蔺相如列传》所附赵括传。他学兵法理论上很有一套，在实战中不知变化，一败涂地，差点导致赵国灭亡。后世用这一典故比喻死读书，只会空发议论而不能解决实际问题的人的行为。

【改过自新】夫死者不可复生，刑者不可复属，虽复欲改过自新，其道无由也。（卷一〇《孝文本纪》/427 页）

【译文】　杀死的人不可能再活过来，砍下的肢体不可能再接上去，虽然想要改正错误重新做人，也没有机会了。

【评点】　缇萦上书救父之言，指出伤残肢体的肉刑以至死刑要十分慎重，即使犯罪的人也要给以改正错误、重新做人的机会。复属，指受刑砍下的肢体重新接上去。西汉齐国太仓令淳于意是一代名医，他唯恐遭权势之家役使，而深藏绝技，不肯为达官贵人治病。文帝前元十三年（前 167），他被人告发判了重罪，要解押长安。淳于意有五个女儿，却没儿子。他临捕时感叹地说："生子不生男，紧要时候没有用处。"淳于意的小女儿名叫缇萦，她随父上长安，上书文帝替父鸣冤，并提出以身赎父之罪，上引就是缇萦上书中的一段话。汉文帝览书深受感动，于是发布了废除肉刑的诏书，成为千古美谈。

【陈陈相因】太仓之粟陈陈相因，充溢露积于外，至腐败不可食。（卷三〇《平准书》/1420页）

【译文】 京师粮仓中的粮食，层层堆积，满得溢出仓外，在露天堆放着，以至于霉烂不能吃。

【评点】 原指西汉经过文景之治，国殷民富，国库粮仓新旧粮食层层堆积。后喻因循保守，没有革新创见为陈陈相因，总是因循旧章。

【丧家之狗】孔子适郑，与弟子相失，孔子独立郭东门。郑人或谓子贡曰："东门有人，其颡似尧，其项类皋陶，其肩类子产，然自要以下不及禹三寸，累累若丧家之狗。"子贡以实告孔子。孔子欣然笑曰："形状，末也。而谓似丧家之狗，然哉！然哉！"（卷四七《孔子世家》/1921～1922页）

【译文】 孔子来到郑国，与弟子走失散了，孔子一人站在外城东门。郑国有人对子贡说："东门有一个人，额头像尧，脖子像皋陶，肩部像子产，但是从腰以下比大禹短三寸，狼狈得像一只丧家之狗。"子贡把原话告诉了孔子，孔子怡然而娓娓地说道："说到形状，那是次要的。而说像一只丧家之狗，正是这样，正是这样。"

【评点】 "丧家之狗"，形容孔子四处碰壁，失魂落魄的样子。丧家之狗，原指有丧人家之狗，主人顾不得喂食，惶惶然的样子，比喻沦落不遇，这是孔子自比之意。后世改为"丧家之犬"，用其字面意义，谓无家可归的狗，比喻失去靠山，到处钻营投奔的人，也指那些一心为主子效劳而又不得重用的人。

【杯盘狼藉】日暮酒阑，合尊促坐，男女同席，履舄交错，杯盘狼藉，堂上烛灭，主人留髡而送

客，罗襦襟解，微闻芗泽，当此之时，髡心最欢，能饮一石。（卷一二六《滑稽列传》/3199页）

【译文】　太阳落山了，酒宴将散，把剩下的酒合在一起，大家促膝而坐，男女同席，鞋子木屐错乱了，杯子盘子乱糟糟，堂屋里的蜡烛已经熄灭，主人单独留下我淳于髡，而送走了客人，绫罗短袄解开了衣襟，略微闻到主人的香气，在这个时候，我心里最高兴，能喝一石酒。

【评点】　淳于髡劝谏齐威王之言，以喝酒一斗能醉，一石也能醉，说明行为愈是放纵愈能喝酒，讽谏齐威王行为节制。斗，大酒杯，十斗为一石。阑，尽，指席散。合尊，把残酒合倒一樽里。樽，盛酒器。履，鞋子。舄，木底拖鞋。履舄交错，指男女同席，男女的鞋子交错在一起。芗泽，女人的香气。男女同席肆无忌惮，淳于髡能饮一石。杯盘狼藉，酒席将散时，桌上杯盘乱七八糟一片的样子，形容热闹的宴会。狼藉，杂乱的样子。

【画蛇添足】人有遗其舍人一卮酒者，舍人相谓曰："数人饮此，不足以遍，请遂画地为蛇，蛇先成者独饮之。"一人曰："吾蛇先成。"举酒而起，曰："吾能为之足。"及其为之足，而后成人夺之酒而饮之，曰："蛇固无足，今为之足，是非蛇也。"（卷四〇《楚世家》/1722页）

【译文】　有一个人送给他的门客们一杯酒，门客们商议说："几个人喝这一杯酒，不够一人一口，请大家在地上画一条蛇，谁先画成就让谁一个人喝这杯酒。"有一个人说："我第一个画成了蛇。"端起酒杯站了起来，说："我还有时间能给蛇画一只脚。"等到他给蛇画好了脚时，另一个后画成蛇的人夺过酒杯一饮而尽，说："蛇本来没有脚，现在你给它画上脚，这就不是蛇了。"

【评点】　陈轸游说楚令尹昭阳停止攻齐之言，原载《战国策·齐策》。楚国令尹是最高官职。昭阳善于作战，楚怀王六年

（前 323），昭阳率兵攻魏，夺得八个城邑，又乘胜攻齐。陈轸替齐游说昭阳，攻齐得胜不加官，失败了将使自己垮台，就如同画蛇添足一样，昭阳于是停止了进攻齐国。这个故事后人概括为“画蛇添足”的成语，比喻做事要讲求效益，不要做多余的事。

【抱痛西河】孔子既没，子夏居西河教授，为魏文侯师。其子死，哭之失明。（卷六七《仲尼弟子列传》/2203 页）

【译文】 孔子死后，子夏住在西河，开馆教学，做了魏文侯的老师。子夏的儿子死了，子夏哀痛过度，哭瞎了眼睛。

【评点】 孔子高足弟子，做到魏文侯的老师，因舐犊之情，哭子失明，后世以为丧子悲切的典故。西河，古代地区名，在山陕相交黄河西岸，当今陕西韩城市地区，战国时为魏西河郡。

【抱薪救火】抱薪救火，薪不尽，火不灭。（卷四四《魏世家》/1854 页）

【译文】 抱着柴薪去救火，柴没有烧完，火是不会熄灭的。

【评点】 苏代劝说魏王之言。魏将段干子提出割地事秦，使两国和好，停止交战。苏代认为魏国土地不割完，秦国的贪心不会停止，用抱薪救火作比喻，说明用错误的方法去消除灾祸，只能是使灾祸更加扩大。薪，柴火。《礼记·月令》：“季冬之月，收秩薪柴。”郑玄注：“大者可析谓之薪，小者合束谓之柴。”泛言之，薪、柴同义。

【招之不来】使黯任职居官，无以逾人。然至其辅少主，守城深坚，招之不来，麾之不去，虽自谓贲育亦不能夺之矣。（卷一二〇《汲郑列传》/3107 页）

【译文】 让汲黯当官理政，不能超越别人。但是轮到他辅助年少的主上，却能沉着坚定地守护既定的方针，招诱他不会来，驱赶他不会走，即使有人自认为有孟贲、夏育那样的勇力也不能强夺他的意志。

【评点】 “招之不来”，喻守职坚定不移，不可以强力夺其志，计诱移其心。汲黯，武帝时敢于直谏的大臣。这段话是庄助对他的评价。贲育，古代勇士孟贲、夏育。现代成语“招之即来，挥之即去”，是反用“招之不来，麾之不去”。喻纪律严明。麾，通挥。

【明目张胆】夫秦为无道，破人国家，灭人社稷，绝人后世，疲百姓之力，尽百姓之财。将军瞋目张胆，出万死不顾一生之计，为天下除残也。（卷八九《张耳陈馀列传》/2573页）

【译文】 秦国无道，灭了别人的国家，毁了人家的社稷，断绝了人家的后代，耗尽百姓的劳力，掠尽百姓的财产。将军怒目圆睁，放开胆量，不顾万死一生，替天下的老百姓铲除祸害。

【评点】 张耳、陈馀劝说陈涉之言，两人劝谏陈胜缓称王，立六国后。“瞋目张胆”，演化为“明目张胆”，睁开眼睛，放开胆子，无所畏惧地同邪恶作斗争。《晋书·王敦传》：“今日之事，明目张胆为六军之首，宁忠臣而死，不无赖而生矣。”后世多用作贬义，指公开放肆地干坏事。

【明珠暗投】臣闻明月之珠，夜光之璧，以暗投人于道路，人无不按剑相眄者。何则？无因而至前也。（卷八三《邹阳列传》/2476页）

【译文】 我听说拿着明月珠和夜光璧，在黑夜中抛向行路的人，人们没有不惊恐地按着剑斜视投珠的人。为什么呢？因为宝物无缘无故地抛到跟前。

【评点】 “明珠暗投”，邹阳《狱中上梁王书》中之言。原义明珠暗投，无人理解，喻怀才不遇，后用以喻贵重之物落到不识货的人手里，也喻误入歧途。明月珠、夜光璧，传说能够夜间发光的大珠、璧玉，为无价之宝。邹阳，西汉景帝时梁孝王门客。

【图穷匕首见】轲既取图奏之，秦王发图，图穷而匕首见。（卷八六《刺客列传》/2534 页）

【译文】 荆轲取过地图上呈秦王，秦王展开地图，地图被展到尽头，匕首露了出来。

【评点】 “图穷匕首见”，喻事物真相最终暴露，原见《战国策·燕策》。秦王，指秦王政，统一六国后称秦始皇。燕太子丹为质于秦，逃归燕国，恨未受秦王礼遇，又害怕秦国吞并六国直到灭亡燕国，派荆轲以奉献燕国地图为名刺秦王。古代地图画在丝帛上卷起来，故匕首可藏于图中。见，读现。

【贫女分光】【分光之惠】甘茂之亡秦奔齐，逢苏代。代为齐使于秦。甘茂曰：“臣得罪于秦，惧而遁逃，无所容迹。臣闻贫人女与富人女会绩，贫人女曰：‘我无以买烛，而子之烛光幸有余，子可分我余光，无损子明而得一斯便焉。’今臣困而君方使秦而当路矣。茂之妻子在焉，愿君以余光振之。”苏代许诺。（卷七一《樗里子甘茂列传》/2316 页）

【译文】 甘茂逃离秦国到齐国，路上恰巧碰上苏代。苏代替齐国出使到秦国。甘茂说：“我在秦国获罪，怕遭祸殃便逃了出来，现在还没有容身之地。我听说贫家女与富家女一起搓麻线，贫家女说：‘我没钱买蜡烛，而您的烛光幸好有剩余，请您分给我一点剩余的光亮，这无损于您的照明，却给我同样享受照明的方便。’我现处于困窘地位，您正出使秦国，大权在握。我的妻子儿女在秦国，希望您用余光救济他们。”苏代应承下来。

【评点】 “贫女分光”又作“分光之惠”，喻求人救助。甘茂，楚国下蔡人，入秦官至左丞相。受谗惧罪而逃，到了齐国请求苏代解救。苏代到了秦国对秦昭王说：“甘茂知道秦国虚实，要用重金把他请回来囚禁终身，不要让诸侯利用。”秦王听其计，用重金请甘茂，让他回秦国做上卿。齐王见甘茂如此尊贵就留他在齐国做高官，秦国要交好齐国，也就优待甘茂的妻子儿女。这就是苏代分给甘茂的余光。今通行俗语有“借光”一词，源出于此。

【夜郎自大】滇王与汉使者言曰：“汉孰与我大?”及夜郎侯亦然。以道不通故，各自以为一州主，不知汉广大。（卷一一六《西南夷列传》/2996页）

【译文】 滇王询问汉朝使者说：“汉朝与我滇国相比哪个大?”汉使到了夜郎国，夜郎侯也这样问。由于道路闭塞的缘故，这些城邦小国各自认为是一州之主，不知道汉朝疆土的广大。

【评点】 “夜郎自大”喻狂妄无知，或妄自尊大。滇、夜郎，古族名、国名。滇国在今云南昆明一带。夜郎，在今贵州西部及北部。两国是西汉时西南夷地区中的大国，他们不知汉朝广大，就自认为很了不起。

【相君之背】相君之面，不过封侯，又危不安。相君之背，贵乃不可言。（卷九二《淮阴侯列传》/2623页）

【译文】 相你的面，不过得封侯，而且还危险不安全。相你背，却高贵得不敢用语言说出来。

【评点】 “相君之背”，蒯通之言。蒯通以看相为名，委婉劝韩信背汉连楚，三分天下，自己称王。“相君之背”为双关语，既有相视脊背的字面意义，又有劝其背离汉王的隐喻意义。“贵乃不可言”是“贵乃为天子”的意思，说这话大逆不道，所以不敢用语言说出来。

【相知恨晚】【相引为重】【引绳批根】灌夫家居虽富，然失势，卿相侍中宾客益衰。及魏其侯失势，亦欲倚灌夫引绳批根生平慕之后弃之者。灌夫亦倚魏其而通列侯宗室为名高。两人相为引重，其游如父子然。相得欢甚，无厌，恨相知晚也。（卷一〇七《魏其武安侯列传》/2847 页）

【译文】 灌夫闲居在家，虽然富有，然而失去了权势，卿相侍中这样的高官贵客日益疏远了他。等到魏其侯失去了权势，也想依靠灌夫去打击那些平生仰慕自己而现在又抛弃了自己的人。灌夫也想依靠魏其侯的关系去结交列侯及皇族来抬高自己的名望。两人互相援引，互相依靠，他们来往亲密得像父子一样。彼此投合，非常高兴，互不嫌弃，只恨互相了解得太迟了。

【评点】 武帝时外戚魏其侯窦婴是武帝祖母之侄，武安侯田蚡是武帝之舅，两人原来相交很好，田蚡为晚辈，服侍窦婴如同子侄。后来两人争利，水火不容。灌夫是汉武帝时大将，在景帝时平定吴楚七国之乱中立有战功，他为人刚直不阿，对权贵从不降志屈身，因而得罪了不少人而失势。田蚡取代窦婴为丞相，窦婴失势。于是两人结合起来与田蚡斗争，最后窦灌失败，灌夫遭族灭，窦婴被杀头。上引一段话是对窦灌二人相交心态的描写。后世从不同角度概为三个成语。“相知恨晚”，喻朋友交情笃厚，或一见如故的交游。“相引为重”，喻朋友间的互相扶持，互相推重。“引绳批根”，以木工引墨线取直木头为喻，指互相合力，排斥异己。

【临江轴折】荣行，祖于江陵北门。既已上车，轴折车废。江陵父老流涕窃言曰：“吾王不反矣。”（卷五九《五宗世家》/2094 页）

【译文】 刘荣出发上路，在江陵城北门与送行人语别，祭路神。登上车马之后，车轴突然折断，车子毁坏。江陵城的父老流着眼泪私下说：“我们的国王不会回来了。”

【评点】 刘荣，本景帝长子，已立为皇太子，后废为临江王，王都江陵城。又因罪被征，在江陵城北门祖道，上路时车轴折断，显示凶兆。他到京城后被郅都审问逼迫自杀。后以“临江折轴”喻出门不利。

【贵不可言】高祖为亭长时，常告归之田。吕后与两子居田中耨，有一老父过请饮，吕后因馆之。老父相吕后曰：“夫人天下贵人。”令相两子，见孝惠，曰：“夫人所以贵者，乃此男也。”相鲁元，亦皆贵。老父已去，高祖适从旁舍来，吕后具言客有过，相我子母皆大贵。高祖问，曰：“未远。”乃追及，问老父。老父曰：“乡者夫人婴儿皆似君，君相贵不可言。”高祖乃谢曰：“诚如父言，不敢忘德。”及高祖贵，遂不知老父处。（卷八《高祖本纪》/346 页）

【译文】　高祖做亭长时，经常告假回家到田地里去。有一次吕后带着两个孩子在田中除草，有个过路老头讨水喝，吕后让他喝水，并请他吃饭。老头给吕后相面，说：“夫人将是天下的贵人。”让给两个孩子看相。老头见了孝惠帝说：“夫人所以显贵，就靠的是这男孩啊。”看了鲁元公主的相，也是贵人相。老头已经离开，高祖恰好从旁边房舍走过来，吕后原原本本说过路客人看相经过，我母子都是大贵人。高祖问这个人走了多久，说：“没走多远。”就追了上去，问老头刚才的事。老头说：“刚才夫人孩子都长得像你，您的相貌简直是贵不可言。”高祖于是道谢说：“如果真像您老人家说的那样，我决不会忘记您的恩德。”等到高祖显贵以后，始终没有找到老头的下落。

【评点】　“贵不可言”，尊贵到不可用言语说出来，即“贵为天子”的代用语。高祖，指刘邦。吕后，高祖皇后吕雉。孝惠帝，吕后所生子刘盈。鲁元，吕后所生之女，为赵王张敖妻。这时高祖一家都是平民，称谓皆为追书。

【便宜施行】汉王与诸侯击楚，何守关中，侍太子，治栎阳。为法令约束，立宗庙社稷宫室县邑，辄奏上，可，许以从事；即不及奏上，辄以便宜施行，上来以闻。关中事计户口转漕给军，汉王数失军遁去，何常兴关中卒，辄补缺。上以此专属任何关中事。（卷五三《萧相国世家》/2014～2015 页）

【译文】 汉王与诸侯军攻击楚军，萧何留守关中，侍奉太子，坐镇栎阳。制定法令规章，建立宗庙、社稷、宫室、县邑各级机构，每次上奏，汉王认可，准许实行；来不及上奏的紧急措施，就灵活施行，等汉王回京时汇报。萧何管理关中的户籍人口，征集粮饷水陆运输供给军队。汉王多次战败逃走，萧何常常征发关中士卒，立即补充缺员。汉王因此专门委任萧何负责处理关中事务。

【评点】 “便宜施行”，指担任方面的重臣根据实际情况，灵活决策，与“先斩后奏”部分意义交叉。汉王出征，萧相留守后方，足食足兵，处理国家大事，来不及汇报，自作主张按实际处理政务，称“便宜施行”。便，方便。宜，依据实际应采取的措施。

【重厚少文】周勃重厚少文，然安刘氏者必勃也，可令为太尉。（卷八《高祖本纪》/392 页）

【译文】 周勃稳重厚道，缺少文才，但是安定刘氏天下的一定是他，可以让他担任太尉。

【评点】 “重厚少文”，刘邦临死前安排后事对周勃的评价以及托付的重任。周勃持重敦厚，不大讲礼仪，也不善于说话。《绛侯周勃世家》记载说：“勃为人木强敦厚，高帝以为可属大事。勃不好文学，每召诸生说士，东向坐而责之，‘趣为我语’，其椎少文如此。”

【秋毫无犯】吾入关，秋毫不敢有所近，籍吏民，封府库，而待将军。（卷七《项羽本纪》/312页）

【译文】 我进兵关中，即使毫毛大的东西都不敢沾边，登记官吏百姓，封藏府库，专等将军。

【评点】 刘邦对项伯之言，表示自己虽然先入关，但未将秦国财物土地占有，而是一一封藏等待项羽。秋毫，指秋天鸟兽换毛长出的新细毛。毫，细毛，喻微小。将军，指项羽。“秋毫无犯”，后世指军纪严明，不侵犯老百姓一针一线。《后汉书·岑彭传》：“彭首破荆门，长驱武阳，持军整肃，秋毫无犯。”

【首鼠两端】与长孺共一老秃翁，何为首鼠两端？（卷一〇七《魏其武安侯列传》/2853页）

【译文】 我与长孺共同对付一个老秃头，为什么还要模棱两可！

【评点】 田蚡责备韩安国之言。武帝时，武安侯丞相田蚡，与魏其侯窦婴矛盾很深，两人均为外戚，武帝不便评论是非，让群臣来讨论。御史大夫韩安国，字长孺，他是田蚡一党，但为人圆滑世故，且厚道，他既掩饰田蚡之短，同时也替魏其侯圆场，田蚡很不满意，指责他首鼠两端。旧解老鼠出洞，性多疑而左右环顾。又作“首施两端”。近代训诂学家认为“首施”“首鼠”与“踌躇”均为一词多形，音义皆同，即犹疑。

【给丧蹷张】绛侯周勃者，沛人也。勃以织薄曲为生，常为人吹箫给丧事。申屠丞相嘉者，梁人，以材官蹶张从高帝击项籍，迁为队率。（卷五十七《绛侯周勃世家》/2065页；卷九六《张丞相列传》/2682页）

【译文】 绛侯周勃是沛县人。周勃靠织蚕箔维持生计，还经常给人家吹箫办理丧事。申屠嘉丞相是梁地人，以勇敢的强弩射手追随高帝攻打项籍，升为队长。

【评点】 给丧，帮办丧事作吹箫的挽歌手。蹶张，蹶张士的省称，指脚踏硬弓发矢。周勃少时给丧，申屠嘉勇敢多力而蹶张。两人事迹分别见《绛侯周勃世家》与《张丞相列传》，合成“给丧蹙张”典故，喻地位卑贱的人。

【退避三舍】即不得已，与君王以兵车会平原广泽，请辟王三舍。（卷三九《晋世家》/1659 页）

【译文】 如果迫不得已，与君王在平原湖沼广阔地方兵戎相见，请退避君王三舍。

【评点】 原载《左传》僖公二十三年。晋献公时，发生骊姬之祸，公子重耳被迫出亡，他历尽艰辛，到达楚国。楚成王用厚礼款待重耳，问他回国以后，用什么来报答楚国，重耳答以“退避三舍”。辟，通避。舍，古时行军，以三十里为一天之行程，称一舍。退避三舍，远远躲开，撤退九十里之地。后来晋楚城濮之战，晋文公果然退避三舍，既守诺言，又以此诱敌深入，激励士气，一战大败楚军，完成霸业为诸侯盟主。

【素车白马】沛公兵至霸上。秦王子婴素车白马，系颈以组，封皇帝玺符节，降轵道旁。（卷八《高祖本纪》/362 页）

【译文】 沛公的军队到达霸上。秦王子婴乘素车，驾白马，脖子上系着绳子，手里捧着封存的皇帝玉玺和符节，伏在轵道旁向沛公投降。

【评点】 “素车白马”又作“白马素车”，为秦王子婴投降沛公时的服饰，后用为帝王投降的典故，也成为后世投降的仪式。霸上，也作灞上，地名，在今西安市东，是灞水西岸的一块高原地，古代咸阳东的军事要地。轵道，一作枳道，霸上亭名。“素车白马”在古典文学作品中又作“丧服”的代称。关汉卿《窦娥冤》第三折：“要什么素车白马，断送出古陌荒阡！”

【胶柱鼓瑟】王以名使括，若胶柱而鼓瑟耳。括徒能读其父书传，不知合变也。（卷八一《廉颇蔺相如列传》/2446 页）

【译文】 大王仅凭名声使用赵括，如同胶着瑟上的弦柱来弹瑟，音调不会有变化。赵括只能读他父亲的书，不懂得随机应变。

【评点】 蔺相如劝谏赵王之言。赵括喜读兵书，夸夸其谈，没有实战经验，赵王用他为大将抗击秦军，蔺相如谏止，以“胶柱鼓瑟”为喻，指出赵括不懂应变策略，不能为将。参见“纸上谈兵”条。柱，瑟上用来拧转丝弦的短轴。调弦的短柱被胶粘住，音调就不会变化，喻做事守死教条，不知变化。

【射石没羽】广出猎，见草中石，以为虎而射之，中石没镞，视之石也。（卷一〇九《李将军列传》/2871 页）

【译文】 李广外出打猎，看见草中蹲着一只老虎，拔箭射去，箭射中了，箭头也钻进去了，仔细一看，原来是一块石头。

【评点】 这个故事描写李广善射，形容他的神力巨大，连石头也能射进去。《吕氏春秋·精通》、《韩诗外传》均载有同类故事。后世概括为“射石饮羽”、“射石没羽”，用以形容射技精湛又有神力的人。也用来比喻精诚所至，金石可开。镞，箭头。

【被坚执锐】臣等身被坚执锐，多者百余战，少者数十合，攻城略地，大小各有差。今萧何未尝有汗马之劳，徒持文墨议论，不战，顾反居臣等上，何也？（卷五三《萧相国世家》/2015 页）

【译文】 我们身披战甲，手执兵器，参加血战，打仗多的身经百战，少的也有几十战，攻占城池，夺取地盘，都立下了大小不等的战功。如今萧何没有这样的汗马功劳，只是要笔杆子，发发议论，没有上过战场，功劳封赏反而在我们之上，什么道理？

【评点】 “被坚执锐”，常用成语，《墨子》、《战国策》等书中均有记载。上段引文出自《萧相国世家》，诸将争功之言。被，通披。“披坚执锐”，即全副武装，奔驰沙场。参见“功人功狗”条。

【高阳酒徒】走！复入言沛公，吾高阳酒徒也，非儒人也。（卷九七《郦生陆贾列传》/2704页）

【译文】 滚！再次进去对沛公说，我是高阳地方的酒徒，不是读书人。

【评点】 《郦生陆贾列传》附传中郦食其之言。刘邦西伐秦，兵过陈留，郦食其求见，使者通报郦食其穿戴仪表像一个大学问家。刘邦出身无赖，不喜欢儒生，他见了儒生，扯下帽子，撒尿侮辱。他听见通报郦食其是一个大儒，说：“替我回绝，我正在打天下，没时间见儒生。”郦食其大发脾气，痛骂使者，自称“高阳酒徒”，作出一番狂态，刘邦立即请见。后遂用“高阳酒徒”指狂放不羁的人。唐高适《田家春望》诗：“可叹无知己，高阳一酒徒。”

【家徒四壁】文君连夜亡奔相如，相如乃与驰归成都。家居徒四壁立。（卷一一七《司马相如列传》/3000页）

【译文】 卓文君连夜逃出家中，私奔相如。相如于是与卓文君赶着车马急返成都。家中空空，只有四面墙壁直立。

【评点】 “家徒四壁”，徒，仅仅，只有，家中只有四面墙壁，形容清贫如洗，一无所有。典出《司马相如列传》。卓王孙，西汉临邛大富翁，有女卓文君貌美才俊，寡居在家。司马相如有文名，家中清贫，在好友临邛令王吉安排下，司马相如作客卓王孙家中，他善弹琴，以琴挑逗卓文君，表达爱慕之情，于是卓文君私奔，成为千古佳话。

【旁若无人】荆轲既至燕，爱燕之狗屠及善击筑者高渐离。荆轲嗜酒，日与狗屠及高渐离饮于燕市，酒酣以往，高渐离击筑，荆轲和而歌于市中，相乐也，已而相泣，旁若无人者。（卷八六《刺客列传》/2528页）

【译文】　荆轲到了燕国后，喜欢和燕国的狗屠和一个擅长击筑的高渐离交好。荆轲嗜好喝酒，每天与狗屠和高渐离在燕市喝酒，喝到尽兴的时候，高渐离击筑，荆轲和着节拍唱歌，互相取乐，过了一会就互相哭起来，好像旁边没有人似的。

【评点】　若，好像。仿佛旁边没有人，原指荆轲等人慨叹国事，相知和乐，或悲或喜，任情驰骋。后世用以形容态度高傲，或心地坦诚。

【随风靡靡】今陛下以啬夫口辩而超迁之，臣恐天下随风靡靡，争为口辩而无其实。且下之化上疾于景响，举错不可不审也。（卷一〇二《张释之冯唐列传》/2752页）

【译文】　如今皇上因为啬夫口齿伶俐就越级提拔他，我担心全国的人都来追随这种风气，争相浮夸而不讲求实际。何况在下位的人效法在上位的人就像影和回声一样的快啊，所以皇上处理事情不能不慎重。

【评点】　张释之谏文帝之言。啬夫，小吏。此指上林苑养虎的管理员。有一天汉文帝到皇家猎场上林苑巡察，文帝查问上林苑主管官员上林尉有关禽兽养殖情况，上林尉回答不出。虎圈啬夫从旁代答，但他夸夸其谈没完没了，文帝一时高兴就让谒者张释之传令，提升虎圈啬夫为上林令。虎圈啬夫是不入品位的斗升小吏，上林令是一千石的中高级官员。一个养兽管理员，精于职守业务，应当奖励，但只因他夸夸其谈，就这样提拔，会在全国产生震动，大家都来效法，虚报浮夸，讨好上司，升官发财。

所以张释之抗旨不办，说服汉文帝收回了成命。“随风靡靡”喻上行下效，赶潮流像风吹草木一样一边倒。错，通措，举措。

【鹿死谁手】【逐鹿中原】【中原逐鹿】秦之纲绝而维弛，山东大扰，异姓并起，英俊乌集。秦失其鹿，天下共逐之，于是高材疾足者先与焉。（卷九二《淮阴侯列传》/2629页）

【译文】 秦朝的法度败坏，政权解体，山东地方大乱，各姓势力并起，英雄豪杰像群鸦一样聚集。秦朝丢失鹿（指帝位），天下的人一起追逐，只有本领高强，行动迅速的人先抢到它。

【评点】 “鹿死谁手”与“逐鹿中原”两个典故均指争夺帝位，蒯通之言。蒯通劝韩信背汉连楚三分天下称王。汉朝建立后追究这件事，汉高祖要杀蒯通，蒯通替自己行为辩护说了这席话，意谓大家都在逐鹿，人各为其主，这是忠的表现，一个皇帝怎么能杀忠臣呢？汉高祖赦免了蒯通。《晋书·石勒载记》下，记载石勒野心勃勃，他曾在一次酒宴上说：“朕若逢高皇，当北面而事之，与韩、彭竞鞭而争先耳，朕遇光武，当并驱于中原，未知鹿死谁手。”石勒之言语本蒯通，更为显豁。鹿喻帝位。王朝覆灭，天下无主，群雄割据，都想称王称帝，如同鹿在中原，大家追逐，谓之“逐鹿中原”。中原为正统所在，谁占有中原谁就得鹿。纷争难解之时，不知最后获胜者为谁，叫做“鹿死谁手”。

【落魄不羁】郦生食其者，陈留高阳人也。好读书，家贫落魄，无以为衣食业，为里监门吏。然县中贤豪不敢役，县中皆谓之狂生。（卷九七《郦生陆贾列传》/2691页）

【译文】 郦食其先生，是陈留县高阳乡人。他喜欢读书，家境贫困，零落漂泊，没有用来谋得衣食的产业，做了个看管里门的小吏。但是县中有名望有权势的贤士豪绅都不敢驱使他，县中的人都叫他狂先生。

【评点】 郦生，即郦食其，辅佐刘邦争天下的谋士，曾说降齐王田广归汉。他一生落魄，即四处漂泊，狂放无羁，不受约束，自称高阳酒徒。后世遂称漂泊无依，或穷困失意的人为“落魄不羁”，或省称“落魄”，也作“落拓”。

【椎牛享士】今臣窃闻魏尚为云中守，其军市租尽以享士卒，出私养钱，五日一椎牛，享宾客军吏舍人，是以匈奴远避，不近云中之塞。（卷一〇二《张释之冯唐列传》/2758页）

【译文】 如今我个人听说魏尚做云中太守，把军市交易的税收全部拿来犒赏将士，还拿出私人的俸钱，每五天杀一次牛，宴请宾客、军官及其亲近属官。因此匈奴远远地躲开，不敢靠近云中要塞。

【评点】 “椎牛享士”，杀牛犒赏将士，喻厚待将士，鼓舞士气，冯唐赞扬魏尚之言。云中，汉边郡名，治所在今内蒙托克托东北。魏尚驻守云中，匈奴不敢近边，可是在一次上报战功中差了六个首级，被刀笔吏以不实欺罔之罪而下狱，冯唐在汉文帝面前谏诤，说汉法赏轻罚重，魏尚，才得以平反。椎牛享士，是隆重无比的亲爱将士。牛，在古代一般不杀食，祭享天地祖宗牛羊豕三牲具备称太牢，一般祭享无牛，称少牢。战士打了大胜仗，赏赐牛酒。所以宴会有牛肉为上等席。五日一椎牛形容魏尚亲厚士卒的程度。

【铸山煮海】吴有豫章郡铜山，濞则招致天下亡命者盗铸钱，煮海水为盐，以故无赋，国用富饶。（卷一〇六《吴王濞列传》/2822页）

【译文】 吴国有鄣郡铜山，吴王刘濞招收天下逃亡的人私自铸造钱币，煮海水制盐，因此不征收赋税，国家财用富足。

【评点】 “铸山煮海”，喻大量聚敛钱财。吴王刘濞，高祖之侄，封吴王。豫章郡，为鄣郡之讹。鄣郡有铜山，产铜得名。在今安徽宣城东。吴王凭藉铜山铸钱，煮海水为盐，招收天下亡命，在景帝三年（前154）为首发动了七国之乱，为汉将周亚夫讨平。

【睚眦必报】 范雎于是散家财物，尽以报所尝困厄者。一饭之德必偿，睚眦之怨必报。（卷七九《范雎蔡泽列传》/2451页）

【译文】 范雎散用家财，一一报答那些曾经帮助过他而处境困苦的人。凡是请他吃过一顿饭的这样小恩小惠他也是一定报答，而瞪过他一眼的小怨小仇也一定报复。

【评点】 “睚眦必报”，喻细小恩怨都要报复。睚眦，瞪眼睛，喻些少之怨。范雎在魏因无辜涉嫌泄露情报，差点被魏相打死，历经磨难在秦为相，发誓报仇，故走极端。《晋书·苻坚载记》下附王猛：“微时一餐之惠，睚眦之忿，靡不报焉。”

【稠人广众】 灌夫为人刚直使酒，不好面谀。贵戚诸有势在己之右，不欲加礼，必陵之；诸士在己之左，愈贫贱，尤益敬，与钧。稠人广众，荐宠下辈。士亦以此多之。（卷一〇七《魏其武安侯列传》/2847页）

【译文】 灌夫为人刚强直爽，好发酒疯，不喜欢当面奉承人。对地位在自己之上的皇亲国戚及有势力的人，只要是他不想礼遇的，他一定要凌辱他们；对地位在自己之下的许多士人，越是贫贱的，就更加敬重，和他们平等相待。在大庭广众之中，推荐夸奖后辈，士人们因此也十分敬重灌夫。

【评点】 “稠人广众”，指多人聚集之处，典出《魏其武安侯列传》所附灌夫传。流传中又作“稠人广坐”，“大庭广众”。灌夫，颍阳人，景帝时，他在平吴楚之乱中，其父战死，他为父报仇，勇猛冲陷敌军而扬名天下。武帝时官至太仆，坐法失官，家居长安，与失势外戚前丞相魏其侯窦婴相结对抗当朝丞相外戚武安侯田蚡，被田蚡害死。灌夫凌上护下，表现了不畏权贵，扶持弱小，好打抱不平的优良品德，但他不学无术，爱耍酒疯，借以壮胆，凌辱权贵，必然遭杀身之祸。陵，通凌。多，赞扬，敬重。

【鼠窃狗盗】【何足挂齿】陈胜起山东，使者以闻，二世召博士诸儒生问曰："楚戍卒攻蕲入陈，于公如何？"博士诸生三十余人前曰："人臣无将，将即反，罪死无赦。愿陛下急发兵击之。"二世怒，作色。叔孙通前曰："诸生言皆非也。夫天下合为一家，毁郡县城，铄其兵，示天下不复用。且明主在其上，法令具于下，使人人奉职，四方辐辏，安敢有反者！此特群盗鼠窃狗盗耳，何足置之齿牙间。郡守尉今捕论，何足忧。"二世喜曰："善。"尽问诸生，诸生或言反，或言盗。于是二世令御史案诸生言反者下吏，非所宜言。诸言盗者皆罢之。乃赐叔孙通帛二十匹，衣一袭，拜为博士。叔孙通已出宫，反舍，诸生曰："先生何言之谀也？"通曰："公不知也，我几不脱于虎口！"乃亡去。（卷九九《叔孙通列传》/2720～2721页）

【译文】 陈胜在山东起兵，使者把这个情况上报朝廷，秦二世召来博士、儒生讨论，便问道："楚地被征发戍边的士兵攻下蕲县，进入陈县，这件事你们怎么看？"博士及儒生三十多人，走向前去说："做臣子的不能聚众，聚众就是造反，这是死罪不能宽赦，希望陛下赶紧发兵征讨他们。"二世一听就发火，变了脸色。叔孙通走上前来说：“各位儒生的话都错了。当今天下一统，毁掉郡县城池，销熔各种兵器，就是向天下昭示了不再用它。何况现在有圣明的君主在上边把握方向，给下边制定了完善的法令制度，使人人尊法守职，四面八方都归附朝廷，哪有敢造反的人！这只不过是一群如鼠偷东西狗盗食物的小偷罢了，哪里值得放在嘴里说呢。郡城守尉长官正在捉拿审判，值不得忧虑。”秦二世高兴地说：“好。”又向每一个儒生问了一遍，有的说是造反，有的说是强盗。于是秦二世下令御史审查每个儒生说的话，说造反的人法办，不是他们应该说的。各位说是盗贼的人一概罢官。却赐给叔孙通二十匹帛，衣一套，还授给他博士职位。叔孙通走出宫来，回到居舍，儒生们指责说：“叔孙先生怎么说出这样的违反事实的奉承话呢？”叔孙通说：“各位不知道啊，我差点逃不出虎口！”于是逃离了都城。

【评点】 叔孙通，薛人，汉初大儒，秦时官至博士，精通朝廷礼仪制度。高祖即位，叔孙通制礼，官拜奉常。秦二世昏庸无道，拒听逆耳之言，在这样的昏乱之朝，是非颠倒，黑白混淆，叔孙通善于察言观色，明哲保身，无可非议。诸生直言，不畏死尽忠，精神可嘉，但尽愚忠而受屈，亦不足惜。这一次朝议陈胜造反事，充分显示了秦二世的昏愚，当然叔孙通的随波逐流，阿顺世俗的面目也暴露出来，史公借诸生之口指斥其为“谀”，也十分中肯。后人概括这段故事为两个成语，一为“鼠窃狗盗”，形容那些钻营拍马、胸无大志的投机政客；一为“何足挂齿”，意为值不得一提，常用于谦逊的客套话。

【数奇之命】 大将军青亦阴受上诫，以为李广老，数奇，毋令当单于，恐不得所欲。（卷一〇九《李将军列传》/2874 页）

【译文】 大将军卫青暗中受到皇上汉武帝的告诫，认为李广年老，命运不好，不要让他正面同单于对阵，恐怕影响捕获单于这一胜利。

【评点】 数奇，《集解》引如淳曰："数为匈奴所败，奇为不偶也。"《索隐》案："服虔云：'作事数不偶也。'"奇，是单数不吉利。李广作战，孤军深入，多次失利，故称"数奇"是命运不好的象征。汉武帝元狩四年（前 119）大举进攻匈奴，李广为前将军，理所当然为先锋。由于大将军要提拔对己有恩的公孙敖，以李广年老"数奇"为由，改派东道，由公孙敖做先锋，东道绕路，不能按期到达，违失军约，李广被逼迫自杀。一代名将，竟如此死于人为制造的悲剧。典故"数奇之命"出此。

【辕下驹】公平生数言魏其、武安长短，今日廷论，局趣效辕下驹，吾并斩若属矣。（卷一〇七《魏其武安侯列传》/2851 页）

【译文】 您平时多次讲到魏其侯、武安侯的长处短处，今天在朝堂公开辩论，畏首畏尾像驾在车辕下的小马驹，我恨不得把你们这些人全杀光。

【评点】 语出《魏其武安侯列传》东朝廷辩时汉武帝对郑当时发怒之言。魏其侯窦婴是汉武帝祖母之侄，武安侯田蚡是汉武帝母亲同母异父弟，均为外戚。两人争执，汉武帝交群臣讨论是非，俗语说疏不间亲，本来就不便说话。而两人争执，魏其侯理长无势，武安侯田蚡理短而有皇太后袒护，田蚡又为现任丞相，群臣都不敢说话，左也不是右也不是。主爵都尉汲黯是敢言的直臣，起初说魏其侯有理。内史郑当时是一个忠厚长者，有正义感，也说魏其侯对。在汉武帝的追问下两人又都不敢坚持。其他的人都噤若寒蝉。在这种局面下汉武帝对着郑当时发泄怒气，骂他及群臣为辕下驹，比喻极为贴切。辕下驹，是还未调驯的小马驾辕拉车，表示一种局促不安的惶恐之态，喻人有所畏忌而说话，吞吞吐吐，十分传神。

【醇酒妇人】秦王患之，乃行金万斤于魏，求晋鄙客，令毁公子于魏王曰："公子亡在外十年矣，

今为魏将，诸侯将皆属，诸侯徒闻魏公子，不闻魏王。公子亦欲因此时定南面而王，诸侯畏公子之威，方欲共立之。”秦数使反间，伪贺公子得立为魏王未也。魏王日闻其毁，不能不信，后果使人代公子将。公子自知再以毁废，乃谢病不朝，与宾客为长夜饮，饮醇酒，多近妇女。日夜为乐饮者四年，竟病酒而卒。（卷七七《魏公子列传》/2384页）

【译文】 秦王害怕魏公子无忌为将，就运送一万斤黄金到魏国去，寻求晋鄙的门客，让他们在魏王面前说魏公子的坏话，说：“公子流亡在外十年了，现在为魏国将军，各国的将领都信服他，诸侯各国只知有魏公子，不知有魏王，公子也想趁这机会南面称王，各国害怕公子的声威，也都会拥戴他。”秦国又多次派人行反间计，故意派出使者庆贺公子到底立为魏王没有。魏王每天听到公子的坏话，不能不相信，后来果然派人接替公子为将军。公子知道自己再一次受到毁谤而被废弃不用，就推说有病，不去朝见，与门客通宵达旦地宴饮，喝烈性的酒，多多接近妇女。这样夜以继日地寻欢作乐达四年之久，终于因饮酒过量得病而死。

【评点】 “醇酒妇人”，即贪恋酒色自毁其身。秦王，即秦王政，后称秦始皇。他采纳尉缭之计，多用金钱，派出大批间谍在六国行反间计，魏公子无忌受害，赵国廉颇、李牧受害，齐国君王受诱不助五国抗秦。秦国用此计杀六国良将，收买奸细，各个击破。“醇酒妇人”的典故，后世用以指颓废堕落的生活。

【蹄间三寻】秦马之良，探前趹后，蹄间三寻腾者，不可胜数。（卷七〇《张仪列传》/2293页）

【译文】 秦国的良马，前蹄跃向前，后蹄踏地腾空而起，两蹄之间，一跳有两丈多远，这样的马多得无法统计。

【评点】 “蹄间三寻”，张仪之言。喻千里马奔跑之速，前后蹄之间，一跃而过三寻，八尺为寻。张仪游说韩王与秦连横，极力夸耀秦国武力盛强，其中对于战马的描述。

【擢发难数】 擢贾之发以续贾之罪，尚未足。（卷七九《范雎蔡泽列传》/2419页）

【译文】 拔下我须贾的所有头发作筹码，还不足以计数我的罪过。

【评点】 “擢发难数”，须贾之言。擢，拔取。续，一桩接一桩计数。拔下所有的头发计数，也数不完罪过，比喻罪行多到无法计算。范雎在魏国本为须贾门客，由于须贾怀疑范雎使齐泄露情报，让魏相治罪，差点被活活打死。后来范雎在秦国为相，化名张禄，须贾使秦，范雎质问须贾，“你应知罪，应有几条”，须贾答以“擢发难数”，表示认罪。范雎指责他犯有三大罪，第一桩诬告，使范雎受刑；第二桩范雎被扔在厕所，须贾不制止；第三桩，须贾喝醉酒后以尿撒范雎。最后范雎惩罚须贾，让他吃了一顿马料，免了死罪回国。

【灌夫骂座】 夏，丞相取燕王女为夫人，有太后诏，召列侯宗室皆往贺。魏其侯过灌夫，欲与俱。夫谢曰：“夫数以酒失得过丞相，丞相今者又与夫有郄。”魏其曰：“事已解。”强与俱。饮酒酣，武安起为寿，坐皆避席伏。已魏其侯为寿，独故人避席耳，余半膝席。灌夫不悦。起行酒，至武安，武安膝席曰：“不能满觞。”夫怒，因嘻笑曰：“将军贵人也，属之。”时武安不肯。行酒次至临汝侯，临汝侯方与程不识耳语，又不避席。夫无所发怒，乃骂临汝侯曰：“生平毁程不识不直一钱，今日长者为寿，乃效女儿呫嗫耳语！”武安谓灌夫曰：“程李俱东西宫卫尉，今众辱程将军，仲孺独不为李将军地乎？”灌夫曰：“今日斩头陷匈，何知程李乎！”坐乃起更衣，稍稍去。魏其侯去，麾灌夫出。武安遂怒曰：“此吾骄灌夫罪。”乃令骑留灌夫。灌夫欲出不得。籍福起为谢，案灌夫项令谢。夫愈怒，不肯谢。武安乃麾骑缚夫置传舍，召长史曰：“今日召宗室，有诏。”劾灌夫骂坐不敬，系居室。遂按其前事，遣吏分曹逐捕诸灌氏支属，皆得弃市罪。

（卷一〇七《魏其武安侯列传》/2849～2850页）

【译文】 元光四年（前131）夏天，丞相武安侯田蚡娶燕王的女儿做夫人，有王太后诏令，叫列侯和皇族都去祝贺。魏其侯拜访灌夫，想要他一起去。灌夫推辞说：“我多次因为酒醉失礼得罪了丞相，丞相近来又和我有嫌隙。”魏其侯说：“事情已经和解了。”硬拉他一起去。饮酒到了高潮，武安侯起身向大家敬酒祝福，客人们都离开席位，伏在地上。过了一会，魏其侯向大家敬酒祝福，只有老朋友离席，其余半数的人只是欠了欠身子半跪在坐席上。灌夫很不高兴。他起身依次敬酒，到了武安侯跟前，武安侯仍然坐在席位欠了欠身子说：“不能喝满杯。”灌夫大怒，就嬉笑着说：“将军是贵人，就喝个满杯吧。”当时武安侯就是不肯。敬酒接下来是临汝侯，而临汝侯正好在与程不识说悄悄话，又不离开座位，灌夫正没地方使气，于是就骂临汝侯说：“平时你说程不识不值一文钱的坏话，今天长辈给你敬酒祝福，却学着女孩子唧唧咕咕咬耳朵。”武安侯对灌夫说：“程、李两将军都是东西两宫的卫尉，如今当众侮辱程将军，仲孺难道不给李将军留余地么？”灌夫说：“今天砍我的头，穿我的胸，都不在乎，还顾什么程将军、李将军！”客人们都借口上厕所，渐渐离去。魏其侯离开座位，挥手示意灌夫出去。武安侯于是发火说：“这是我宠惯灌夫的过错。”便命令骑士扣留灌夫。灌夫想出去又出不去。籍福起身替灌夫道了歉，并按着灌夫的脖子让他道歉。灌夫也越发火了，不肯道歉。武安侯便指挥骑士们捆绑灌夫安置在宾馆中，召来丞相长史说：“今天请宗室宾客来参加宴会，是有太后诏令的。”弹劾灌夫骂座，侮辱诏令，犯下“不敬”的罪，囚禁在关押要犯的居室监狱中。于是追查以前的罪过，派出差吏分头追捕所有灌氏的各分支亲族，全都犯下了斩首示众的大罪。

【评点】　“灌夫骂座”，后演化为“使酒骂座”。这是一个精彩纷呈的大宴会场面。丞相结婚，皇太后下诏，满朝文武、列侯、皇亲都来庆贺。魏其侯与灌夫已经与丞相闹了别扭，灌夫使酒得罪过丞相，这一次是大宴会，非比寻常，灌夫害怕酒后失态，不愿意去。魏其侯强拉着去赴宴，实际上两人内心对田蚡不满，极为嫉恨、憎恶，但又不甘心寂寞，又想去巴结，找机会逢迎，终于又去庆贺。在宴会上，田蚡祝酒，座上的人一个个离席跪伏，表示谦恭，吃罪不起；而窦婴是下台的丞相，他向大家祝酒，却一个个只是“半膝席”，仅仅表示客气而已。当朝宰相，人人巴结，失势的魏其侯，遭人冷眼。这本是世态炎凉的常情，而灌夫却受不了，要打抱不平，又无本事，只会直通通使酒骂座，不想事态扩大，搅散了武安侯的喜庆宴会，遭来横祸。这场灾祸的根本原因，是魏其侯、灌夫违心事权贵，内心既矛盾又痛苦，受不了别人的冷眼，于是在表演中出了差错。司马迁抓住这一典型的生活场景来铺叙故事，尽管情节简练，并无波澜起伏，却曲折生动，既准确地反映了窦田之间的矛盾，又形象生动地刻画了不同类型人物的心态，武安的骄恣、魏其侯的委曲、灌夫的鲁莽、众人的趋炎附势，历历如画。“灌夫骂座”，这一场面，既有思想，又有艺术，刻画的人物，可以雕，可以塑，恰如清吴见思《史记论文》所云“提花蹙锦，灿然可观，是固史公一篇佳文字也”。

【灞陵风雨】顷之，家居数岁。广家与故颍阴侯孙屏野居蓝田南山中射猎。尝夜从一骑出，从人田间饮。还至霸陵亭，霸陵尉醉，呵止广。广骑曰："故李将军。"尉曰："今将军尚不得夜行，何乃故也！"止广宿亭下。居无何，匈奴入杀辽西太守，败韩将军，后韩将军徙右北平。于是天子乃召拜广为右北平太守。广即请霸陵尉与俱，至军而斩之。（卷一〇九《李将军列传》/2871页）

【译文】 转眼间，李广在家已闲居了数年。李广家和已故颍阴侯灌婴的孙子灌强一起隐居在蓝田，常到南山中打猎。曾经在一天夜里，带领一个随从骑马外出，和故人在田野间饮酒。回来时走到灞陵亭，灞陵尉喝醉了呵斥李广，禁止通行。李广的随从说："这是前任李将军。"亭尉说："现任将军还不得夜行，何况是前任。"便扣留李广，在亭下住了一宿。过了没多久，匈奴侵入辽西郡，杀了太守，打败了韩安国将军，韩将军迁调右北平。于是天子召见李广，任命他为右北平太守。李广随即请求派灞陵尉一起赴任，到了军中就把他杀了。

【评点】 李广被罢官闲居，转眼已过了数年。他的战功，他的声威，已逐渐被人们淡忘，以至于他在一次外出晚归，在灞陵亭遭亭尉呵斥，止宿亭下。这里对人物没有作任何形貌描写，只用纪实的白描手法，用发自内心的简短对话，就把人物写得活灵活现。"今将军尚不得夜行，何乃故也！"典型的语言活画出亭尉的醉态与狂妄。李广出征匈奴，常为支军牵制敌人，以少击众，征战沙场，不但无功，还因损兵有过，被罢官已属不公，这时无端遭奚落，心胸难平之气可想而知，但失势将军却发作不得，只好忍气吞声，过了难忘的一夜。不久李广复官，非杀亭尉不可了。后人概括这一故事为"灞陵风雨"，形容李广那一夜的不平。宋刘筠《诗二首》有句："建业江山非故国，灞陵风雨又残春。"

史记妙语精选一百条[①]

001【信饬百官，众功皆兴】 语出《五帝本纪》，尧告诫历法官羲氏、和氏之言，原载《尚书·尧典》，作“允厘百工，庶绩咸熙”，司马迁引用作了逐字转译。信，《说文》：“诚也，从人言。”指说话真实。这里作副词用，意为真诚，认真，也可引申为及时。饬，《史记集解》引徐广曰“古勅字”，告诫。功，业绩。“信饬百官，众功皆兴”，原义为尧命令羲氏、和氏把历法节令及时告诫百官，各种事业都能兴办。断章取义，可引申为：认真地整顿好政府各级机构和领导，就能调动起群众的积极性，各种事业都能兴办起来。(1/17)

002【不以天下之病而利一人】 语出《五帝本纪》，帝尧之言。传说上古帝王尧年老，儿子朱丹不成才，要找一位继承人，众臣推荐了贤明的舜。舜继承帝位，天下之人都得利而朱丹一人受损害。如果朱丹继承帝位，则天下之人都受害而朱丹一个得利。两相权衡，尧说了这句话，选定舜作继承人。病，《说文》：“疾加也。”指重病，在这里与“利”对举，指十分有害。不能让

①此选一百条妙语，是复选重出本书所选精言，着重人生修养的格言解译方法不同，供读者多向思维作参考。释文之末括注本条妙语的出处，为中华书局点校本《史记》1959 年版的卷数、页码。

全天下的人受害而使一人得利。(1/30)

003【人视水见形，视民知治不；鉴于水者见面之容，鉴于人者知吉与凶】 前二句语出《殷本纪》，商汤王之言，指为政者要善察民情调理政治；后二句语出《范雎蔡泽列传》，蔡泽劝说范雎隐退之语，泛指一切人要趋善避祸，不可不借取前人的经验。形，形体、形状；容，容颜、容貌。不，读否。鉴，《说文》："大盆也。"古代以盆取水照形，所以鉴通镜，引申为借鉴，对照。人们察看水可以了解自己的形象，察看民情可以知道国家是否太平；用水来映照可以看出面貌的美丑，拿前人来对照可以推断事情的吉与凶。(3/93；79/2423)

004【君国子民，为善者皆在王官】 语出《殷本纪》，伊尹之言，讲用人之道，贵在举善。君国，君临国家，统治国家。子民，视民如子，即爱民。王官，王朝的官府，指职位。国君要爱民如子，把为善的人安排在朝廷中做官。(3/93)

005【防民之口，甚于防水，水壅而溃，伤人必多，民亦如之。是故为水者决之使导，为君宣之使言】 语出《周本纪》，召公谏厉王监谤之言，用治河宜疏导而不宜堵塞作比喻，劝说周厉王开放言论，让百姓说话。原文见《国语·周语上》，"水"，韦昭注："流者曰川。言川不可防，而口又甚也。川之溃决，害于人也。"防，《说文》："堤也。"《广韵》："塞也。"堵住老百姓的嘴巴，比防堵流水还要危险；堵塞的河水一旦缺口，伤害到的人一定很多。因此，善治水的人开通河道，使水流通畅，善于治民的人开放言论，让人民讲话。(4/142)

006【法之不行，自于贵戚】 语出《秦本纪》，商鞅惩治贵戚犯法之言。又载《商君列传》作"法之不行，自上犯之"。俗话说："上梁不正下梁歪。"作为法律的制定者和执行者的上层统治阶级本身不能以身作则，遵纪守法，而要平民百姓守法，是很困难的。最初，商鞅在秦国变法，新法得不到执行，原来是秦孝公太子驷故意犯法。商鞅说了这番话，并坚持王子犯法，与庶民同罪的原则，严厉惩治了犯法的秦太子，终于使变法成功，秦国一跃而为强国。法律不能推行，原因是皇亲国戚、高官显贵们不肯

守法。(5/205)

007【前事之不忘，后事之师也】　语出《秦始皇本纪》所引贾谊《过秦论》。语又见《战国策·赵策一》，可见这是两句古代流行的成语。类似的成语有“前车覆，后车鉴”。汉代韩婴《韩诗外传》卷五云：“或曰：前车覆而后车不诫，是以后车覆也。故夏之所以亡者，而殷为之；殷之所以亡者，而周为之。故殷可以鉴于夏，而周可以鉴于殷。”正反两面对照为说，极为精彩。记住过去做事的经验教训，可以作为今后做事的借鉴。(6/278)

008【大行不顾细谨，大礼不辞小让】　语出《项羽本纪》，樊哙劝说刘邦趁早脱身鸿门宴之语。讲干大事的人不必拘小节。大行，大事。细谨，小的谨慎。不辞，不拒绝。小让，小的指责。干大事不要顾忌细小的差池，行大礼就不要怕小的责难。(7/314)

009【所言公，公言之；所言私，王者不受私】　语出《孝文本纪》，代王中尉宋昌对京师太尉周勃所说的话。公元前180年，西汉大臣太尉周勃等诛除诸吕，迎立代王刘恒即皇帝位。刘恒，即汉孝文帝，汉高祖刘邦中子，封代王。代王一行来到京师，太尉周勃等出京在渭桥迎接。代王下车相见，周勃“愿请间言”，即请求代王屏退左右议事。代王中尉宋昌担心大臣有诈，又认为代王即位是国家大事，应该堂堂正正公开议事，于是说了这番话。“所言公”之“公”，名词，指即位这件国家大事、公事。《尔雅》：“公，事也。”《说文》：“公，平分也。”动词。“公言之”之“公”，用为副词，公开地，显然地。所说的是公事，就公开说好了；如果所说的是私事，那么为王的人不接受私情。(10/415)

010【法者，治之正也，所以禁暴而率善人也】　语出《孝文本纪》，汉文帝废除坐孥律令中的话。这里强调国家立法的目的，是禁暴率善，而不是残民逞威，滥杀无辜。所以要废除坐孥律，约法省刑。正，《说文》：“是也；是，直也。”正就是直，引申为标准、准则。率，引导。法律是治理国家的准则，用法的目的是为了禁止暴邪，引导人们走向善良。(10/418)

011【法正则民悫，罪当则民从】 语出《孝文本纪》，汉文帝之言。汉文帝元年（前179年）废除了收捕犯罪人亲属连坐的法律。汉文帝认为，法律是治理国家走上正轨的保证，只有用法得当才能赢得老百姓的拥护。于是他用本语说服司法官员废除亲属连坐的法律。悫（què），《说文》："谨也。"《广韵》："善也，愿也，诚也。"即谨慎、诚笃、忠厚。当，《说文》："田相值也。"即对等、相当，引申为适当。法律公平无私，那么老百姓就老实安分；判罪适当不偏，那么老百姓就拥护听从。（10/419）

012【祸自怨起而福由德兴】 语出《孝文本纪》，汉文帝之言，认为君主积德累善，那么上下相安，祸消福起，天下大治。灾祸都是从怨恨开始的，而幸福则是由积德带来的。（10/427）

013【安危之机，岂不以谋哉】 语出《孝景本纪》，司马迁论赞之言，强调谋划的好坏，直接关系到事业的兴衰，国家的安危。岂，难道。安危的关键，难道不是依靠谋划吗？（11/449）

014【居今之世，志古之道，所以自镜也，未必尽同】 语出《高祖功臣侯者年表序》，司马迁论以史为鉴的评论。指出借鉴往古，为的是巩固统治，并不是强要混同古今，与复古主义有本质上的不同。司马贞《史记索隐》解释说："言居今之代，志识古之道，得以自镜当代之存亡也。"居，生活。志，《说文》："记志也"。镜，镜子。生活在今天的人们，应该记住古代的行事，目的是为了给当代作镜子来对照，不一定要跟古代的做法一个样。（18/878）

015【治定功成，礼乐乃兴】 语出《乐书》，司马迁引《乐记》之言。原文作"王者功成作乐，治定制礼"。意谓礼乐文化兴衰与国家政治兴衰的密切关系。天下大乱，必定礼崩乐坏；天下大治，礼乐才会繁荣昌盛。治定，指政治安定，天下太平。功成，指完成国家统一大业。礼乐，指包括政治制度在内的典章文化。兴，《说文》："起也。"创立，兴起。政治安定，全国一统，礼乐文化才能兴起。（24/1175）

016【满而不损则溢，盈而不持则倾】 语出《乐书》篇首序文司马迁论音乐之言。原意指音乐欣赏，不要放纵淫乐，善于节制感情才是真正的娱乐。做任何事情，都不要过满过盈，超越限度就意味着泛滥，倾倒。太满而不减损就要溢出来，太盛而不扶持就要倾倒。(24/1175)

017【妖不胜德】 语出《封禅书》，商帝太戊时大臣伊陟之言，指邪气不能战胜正气。帝太戊时，有桑树和榖树共生于廷，一夜间长成合抱粗，人们以为妖孽在作怪，十分恐惧。伊陟以此言相劝，太戊修德，桑榖果然枯死。所以，妖孽战胜不了仁德。(28/1356)

018【物盛则衰，时极而转，一质一文，终之变也】 语出《平准书》司马迁对历史盛衰变化发出的评论。盛，兴旺，与衰相对，引申为极点，顶点。衰，败落，与盛相对，引申为转折。质，朴实。文，文采。质与文相对，代表两端。历史变化一盛一衰，一强一弱，就像自然法则的物极必反。讲政治，物极必反寓意居安思危；讲做事，物极必反寓意切忌太盛太强，超过极限就要走向反面。事物强盛就要衰落，时势到顶就要逆转，朴实和文采交替着循环往复变化。(30/1442)

019【见微而知清浊】 语出《吴太伯世家》，为司马迁论赞吴延陵季子之言。延陵季子，春秋时吴王寿梦少子，名札，故称季札、季子，封于延陵，史称延陵季子。他贤明博学，辞让王位弃室而耕。曾游历齐、郑、晋等国，与齐晏婴、郑子产等交游。议论盛衰大势，颇中时要。微，《尔雅》：细微，引申为苗头、迹象。古有“见微知著”的成语。《韩非子·说林上》作“见微以知萌”。《白虎通义·情性》篇：“智者知也，独见前闻，不惑于事，见微而知著也。”看到一点迹象就能明辨事物的清白与污浊。(31/1475)

020【始吾心已许之，岂以死倍吾心哉】 语出《吴太伯世家》，春秋时吴公子季札之言。他仗剑出使，北过徐国。徐君好其剑而口弗敢言。季札心知之，为使上国而未献。等出使回来，徐君已死，季札乃解其宝剑，系之徐君墓上之树而去。从者不解，季札乃以此言答之，表示为人要心口如一，讲究信用。倍，通背。一开始我心里已经答应给他了，难道可以因为他死了就违背

自己的心意吗！(31/1458)

021【我一沐三捉发，一饭三吐哺，起以待士，犹恐失天下之贤人】 语出《鲁周公世家》，西周宰辅周公劝诫伯禽之言。伯禽，周公长子，受封于鲁。临行，周公赠言，要求伯禽到鲁国封地上要礼贤下士，并做到真心诚意，切不可倨傲怠慢。后常用此话来形容为了延揽人才而礼贤下士、操心忙碌的样子。沐，《说文》："濯发也。"即洗头。哺，本为鸟向幼鸟口中喂食，此处指含在嘴里的食物。我洗一次头要三次提发，吃一顿饭要三次放下饭碗，立即起身接待贤士，还担心会失掉天下的贤人。(33/1518)

022【白珪之玷，尚可磨也，斯言之玷，不可为也】 语出《诗经·大雅·抑》篇诗句，《晋世家》"君子曰"引此诗赞扬晋大夫荀息言出必行的为人。晋献公宠爱骊姬，害死太子申生，逼走公子重耳、夷吾，将君位传给骊姬所生之子奚齐。奚齐年少，晋献公废嫡立庶，大臣不服。晋献公临终托孤荀息，荀息发誓尽心辅佐，说："使死者复生，生者不惭，为之验。"意思是说他以死相报，尽忠誓言。如果晋献公复生，他荀息问心无愧。结果晋大夫里克杀奚齐及其弟悼子，荀息果然从容就死，不食其言。但荀息执行晋献公的乱命，又使人惋惜，这几句诗用以评价荀息十分妥帖。同时告诫世人，说话要三思，说了就要兑现。白珪，白玉。玷（diàn），玉上的斑点。白玉有了污点，还可以磨去，把话说错了，不好补救了。(39/1649)

023【从善如流，施惠不倦】 语出《楚世家》，晋正卿叔向赞扬齐桓公之言。原载《左传》昭公十三年，又见《左传》成公八年"君子曰"。说明这是两句古代流行的成语，经常用于赞扬那些乐于接受别人的批评意见，并从中获得好处的人，也包含对己严，对人宽之意。春秋时五霸之一齐桓公，他不计仇怨，任用原先的政敌管仲，使齐国富强，霸业成功，所以获得如此赞誉。听从正确意见像流水一样快速，布施恩惠于人永不倦怠。(40/1710)

024【众怒不可犯】【众怒如水火，不可救也】 语出《楚世家》，前一句为楚灵王之言，后二句为楚平王之语。楚灵王穷兵黩武，百姓嗟怨。公元前529年，国人怨愤，楚灵王太子熊禄被杀，楚灵王说“众怒不可犯”，逃匿山中，自缢而死。楚灵王之弟弃疾，用“众怒如水火，不可救也”为说辞逼迫楚王公子比自杀，自立为王，是为楚平王。后世“众怒难犯”成语出此。犯，抵触，对抗。人民群众一旦愤怒起来，是不可对抗的。为人处世也同政治斗争一样，切不可脱离群众，一旦成为孤家寡人，必将一事无成。因此，众人的愤怒是不可以触犯的。众人都愤怒起来，就像洪水烈火一样，是无法解救的。(40/1707；1708)

025【以权利合者，权利尽而交疏】 语出《郑世家》，司马迁针对郑厉公与郑大夫甫瑕互相利用的关系而作的评论，表现了对以势利交的批判。公元前680年，出居于栎的郑厉公突诱甫瑕定盟，以求复位。甫瑕杀郑子婴及其二子，迎立厉公突。突复位后，以甫瑕事君有二心，诛杀了他。合、交，二字同义，指交友、结合。用权势财利相交的人，没有了权势财利，交情就疏远了。(42/1777)

026【无其实，敢处其名乎】 语出《赵世家》赵武灵王缓称王之言。公元前318年，东方六国中韩、魏、楚、齐、燕五国先后称王，独赵武灵王称“君”，认为赵国实力还不足以称王，所以不接受王的名号。名、实，两者相对相辅。实，指实质，内容。名，指名声、名义、名分。《庄子·逍遥游》：“名者，实之宾也。”做人做事都要名实相符，不能有名无实。没有那样的实质，怎敢有那样的名分。(43/1804)

027【论至德者不和于俗，成大功者不谋于众】 语出《赵世家》，肥义劝说赵武灵王大胆实行胡服骑射的计划时说的话，强调办大事的人，要有刚毅果断的精神。论，《说文》：“议也。”这里指讲说、讲述。至德，大德。俗，大众的、通俗的。凡是讲述大德的人，不会和世俗同调；凡是干大事业的人，不会跟大众去商量。(43/1807)

028【愚者暗成事，智者睹未形】 语出《赵世家》，肥义劝说赵武灵王实行胡服骑射之言，认为看准了的事，要力排众议，大胆去干，不能因目光短浅者的阻挠而妥协退让。暗，愚昧不明。睹，见。形，显露、表现。愚蠢的人在事成之后不明白，聪

明的人在事前就已看得清楚。(43/1807)

029【以书御者不尽马之情，以古制今者不达事之变】 语出《赵世家》，赵武灵王推行胡服骑射所说的话。这是两句古代谚语，喻墨守成规的人就像照本赶车一样可笑，只有敢于突破教条和传统的人，才能有所创新。御，《说文》："使马也。"古，指古代的法制、典章。制，《说文》"裁也"，制裁，约束。按照书本教条赶车的人，不会摸透马的性情；用古代的法制典章约束当今的人，不懂得事理的变化。(43/1810)

030【家贫则思良妻，国乱则思良相】 语出《魏世家》，李克劝魏文侯慎择宰相之言，指国乱不治时，精明能干的宰相的重要性才会显示出来。良，《说文》："善也。"良妻，贤妻。相，宰相、相国，泛指君王的辅弼股肱大臣。家境贫苦，就想有一个会勤俭理家的妻子；国家乱糟糟，就想有一个善于理政的宰相。(44/1840)

031【居视其所亲，富视其所与，达视其所举，穷视其所不为，贫视其所不取，五者足以定之矣】 语出《魏世家》，李克之言，说明区别一个人的优劣高低，只要看他在不同的境遇中的表现就行了。居，平居，常时。《荀子·正论》："居则设张容负依而坐。"杨倞注："居，安居也。听朝之时也。"亲，接近。与，《说文》："党与也。"达，显贵。穷，困窘。为，做。贫，贫苦。平时看他接近谁，富裕时看他交往谁，显贵时看他推荐谁，困厄时看他不做什么事，贫苦时看他不苟取财物，这五样足够用来判断他的好坏了。(44/1840)

032【抱薪救火，薪不尽，火不灭】 语出《魏世家》，苏代劝说魏王之言。成语"抱薪救火"出此。魏将段干子提出割地事秦，使两国和好，停止交战。苏代认为魏国土地不割完，秦国的贪心不会停止，用抱薪救火作比喻，说明用错误的方法去消除灾祸，结果反而使灾祸更加扩大。薪，柴火。《礼记·月令》："季冬之月，收秩薪柴。"郑玄注："大者可析谓之薪，小者合束谓之柴。"抱着柴草去救火，柴没有烧完，火是不会灭的。(44/1854)

033【富贵者送人以财，仁人者送人以言】 语出《孔子世家》，老子送孔子之言，认为聪明深察的人易遭杀身之祸，因为他好评论人；博学善辩的人易危困自身，因为他好揭发人的短处；为人子、人臣不要有这些事而存身尽孝尽忠。春秋时孔子曾问礼于老子，临别时老子把这两句话赠送给孔子，财，指金钱宝物。言，这里指总结经验教训，而富有哲理的话语。有钱有势的人送给别人的礼物都是钱财，有德行的人送给别人的都是勉励规劝的话。(47/1909)

034【"高山仰止，景行行止"，虽不能至，然心向往之】 语出《孔子世家》，司马迁赞扬孔子之言，其中"高山仰止，景行行止"两句诗见《诗经·小雅·车舝》，喻孔子的道德学问如巍巍高山令人瞻仰，似宽宽大路导人遵循。仰，《说文》："举也。"引申为敬慕。止，作语助。陆德明《释文》："仰止，本或作仰之。"景行，大路，喻行为光明正大。至，达到。像高山一样使人瞻仰，像大道一样让人遵循。虽然达不到这个境界，但心中总是向往着他。(47/1947)

035【浴不必江海，要之去垢；马不必骐骥，要之善走；士不必贤世，要之知道】 语出《外戚世家》，褚少孙续补之言，认为重要的不是出身和条件如何，而是行为、结果如何。出身高贵，条件优越，但坐而论道，并不实行，也将一事无成；反之，出身低贱，条件艰难，但由于后天的发奋努力，仍可取得成功。浴，洗澡。《论衡·讥日》："浴去身垢。"垢，《说文》："浊也。"骐骥，千里马。走，《说文》："趋也。"奔跑。贤世，高出于世上的人，不平凡的人。道，道义、道理。洗澡不一定要到大江大海里去，重要的是洗掉身上的脏东西；骑马不一定非要千里马，重要的是能不断地向前奔跑；选用士人不一定是超凡的贤人，重要的是明白道义。(49/1984)

036【深耕穊种，立苗欲疏，非其种者，锄而去之】 语出《齐悼惠王世家》，朱虚侯刘章所唱《耕田歌》，以农夫保苗锄草作比，表达了对吕后抑制刘氏宗室，王诸吕擅权的内心不满。刘邦生前曾与大臣刑白马盟曰："非刘氏而王，天下共击之。"刘章歌中所谓"非其种者"，就暗指吕氏，"锄而去之"，传达了刘氏宗室及元老大臣们欲诛诸吕的愿望与决心。概，稠密，一般指农作物。田地要深耕，种子要密播，秧苗要稀疏，凡是杂草，都要把它锄掉。(52/2001)

037【忠言逆耳利于行，毒药苦口利于病】 语出《留侯世家》，劝说刘邦听从樊哙的意见，出秦宫，还军灞上，以防不测。《韩非子·外储说左上》也有类似的话，其云："夫良药苦于口，而智者劝而饮之，知其入而已已疾也。忠言拂于耳，而明主听之，知其可以致功也。"泛指人们应该善于虚心听取别人的批评意见，司马迁在《淮南衡山列传》中曾再度引用这两句至理名言，作"毒药苦于口利于病，忠言逆于耳利于行"。逆耳，不顺耳。毒药，性质猛烈的药物。毒，狠、烈。忠言直谏听起来很刺耳，但有利于自己的行为；良药吃起来很苦，但对治病有好处。(55/2037；118/3088)

038【骄子不孝】 语出《梁孝王世家》，古代俗语。梁孝王刘武是汉景帝之弟，窦太后少子，他依恃太后之宠而骄横不法，并一度觊觎帝位。褚少孙引用这句俗语加以评论，并提出应为这些"骄子"设置良师，严加教导。因为，娇生惯养的孩子，往往不孝父母。(58/2091)

039【岁寒，然后知松柏之后凋】 语本《论语·子罕》，孔子之言，比喻只有经过艰难困苦的严峻考验，才能看出哪些是坚强不屈的人。司马迁在《伯夷列传》引用此语，是想说明，一个人要立名传世，是不容易的。凋，凋落、衰谢。到了寒冷的冬天，才知道松柏是最后凋谢的。(61/2126)

040【良贾深藏若虚，君子盛德容貌若愚】 语出《老子韩非子列传》老子之言，旨在劝导一个人要有修养，品德才干不要外露。孔子青年时曾问礼于老子，老子教导孔子说，有德君子如蓬草一样，随遇而安，大智若愚。贾，《说文》："市也。一曰坐卖售也。"贾为动词，指做买卖；用作名词，指开店铺的商人。君子，原指在官长者，春秋末年以后，"君子"常与"小人"对举，一般指"有德者"与"无德者"，也指统治者与被统治者。这里，君子指有德者。盛德，美盛的品德，多指修养深厚。善于

经商的人，深藏货物，好像没有东西似的；君子的品德愈是高尚，他谦和容貌就愈似一个愚笨的人。(63/2140)

041【道不同不相为谋】　语出《老子韩非列传》，司马迁引《论语·卫灵公》之言，说明儒道两家因主张不同而互相排斥。俗语“话不投机半句多”，与此相类。道，《说文》：“所行道也。”引申为信仰、观点。谋，商量。主张不同，就不能互相谋划。(63/2143)

042【事以密成，语以泄败】　语出《老子韩非列传》，韩非《说难》之言，指保密工作关乎成败，非常重要。密，秘密，保密。《易·系辞上》：“凡事不密则害成。”成，《说文》：“就也。”泄，泄漏。行事总是保密而成功，说话泄漏真情而失败。(63/2149)

043【非知之难也，处知则难矣】　语出《老子韩非列传》，韩非《说难》之言，认为认识正确的东西并不一定能在实际中做得到、行得通。知，认识，知识。《论语·为政》：“知之为知之，不知为不知，是知也。”处，《说文》：“止也。”引申为安排，此指运用。知，知识。认识事物并不难，而如何运用所掌握的知识却很难。(63/2154)

044【能行之者，未必能言；能言之者，未必能行】　语出《孙子吴起列传》，古代俗语，司马迁引来作论赞，说明言和行是有区别的，会做不一定会说，会说不一定会做。孙膑擒拿庞涓的计谋料事如神，但他不能及早使自己免于庞涓的暗害；吴起谏说魏武侯依凭险阻不如实行德政，表现得很有见识，但他在楚国推行的改革，却刻薄少恩，还因此丢了性命。所以说，能做的人不一定能说，能说的人不一定能做。(65/2168)

045【疑行无名，疑事无功】　语出《商君列传》，商鞅之言。认为犹豫不决办不成大事，善于当机立断是事业成功的重要因素。疑，《易·乾卦·文言》：“或之者，疑之也”。半信半疑，犹犹豫豫。名，功名。功，功业。行动犹豫不定的人不可能成名，做事不果断的人建不成功业。(68/2229)

046【貌言华也，至言实也，苦言药也，甘言疾也】　语出《商君列传》，商鞅之言，指实话实说，对人有利无弊。貌，外表，外观。华，同花。至言，最好的话，正直之言。苦言，尖锐刺耳的话。甘，《说文》：“美也。”甘言，甜美之言。疾，《说文》：“病也。”表面好听的只是花朵，正直忠实之言才是果实；刺耳的话是治病的良药，甜言蜜语教人生出疾患。(68/2234)

047【反听之谓聪，内视之谓明，自胜之谓强】 语出《商君列传》，秦国隐士赵良劝说商鞅之言。商鞅变法，用严酷苛察手段执行，赵良劝其实行宽松的政策，给自己留一条后路。姑不论政治是非，从一般做人原则说，这几句话要求一个人要经常反省自己，发扬长处，克服短处，应该说是至理名言。反，翻转，即回过头来听听自己说过的话，犹言自察。内视，自己看看内心，即反省自察。自胜，自己战胜自己，克服自己的缺点。能反躬自问的叫做聪，能反省自己的叫做明，能克制自己的叫做强。(68/2233)

048【毛羽未成，不可以高飞】 语出《苏秦列传》，苏秦劝说秦惠王吞并六国，统一天下，秦惠王以此语作答，表示条件还不成熟，不可能轻举妄动。鸟的羽毛还没有长得很丰满，不可以展翅到蓝天去飞翔。(69/2242)

049【患至而后忧之，则无及已】 语出《苏秦列传》苏秦说楚威王之言，讲要防患于未然，不可掉以轻心。王充《论衡·对作》云：“防决不备，有水溢之害；网解不结，有兽失之患。”说的也是这个道理。患，灾祸。等到灾难发生以后才来忧虑它，就来不及了。(69/2260)

050【智者举事，因祸为福，转败为功】 语出《苏秦列传》，苏代致燕昭王信中之言，指不利因素有时可以转化为有利因素。智，聪明。因，《说文》：“就也。”引申为依据、随顺。聪明人做事情，能够使祸转变成福，使失败转化为成功。(69/2270)

051【宁为鸡口，无为牛后】 语出《苏秦列传》，苏秦说韩宣王所引古代俗谚，原义是比喻宁肯做能独立自主的小国君主，也不愿做受制于人的大国仆从。后世多用以比喻宁可做发号施令的正职小官，也不愿做听命于人的副职大官。显示独立自主的尊严。牛后，牛的肛门。《正义》：“鸡口虽小乃进食，牛后虽大乃

出粪。”宁肯做鸡的嘴巴，也不愿做牛的屁股。(69/2253)

052【积羽沉舟，群轻折轴，众口铄金，积毁销骨】 语出《张仪列传》，张仪说魏哀王之言，指无论什么东西，只要积少成多，力量就大不可言。积，韦昭云：“储也。”羽，羽毛，分量极轻。铄，熔化，《说文》：“铄销金也”；“销，铄金也”。最轻的羽毛积累过多，可以把船沉掉；许多轻东西聚合起来，可以压断车轴；众口一致的诽谤，可以把坚金熔化，把骨头销毁。(70/2287)

053【尺有所短，寸有所长】 语本《楚辞·卜居》，古代谚语，司马迁引作《白起王翦列传赞》，比喻白起、王翦之智各有长短。这两句紧缩为“尺短寸长”的成语，泛指人和物均各有所长，也各有所短。尺比寸长，但用于比尺更长的东西时却显得短了；寸比尺短，但用于比寸短的东西时又显得长了。(73/2342)

054【利令智昏】 语出《平原君虞卿列传》司马迁论赞所引古代俗谚。公元前262年，秦伐韩，韩上党太守冯亭献地于赵，平原君贪利接受了冯亭献地，引来了秦国大举攻赵，爆发了有名的秦赵长平之战，赵国战败，四十余万大军全军覆没。秦围邯郸，赵国差点亡国。司马迁用“利令智昏”批评平原君。智，理智，聪明。贪图私利可以使头脑发昏，什么后果都不顾忌了。(76/2376)

055【当断不断，反受其乱】 语出《春申君列传》，民间俗语，司马迁引来评论春申君恋位固宠，导致晚年失计亡身的教训，强调当机立断的重要性。乱，灾难。该作决断时不决断，反过来就要遭受祸患。(78/2399)

056【人固未易知，知人亦未易也】 语出《范雎蔡泽列传》，侯嬴之言，讲知人之难。俗话说：“知人知面不知心。”又说：“万两黄金容易得。知心一个也难求。”都反映了人与人之间要真正互相理解，是不容易的。一个人本来很难被他人了解，但要了解人家也不是一件容易的事。(79/2416)

057【君子以义死难，视死如归；生而辱不如死而荣。士固有杀身以成名，唯义之所在，虽死无所恨】 语出《范雎蔡泽列传》，范雎与蔡泽辩论之言，蔡泽劝范雎功成身退，不要贪恋禄位丧身。范雎认为士人就应该杀身以成名，不能贪生苟活而避祸，为了大义而死，虽死犹荣。如不论范雎、蔡泽辩论的历史背景，单就这几句话，却是掷地有声的格言，它鼓励志士仁人，为了正义的事业，可以舍生忘死，为真理而奋斗。死难，遭难而死。视，看待、对待。归，回家。君子为了保持节义而死，对死就像回家一样；与其活着受侮辱还不如光荣地死去。士人本来就有以杀身来成就名声的，只要是为了大义的存在，虽然死了，也没有什么遗恨。(79/2420)

058【国有道则仕，国无道则隐】 语出《范雎蔡泽列传》，蔡泽引《论语·卫灵公》篇之言以劝说范雎功成身退，抽身远祸，原文作“邦有道则仕，邦无道则可卷而怀之”。孔子认为这是君子的做法。国家政治清明就出来做官，政治黑暗就回家归隐。(79/2422)

059【不义而富且贵，于我如浮云】 语本《论语·述而》，《范雎蔡泽列传》中蔡泽引用此语，是劝官至秦相，恩仇已报的范雎，不要再去追求不属于自己的东西，而应该在志满意得之际，早思退路，以免兔死狗烹的下场。浮云，在天上飘动的云，比喻不值得关心的事物。用不义的手段获得富贵，我当它是天空飘飞的浮云，一点也不向往。(79/2422)

060【成功之下，不可久处】 语本《逸周书》,《范雎蔡泽列传》中蔡泽引用此语，是劝说身为秦相的范雎趁早归印退位，以保晚节。因为一个人地位太高，功劳太大，往往会引起君王的猜疑，大臣的妒忌，稍有不慎，便有杀身之祸。俗语“人怕出名猪怕壮”，“树大招风”，都说一个人有成就要特别谨慎。功成名就以后，不可以仍然长久地待在那里。(79/2423)

061【欲而不知足，失其所欲；有而不知止，失其所以有】 语出《范雎蔡泽列传》，范雎表示引退之言。蔡泽劝说范雎功成身退，经过一番辩论，范雎认识到月满则亏，为人不可贪得无厌，而要适可而止，否则会适得其反，一无所有，说了上面的话，表示让贤。欲，欲望，欲念。止，与“足”为互文，指最高限度。如果欲望始终不知满足，那么连原先得到的东西也会丧

失；占有了东西却还想无休止地去占有，那么连原先占有的东西也会失去。(79/2424)

062【古之君子，交绝不出恶声；忠臣去国，不絜其名】 语出《乐毅列传》，乐毅《报燕惠王书》中之言，表明他既不为昏主效愚忠，也不会因去国而以秽言辱骂君主的心志。交绝，交情断绝。恶声，骂詈之声。《庄子·山木》："则必以恶声随之。"成玄英疏："恶声，骂辱也。"去，离开。絜，同洁。古代有道德的人，即使双方关系破裂了，也决不发出污秽的语言；忠心耿耿的大臣蒙冤离开祖国，也决不洗刷罪名，以归罪于主上。(80/2433)

063【知死必勇，非死者难，处死者难】 语出《廉颇蔺相如列传》，司马迁称赞蔺相如大智大勇之言。知，《说文》"识，词也"，指理性认识。勇，《说文》："果决也。"《释名》："猛也。"蔺相如果决勇猛，而有理性知道怎样去"处死"，即懂得牺牲要有价值，所以他入强秦而能完璧归赵，渑池之会敢劫秦王，是一个名重泰山、智勇双全的人。知道怎样为正义而死的人，一定是勇敢的。勇敢的人赴死并不是难事，懂得在什么样的情况下需要去死是很难的。(81/2451)

064【智者不倍时而弃利，勇士不却死而灭名，忠臣不先身而后君】 语出《鲁仲连邹阳列传》，鲁仲连《遗燕将书》中劝降燕将之言。燕将困守聊城，内受燕主之疑，外受齐兵重围，走投无路。齐田单围攻聊城，三年不下。双方力竭。鲁仲连受齐田单之请，遗书燕将，劝其认清形势，及时归附齐国。燕将得书，自杀以成名。倍，"背"之借字。却死，《索隐》注："犹避死也。"明智的人不违背形势而放弃有利的机会，勇敢的人不逃避死亡而埋没名声，忠臣不先顾自己而把国君放在后边。(83/2465)

065【规小节者不能成荣名，恶小耻者不能立大功】 语出《鲁仲连邹阳列传》，鲁仲连《遗燕将书》中之言，办大事的人，应该把眼界放开阔些，胸怀放宽广些，不必斤斤计较那些细微末节、恩恩怨怨。规，《说文》："有法度也。"这里用如动词，拘守。恶，憎恨、讨厌。拘守小节的人成就不了大的荣誉名声，忍受不了小耻的人建立不了大的功劳。(83/2467)

066【新沐者必弹冠，新浴者必振衣】 语见《屈原贾生列传》，古代俗语，屈原引来回答渔夫，表示自己不愿随波逐流，与世俗同流合污，而要保持高洁的节操。沐，洗头。弹冠，弹去帽子上的灰尘。振衣，抖擞衣服。刚洗完头的人，一定会把帽子上的灰尘弹掉才戴上；刚洗完澡的人，一定会把衣服抖一抖才穿上。（84/2486）

067【举世混浊而我独清，众人皆醉而我独醒】 语出《屈原贾生列传》，屈原遭谗流放，行吟泽畔时回答渔夫之言，表达了对黑暗社会的强烈不满和至死不肯同流合污的坚定决心。举世，整个社会。混浊，指政治黑暗，社会混乱。众人，指楚国上层统治者。醉，因喝酒过量而呈现出的知觉麻木。整个社会都一片混乱，只有我是清白的；大家都糊里糊涂，只有我是清醒的。（84/2486）

068【祸兮福所倚，福兮祸所伏】 语本《老子》第五十八章，《屈原贾生列传》中贾谊《鹏鸟赋》引用此语，说明祸福在一定条件下是可以互相转化的，坏事可以变好事，好事也可以变坏事，这是古代的朴素唯物辩证法思想。兮，语气词。倚，依存。伏，蕴藏。灾祸里面依存着幸福，幸福之中也蕴藏着灾难。（84/2498）

069【士为知己者死，女为说己者容】 语出《刺客列传》，豫让之言。这两句是古代成语。豫让是春秋时晋上卿智伯亲爱的一个武士。韩、赵、魏三家共灭智伯，赵襄子为首谋，豫让坚决要替智伯报仇，谋杀赵襄子。他毁容貌服哑药，改变形貌来接近赵襄子，吃尽了苦头，就是为了报答知己。后世用这两句话来表扬忠贞不二的人，成为人生修养的格言，有很深广的影响。说，通悦，喜欢。容，容貌，此处指修饰打扮。士人总是替了解自己的人去拼命，女人总是为喜爱自己的人去打扮。（86/2519）

070【得时无怠】 语出《李斯列传》李斯向老师荀卿辞行，打算西游秦国时说的话。时，时机，机会，机遇。李斯认为秦王想统一天下，正在用人之际，他不能丧失这个机遇，于是告辞老师，西游秦国，终于找到了施展自己才能的位置。一个人要勤奋拼搏，又敢于趟水过河，才能抓住机遇。总之，遇到时机，千万不可松懈错过。（87/2539）

071【泰山不让土壤，故能成其大；河海不择细流，故能就其深】 语出《李斯列传》，李斯《谏逐客书》中之言，意谓大的东西都是由小的东西汇聚而成，积少成多的，不能轻视小东西。让，排斥、推辞。择，选择，这里指舍弃。细流，小水。泰山不嫌弃微小的土块，所以才那么高大；河海不舍弃细小的水流，所以才那么深。(87/2545)

072【物禁太盛】 语出《李斯列传》李斯所引荀卿之言。李斯为秦丞相，百官经常来家聚会拜访，门庭若市，车骑以千数，他对儿子感慨地说："啊，荀卿老师说过：'物禁太盛。'现在我可说是富贵已极，物极则衰，我不知道自己的归宿在哪里。"李斯言此，患得患失，不幸而言中。他为了固宠，与赵高合谋，篡改始皇遗诏，发动政变，拥立昏暴的秦二世，到头来自己被诬以叛国罪，满门抄斩。真是物禁太盛，做事过了头，没有好下场。(87/2547)

073【顾小而忘大，后必有害】 语出《李斯列传》赵高怂恿秦二世发动宫廷政变时说的话。赵高用大道理掩盖野心谋私利，发动政变，为图个人长久富贵，不惜危害国家大利。姑不论政治是非，这两句却是至理名言。今俗语"捡了芝麻丢了西瓜"，就是这个意思。只看到小利而忘了大利，日后一定有灾祸。(87/2549)

074【时乎时乎，间不及谋！赢粮跃马，唯恐后时】 语出《李斯列传》赵高怂恿秦二世篡位时说的话，原意指发动政变，抓紧时机，刻不容缓。丢开政治是非，这几句话讲抓住机遇，间不容发，则是至理名言。时乎时乎，感叹机遇之难遇。间，指时机短暂。赢，携带，背负。时光啊时光，错过机会没法谋划！要像背着干粮骑马赶路一样，还唯恐耽误了时机。(87/2549)

075【慈母有败子，而严家无格虏】 语出《李斯列传》李斯上书秦二世《行督责书》中之言，引自《韩非子·显学》篇。家有家规，国有国法，无规无法，家国不立，这是正确的。但家规不等于虐待，国法不等于压迫。李斯以家规为喻，旨在迎合劝诱秦二世实行严刑峻法压迫人民，则是错误的，含有保位固宠的明显私心。姑不论李斯的政治目的，这两句话说的道理是不错的。

慈母，旧谓父严母慈，故称母为慈母。严，严厉，严加管束。格虏，桀骜不驯的奴仆。母亲怜爱过分，反而会出现败家之子；严格管束的家庭，就没有不听话的奴仆。(87/2555)

076【智者千虑，必有一失；愚者千虑，必有一得】 语出《淮阴侯列传》，李左车之言。《晏子春秋·杂篇》作“圣人千虑，必有一失；愚人千虑，必有一得”，语稍异而意全同。成语“千虑一得”、“一得之愚”、“愚者一得”、“千虑一失”，均由此简化而成。智者，聪明人。千虑，多次考虑。失，差错。得，《说文》：“行有所得也。”即使非常聪明的人，在一千次的考虑中，也一定会出现一次差错；即使很愚笨的人，只要多方用心考虑也会有一件是考虑对了的。(92/2618)

077【成败在于决断】 语出《淮阴侯列传》，蒯通之言，原意是劝说韩信当机立断，背汉自立。但认为干大事的人不能瞻前顾后，优柔寡断，却是至理名言，因为历史上“当断不断，反受其乱”的教训，是很多的。成功或失败，关键在于决策是否正确果断。(92/2623)

078【患生于多欲】 语出《淮阴侯列传》，蒯通劝说韩信背汉自立为王之言，原文作“患生于多欲而人心难测也”，意谓，由于人心多欲难测，所以朋友相交不可靠，如张耳陈馀，患难时两人为生死之交，后来争权，张耳投汉带兵谋杀了陈馀，传为笑柄。这里断章取义，“患生于多欲”，可为做人处事的警语，为人不可贪得无厌。灾难常常产生于太多的欲望。(92/2624)

079【知者，决之断也；疑者，事之害也】 语出《淮阴侯列传》蒯通劝说韩信之言，他要韩信坚决果断地背汉自立，否则就要遭受祸殃。知，通智，智慧。智者，聪明的人。聪明人智慧的表现，就是办事果断坚决；迟疑不决，是办事情的祸害。(92/2625)

080【功者难成而易败，时者难得而易失。时乎时，不再来】 语出《淮阴侯列传》，蒯通劝说韩信背汉自立为王之言，强调建功立业，必须抓住千载难逢的时机。时，时机。建立功业很艰难，断送它却很容易；有利的时机很难碰上，丧失它却非常容易。时机啊时机，是不会出现两次的。(92/2625)

081【随厮养之役者，失万乘之权；守担石之禄者，缺卿相之位】 语出《淮阴侯列传》，蒯通劝韩信背汉自立为王之言，强调一个人要有所作为，必须要勇于进取，甘心现状的人是没有出息的。随，顺，引申为甘心情愿。厮养之役，劈柴养马，烧火做饭等仆役之事。万乘之权，君权。担石之禄，微薄的俸禄，指官位低。缺，失掉，指得不到。一个甘心做奴仆的人，绝不会得到国君的权柄；一个安于微薄俸禄的人，不可能得到公卿宰相的高位。(92/2625)

082【骐骥之跼躅，不如驽马之安步】 语出《淮阴侯列传》，蒯通劝韩信背汉自立之言，比喻一个人尽管天资聪明，才干杰出，但不付诸行动，那么，其成就还抵不上一个天资愚钝而努力进取的人。骐骥，千里马。跼躅，徘徊不前貌。驽马，劣马。安步，稳步前进。千里马在行动上犹豫不进，还比不上一般的马缓步前进。(92/2625)

083【大直若诎，道固委蛇】 语出《刘敬叔孙通列传》司马迁论赞所引古代俗语。叔孙通，秦博士，在昏暗的秦二世时，他为了明哲保身，阿谀奉承，随风转舵，被人们看作是一个油滑之徒。叔孙通很有学问，是一个大儒，他为汉朝制定了礼仪制度，终于成为汉朝的儒学首领。高帝纳谏，叔孙通也敢直言。叔孙通前后判若两人，司马迁感慨万端，引用这两句俗语评价称赞叔孙通。委蛇，同逶迤，形容道路弯弯曲曲。最直的东西好像是弯曲的，大路本来就是弯弯曲曲的。(99/2726)

084【毋为权首，反受其咎】 语出《吴王濞列传》，古代俗语，指凡事不可轻易出头，因为出头露面的人容易先遭到打击，所谓“枪打出头鸟”，与此同意。汉景帝御史大夫晁错为国家谋划，削弱诸侯王势力反而被杀头，司马迁引这两句俗语作赞语，是反用其意，讥刺景帝冤杀晁错 。咎，灾祸、灾殃。不要强行出头，以免招致灾祸。(106/2836)

085【强弩之极，矢不能穿鲁缟；冲风之末，力不能漂鸿毛】 语出《韩长孺列传》，韩安国之言，指强大的力量已经衰弱，起不了什么作用。弩，古时一种利用机械力量射箭的弓，力量比一般的弓大得多。矢，《说文》“弓弩矢也。”即箭。鲁缟，鲁地出产的一种质地轻细的薄绸子。冲风，向上直吹的强风。漂，同飘，飘动。即使是强弩射出的箭，到了最后力量也会减弱，连薄绸子也穿不透；猛烈的大风到了最后，它的风力连最轻的雁毛也吹动不起。(108/2861)

086【力行近乎仁，好问近乎智，知耻近乎勇】 语出《平津侯主父列传》，公孙弘上书引《礼记·中庸》之言，原文作“好学近乎知，力行近乎仁，知耻近乎勇”，讲智、仁、勇三者是修身的最高标准。“知所以修身，则知所以治人；知所以治人，则知所以治天下国家矣。”力行，努力做。仁，指有仁德的人 。努力去做，就接近了仁德；喜欢向人请教，就接近了明智；知道什么是耻辱，就接近了勇敢。(112/2952)

087【祸固多藏于隐微，而发于人之所忽】 语出《司马相如列传》，司马相如《上书谏猎》中之言，指出灾祸常常是从细小的事情上累积发展而成的，所谓“千里之堤，毁于蚁穴”，“小洞不补，大洞吃苦”，说的正是这个意思。隐微，隐蔽而又细小。忽，《说文》“忘也”，指忽略，不注意，不重视。灾祸的根源多数都隐藏在细小的地方，在人们不注意的时候发生。(117/3054)

088【家累千金，坐不垂堂】 古代谚语，出自《司马相如列传》，司马相如《上书谏猎》所引，用以劝谏汉武帝不要去频繁打猎，以免身遭不测。富贵人家就懂得爱惜生命，何况贵为天子。《孟子·尽心》有言：“知命者不立乎岩墙之下。”懂得命运的人是不站在快倒塌的危墙之下的，与此意同。就是说，一个对社会有责任心，又懂得生命可贵的人，就不要去做冒险的事，留着无价身躯和才干为社会多做贡献。富贵之家的人不坐在屋檐底下，避免瓦片落下来打伤身体。(117/3054)

089【冠虽敝，必加于首；履虽新，必关于足】 语出《儒林列传》，道家博士黄生与儒学博士辕固生辩论汤武受命课题时黄生之言。比喻君臣上下有别，臣不能犯君。为西汉政权不可侵犯立说。也可用来说明，物各有所用，不可互相替代。冠，帽子。敝，破旧。首，头。履，鞋子。关，《汉书》作“贯”，《说文》“钱贝之贯”，即古时穿钱的绳子，比作穿解。帽子虽然破旧，也一定戴在头上；鞋子虽然很新，却必须穿在脚上。（121/3123）

090【人貌荣名，岂有既乎】 语出《游侠列传》，古代谚语，指一个人的聪明才智、社会地位，不是由他的相貌美丑决定的，俗话说：“人不可貌相。”司马迁引用此言，是说游侠郭解，状貌平平，又不善言辞，但却深受人们的仰慕，名声很大。既，尽头。人以荣誉名声为外表，难道有尽头吗！必定、必然。（124/3189）

091【力田不如逢年，善仕不如遇合】 语出《佞幸列传》，古代谚语，指机遇十分重要。司马迁引用此言，是说那些佞臣，本无什么才能，只靠阿谀逢迎取悦人主，身居高官，而那些忠心耿耿，实实在在任职的贤才，却往往遭遇坎坷，备受压抑。力田，致力耕种。逢年，遇见好年成。遇合，谓遇到赏识自己的人。努力耕田赶不上碰到好年成，兢兢业业做官不如遇上志同道合的明君。（125/3191）

092【酒极则乱，乐极则悲，万事尽然】 语出《滑稽列传》，淳于髡谏说齐威王之言，原意是劝齐威王节酒罢宴，勿作长夜之饮，以免荒废政务，乐极生悲，自取祸败。也指凡事要有节制，要有分寸，什么事过分了，就会走向反面。酒喝得太多了就会昏乱，快乐到极点就会发生悲哀的事情，世上所有的事都是这样的。（126/3199）

093【骐骥不能与罢驴为驷，凤凰不与燕雀为群】 语出《日者列传》，司马季主之言，指物以类聚，人以群分。骐骥，千里马。罢，通疲。驷，《说文》：“一乘也。”段玉裁注：“四马为一乘。”古代一车套四马，因以称一车所驾之四马或驾四马之车。凤凰，古代传说中的鸟王，通称凤或凤凰。千里马不能跟疲惫无力的驴子同拉一辆车子，凤凰也不能与燕子和麻雀合群。（127/3219）

094【道高益安，势高益危】 语出《日者列传》，宋忠贾谊互叹之言，担心因势高权大给自己带来不测之祸。俗语说：“伴君如伴虎。”古代贤相良将，有几个不受君主猜忌、打击，善始善

终的，宋、贾的忧虑，是有根据的。道，指道德修养。势，指地位权势。道德越高越安稳，权势越高越危险。(127/3220)

095【暴得者必暴亡，强取者必后无功】 语出《龟策列传》，褚少孙补传宋元王之言，认为非常所得的东西，无法永久保住。暴，《博雅》"猝也"，突然。强，暴力。用不正常方法突然得来的东西，必然很快地失去；用强力方法掠夺的，必然没有功效。(128/3231)

096【谏者福也，谀者贼也】 语出《龟策列传》，褚少孙补传宋元王之言，指忠言逆耳，却有利无弊；甜言蜜语虽然顺耳，却有害无益。谏，直言规劝，使改正错误，一般用于下对上。谀，奉承、谄媚。贼，《说文》："败也。"指伤害、毁坏。能听到直言规劝的话是件好事，相反，专门听取阿谀奉承的话会害了自己。(128/3233)

097【祸不妄至，福不徒来】 语出《龟策列传》，宋元王之言，指祸福的出现，均事出有因。妄，《说文》："乱也。"指胡乱而没有规律。徒，平白无故。灾难不会随便降落到一个人的头上，幸运也不会无缘无故地来到你身边。(128/3233)

098【福之至也，人自生之；祸之至也，人自成之】 语出《龟策列传》褚少孙补传宋元王之言，强调祸福由人不由天。生，《说文》："进也，象草木生出土上"。生产，生成，引申为争取。成，造成。幸福的到来，是人们自己争取的；灾祸的降落，也是人们自己造成的。(128/3233)

099【天下熙熙，皆为利来，天下壤壤，皆为利往】 语出《货殖列传》，"故曰：天下熙熙，皆为利来；天下壤壤，皆为利往。夫千乘之王，万家之侯，百室之君，尚犹患贫，而况匹夫编户之民乎！"司马迁用以说明人人都欲财，人人都求利。天子求利，诸侯求利，官僚士大夫求利，为什么不让老百姓求利呢？老百姓求利，有多种途径，务农、经商、百工技艺。那为什么要抑商呢？这里，司马迁委婉地表达了他对抑商的不平。成语"熙来攘往"，或作"熙熙攘攘"，由此化出，形容人来人往，热闹非凡。天下的人，熙熙攘攘，都是为利而来，为利而往。(129/3256)

100【失之毫厘，差以千里】 语出《太史公自序》，司马迁引《易》之言。《礼记·经解》云："《易》曰："君子慎始，差若毫厘，缪以千里。"孔颖达疏云："此《易系辞》文也。"但今本系辞无此文，裴骃以为引自《易纬》，见《易纬·通卦验》。毫厘，长度单位，与"千里"相对，构成大与小的强烈对比。差，差错。有时微小的失误，会造成巨大的损失。(130/3298)

附录：史记中的成语①

汉语的历史悠久，成语十分丰富。据现在的研究表明，百分之八十的成语产生于宋以前，而宋以前，又以先秦两汉时代产生的成语为多。司马迁的《史记》是先秦文化的总结性巨著，其内容涉及政治、经济、军事、法律、科技、道德、宗教、民族、民俗、交通、文学、艺术等人类生活的各个方面，是我们今天研究古代各种各类专史的取之不尽、用之不竭的宝库。就古代汉语成语研究而言，《史记》也弥足珍贵，不可轻视，因为它是保存先秦以来历史成语最多的一部文化典籍。《史记》成语的数量，有一千多条，近年出版的《中国成语大辞典》等书收录的就多达六百余条，条例如下，以供读者参考。

四字成语

一飞冲天　一鸣惊人　一以当十　一车两马　一去不返
一死一生　一座皆惊　一字千金　一至于此　一言九鼎
一言半语　一时之利　一饭千金　一饭斗米　一举千里
一败涂地　一卒之会　一狐之腋　一国三公　一诺千金
一得之愚　一寒如此　一裘千金　一匡天下　一抔黄土
一意孤行　一钱不值　十家之产　丁公为臣　七日七夜
卜式输边　九鼎大吕　九牛一毛　人 之 祸　人心难测
人头畜鸣　人自为战　人弃我取　人微权轻　人人自危
人众胜天　土壤细流　大逆无道　八元八恺　八百诸侯

①此附录摘自《史记艺术论》第四章《史记的语言艺术》第三节，华文出版社2002年出版。作者俞樟华，浙江师范大学教授。排列以第一字的笔划数为序，四字以上成语列于末尾。

三寸之舌	三分鼎足	三跃击之	三千弟子	三千珠履
三令五申	三败之辱	三战三走	三户亡秦	万不失一
万人之敌	万死一生	土崩瓦解	大逆无道	大喜过望
大谬不然	切齿拊心	才气无双	乡曲之誉	千门万户
千秋万岁	千虑一失	千虑一得	千 里 马	千钧压卵
门可罗雀	门不夜关	飞 将 军	飞熊入梦	与世浮沉
义不取容	义不反顾	马上得之	马齿徒增	子虚乌有
王公大人	王侯将相	无可奈何	无为自化	无方之民
天府之国	天下无双	天下第一	天下汹汹	天高听卑
天道无亲	天冠地履	韦书三绝	云合雾集	五羖大夫
不厌糟糠	不名一钱	不值一钱	不测之祸	不成三瓦
不得要领	不经之谈	不绝如缕	不可胜数	不可胜道
不可胜言	不识大体	不讳之变	不食马肝	不约而同
不召自来	不足挂齿	不足与谋	不遗余力	不食周粟
不胜杯杓	不寒而栗	匹夫之勇	犬牙相制	犬牙盘石
中原逐鹿	日不暇给	日暮途远	以一当十	以古非今
比物连类	毛遂自荐	公车上书	分光之惠	分我杯羹
分庭抗礼	分陕之重	手足异处	长治久安	长揖不拜
长袖善舞	长颈鸟喙	化为乌有	父 母 国	毋望之福
瓦解云散	与世浮沉	飞英腾茂	乌有先生	乌 头 白
马 生 角	六出奇计	文君当垆	文君司马	文君新寡
文东武西	文身断发	文武并用	方枘圆凿	尺布斗粟
尺寸之地	尺寸之功	为法自弊	为德不卒	为民请命
心向往之	计深虑远	计将安出	火耕水耨	斗鸡走狗
引绳批根	以暴易暴	地广人稀	去就之分	失之子羽
水火不辞	功人功狗	石交之义	石室金匮	布衣之交
布衣黔首	节俭力行	本末相顺	东朝廷辩	东门黄犬
东市朝衣	左 右 手	左 右 袒	左支右绌	左提右挈
正襟危坐	平易近人	巧发奇中	乐而忘返	乐极生悲
乐善好施	甘言好辞	北面称臣	目论之见	目不见睫
目不窥园	目挑心招	目眦尽裂	田光洒血	申嘉拒温

四面楚歌	四分五裂	四战之地	四战之国	四通八达
四通五达	外宽内深	矢石之难	令人发指	纠合之众
白虹贯日	白驹过隙	白头如新	白鱼入舟	鸟尽弓藏
冯唐易老	主少国疑	宁成乳虎	头会箕敛	民不堪命
民不聊生	发踪指示	发扬蹈厉	发蒙振落	百二之势
百步穿杨	百发百中	刑措不用	存亡继绝	决胜千里
江东父老	扫门求见	匡危之灾	耳食之儒	耳食之言
死灰复燃	西河之痛	西狩获麟	因人成事	因祸为福
因势利导	网开一面	网漏吞舟	同心并力	同功一体
曲学阿世	曲终奏雅	回肠九转	吊死问疾	当断不断
肉袒负荆	肉袒面缚	著于竹帛	仰首伸眉	刎颈之交
杀身成名	价值连城	舌尚在否	舌卷齐城	负 郭 田
冢柏大矣	后来居上	名山事业	名不虚立	名声过实
舟中敌国	多多益善	先声后实	危于累卵	牝鸡之晨
伍员抉目	伍员鞭尸	杀妻求将	负荆请罪	负薪之病
负弩前驱	好学不倦	好学深思	各从其志	各自为战
优孟衣冠	夙兴夜寐	先发制人	朱轮华毂	使羊将狼
决一雌雄	决胜千里	衣不重彩	衣不完采	衣褐怀玉
衣绣夜行	汗马功劳	汗出沾背	安堵如故	讽一劝百
论功行封	论列是非	祁奚之举	妇人之仁	传檄而定
异军突起	纪信诳楚	阴陵失道	羽翼已成	连城之璧
远交近攻	两鼠斗穴	两虎相斗	扶轮推毂	批亢捣虚
克己奉公	杜口裹足	杜邮之戮	声名狼藉	赤地千里
赤县神州	劳苦功高	劳身焦思	形格势禁	旷日长久
时绌举嬴	吴市吹箫	助桀为虐	作法自毙	作壁上观
何见之晚	利口捷给	利析秋毫	兔死狗烹	所向披靡
贪夫徇财	贪生怕死	变化有时	变风易俗	变徵之声
变名易姓	兵挫地削	兵上神秘	兵相骀藉	每饭不忘
何足挂齿	身非挂齿	坐观成败	肝脑涂地	志高气扬
言人人殊	言听计从	灶上骚除	汹涌澎湃	沐猴而冠
沾沾自喜	定于一尊	卷土重来	削木为吏	岩穴之士

弃灰之刑	纸上谈兵	改过自新	鸡鸣狗盗	陈陈相因
附 骥 尾	妒贤嫉能	丧家之犬	杯盘狼藉	拨乱反正
招之不来	奋不顾身	卧理淮阳	卧薪尝胆	卧不安席
斩木揭竿	武断乡曲	奇正相生	奇货可居	虎而冠者
虎狼之国	明目张胆	明珠暗投	非熊非罴	国士无双
明修栈道	暗度陈仓	鱼腹丹书	佩紫怀黄	季札挂剑
贫女分光	河山带砺	闻所未闻	颂古非今	夜郎自大
背水为阵	弹铗无鱼	拾遗补阙	秋收冬藏	秋毫无犯
轻虑浅谋	留中不下	碌碌无为	美如冠玉	相君之背
相知恨晚	相引为重	相提并论	相持不下	相得益彰
拥彗先驱	青云直上	直言极谏	画地为牢	苟合取容
拔山盖世	拔旗易帜	择地而蹈	拘文牵俗	招摇过市
居官守法	忠言逆耳	昧死以闻	骨鲠大臣	咸阳一炬
指鹿为马	临江轴折	贵不可言	独当一面	便宜施行
重厚少文	首鼠两端	怒发冲冠	退避三舍	桐 叶 戏
素车白马	匿车下走	破釜沉舟	胶柱鼓瑟	怨入骨髓
胜任愉快	绝甘分少	急人之困	闻所未闻	冠履倒置
前倨后恭	养虎遗患	通人达才	废书而叹	浅见寡闻
视死如归	剖心析胆	嫁祸于人	腹诽心谤	胯下受辱
射石没羽	酒池肉林	披坚执锐	高阳酒徒	高材疾足
高屋建瓴	疾痛惨怛	家徒四壁	旁若无人	举鼎绝膑
举世混浊	举措失当	绨袍之义	随风靡靡	萧规曹随
曹社之谋	排难解纷	虚左以待	移木立信	鹿死谁手
敢死之士	落魄不羁	博浪飞椎	椎牛享士	泰山鸿毛
秦失其鹿	砥行立名	破觚为圜	掉三寸舌	掉臂不顾
琴心相挑	勤勤恳恳	趣舍有时	捧腹大笑	荦荦大者
面折廷争	救火扬沸	焚书坑儒	韩信囊河	铸山煮海
照乘之珠	睚眦必报	稠人广众	解衣推食	鼠窃狗盗
鲍鱼乱臭	数奇之命	雍齿封侯	辕 下 驹	管鲍之交
漆身吞炭	添兵减灶	童男童女	辕折车败	醇酒妇人
膝行而前	蹄问三寻	强本弱末	强本节用	崇论闳议

殊途同归　悔之无及　倒行逆施　倒置干戈　乘坚驱良
稳操左券　资怨助祸　善始善终　善善恶恶　兼容并包
羞与哙伍　救过不赡　救死扶伤　擢发难数　濮上之音
孺子可教　灌夫骂座　唯命是从　唯唯否否　情见势屈
偷合取容　脱颖而出　谈微言中　诸子百家　康庄大道
深文巧诋　深藏若虚　凌杂米盐　兽聚鸟散　博闻强志
翘足以待　辍食吐哺　喑呜叱咤　智尽能索　短小精悍
富埒天子　搏牛之虻　摇尾乞怜　锥处囊中　数见不鲜
意气自如　意气扬扬　歌功颂德　舞文弄法　彰明较著
雍容闲雅　靡靡之乐　暴戾恣睢　瞋目切齿　寡廉鲜耻
薄物细故　篝火狐鸣　熙熙攘攘　戴盆望天

四字以上成语

人为刀俎，我为鱼肉　　上蔡牵黄犬
无面目见江东父老　　无立锥之地
天子无戏言　　不可同年而语
不能赞一辞　　尺有所短，寸有所长
以貌取人，昂首信眉　　失之毫厘，谬以千里
平原十日饮　　老死不相往来
成也萧何，败也萧何　　争名于朝，争利于市
图穷匕首见　　贫贱者骄人
卑之无甚高论　　竖子不足与谋
项庄舞剑，意在沛公　　重足而立，侧目而视
知其一，不知其二　　顺之者昌，逆之者亡

《史记》中的成语，除了司马迁自己创制的外，许多都是从先秦和汉初典籍中继承过来的，如唯命是听、天道无亲、争名于朝、一匡天下、夙兴夜寐、一飞冲天、一日千里、刑措不用、无为自化、一狐之腋、疑事无功、智者千虑必有一失等，分别出自《左传》、《国语》、《国策》、《论语》、《诗经》、《韩非子》、《庄子》、《荀子》、《老子》、《慎子》、《商君书》、《晏子春秋》等 12 部著作之中，说明司马迁写史时，取材甚广。这只是随手

举出的例子，类似的成语还可以举出很多很多。司马迁把先秦时代的众多成语写入《史记》之中，主观上自然出于写人叙事的需要，但客观上却起到了保存历史成语，丰富汉语词汇的效果，同时也为我们今天探索成语来源提供了充实的材料，意义极为重要。